ΕΞΕΛΙΞΗ & ΚΟΙΝΩΝΙΚΕΣ ΕΠΙΣΤΗΜΕΣ
ΔΙΕΥΘΥΝΣΗ ΣΕΙΡΑΣ
ΔΗΜΗΤΡΗΣ ΠΟΤΑΜΙΑΝΟΣ

• • •

ΡΟΜΠΕΡΤ ΦΡΑΝΚ
Τα πάθη της λογικής

ΡΟΜΠΕΡΤ ΦΡΑΝΚ

ΤΑ ΠΑΘΗ ΤΗΣ ΛΟΓΙΚΗΣ

ΜΕΤΑΦΡΑΣΗ ΑΠΟ ΤΑ ΑΓΓΛΙΚΑ
ΛΙΛΥ ΕΞΑΡΧΟΠΟΥΛΟΥ

ΕΠΙΜΕΛΕΙΑ ΤΗΣ ΜΕΤΑΦΡΑΣΗΣ
ΑΛΕΞΑΝΔΡΑ ΠΑΠΑΘΑΝΑΣΟΠΟΥΛΟΥ

ΕΚΔΟΣΕΙΣ ΚΑΣΤΑΝΙΩΤΗ
ΑΘΗΝΑ 1999

ΤΙΤΛΟΣ ΠΡΩΤΟΤΥΠΟΥ: Robert H. Frank, *Passions within reason*

ΕΚΔΟΣΕΙΣ ΚΑΣΤΑΝΙΩΤΗ Α.Ε.
Ζαλόγγου 11, 106 78 Αθήνα
☎ 330.12.08 – 330.13.27 FAX: 384.24.31
e-mail: info@kastaniotis.com
www.kastaniotis.com

ISBN 960-03-2443-3

ΠΕΡΙΕΧΟΜΕΝΑ

Το στόμα μπορεί να ψεύδεται, αλλά ο μορφασμός
που συνοδεύει το ψέμα λέει την αλήθεια.

ΝΙΤΣΕ

Η άκρατη ιδιοτέλεια είναι πολύ κακός σύμβουλος
για τα ίδια της τα συμφέροντα· και όσο παράδοξο
κι αν φαίνεται, είναι οπωσδήποτε αλήθεια ότι ακόμα
και για λόγους φιλαυτίας πρέπει να προσπαθούμε
να ξεπεράσουμε κάθε άμετρο ... ενδιαφέρον.

ΤΖΟΖΕΦ ΜΠΑΤΛΕΡ

ΕΙΣΑΓΩΓΗ

Τα τελευταια χρόνια, το μήνυμα των συμπεριφοριστών θα μπορούσε να συνοψιστεί στο ότι οι άνθρωποι είναι κατά βάση εγωιστές. Οι βιολόγοι ισχυρίζονται ότι η συμπεριφορά διαμορφώνεται, σε τελευταία ανάλυση, από τις υλικές απολαβές και ότι οι συνεχείς πιέσεις της φυσικής επιλογής θα ξεσκαρτάρουν κάθε οργανισμό που παραβλέπει τις ευκαιρίες για προσωπικό κέρδος. Οι ψυχολόγοι επιβεβαιώνουν αυτή την άποψη, επισημαίνοντας τον κυριαρχικό ρόλο των υλικών ανταμοιβών στη μαθησιακή διαδικασία. Οι οικονομολόγοι, από την πλευρά τους, διατυμπανίζουν τη δύναμη του ατομικού συμφέροντος για να εξηγήσουν και να προβλέψουν συμπεριφορές όχι μόνο στον κόσμο του εμπορίου, αλλά και στο ευρύτερο πλέγμα των προσωπικών σχέσεων.

Είναι ωστόσο γεγονός ότι υπάρχουν πολλοί άνθρωποι που δεν χωράνε στο γελοιογραφικό καλούπι του «πάνω απ' όλα ο εαυτούλης μου». Προσφέρουν ανωνύμως σε δημόσιους τηλεοπτικούς σταθμούς και σε ιδιωτικούς φιλανθρωπικούς οργανισμούς. Προσφέρουν μυελό από τα οστά τους σε αγνώστους που πάσχουν από λευχαιμία. Μπαίνουν σε πολύ κόπο και πολλά έξοδα για να αποδοθεί δικαιοσύνη, έστω κι αν αυτό δεν μπορεί πια να επανορθώσει το κακό που έγινε. Διακινδυνεύουν την ίδια τους τη ζωή για να βγάλουν ανθρώπους από φλεγόμενα κτήρια και πηδάνε μέσα σε παγωμένα ποτάμια για να σώσουν ανθρώπους που κινδυνεύουν να πνιγούν. Στρατιώτες πέφτουν πάνω σε οπλισμένες χειροβομβίδες για να σώσουν τους συντρόφους τους. Κάτω από το πρίσμα της σύγχρονης θεωρίας του ατομικού συμφέροντος, οι άνθρωποι αυτοί και οι συμπεριφορές τους είναι ένα φαινόμενο εντελώς αδιανόητο, κάτι σαν πλανήτες που ακολουθούν τετράγωνες τροχιές.

Σ' αυτό το βιβλίο χρησιμοποιώ μια οικονομική αντίληψη για να δείξω ότι οι ευγενείς ανθρώπινες τάσεις ίσως δεν είναι κάτι που α-πλώς επιβίωσε των πιέσεων του υλικού κόσμου, αλλά, αντιθέτως, κά-τι που σφυρηλατήθηκε απ' αυτές. Αυτή η άποψη στηρίζεται στο εξής παράδοξο: ότι σε πολλές περιπτώσεις η συνειδητή επιδίωξη του ατο-μικού συμφέροντος παρεμποδίζει την επίτευξή του. Όλοι ξέρουμε ότι κάποιος που προσπαθεί να είναι αυθόρμητος δεν πρόκειται ποτέ να το καταφέρει. Με την ίδια λογική θα επιχειρήσω να αποδείξω ότι κά-ποιος που επιδιώκει αποκλειστικά το ατομικό του συμφέρον είναι κα-ταδικασμένος να μην το επιτύχει.

Η ουσία του προβλήματος γίνεται σαφής με το εξής απλό παρά-δειγμα: Ο Τζόουνς έχει έναν δερμάτινο χαρτοφύλακα 200 δολαρίων που ο Σμιθ εποφθαλμιά. Εάν ο Σμιθ κλέψει τον χαρτοφύλακα, ο Τζόουνς πρέπει να αποφασίσει εάν θα υποβάλει μήνυση. Εάν ο Τζόουνς υ-ποβάλει τη μήνυση, θα ακολουθήσει δίκη. Ο Τζόουνς θα πάρει πίσω τον χαρτοφύλακά του και ο Σμιθ θα περάσει 60 μέρες στη φυλακή. Αλ-λά η ημέρα που θα περάσει ο Τζόουνς στο δικαστήριο θα του στοιχί-σει 300 δολάρια σε απολεσθέντα κέρδη. (Για να βγάλουμε από τη μέ-ση μια φανερή επιπλοκή, ας υποθέσουμε ότι ο Τζόουνς πρόκειται να μετακομίσει σε κάποια μακρινή πόλη, οπότε δεν υπάρχει λόγος να υιο-θετήσει σκληρή στάση για να αποτρέψει κάποια μελλοντική κλοπή.) Κατά συνέπεια, εάν ο Σμιθ γνωρίζει ότι ο Τζόουνς είναι ένας απολύ-τως λογικός άνθρωπος που σκέφτεται το συμφέρον του, έχει το ελεύ-θερο να κλέψει τον χαρτοφύλακα χωρίς συνέπειες. Ο Τζόουνς ίσως α-πειλήσει ότι θα τον μηνύσει, αλλά η απειλή του θα είναι άνευ αξίας.

Ας υποθέσουμε όμως ότι ο Τζόουνς δεν είναι απολύτως ορθο-λογιστής. Ότι, έτσι και ο Σμιθ κλέψει τον χαρτοφύλακά του, θα εξα-γριωθεί και δεν τον νοιάζει καθόλου αν θα χάσει τα κέρδη μιας ημέρας ή ακόμα και μιας εβδομάδας, προκειμένου να αποδοθεί δικαιοσύνη. Εάν ο Σμιθ ξέρει ότι ο Τζόουνς θα δράσει με γνώμονα τα συναισθήματα και όχι τη λογική, δεν θα του κλέψει τον χαρτοφύλακα. Όσο πιο αναμενό-μενο είναι ότι θα αντιδράσουμε ανορθολογικά στην κλοπή της περιου-σίας μας, τόσο λιγότερο αναγκαίο γίνεται για εμάς, κι αυτό επειδή οι άλλοι ξέρουν ότι δεν τους συμφέρει να μας κλέψουν. Η προδιάθεση για παράλογη απόκριση λειτουργεί σ' αυτή την περίπτωση πολύ καλύτερα από τις μονόφθαλμες επιταγές του ατομικού συμφέροντος.

Το πρόβλημα που αντιμετωπίζουν οι συμφεροντολόγοι δεν περιορίζεται σε καταστάσεις όπου χρειάζεται να αναχαιτίσουν την επιθετικότητα. Συμπεριλαμβάνει επίσης και όλες τις δουλειές που απαιτούν εμπιστοσύνη, στις οποίες αποφεύγουμε κατά το δυνατόν τους συμφεροντολόγους και προτιμάμε εκείνους που θεωρούμε έντιμους. Επεκτείνεται επίσης σε καταστάσεις που απαιτούν διαπραγματεύσεις. Σ' αυτές τις περιπτώσεις, οι αμιγώς εγωιστές είναι κατά κανόνα λιγότερο αποτελεσματικοί από εκείνους που έχουν ισχυρές συναισθηματικές δεσμεύσεις στους κανόνες του δικαίου. Και, τέλος, διαχέεται σε όλη την περιοχή των προσωπικών σχέσεων, όπου οι εγωιστές τα πάνε συνήθως άσχημα, ακόμα και με καθαρά υλικά κριτήρια, σε αντίθεση μ' αυτούς που έχουν ως κύριο κίνητρο την αγάπη και τη συμπόνια.

Οι απόψεις περί ανθρώπινης φύσεως δεν είναι μόνο αντικείμενο διαμάχης μεταξύ των επιστημόνων της συμπεριφοράς. Έχουν επίσης σημαντικές πρακτικές συνέπειες. Επηρεάζουν τη στρατηγική που ακολουθεί μια εταιρεία όταν προσλαμβάνει εργαζόμενους των οποίων τα καθήκοντα είναι δύσκολο να ελέγξει, τον τρόπο που διαπραγματεύεται με τα συνδικάτα της, ακόμα και το πώς καθορίζει τις τιμές της. Επίσης έχουν σοβαρές επιπτώσεις στην κυβερνητική πολιτική – στους χειρισμούς της εξωτερικής πολιτικής, στον σχεδιασμό και το εύρος των οικονομικών ρυθμίσεων, στη διάρθρωση της φορολογίας. Στην προσωπική μας ζωή επηρεάζουν τον τρόπο που διαλέγουμε συντρόφους και δουλειές, πώς ξοδεύουμε τα εισοδήματά μας και τον βαθμό στον οποίο βασιζόμαστε στα επίσημα συμβόλαια.

Αλλά το πιο σημαντικό είναι ότι οι πεποιθήσεις μας για την ανθρώπινη φύση συμβάλλουν στη διαμόρφωση της ίδιας της ανθρώπινης φύσης. Αυτό που πιστεύουμε για τους εαυτούς μας και τις δυνατότητές μας καθορίζει αυτό που επιδιώκουμε να γίνουμε· διαμορφώνει επίσης αυτό που διδάσκουμε στα παιδιά μας, τόσο στο σπίτι, όσο και στα σχολεία. Σ' αυτό το σημείο, οι ολέθριες επιπτώσεις της θεωρίας του ατομικού συμφέροντος είναι εξαιρετικά ανησυχητικές. Μας λένε ότι η ηθική συμπεριφορά σημαίνει ότι παροτρύνουμε τους άλλους να μας εκμεταλλευτούν. Ενθαρρύνοντάς μας να περιμένουμε το χειρότερο από τους άλλους, αναδεικνύουν τον χειρότερο εαυτό μας: Τρέμοντας τον ρόλο του κορόιδου, είμαστε πολλές φορές πρόθυμοι να φιμώσουμε τα ευγενέστερα ένστικτά μας.

Θα δούμε ότι η σύγχρονη παραδοχή περί αυστηρής τιμωρίας της ηθικής συμπεριφοράς δεν στηρίζεται πουθενά. Δεν ισχυρίζομαι ό-τι η ιδιοτέλεια είναι ένα ασήμαντο ανθρώπινο κίνητρο· λέω όμως ότι οι υλικές δυνάμεις αφήνουν αρκετό χώρο, και μάλιστα πολύ μεγάλο χώρο, και για πολύ ευγενέστερα κίνητρα. Γνωρίζαμε πάντοτε ότι η κοινωνία στο σύνολό της ευημερεί όταν οι άνθρωποι σέβονται τα νό-μιμα συμφέροντα των άλλων. Εκείνο όμως που δεν έχει γίνει σαφές, ιδιαίτερα για τους σύγχρονους συμπεριφοριστές, είναι ότι η ηθική συ-μπεριφορά αποφέρει συχνά υλικά οφέλη στα άτομα που συμπεριφέ-ρονται ηθικά.

Το γεγονός πως υπάρχουν τέτοιου είδους οφέλη είναι μια εξαι-ρετικά ενδιαφέρουσα είδηση. Κυρίως εξαιτίας της επιρροής του μο-ντέλου του ατομικού συμφέροντος, οι δεσμοί εμπιστοσύνης υπέστη-σαν σοβαρό πλήγμα τα τελευταία χρόνια. Η βαθύτερη ελπίδα μου ό-ταν έγραφα αυτό το βιβλίο ήταν ότι μπορεί να ενθαρρύνει τους αν-θρώπους να ενδιαφέρονται περισσότερο για τα συμφέροντα των άλ-λων. Εάν το κατορθώσει αυτό έστω και σε ένα άτομο, τότε η προσπά-θεια άξιζε τον κόπο.

ΕΥΧΑΡΙΣΤΙΕΣ

Σε μια εργασία που έγραψα τον χειμώνα του 1981, ανέπτυξα για πρώτη φορά μια πρόχειρη εκδοχή της άποψης ότι η συναισθηματική προδιάθεση μπορεί να αποτελέσει πλεονέκτημα. Ωστόσο δεν είχα κατανοήσει όλη την έκταση των επιπτώσεών της μέχρι το 1984. Εκείνη την εποχή πίστευα, με χαρακτηριστικά αφελή αισιοδοξία, ότι είχα βρει κάτι πρωτότυπο και εξαιρετικά σημαντικό. Ακόμα πιστεύω ότι αυτή η άποψη είναι σημαντική, αλλά έχω εγκαταλείψει προ πολλού πάσα ψευδαίσθηση ότι ήμουν ο πρώτος που το κατάλαβε. Το ότι βασίζεται στο *The Strategy of Conflict* (1960), ένα βιβλίο του Thomas Schelling, το ήξερα από την αρχή. Αυτό όμως που δεν γνώριζα αρχικά είναι ό-τι ο Schelling είχε ήδη εισηγηθεί και τις λεπτότερες προεκτάσεις του θέματος, που πίστευα ότι ήταν δικές μου, σε μια μονοσέλιδη εργασία που δημοσιεύτηκε το 1978. Στα 1983 ο George Akerlof δημοσίευσε μια ακόμα πιο σαφή και ολοκληρωμένη διατύπωση αυτής της προσέγγισης. Έναν χρόνο αργότερα ο Jack Hirshleifer έγραψε μια εργασία που φώτισε νέες πτυχές του θέματος. Ο Amartya Sen κατέδειξε τα πλεονεκτήματα της παράλογης συμπεριφοράς σε μια εργασία του 1985. Και, επίσης το 1985, ο David Gauthier δημοσίευσε μια εμβριθή μελέτη πάνω σε μια σειρά από συναφή θέματα. Εάν η άποψη ότι οι παράλογες προδιαθέσεις μπορούν να αποβούν πλεονεκτικές αποδειχθεί σημαίνουσα, αυτοί οι συγγραφείς δικαιούνται πλήρες μερίδιο στον έπαινο.

Για να είναι αποδοτικές αυτού του τύπου οι προδιαθέσεις, πρέπει οι άλλοι να είναι ικανοί να διακρίνουν ότι τις έχουμε. Παρότι το ζήτημα του κατά πόσο τις διακρίνουν και με ποιον τρόπο τις διακρίνουν είναι υψίστης σημασίας, κανείς από τους προαναφερθέντες συγγραφείς δεν το προχώρησε. Όταν ξεκίνησα να δουλεύω σοβαρά πάνω σ' αυτό το θέμα, στα 1985, ήταν ακόμη ασαφές εάν τα διάφορα μέρη θα συνδέονταν και θα δημιουργούσαν ένα ενιαίο σύνολο. Εάν αυτό το βιβλίο λέει εν τέλει κάτι καινούριο, αυτό είναι ότι τα επιμέρους θέματα συνδέονται πράγματι μεταξύ τους. Για το βιβλίο αυτό οφείλω να ευχαριστήσω περισσότερους ανθρώπους απ' ό,τι συνήθως. Θέλω να ευχαριστήσω ιδιαιτέρως τον Larry Seidman για τα οξυδερκή του σχόλια και την ενθουσιώδη ενθάρρυνση στα αλλεπάλληλα αρχικά σκαριφήματα. Επίσης με ωφέλησαν πολύ οι προτάσεις και η υποστήριξη πάρα πολλών φίλων, συναδέλφων και αλληλογράφων, τόσο που είναι ματαιοπονία να προσπαθήσω να τους θυμηθώ όλους. Ζητώντας εκ των προτέρων συγγνώμη από αυτούς που θα παραλείψω, ευχαριστώ θερμά τους George Akerlof, Robert Axelrod, Philip Cook, Jon Elster, Stephen Emlen, Tom Gilovich, Henry Hansmann, Robert Heilbroner, Richard Herrnstein, Jack Hirshleifer, Laurence Iannacone, Martin Kilduff, Hartmut Kliemt, Simon Levin, George Loewenstein, Andy McLennan, Douglas Mook, Christopher Morris, Dennis Regan, Elisabeth Adkins Regan, John Robertson, Thomas Schelling, Nicholas Sturgeon, Richard Thaler, Robert Trivers, Gordon Winston και Richard Zeckhauser. Επίσης θα ήθελα να εκφράσω τις ευχαριστίες μου στο Ίδρυμα Εθνικών Επιστημών, το οποίο επιχορήγησε μεγάλο μέρος της έρευνάς μου. (Οι συγκεκριμένες χορηγίες ήταν οι SES-8707492 και SES-8605829.)

Τέλος, ευχαριστώ τους Drake McFeely, Donald Lamm, Avery Hudson και πολλούς συναδέλφους τους από τον εκδοτικό οίκο Norton, οι οποίοι έκαναν πάρα πολλά για τη βελτίωση αυτού του βιβλίου.

ΚΕΦΑΛΑΙΟ ΕΝΑ
ΠΕΡΑ ΑΠΟ ΤΟ ΑΤΟΜΙΚΟ ΣΥΜΦΕΡΟΝ

Η ΑΙΜΑΤΗΡΗ βεντέτα μεταξύ των Χάτφιλντ και των ΜακΚόυ άρχισε πριν από έναν αιώνα και κάτι. Η βεντέτα αυτή διαδραματίστηκε στο μακρινό ορεινό σύνορο μεταξύ Κεντάκι και Δυτικής Βιρτζίνια και διήρκεσε πάνω από 35 χρόνια. Ακόμα και σήμερα κανείς δεν είναι σίγουρος για το πώς ακριβώς ξεκίνησε. Από τη στιγμή όμως που ξεκίνησε, ακολούθησε το πρότυπο των εναλλασσόμενων επιθέσεων, όπου η κάθε επίθεση είχε τον χαρακτήρα αντεκδίκησης για την προηγούμενη επίθεση και ταυτοχρόνως προκαλούσε την επόμενη.

Το βράδυ της Πρωτοχρονιάς του 1888, οι Χάτφιλντ επιχείρησαν να σταματήσουν μια για πάντα τη βεντέτα, σκοτώνοντας όλα τα εναπομείναντα μέλη του βασικού κλάδου της οικογένειας ΜακΚόυ. Με αρχηγό τον Τζέιμς Βανς, έβαλαν φωτιά στο αγρόκτημα των ΜακΚόυ, με σκοπό να πυροβολήσουν τους ΜακΚόυ καθώς θα έβγαιναν έξω για να γλυτώσουν. Η νεαρή Άλιφερ ΜακΚόυ, το πρώτο άτομο που εμφανίστηκε στην πόρτα της κουζίνας, ήταν και η πρώτη απώλεια.

Μόλις αντιλήφθηκε ότι πυροβόλησαν την Άλιφερ, η Σάρα ΜακΚόυ, η μητέρα της, έτρεξε στην πίσω πόρτα ... και άρχισε να κατευθύνεται προς την κόρη της που πέθαινε. Ο Βανς προχώρησε προς το μέρος της και τη χτύπησε με τον υποκόπανο του όπλου του. Η Σάρα έμεινε για λίγο πεσμένη στο παγωμένο έδαφος, ζαλισμένη, βογγώντας και κλαίγοντας. Τελικά σηκώθηκε στα τέσσερα και προσπάθησε να συρθεί ως την Άλιφερ. ... ικέτευε τους εισβολείς: «Για όνομα του Θεού, αφήστε με να πάω στην κόρη μου». Μετά, μόλις συνειδητοποίησε την κατάσταση, φώναξε: «Αχ, πέθανε. Για τον Θεό, αφήστε με να πάω κοντά της». Η Σάρα άπλωσε το χέρι της και σχεδόν άγγιξε τα πόδια της Άλιφερ. Στο πλατύσκαλο όπου ήταν πεσμένη η Άλιφερ, έτρεχε το αίμα από τις πληγές της κοπέλας. Ο Τζόνσε [Χάτφιλντ], που ακουμπούσε στην έξω μεριά του τοίχου της κουζίνας, έβγαλε το πιστόλι του και χτύπησε δυνατά το κρανίο της Σάρας. Η Σάρα έχασε τις αισθήσεις της και έπεσε κάτω.[1]

Παρότι η Άλιφερ και ο αδελφός της Κάλβιν σκοτώθηκαν και η μητέρα της και άλλα μέλη της οικογένειας τραυματίστηκαν σοβαρά, η επίθεση των Χάτφιλντ απέτυχε. Ο Ράντολφ ΜακΚόυ, ο πατέρας της Άλιφερ, ήταν μεταξύ αυτών που ξέφυγαν.

Στα Απαλάχια όρη του δεκάτου ενάτου αιώνα, ελάχιστοι πολίτες πίστευαν στη δύναμη του νόμου να επιλύσει τις διαφορές τους. Έτσι δεν μας εκπλήσσει ότι ο κύριος σκοπός του Ράντολφ και των λοιπών ΜακΚόυ στα επόμενα χρόνια ήταν να σκοτώσουν όσο το δυνατόν περισσότερους από τους επιζήσαντες Χάτφιλντ. Προτού σταματήσουν τελικά οι εχθροπραξίες, αρκετά ακόμα μέλη και από τις δύο οικογένειες έχασαν τη ζωή τους.

Εκεί όπου η ισχύς του νόμου είναι περιορισμένη, οι κύκλοι των εκδικήσεων και αντεκδικήσεων είναι συνηθισμένο φαινόμενο. Στις μέρες μας είναι διάχυτο στη Μέση Ανατολή, ενώ διατρέχει ολόκληρη την ιστορία του ανθρώπου. Ίσως ελάχιστοι από εμάς δεν έχουν αισθανθεί κάποια στιγμή στη ζωή τους την έντονη παρόρμηση να εκδικηθούν. Και παρ' όλα αυτά, οι συνέπειες αυτής της παρόρμησης είναι συχνά καταστροφικές. Οι ΜακΚόυ ή οι Χάτφιλντ θα μπορούσαν να έχουν τελειώσει τον κύκλο της βίας οποιαδήποτε στιγμή, εάν δεν αντεκδικούνταν για την πλέον πρόσφατη επίθεση. Σε κάθε κρίσιμη στιγμή ήταν βέβαιο ότι τα αντίποινα θα είχαν ως αποτέλεσμα έναν ακόμα γύρο αίματος. Παρά ταύτα, συνεχίστηκαν για τέσσερις δεκαετίες σχεδόν.

Τι προκαλεί αυτού του είδους τη συμπεριφορά; Σίγουρα όχι μία ψύχραιμη, συμφεροντολογική εκτίμηση. Εάν η λογική πράξη είναι αυτή που προωθεί τα συμφέροντα του δρώντος,* είναι εξαιρετικά παράλογο να αντεκδικείται κανείς όταν το κόστος είναι τόσο καταστροφικό.

---

* Οι ορισμοί για το τι είναι λογικό είναι σχεδόν ισάριθμοι με τους ανθρώπους που έχουν γράψει γι' αυτό το θέμα. Πολλοί συγγραφείς (για παράδειγμα ο Harsanyi, 1977) το ορίζουν ως τη χρησιμοποίηση αποτελεσματικών μέσων για την επιδίωξη κάποιου δεδομένου σκοπού (ασχέτως πόσο καταστροφικός μπορεί να είναι αυτός ο σκο-

Η αυτοκαταστροφική επιδίωξη της εκδίκησης δεν είναι η μοναδική περίπτωση όπου περιφρονούμε τα στενά εγωιστικά συμφέροντά μας. Βγαίνουμε από το σπίτι μας με χιονοθύελλες για να πάμε να ψηφίσουμε, ακόμα κι όταν είμαστε βέβαιοι ότι η ψήφος μας δεν πρόκειται να αλλάξει την κατάσταση. Αφήνουμε φιλοδωρήματα σε ε-στιατόρια μακρινών πόλεων που δεν πρόκειται να επισκεφθούμε ξανά. Κάνουμε ανώνυμες δωρεές σε ιδιωτικά φιλανθρωπικά ιδρύματα. Δεν υποκύπτουμε πολλές φορές στον πειρασμό να ξεγελάσουμε τους άλλους, ακόμα κι όταν είμαστε βέβαιοι ότι η πράξη μας δεν θα μαθευτεί. Μερικές φορές εγκαταλείπουμε επικερδείς συναλλαγές επειδή θεωρούμε ότι οι όροι είναι «άδικοι». Μπλεκόμαστε με την ατέλειωτη γραφειοκρατία για να έχουμε επιστροφή 10 δολαρίων από κάποιο ε-λαττωματικό προϊόν. Και ούτω καθεξής.

Τέτοιου είδους συμπεριφορά αποτελεί βασική πρόκληση για ό-σους πιστεύουν ότι, σε γενικές γραμμές, οι άνθρωποι επιδιώκουν το συμφέρον τους. Οι φιλόσοφοι, οι βιολόγοι, οι οικονομολόγοι και άλ-λοι επιστήμονες έχουν καταναλώσει πολλή ενέργεια στην προσπάθεια ερμηνείας αυτής της συμπεριφοράς. Οι εξηγήσεις τους επικαλούνται συνήθως κάποιο επικουρικό κέρδος που υποκρύπτεται πίσω από τη φαινομενικά παράλογη πράξη. Οι βιολόγοι, για παράδειγμα, μας λέ-νε ότι μια γυναίκα μπορεί να δώσει τη ζωή της για να σώσει αρκετούς από τους στενούς συγγενείς της και, μ' αυτό τον τρόπο, να αυξήσει το ποσοστό επιβίωσης των γονιδίων που είναι όμοια με τα δικά της. Οι οικονομολόγοι μάς εξηγούν ότι δεν είναι διόλου παράλογη η πρακτι-κή της Φορολογικής Υπηρεσίας του υπουργείου που δαπανά 100.000 δολάρια για να μηνύσει κάποιον που χρωστά 100 δολάρια φόρο, διό-τι μ' αυτή την πρακτική προάγει τη γενικότερη συμμόρφωση με τους φορολογικούς νόμους.

Πάρα πολλές φορές ωστόσο είναι φανερό ότι δεν υπάρχουν τέ-

πός). Με αυτό το μέτρο, μπορούμε να αποκαλέσουμε λογική ακόμα και την αιματηρό-τερη οικογενειακή βεντέτα (εάν το κυρίαρχο κίνητρο των εμπλεκομένων ήταν απλώς να πάρουν εκδίκηση για την τελευταία πρόκληση). Αντιθέτως, σ' αυτό το βιβλίο θα χρησιμοποιώ τους όρους *λογική συμπεριφορά* και *συμπεριφορά ατομικού συμφέρο-ντος* σαν να σημαίνουν το ίδιο πράγμα. Είναι περιττό να πω ότι κανένας σημαντικός λόγος δεν επιβάλλει την επιλογή αυτών των ορισμών.

τοια επικουρικά οφέλη. Ο πόλεμος μεταξύ των Βρετανών και των Αργεντινών για τα νησιά Φόκλαντ είναι καθαρά μια τέτοια περίπτωση. Ο Αργεντινός συγγραφέας Χόρχε Λουίς Μπόρχες τον παρομοίασε με δυο φαλακρούς που πολεμούν για μια τσατσάρα. Και οι δυο πλευρές γνώριζαν πάρα πολύ καλά ότι τα ανεμοδαρμένα, απομονωμένα νησιά δεν είχαν σχεδόν καμιά οικονομική ή στρατηγική σημασία. Ίσως σε κάποιες παλαιότερες εποχές να ήταν λογικό για τους Βρετανούς να υπερασπιστούν αυτά τα νησιά ως μέσο αποτροπής της επιθετικότητας εναντίον άλλων, πιο πολύτιμων, κτήσεων της διάσπαρτης αυτοκρατορίας τους. Όμως σήμερα δεν υπάρχει αυτή η αυτοκρατορία για να την προστατεύσουν. Με πολύ λιγότερα χρήματα από ό-σα ξόδεψαν οι Βρετανοί στη διαμάχη, θα μπορούσαν να είχαν δώσει σε κάθε κάτοικο των Φόκλαντ ένα σκοτσέζικο κάστρο και να του είχαν χορηγήσει μια γενναιόδωρη ισόβια σύνταξη. Παρ' όλα αυτά, ε-λάχιστοι Βρετανοί πολίτες έχουν μετανιώσει για τον πόλεμο της Βρετανίας με τους Αργεντινούς.

Πολλές πράξεις που γίνονται σκόπιμα και με πλήρη επίγνωση των συνεπειών τους είναι παράλογες. Εάν οι άνθρωποι δεν τις έπρατταν, θα ήταν καλύτερα γι' αυτούς και το ξέρουν. Έχουν γραφτεί πολλά για την τάση των παθών και άλλων κινήτρων εξωλογικής προέλευσης να παρεμποδίζουν τη λογική επιδίωξη του ατομικού συμφέροντος.[2] Το μήνυμα της σχετικής βιβλιογραφίας λέει ότι τα πάθη είναι πάντοτε κάτι που θα ήταν προτιμότερο να ελέγχουμε.

Ο δικός μου ισχυρισμός, αντιθέτως, είναι ότι πολλές φορές τα πάθη εξυπηρετούν τα συμφέροντά μας στην εντέλεια. Η φαινομενική αντίφαση δεν οφείλεται σε κάποια κρυφά κέρδη που προέρχονται α-πό τις ίδιες τις εν θερμώ πράξεις, αλλά στο ότι αντιμετωπίζουμε σημαντικά προβλήματα που απλώς δεν μπορούν να λυθούν με λογικές ενέργειες. Το κοινό στοιχείο αυτών των προβλημάτων είναι ότι, για να τα επιλύσουμε, πρέπει να δεσμευτούμε να συμπεριφερθούμε με τρό-πους που μπορεί αργότερα να αποδειχθούν αντίθετοι προς τα συμφέ-ροντά μας.

Το θέμα της δέσμευσης

Ο Thomas Schelling[3] μας δίνει μια παραστατική εικόνα των ζητημάτων αυτής της μορφής. Περιγράφει έναν απαγωγέα που ξαφνικά δειλιάζει. Θέλει να απελευθερώσει το θύμα του, αλλά φοβάται ότι το θύμα θα πάει στην αστυνομία. Για να επιτύχει την ελευθερία του, το θύμα υπόσχεται ευχαρίστως ότι δεν θα κάνει κάτι τέτοιο. Το πρόβλημα ωστόσο είναι πως και οι δύο αντιλαμβάνονται ότι, από τη στιγμή που το θύμα θα ελευθερωθεί, δεν θα το συμφέρει πια να κρατήσει την υπόσχεσή του. Κι έτσι ο απαγωγέας καταλήγει, θέλοντας και μη, στην απόφαση να το σκοτώσει.

Ο Schelling προτείνει τον ακόλουθο τρόπο για να ξεπεραστεί το δίλημμα: «Εάν το θύμα έχει διαπράξει μια ενέργεια που η αποκάλυψή της θα οδηγούσε σε εκβιασμό, πρέπει να την ομολογήσει· εάν όχι, μπορεί να τη διαπράξει μπροστά στον θύτη του, για να δημιουργήσει έναν δεσμό που θα διασφαλίζει τη σιωπή του».[4] (Το θύμα επιτρέπει, ας πούμε, στον απαγωγέα να το φωτογραφίσει στη διάρκεια μιας εξαιρετικά ταπεινωτικής πράξης.) Η εκβιάσιμη πράξη λειτουργεί στην προκειμένη περίπτωση ως *μηχανισμός δέσμευσης*, κάτι που παρέχει στο θύμα ένα κίνητρο για να κρατήσει τον λόγο του. Μόλις ελευθερωθεί, αυτό θα του είναι βέβαια δυσάρεστο, αλλά οπωσδήποτε λιγότερο δυσάρεστο από το να μην μπορεί να δώσει μια αξιόπιστη υπόσχεση για να ελευθερωθεί.

Στις καθημερινές οικονομικές και κοινωνικές συναλλαγές, ερχόμαστε συνεχώς αντιμέτωποι με *προβλήματα δέσμευσης* σαν αυτό που αντιμετωπίζουν ο απαγωγέας και το θύμα του Schelling. Ο δικός μου ισχυρισμός είναι ότι υπάρχουν συγκεκριμένα συναισθήματα που λειτουργούν ως μηχανισμοί δέσμευσης και βοηθούν στην επίλυση παρόμοιων διλημμάτων.

Αναλογιστείτε ένα άτομο που απειλεί να εκδικηθεί οποιονδήποτε τον βλάψει. Για να λειτουργήσει αποτρεπτικά η απειλή του, πρέπει οι άλλοι να πιστεύουν ότι θα την πραγματοποιήσει. Εάν όμως οι άλλοι γνωρίζουν ότι το κόστος της εκδίκησης είναι απαγορευτικό, θα καταλάβουν ότι πρόκειται για ψεύτικη απειλή. Εκτός βεβαίως και εάν πιστεύουν ότι συναλλάσσονται με κάποιον που ψοφάει για εκδίκηση. Ένα τέτοιο άτομο μπορεί να ανταποδώσει το χτύπημα ακόμα και αν η εκδίκηση είναι υλικά ασύμφορη γι' αυτόν. Εάν όμως είναι γνωστό εκ των προτέρων ότι έχει αυτή την προδιάθεση, τότε είναι μάλλον απίθανο να τον δοκιμάσουν με κάποια εχθρική ενέργεια.

Αντίστοιχα, ένα άτομο που είναι γνωστό ότι «δεν σηκώνει» άδικες συναλλαγές μπορεί αξιόπιστα να απειλήσει ότι θα τις διακόψει, ακόμα κι αν η στενή ιδιοτέλειά του επιτάσσει να τις αποδεχθεί. Επειδή είναι γνωστό ότι προτιμά κάτι τέτοιο, γίνεται πιο αποτελεσματικός διαπραγματευτής.

Αναλογιστείτε επίσης ένα άτομο που νιώθει άσχημα όταν ξεγελά κάποιον. Αυτά τα συναισθήματα του προσδίδουν αυτό που αδυνατεί να του προσδώσει η λογική εκτίμηση του ατομικού συμφέροντος – δηλαδή μπορούν να το κάνουν να συμπεριφερθεί έντιμα ακόμα κι όταν γνωρίζει ότι δεν θα μαθευτεί η απάτη. Και εάν οι άλλοι καταλάβουν ότι αισθάνεται κατ' αυτό τον τρόπο, θα επιδιώξουν να τον έχουν εταίρο σε δουλειές που απαιτούν εμπιστοσύνη.

Εάν είναι γνωστό πως μας χαρακτηρίζουν κάποια συναισθήματα, έχουμε τη δυνατότητα να προβαίνουμε σε ορισμένες δεσμεύσεις που διαφορετικά δεν θα ήταν αξιόπιστες. Η καθαρή ειρωνεία εδώ είναι ότι αυτή η ικανότητα, που γεννιέται από την αποτυχία μας να επιδιώξουμε το ατομικό μας συμφέρον, μας παρέχει σοβαρά πλεονεκτήματα. Είναι δεδομένο ότι, τηρώντας αυτές τις δεσμεύσεις, θα έχουμε πάντα κάποιες αναπόφευκτες ζημίες – μη εξαπατώντας εκεί που υπάρχει η δυνατότητα, εκδικούμενοι με μεγάλες απώλειες ακόμα και εκεί που η ζημιά έχει ήδη γίνει και ούτω καθεξής. Το ζήτημα παρ' όλα αυτά είναι ότι, εάν δεν έχουμε την ικανότητα να προβαίνουμε σε αξιόπιστες δεσμεύσεις, αυτή η ανικανότητα συχνά αποβαίνει πιο ζημιογόνα. Όταν ο καιροσκόπος αναγκάζεται να αντιμετωπίσει ένα πρόβλημα δέσμευσης, δεν τα πάει καθόλου καλά.

Τα συναισθήματα ως δεσμεύσεις

Είναι πλέον αδιαμφισβήτητο ότι γεννιόμαστε με νευρικά συστήματα που μας προδιαθέτουν να συμπεριφερόμαστε με συγκεκριμένους τρόπους. Τα κυκλώματα του εγκεφάλου, που προϋπάρχουν της γέννησης, κάνουν ένα άτομο που έχει χαμηλό δείκτη σακχάρου στο αίμα του να νιώθει πείνα, και εκείνο που τον ωθεί να φάει είναι αυτό ακριβώς το αίσθημα και όχι κάποια λογική διαμεσολάβηση περί στόχων. Βεβαίως παρεμβάλλονται και συνειδητές σκέψεις, όπως όταν κάνει δίαιτα και επιδεικνύει αυτοσυγκράτηση. Όμως ακόμα κι αυτές οι «συνειδητές» παρεμβάσεις δεν είναι άλλο από έκφραση του βασικού συναισθηματικού κινήτρου: Αυτός που κάνει δίαιτα διαβλέπει τις κοινωνικές και ιατρικές συνέπειες της παχυσαρκίας και η ανησυχία που του προξενούν αυτές οι προβλέψεις αντιμάχεται το αντίπαλο αίσθημα της πείνας.

Όπως οι έμφυτες προτιμήσεις, έτσι και οι συνήθειες είναι ένα σημαντικό συστατικό στοιχείο των κινήτρων συμπεριφοράς. Απ' όσο ξέρουμε, οι άνθρωποι δεν γεννιούνται με την προδιάθεση να πίνουν καφέ το πρωί. Αλλά οι άνθρωποι που συνηθίζουν να πίνουν καφέ θα αναπτύξουν μια ισχυρή ροπή στον καφέ. Κι όταν προσπαθούν να κόψουν αυτή τη συνήθεια, η δυσκολία που νιώθουν είναι πραγματική, όχι φανταστική.

Τα έμφυτα πρότυπα συμπεριφοράς και η ικανότητα ανάπτυξης συνηθειών είναι, με την ευρεία έννοια, προσαρμοστικά. Πάντως οι συμπεριφορές που υπαγορεύουν δεν πρέπει να θεωρούνται αποτέλεσμα ενός λογικού και κατά περίπτωση υπολογισμού του ατομικού συμφέροντος. Η λογική ανάλυση μπορεί, όπως είδαμε, να ενεργοποιήσει αισθήματα που επηρεάζουν τη συμπεριφορά. Μπορεί ακόμα και να κατευθύνει την επιλογή των συνηθειών που θα αποκτήσουμε. Σ' αυτό το τοπίο ωστόσο, η λογική εκτίμηση είναι μόνο μία από τις πολλές δυνάμεις οι οποίες μπορούν να διεγείρουν τα συναισθήματα που διέπουν άμεσα τη συμπεριφορά.

Τα συναισθήματα ενός ανθρώπου τον «δεσμεύουν» να συμπεριφέρεται με συγκεκριμένους τρόπους. Ένας άνθρωπος που δεν έχει φάει αρκετές μέρες «δεσμεύεται» να φάει· κάποιος που δεν έχει κοιμηθεί πολλές μέρες «δεσμεύεται» να κοιμηθεί. Αυτές οι δεσμεύσεις είναι συνήθως επωφελείς, ακόμα και αν, σε κάποια συγκεκριμένη περίπτωση, μπορούμε να αποδείξουμε ότι τον πεινασμένο δεν τον συμφέρει να φάει.

Σε γενικές γραμμές, αυτού του τύπου οι δεσμεύσεις δεν είναι ούτε αυστηρά υποχρεωτικές ούτε αμετάκλητες. Είναι απλώς εναύσματα για συγκεκριμένες συμπεριφορές. Αυτός που πεινάει και δεν τρώει θα αισθάνεται συνεχώς πείνα. Αυτός που αδικείται και δεν εκδικείται θα

24 ΤΑ ΠΑΘΗ ΤΗΣ ΛΟΓΙΚΗΣ

συνεχίσει να νιώθει αγανάκτηση. Με οικονομικούς όρους, η προδιάθεση για μια συγκεκριμένη συμπεριφορά μοιάζει μ' ένα πρόστιμο που μας επιβάλλεται επειδή δεν συμπεριφερθήκαμε με κάποιο συγκεκριμένο τρόπο. Σ' αυτό το βιβλίο θα επικεντρωθούμε στον ρόλο που παίζουν αισθήματα όπως οι τύψεις, ο θυμός, ο φθόνος, ακόμα και η αγάπη. Τα αισθήματα αυτά συχνά μας προδιαθέτουν να συμπεριφερθούμε με τρόπους που είναι αντίθετοι με τα στενά μας συμφέροντα, και η ύπαρξη μιας τέτοιας προδιάθεσης μπορεί κάλλιστα να είναι πλεονέκτημα. Για να συμβεί αυτό, πρέπει οι άλλοι να έχουν κάποιον τρόπο να ανιχνεύουν ότι έχουμε αυτές τις συναισθηματικές δεσμεύσεις. Πώς όμως καταλαβαίνουμε ότι τα αισθήματα κάποιου τον δεσμεύουν να συμπεριφερθεί έντιμα μπροστά σε κάποια χρυσή ευκαιρία να κλέψει; Ή ότι θα εκδικηθεί, έστω κι αν είναι πια πολύ αργά για να επανορθωθεί το κακό που του έκαναν; Ή ότι θα διακόψει μια άδικη συναλλαγή, ακόμα και εάν τον συμφέρει να την αποδεχθεί; Πολλά από τα στοιχεία που θα εξετάσω στη συνέχεια αναφέρονται στις ανεπαίσθητες ενδείξεις από τις οποίες συμπεραίνουμε τις προδιαθέσεις της συμπεριφοράς των άλλων.

Ενδείξεις για τις προδιαθέσεις της συμπεριφοράς

Μια φθινοπωρινή μέρα, πριν από είκοσι περίπου χρόνια, ο μαύρος ακτιβιστής Ron Dellums μιλούσε σε μια μεγάλη συγκέντρωση στην πανεπιστημιούπολη του Μπέρκλεϋ. Οι σφυγμομετρήσεις έδειχναν ότι σύντομα θα γινόταν ο πρώτος ριζοσπάστης γερουσιαστής της περιφέρειας Μπέρκλεϋ-Βόρειου Όκλαντ. Τα πλήθη ενθουσιάζονταν εύκολα εκείνη την εποχή και το εν λόγω πλήθος ήταν ιδιαίτερα ενθουσιώδες. Εντούτοις ένας τουλάχιστον νεαρός δεν είχε διόλου συγκινηθεί από την ομιλία του Dellums. Καθόταν πετρωμένος στα σκαλιά του Sproul Plaza, βυθισμένος στον κόσμο των ναρκωτικών, με ανέκφραστο πρόσωπο και βλέμμα.

Ξαφνικά έκανε την εμφάνισή του ένα μεγάλο ιρλανδέζικο σέτερ, το οποίο διέσχισε το πλήθος μυρίζοντας δεξιά και αριστερά. Πήγε κατευθείαν στον νεαρό που καθόταν στα σκαλιά και έκανε έναν κύκλο γύρω του. Σταμάτησε, σήκωσε το πόδι του και, χωρίς ιδιαίτερη κακεντρέχεια, κατάβρεξε την πλάτη του νεαρού. Ύστερα ξαναχάθηκε μέσα στο πλήθος. Το αγόρι παρέμεινε ακίνητο. Τα ιρλανδέζικα σέτερ δεν είναι ιδιαίτερα έξυπνη ράτσα. Παρά ταύτα, το συγκεκριμένο σέτερ δεν δυσκολεύτηκε να εντοπίσει το μοναδικό πρόσωπο στο πλήθος που δεν θα εκδικούνταν γι' αυτό που έγινε. Οι εκφράσεις του προσώπου και άλλες πλευρές του γενικότερου ύφους μας παρέχουν, προφανώς, ενδείξεις για τη συμπεριφορά μας που ακόμα και τα σκυλιά μπορούν να ερμηνεύσουν. Και παρότι για όλους μας το θέαμα αυτό ήταν πρωτόγνωρο, κανείς μας δεν ξαφνιάστηκε που ο νεαρός δεν έκανε τίποτα. Και πριν ακόμα συμβεί οτιδήποτε, ήταν κατά κάποιον τρόπο ολοφάνερο ότι δεν επρόκειτο να κουνηθεί από τη θέση του.

Χωρίς αμφιβολία, η συμπεριφορά του νεαρού ήταν ασυνήθιστη. Οι περισσότεροι από εμάς θα είχαν αντιδράσει άγρια, ίσως και βίαια. Παρά ταύτα, γνωρίζουμε ήδη πως δεν υπάρχει κανένα πραγματικό πλεονέκτημα σ' αυτή την «κανονική» αντίδραση. Στο κάτω κάτω, εφόσον το πουκάμισο του νεαρού είχε βραχεί, ήταν ήδη πολύ αργά για να αποσοβήσει το κακό. Και εφόσον ήταν απίθανο να ξανασυναντήσει το ίδιο σκυλί, δεν υπήρχε λόγος να του δώσει ένα μάθημα. Αντιθέτως, εάν επιχειρούσε να κάνει κάτι τέτοιο, θα έπαιζε με τον κίνδυνο να φάει μια δαγκωνιά.

Το πρόβλημα του νεαρού δεν ήταν ότι δεν μπόρεσε να αντιδράσει άγρια, αλλά ότι δεν μπόρεσε να μεταδώσει στο σκυλί ότι είχε την προδιάθεση να κάνει κάτι τέτοιο. Η απλανής έκφραση του προσώπου του ήταν αρκετή για να καταλάβει το σκυλί ότι ο νεαρός ήταν ασφαλής στόχος. Οι υπόλοιποι τη γλυτώσαμε μόνο και μόνο επειδή είχαμε «κανονικές» εκφράσεις.

Υπάρχουν αναρίθμητες ενδείξεις για τη συμπεριφορά των ανθρώπων. Η στάση, ο ρυθμός της αναπνοής, η ένταση και ο τόνος της φωνής, ο ιδρώτας, ο τόνος των μυών του προσώπου, η έκφραση και η κίνηση των ματιών είναι μερικά από τα αναγνώσιμα σημεία. Για παράδειγμα, μαντεύουμε αμέσως ότι ένας άνθρωπος με σφιγμένα δόντια και κατακόκκινο πρόσωπο είναι εξαγριωμένος, ακόμα κι όταν δεν γνωρίζουμε τι ακριβώς προκάλεσε τον θυμό του. Όπως επίσης γνωρίζουμε, παρότι δεν μπορούμε να το διατυπώσουμε, σε τι διαφέρει το βεβιασμένο χαμόγελο από το πηγαίο.

Βασιζόμενοι, τουλάχιστον εν μέρει, σε τέτοιες ενδείξεις, διαμορφώνουμε τις κρίσεις μας για τη συναισθηματική εξάρτηση των ανθρώπων με τους οποίους ερχόμαστε σε επαφή. Διαισθανόμαστε ότι μερικούς ανθρώπους μπορούμε να τους εμπιστευτούμε, ενώ με άλλους είμαστε πάντα επιφυλακτικοί. Διαισθανόμαστε ότι κάποιους μπορούμε να τους εκμεταλλευτούμε, ενώ κάποιους άλλους ξέρουμε ενστικτωδώς ότι δεν πρέπει να τους προκαλέσουμε.

Η δυνατότητά μας να κάνουμε με ακρίβεια τέτοιες εκτιμήσεις ήταν ανέκαθεν σοβαρό πλεονέκτημα. Ίσως όμως είναι επίσης πλεονέκτημα και το γεγονός πως οι άλλοι είναι εξίσου ικανοί να κάνουν παρόμοιες εκτιμήσεις για τη δική μας συμπεριφορά. Ένα κοκκίνισμα μπορεί να αποκαλύψει κάποιο ψέμα και να μας φέρει σε πολύ δύσκολη θέση την προκειμένη στιγμή, αλλά, σε καταστάσεις που απαιτούν εμπιστοσύνη, είναι μεγάλο πλεονέκτημα να ξέρουν οι άλλοι ότι κοκκινίζουμε.

Το ζήτημα της μίμησης

Αν υπάρχουν πραγματικά πλεονεκτήματα στο να είμαστε εκδικητικοί ή αξιόπιστοι και να το ξέρουν όλοι, ένα ακόμα μεγαλύτερο πλεονέκτημα είναι να νομίζουν οι άλλοι ότι έχουμε αυτές τις ιδιότητες, χωρίς να τις έχουμε στ' αλήθεια. Ένας ψεύτης που φαίνεται αξιόπιστος θα έχει περισσότερες ευκαιρίες από κάποιον που κοιτάζει κλεφτά γύρω γύρω, ιδρώνει και ξεϊδρώνει, μιλάει με τρεμάμενη φωνή και δυσκολεύεται να κοιτάξει τον άλλο στα μάτια.

Ο Αδόλφος Χίτλερ ήταν προφανώς ένας άνθρωπος που είχε την ικανότητα να ψεύδεται με πειστικότητα. Σε μια συνάντηση με τον Βρετανό πρωθυπουργό Νέβιλ Τσάμπερλεν τον Σεπτέμβριο του 1938, ο Χίτλερ υποσχέθηκε ότι δεν θα κήρυττε τον πόλεμο αν οι απαιτήσεις του για τον επαναπροσδιορισμό των συνόρων της Τσεχοσλοβακίας γίνονταν αποδεκτές. Μετά τη συνάντηση, ο Τσάμπερλεν έγραψε σε μια επιστολή στην αδελφή του: «... παρά τη σκληρότητα και την α-γριότητα που μου φάνηκε ότι διέκρινα στο πρόσωπό του, έχω την ε-ντύπωση ότι συνάντησα έναν άνθρωπο στον οποίο μπορείς να βασιστείς όταν σου δώσει τον λόγο του».[5]

Οι ενδείξεις για τις προδιαθέσεις συμπεριφοράς, προφανώς, δεν είναι τέλειες. Ακόμα και με τη βοήθεια όλων των προηγμένων μηχανημάτων, οι πεπειραμένοι επαγγελματίες των τεστ της αλήθειας δεν είναι απολύτως σίγουροι για το πότε κάποιος ψεύδεται. Η προσομοίωση *κάποιων συναισθημάτων είναι πιο δύσκολη από την προσομοίωση κάποιων άλλων*. Φέρ' ειπείν, είναι πιο εύκολο να καταλάβεις κάποιον που υποκρίνεται ότι είναι εξαγριωμένος από κάποιον που υποδύεται τον χαρούμενο. Αλλά, όποιο κι αν είναι το συναίσθημα, σχεδόν ποτέ δεν μπορούμε να είμαστε σίγουροι ότι αυτό που βλέπουμε είναι αυθεντικό.

Το θέμα αυτό είναι τόσο πολυσύνθετο, που πάντα θα υπάρχει η δυνατότητα, τουλάχιστον για *κάποιους*, να ξεγελάνε τους άλλους. Σε έναν κόσμο όπου κανείς δεν θα εξαπατούσε, κανένας δεν θα πρόσεχε μην τον εξαπατήσουν. Κατά συνέπεια, αυτή η κατάσταση μη επαγρύπνησης θα δημιουργούσε πρόσφορες ευκαιρίες για τους απατεώνες κι έτσι θα υπήρχε οπωσδήποτε μια θέση γι' αυτούς.

Ανάλογες περιπτώσεις που αφθονούν στον ζωικό κόσμο μάς προσφέρουν πολλά ωφέλιμα μαθήματα περί της φύσεως αυτού του προβλήματος. Υπάρχουν πεταλούδες, όπως ο μονάρχης, που η άσχημη γεύση τους τις προφυλάσσει από τους θηρευτές. Αυτή η γεύση θα ήταν άχρηστη εάν οι θηρευτές δεν είχαν κάποιον τρόπο να κρίνουν ποιες πεταλούδες να αποφεύγουν. Οι θηρευτές έχουν μάθει να ερμηνεύουν τα διακριτικά στίγματα των φτερών της πεταλούδας-μονάρχη γι' αυτόν ακριβώς τον σκοπό.

Ο μονάρχης έχει δημιουργήσει μια πρόσφορη ευκαιρία για άλλες πεταλούδες, όπως ο αντιβασιλέας, που έχει τα ίδια στίγματα στα φτερά της, αλλά δεν έχει άσχημη γεύση. Μόνο και μόνο επειδή μοιάζουν με την κακόγευστη πεταλούδα-μονάρχη, οι αντιβασιλείς κατάφεραν να γλυτώσουν από τους θηρευτές χωρίς να χρειαστεί να αναλώσουν τους σωματικούς πόρους που απαιτούνται για την παραγωγή της δυσάρεστης γεύσης.

Σε τέτοιες περιπτώσεις είναι σαφές ότι, εάν οι μιμητές μπορούσαν να προσομοιώσουν *τέλεια* τα στίγματα των φτερών χωρίς κόστος ή καθυστέρηση, ολόκληρο το οικοδόμημα θα κατέρρεε· οι σχετικά ικανοί αυτοί μιμητές τελικά θα υπερκάλυπταν τους μονάρχες και ο αρχικός λόγος που οι θηρευτές αποφεύγουν αυτά τα ειδικά στίγματα θα εξαφανιζόταν. Έτσι, στις περιπτώσεις που οι μιμητές συνυπάρχουν δίπλα στο αυθεντικό είδος για μακρές περιόδους, μπορούμε να συμπεράνουμε ό-τι η τέλεια μίμηση είναι είτε χρονοβόρα είτε πολυδάπανη. Το γεγονός πως ο φορέας του αληθινού χαρακτηριστικού έχει την πρώτη κίνηση σ' αυτό το παιγνίδι αποδεικνύεται συχνά σημαντικό πλεονέκτημα. Κάτι ανάλογο ισχύει και στην περίπτωση εκείνων που μιμούνται συναισθηματικά χαρακτηριστικά. Εάν οι ενδείξεις που εμπιστευό-μαστε για να ανιχνεύσουμε αυτά τα χαρακτηριστικά δεν είχαν καμία αξία, θα είχαμε σταματήσει να τις χρησιμοποιούμε εδώ και καιρό. Κι ωστόσο, από την ίδια τους τη φύση, δεν μπορούν να είναι τέλειες. Η εξονυχιστική παρατήρηση των ενδείξεων του χαρακτήρα χρειάζεται προσπάθεια. Σ' έναν κόσμο όπου κανείς δεν θα επιχειρούσε να εξα-πατήσει τον άλλο, κανείς δεν θα είχε λόγο να αναλώνεται σε τέτοιου είδους προσπάθειες. Η ειρωνεία φυσικά είναι ότι αυτό θα δημιουρ-γούσε ακαταμάχητες ευκαιρίες για απάτη.

Το αναπόφευκτο αποτέλεσμα είναι μια επισφαλής ισορροπία μεταξύ των ατόμων που πραγματικά έχουν τα υποδηλούμενα συναι-σθήματα και εκείνων που απλώς φαίνεται ότι τα έχουν. Αυτοί που εί-ναι ειδήμονες στην ανάγνωση των σχετικών σημάτων θα είναι πιο ε-πιτυχημένοι από τους άλλους. Υπάρχει επίσης κάποια αμοιβή γι' αυ-τούς που είναι ικανοί να εκπέμπουν ευανάγνωστα σήματα για τις προ-διαθέσεις της συμπεριφοράς τους. Και η πικρή αλήθεια είναι ότι υ-πάρχει και μια θέση γι' αυτούς που είναι ικανοί να προσποιούνται ό-τι έχουν συναισθήματα που στην πραγματικότητα δεν διαθέτουν.

Πράγματι, με μια πρώτη ματιά οι μεγαλύτερες απολαβές μοιά-ζουν να ανήκουν στους ασύστολους ψεύτες. Ωστόσο οι περισσότεροι περιφρονούμε πολύ αυτά τα άτομα και κάνουμε τα πάντα για να πλη-ροφορήσουμε και τους άλλους κάθε φορά που σκοντάφτουμε πάνω τους. Ακόμα κι αν τέτοια άτομα πιάνονται στα πράσα πάρα πολύ σπάνια, αυτό καθόλου δεν σημαίνει ότι διαθέτουν κάποιο ιδιαίτερο πλεονέκτημα.

Η οικολογική ισορροπία μεταξύ των περισσότερο και λιγότερο καιροσκοπικών στρατηγικών συμφωνεί ταυτοχρόνως τόσο με την ά-ποψη ότι κάθε πράξη υπαγορεύεται από το ατομικό συμφέρον, όσο και με την αντίθετή της, που υποστηρίζει ότι οι άνθρωποι συχνά υ-περνικούν τις εγωιστικές τους τάσεις. Το κλειδί για την επίλυση της αντιπαράθεσης μεταξύ αυτών των απόψεων είναι να καταλάβουμε ότι η αδίστακτη επιδίωξη του ατομικού συμφέροντος είναι συχνά αυτοκαταστροφική. Όπως γνωρίζουν από πολύ παλιά οι δάσκαλοι του Ζεν, ορισμένες φορές επιτυγχάνουμε το καλύτερο όταν παύουμε να το κυνηγάμε. Στο βιβλίο αυτό θα δούμε ότι το ατομικό συμφέρον μάς δεσμεύει συχνά να συμπεριφερθούμε με τρόπους που, μόλις γίνουν πράξη, αποδεικνύονται εντελώς αντίθετοι με τα συμφέροντά μας.

Πολλές φορές οι πρακτικοί τρόποι εκπλήρωσης αυτών των δεσμεύσεων είναι συναισθήματα που έχουν εμφανείς ενδείξεις. Στη συνέχεια, θα παραθέσω πειστικά στοιχεία για το ότι τουλάχιστον μερικά από αυτά τα συναισθήματα είναι εγγενή. Ακόμα όμως και αν μεταδίδονταν μόνον από την πολιτισμική κατήχηση, θα έκαναν εξίσου καλά τη δουλειά τους. Η αναγκαία προϋπόθεση και στις δύο περιπτώσεις είναι ότι οι άνθρωποι που τα έχουν πρέπει να είναι εμφανώς διαφορετικοί από αυτούς που δεν τα έχουν.

Για την οικονομία του κειμένου, όταν αναφέρομαι στην άποψη ότι η φαινομενικά παράλογη συμπεριφορά ορισμένες φορές εξηγείται από συναισθηματικές προδιαθέσεις, που βοηθούν στην επίλυση θεμάτων δέσμευσης, θα χρησιμοποιώ συντομογραφικά τον όρο *μοντέλο της δέσμευσης*. Την αντίθετη άποψη, ότι οι άνθρωποι δρουν πάντα α-ποτελεσματικά όταν επιδιώκουν το ατομικό τους συμφέρον, θα την α-ποκαλώ *μοντέλο του ατομικού συμφέροντος*.

Σε καθαρά θεωρητική βάση, το μοντέλο της δέσμευσης θεωρεί ότι η κινητήρια δύναμη πίσω από την ηθική συμπεριφορά δεν εδράζεται στη λογική ανάλυση, αλλά στα συναισθήματα. Αυτή η άποψη είναι συνεπής με το εκτεταμένο σύνολο εμπειρικών στοιχείων που ε-ξετάζει ο αναπτυξιακός ψυχολόγος Jerome Kagan. Συνοψίζοντας τη δική του ερμηνεία αυτών των στοιχείων, ο Kagan λέει:

> Η δημιουργία μιας πειστικής ορθολογικής βάσης για την ηθική συμπεριφορά είναι το πρόβλημα στο οποίο σκόνταψαν οι περισσότεροι ηθικοί φιλόσοφοι. Πιστεύω ότι αυτό θα εξακολουθήσει να συμβαίνει, μέχρι να αναγνωρίσουν αυτό που οι Κινέζοι φιλόσοφοι γνωρίζουν εδώ και πολλά χρόνια: Το συναίσθημα, και όχι η λογική, στηρίζει το υπερεγώ.[6]

Ίσως πραγματικά τα συναισθήματα να στηρίζουν το υπερεγώ. Παρ' όλα αυτά όμως, όπως θα δείξει το μοντέλο της δέσμευσης, είναι πολύ πιθανό, τελικά, αυτό που στηρίζει τα συναισθήματα να είναι η λογική του ατομικού συμφέροντος.

Ένα απλό φανταστικό πείραμα

Η βασική παραδοχή στην οποία στηρίζεται το μοντέλο της δέσμευσης είναι ότι οι άνθρωποι μπορούν να βγάζουν λογικά συμπεράσματα για τα χαρακτηρολογικά γνωρίσματα των άλλων. Μιλώντας για «λογικά συμπεράσματα», δεν εννοώ ότι είναι αναγκαίο να μπορούμε να προβλέψουμε με βεβαιότητα τις συναισθηματικές προδιαθέσεις των άλλων. Όπως σε μια πρόβλεψη καιρού οι πιθανότητες του 20% για βροχή είναι πολύτιμη πληροφορία για κάποιον που προγραμματίζει δραστηριότητες σε ανοικτό χώρο, έτσι και η πιθανολογική εκτίμηση των χαρακτηρολογικών γνωρισμάτων μπορεί να χρησιμεύσει σε ανθρώπους που πρέπει να διαλέξουν ένα πρόσωπο άξιο εμπιστοσύνης. Είναι προφανές ότι, σε κάθε περίπτωση, η απόλυτη ακρίβεια θα βοηθούσε. Συχνά όμως αρκεί να αποδειχθούμε σωστοί έστω και ελάχιστες φορές.

Είναι άραγε λογικό να δεχτούμε ότι μπορούμε να καταλάβουμε τη συναισθηματική προδιάθεση των άλλων; Φανταστείτε ότι μόλις γυρίσατε στο σπίτι από έναν ασφυκτικά γεμάτο συναυλιακό χώρο και ανακαλύπτετε ότι χάσατε 1.000 δολάρια σε μετρητά. Τα μετρητά βρίσκονταν στην τσέπη του σακακιού σας, σε έναν συνηθισμένο φάκελο όπου ήταν γραμμένο το όνομά σας. Γνωρίζετε κανέναν, που να μην είναι συγγενής σας εξ αίματος ή εξ αγχιστείας, για τον οποίο είστε απολύτως βέβαιος ότι θα σας επέστρεφε τον φάκελο εάν τον έβρισκε;

Για τις ανάγκες του θέματος, θα υποθέσω ότι δεν έχετε την ατυχία να είστε από εκείνους που θα απαντούσαν όχι. Σκεφτείτε για λίγο για το πρόσωπο που είστε βέβαιος ότι θα σας επέστρεφε τα χρήματα. Ας πούμε ότι είναι γυναίκα και ας την ονομάσουμε Αρετή. Προσπαθήστε να εξηγήσετε *γιατί* αισθάνεστε τόσο σίγουρος γι' αυτήν. Προσέξτε ότι η περίπτωση ήταν τέτοια που, ακόμα κι αν κρατούσε τα χρήματά σας, δεν θα το μαθαίνατε ποτέ. Κρίνοντας από τις προηγούμενες εμπειρίες σας μαζί της, το περισσότερο που μπορείτε να ξέρετε είναι ότι δεν σας είχε κλέψει σε *κάθε* ανάλογη περίπτωση στο παρελθόν. Ακόμα και αν, για παράδειγμα, σας είχε επιστρέψει στο παρελθόν κάποιο ποσό που είχατε χάσει, αυτό δεν αποδεικνύει ότι δεν σας έκλεψε κάποια άλλη φορά. (Εν τέλει, ακόμα κι αν σας είχε κλέψει σε κάποια ανάλογη περίσταση, δεν θα το γνωρίζατε.) Έτσι λοιπόν, ούτως ή άλλως, δεν έχετε καμία λογική εμπειρική βάση για να συμπεράνετε ότι η Αρετή δεν θα σας κλέψει σήμερα. Εάν είστε όπως οι περισσότεροι άνθρωποι, τότε απλώς πιστεύετε ότι είστε σε θέση να κατανοήσετε τα εσωτερικά της κίνητρα: Είστε βέβαιος ότι θα σας επέστρεφε τα χρήματα, επειδή είστε βέβαιος ότι θα ένιωθε απαίσια στην περίπτωση που δεν θα τα επέστρεφε.

Το φανταστικό πείραμα μας εφιστά την προσοχή και στο γεγονός ότι τέτοιες συναισθηματικές προδιαθέσεις εξαρτώνται από τη συγκεκριμένη περίσταση. Σκεφτείτε, για παράδειγμα, τη σχέση σας με την Αρετή. Είναι στενή σας φίλη. Συνεπώς, η βεβαιότητά σας είναι εύλογη τουλάχιστον για δύο λόγους. Κατά πρώτον, έχετε πολύ περισσότερες ευκαιρίες να παρατηρήσετε τη συμπεριφορά των στενών φίλων: Εάν οι καταστάσεις που αποκαλύπτουν τον χαρακτήρα ενός ανθρώπου συμβαίνουν σπάνια, είναι πολύ πιθανόν να έχετε υπάρξει μάρτυρας σε κάποιαν απ' αυτές. Κατά δεύτερον όμως, κι αυτό ίσως είναι πολύ πιο σημαντικό, έχετε μεγαλύτερη τάση να εμπιστεύεστε τους φίλους σας επειδή πιστεύετε ότι σας είναι ιδιαίτερα αφοσιωμένοι. Και πράγματι, η πεποίθησή σας ότι η Αρετή θα σας επιστρέψει τα χρήματα που χάσατε δεν συνεπάγεται υποχρεωτικά ότι πιστεύετε πως η Αρετή θα επέστρεφε έναν φάκελο που θα ανέγραφε το όνομα κάποιου αγνώστου. Η προδιάθεσή της να επιστρέψει τα χρήματά σας μπορεί να είναι συνάρτηση της σχέσης της μαζί σας.

Η διαίσθησή σας μπορεί επίσης να σας λέει ότι το χρηματικό ποσό μέσα στον φάκελο παίζει κι αυτό κάποιο ρόλο. Οι περισσότεροι άνθρωποι πιστεύουν ότι γνωρίζουν πάρα πολλούς που θα επέστρεφαν ένα ποσό 100 δολαρίων, όχι όμως και ένα ποσό 1.000 δολαρίων. Με την ίδια λογική, εκείνος που θα επέστρεφε χωρίς δισταγμό 1.000 δολάρια δεν αποκλείεται να κρατούσε έναν φάκελο με 50.000 δολάρια.

Είναι ξεκάθαρο ότι τα αισθήματα του δίκαιου και του άδικου δεν είναι οι μόνες δυνάμεις που διέπουν τη συμπεριφορά των ανθρώπων. Όπως ο Walter Mischel[7] και άλλοι κοινωνικοί ψυχολόγοι τονίζουν εδώ και πολλά χρόνια, όλες σχεδόν οι συμπεριφορές επηρεάζονται σοβαρά από τις λεπτομέρειες και τις λεπτές διαφορές στα δεδομένα του γενικότερου πλαισίου. Ωστόσο οι περιστασιακοί παράγοντες, παρά την πρόδηλη σημασία τους, δεν καλύπτουν όλες τις πτυχές του ζητήματος. Αντιθέτως, οι περισσότεροι από αυτούς που συμμετέχουν σ' αυτό το φανταστικό πείραμα αποκρίνονται ότι γνωρίζουν κάποιον για τον οποίο είναι σίγουροι ότι θα επιστρέψει τα χρήματα ενός άγνωστου ή ακόμα και ενός ανθρώπου που απεχθάνεται, ανεξαρτήτως του ύψους του ποσού. Όταν αναφέρομαι σε διαφορετικά χαρακτηρολογικά γνωρίσματα, εδώ ή στα επόμενα κεφάλαια, δεν αρνούμαι την προφανή σημασία των ειδικών συνθηκών. Θα ήταν λάθος να ισχυριστεί κανείς ότι τα χαρακτηρολογικά γνωρίσματα εξηγούν όλες τις σημαντικές διαφορές στη συμπεριφορά. Ίσως όμως είναι ακόμα σοβαρότερο λάθος να υποθέτουμε ότι η συμπεριφορά ρυθμίζεται μόνον από τις ειδικές συνθήκες.

Βεβαίως η δική μας βεβαιότητα ότι ένα συγκεκριμένο άτομο θα επέστρεφε τα χρήματα ενός αγνώστου δεν αποδεικνύει τίποτα. Πολλοί από τους φαινομενικά έμπιστους ανθρώπους πρόδωσαν στενούς τους φίλους σε περιστάσεις σαν αυτήν του φανταστικού πειράματος. Αυτό που το πείραμα αποδεικνύει (στην περίπτωση που απαντήσατε θετικά) είναι ότι αποδεχόσαστε τη βασική προϋπόθεση του μοντέλου της δέσμευσης. Τα στοιχεία που θα δούμε στα επόμενα κεφάλαια, αν και δεν είναι καθοριστικά, σίγουρα θα ενισχύσουν την πεποίθησή μας ότι μπορούμε πράγματι να αναγνωρίσουμε τις συναισθηματικές προδιαθέσεις των άλλων.

Η σημασία των προτιμήσεων

Το μοντέλο του ατομικού συμφέροντος δέχεται ότι υπάρχουν συγκεκριμένες προτιμήσεις και περιορισμοί, και μετά υπολογίζει ποιες πράξεις θα εξυπηρετήσουν καλύτερα αυτές τις προτιμήσεις. Χρησιμοποιείται ευρέως από τα στρατηγικά επιτελεία, τους κοινωνικούς επιστήμονες, τους θεωρητικούς των παιγνίων, τους φιλοσόφους και άλλους ειδικούς, και επηρεάζει αποφάσεις που έχουν επιπτώσεις πάνω σε όλους μας. Στην κλασική του μορφή, αυτό το μοντέλο δέχεται μόνο τις καθαρά συμφεροντολογικές προτιμήσεις, όπως αυτές που αφορούν στα σημερινά και μελλοντικά καταναλωτικά αγαθά, στον ελεύθερο χρόνο και ούτω καθεξής. Φυσικά ο φθόνος, η ενοχή, η οργή, η περηφάνια, η αγάπη και τα συναφή δεν παίζουν κανέναν απολύτως ρόλο.* Αντιθέτως, το μοντέλο της δέσμευσης υπογραμμίζει τον ρόλο αυτών των συναισθημάτων στη συμπεριφορά. Οι ορθολογιστές μιλούν για προτιμήσεις, όχι για συναισθήματα, ωστόσο ο ρόλος και των δύο στην ανάλυση είναι απολύτως ισοδύναμος. Έτσι, για παράδειγμα, ένα άτομο που το κίνητρό του είναι να αποφύγει το συναίσθημα της ενοχής μπορεί επίσης να περιγραφεί ως κάποιος με «προτίμηση» στην έντιμη συμπεριφορά.

Οι προτιμήσεις έχουν σημαντικές επιπτώσεις στη δράση. Ο συνυπολογισμός των προτιμήσεων που βοηθούν στις περιπτώσεις των θεμάτων δέσμευσης αλλάζει σημαντικά τις προβλέψεις των μοντέλων του ατομικού συμφέροντος. Θα δούμε ότι ο φθόνος μπορεί να είναι α-ποδοτικός για κάποιους ανθρώπους, διότι το αίσθημα του φθόνου τούς κάνει καλύτερους διαπραγματευτές. Όμως οι άνθρωποι που νιώθουν φθόνο διαψεύδουν τις προβλέψεις των μοντέλων του ατομικού συμφέροντος σε πάρα πολλά πράγματα: στις δουλειές που δέχονται, στους μισθούς που παίρνουν, στον τρόπο που τους ξοδεύουν, στα ποσά που αποταμιεύουν, στους νόμους που ψηφίζουν.**

Το αίσθημα του φθόνου συνδέεται επίσης στενά με το αίσθημα του δικαίου. Αν δεν λάβουμε το τελευταίο υπόψη μας, είναι αδύνατον να προβλέψουμε τις τιμές των καταστημάτων, το ύψος των μισθών που θα απαιτήσουν οι εργάτες, το χρονικό διάστημα που κάποια εργοδοσία θα αντισταθεί σε μια απεργία, τους φόρους που θα επιβάλουν οι κυβερνήσεις, τον ρυθμό αύξησης των στρατιωτικών δαπανών ή την πιθανότητα επανεκλογής κάποιου συνδικαλιστή.

Η ύπαρξη συνείδησης αλλάζει τις προβλέψεις των μοντέλων

---

* Οφείλω πάντως να σημειώσω ότι, μεταξύ των οικονομολόγων και άλλων ε-πιστημόνων της συμπεριφοράς, υπάρχουν πολλοί που αναγνωρίζουν τα στενά όρια του αυστηρά συμφεροντολογικού μοντέλου. Βλέπε ιδιαίτερα Schelling, 1978, Akerlof, 1983, Hirshleifer, 1984, Sen 1977, 1985, και Arrow, 1975. Βλέπε επίσης και τους Leibenstein 1976, Scitovsky, 1976, Harsanyi, 1980, Phelps, 1975, Collard, 1978, Margolis, 1982, και Rubin και Paul, 1979.

** Αναπτύσσω αναλυτικά τα συγκεκριμένα επιχειρήματα στο βιβλίο μου του 1985.

του ατομικού συμφέροντος. Αυτά τα μοντέλα προβλέπουν σαφώς ότι, όταν η αλληλοεπίδραση των ανθρώπων δεν είναι επαναλαμβανόμενη, οι άνθρωποι θα κλέβουν αν ξέρουν ότι μπορούν να τη γλυτώσουν. Ωστόσο τα στοιχεία αποδεικνύουν σταθερά ότι οι περισσότεροι άνθρωποι δεν κλέβουν κάτω από αυτές τις συνθήκες. Τα μοντέλα του ατομικού συμφέροντος ισχυρίζονται επίσης ότι ο ιδιοκτήτης μιας μικρής ε- πιχείρησης δεν θα πάρει μέρος στις ενέργειες λόμπι των εμπορικών ε- νώσεων. Όπως και στην περίπτωση της ατομικής ψήφου, η δική του συμμετοχή θα φανεί πολύ περιορισμένη για να παίξει κάποιο ρόλο. Κι ωστόσο πολλές μικρές επιχειρήσεις πληρώνουν συνδρομές στις εμπο- ρικές ενώσεις και οι πιο πολλοί άνθρωποι ψηφίζουν. Τα φιλανθρωπι- κά ιδρύματα υπάρχουν επίσης σε πολύ μεγαλύτερη κλίμακα απ' αυτήν που θα προέβλεπαν τα μοντέλα του ατομικού συμφέροντος.

Δεν υπάρχει τίποτα μυστηριώδες στα συναισθήματα που προ- καλούν αυτές τις συμπεριφορές. Αντιθέτως, αποτελούν μία φανερή πλευρά της ψυχολογικής εξάρτυσης των περισσότερων ανθρώπων. Αυτό που ελπίζω να καταδείξω σ' αυτό το κείμενο είναι ότι η παρου- σία τους βρίσκεται σε απόλυτη αρμονία με τις βασικές απαιτήσεις μιας συνεπούς θεωρίας της ορθολογικής συμπεριφοράς.

Το μοντέλο του ατομικού συμφέροντος έχει αποδείξει τη χρησι- μότητά του στην κατανόηση και στην πρόβλεψη της ανθρώπινης συ- μπεριφοράς. Παρουσιάζει όμως σοβαρές ατέλειες. Οι περισσότεροι α- ναλυτές θεωρούν ότι η «παράλογη» συμπεριφορά που υπαγορεύουν τα συναισθήματα βρίσκεται πέρα από το πεδίο αυτού του μοντέλου. Όπως θα δούμε ωστόσο, δεν είναι ούτε αναγκαίο ούτε εποικοδομητικό να υιο- θετήσουμε αυτή την άποψη. Δίνοντας συστηματική προσοχή στα πράγ- ματα που ενδιαφέρουν τους ανθρώπους και στο γιατί τους ενδιαφέρουν, καταφέρνουμε να καταλάβουμε πολύ καλύτερα τον λόγο που συμπερι- φερόμαστε με έναν συγκεκριμένο τρόπο κι όχι με κάποιον άλλο.

Κίνητρα εντιμότητας

Όταν λέμε σε έναν καιροσκόπο να συμπεριφερθεί ηθικά, η άμεση, έστω και ανομολόγητη, ερώτησή του είναι: «Κι εγώ τι θα βγάλω;» Το πα- τροπαράδοτο σκεπτικό του ρητού «Η τιμιότητα είναι η καλύτερη πολιτική» απαντά ότι οι ποινές για την απάτη είναι συχνά αυστηρές και ότι δεν μπορούμε ποτέ να είμαστε βέβαιοι πως δεν θα μας πιάσουν. Και το σκεπτικό συνεχίζει λέγοντας ότι η τήρηση της υπόσχεσής σου σε μία περίπτωση δημιουργεί την εντύπωση ότι θα κάνεις το ίδιο και στο μέλλον. Αυτό, με τη σειρά του, κάνει τους άλλους να σε εμπιστεύονται, γεγονός που συνήθως αποτελεί σημαντικότατο πλεονέκτημα.

Σε μερικές περιπτώσεις, είναι εύκολο να καταλάβουμε ότι η τιμιότητα μπορεί όντως να είναι η καλύτερη πολιτική για τους γνωστούς, πατροπαράδοτους λόγους. Ας πάρουμε, για παράδειγμα, μια συνήθεια που βασίζεται σαφώς στην εμπιστοσύνη: τη συνήθεια του φιλοδωρήματος στα εστιατόρια. Επειδή το φιλοδώρημα το αφήνουμε πάντα στο τέλος του γεύματος, ο σερβιτόρος πρέπει να βασιστεί στη σιωπηρή υπόσχεση του πελάτη ότι θα ανταμείψει την άμεση και ευγενική εξυπηρέτηση.* Ο πελάτης τώρα, έχοντας ήδη εξασφαλίσει την καλή εξυπηρέτηση, είναι στη θέση να «ρίξει» τον σερβιτόρο. Και ναι μεν αυτό συμβαίνει μερικές φορές, αλλά δεν είναι η λογικότερη στρατηγική για τους περισσότερους ανθρώπους, οι οποίοι τρώνε επανειλημμένα στα ίδια εστιατόρια. Ένα άτομο που αφήνει μεγάλο φιλοδώρημα κάθε φορά που τρώει στο αγαπημένο του εστιατόριο μπορεί, κατά συνέπεια, να θεωρηθεί ότι κάνει μια λογική επένδυση για την εξασφάλιση καλών υπηρεσιών στο μέλλον. Η τήρηση της σιωπηρής υπόσχεσης είναι οπωσδήποτε συνεπής με (ή, ακριβέστερα, απαραίτητη για) τη σθεναρή επιδίωξη του ατομικού συμφέροντος.

Το πρόβλημα είναι ότι, σ' αυτή την περίπτωση, η συμπεριφορά του πελάτη δεν εκφράζει πραγματικά αυτό που αντιλαμβανόμαστε με τον όρο εντιμότητα. Ίσως θα ήταν προτιμότερο να περιγράφει με τη λέξη σύνεση. Ο πελάτης τηρεί τη σιωπηρή του υπόσχεση, αυτό είναι βέβαιο· εφόσον όμως η αθέτηση αυτής της υπόσχεσης θα οδηγούσε σε κακή εξυπηρέτησή του στο μέλλον, δεν μπορούμε να συμπεράνουμε ότι η τήρηση της υπόσχεσης ήταν στην προκειμένη περίπτωση το βασικό κίνητρό του.

_____
* Μια πρόσφατη γελοιογραφία στο New Yorker πρότεινε έναν τρόπο για να αποτραπεί ο κίνδυνος του σερβιτόρου. Έδειχνε έναν μοναχικό πελάτη την ώρα που γευματίζει. Στο τραπέζι ήταν ένα πιατάκι με μερικά κέρματα και μια ταμπελίτσα που ανέγραφε: «Το φιλοδώρημά σας μέχρι στιγμής».

Το γεγονός πως οι άνθρωποι σέβονται τις συμφωνίες τους μαζί μας, όταν περιμένουν ότι θα αλληλοεπιδράσουμε πολλές φορές στο μέλλον, είναι οπωσδήποτε σημαντικό. Εκείνο όμως που μας ενδιαφέρει συνήθως στη ζωή μας είναι το πώς συμπεριφέρονται είτε στις φευγαλέες συναντήσεις είτε σε κάποιες περιπτώσεις όπου η συμπεριφορά τους δεν είναι δυνατόν να γίνει γνωστή. Αυτές είναι άλλωστε οι περιπτώσεις που δείχνουν πραγματικά τον χαρακτήρα ενός ανθρώπου. Σ' αυτές, η έντιμη πράξη είναι εκείνη που, εξ ορισμού, απαιτεί προσωπική θυσία. Το φιλοδώρημα που αφήνουμε σε κάποιο εστιατόριο σε μια μακρινή πόλη είναι ένα καλό παράδειγμα. Αν ένας ταξιδιώτης παραβιάσει τη σιωπηρή υπόσχεση να αφήσει φιλοδώρημα, θα εξοικονομήσει κάποια χρήματα, ενώ ο δυσαρεστημένος σερβιτόρος δεν θα έχει την ευκαιρία να τον εκδικηθεί.

Σε περιπτώσεις σαν κι αυτές, πολλοί άνθρωποι αντιδρούν κυνικά στην άποψη ότι η τιμιότητα είναι η καλύτερη πολιτική. Συνειδητοποιούν ότι η αποκάλυψη της εξαπάτησης δεν την εμποδίζει να είναι επικερδής. Βεβαίως υπάρχει πάντοτε κάποια πιθανότητα ένας εξαγριωμένος σερβιτόρος να κάνει σκηνή, κι αυτό να γίνει ενώπιον κάποιου γνωστού μας. Με μόνη όμως εξαίρεση τις διασημότητες, ο κίνδυνος είναι, αν όχι αμελητέος, πάρα πολύ μικρός για να θεωρήσουμε σοβαρά ότι ο λόγος που αφήνουμε φιλοδώρημα είναι συμφεροντολογικός. Το πρόβλημα με την πατροπαράδοτη προσφυγή του ατομικού συμφέροντος στην ηθική συμπεριφορά είναι ότι δεν μπορεί να μας πει για ποιο λόγο να μην εξαπατήσουμε στις περιπτώσεις που η εξακρίβωση της απάτης είναι αδύνατη.

Το μοντέλο της δέσμευσης προτείνει ένα τελείως διαφορετικό σκεπτικό της εντιμότητας, ένα σκεπτικό που είναι μεν συμφεροντολογικό, αλλά περιλαμβάνει ταυτοχρόνως και τις περιπτώσεις όπου η απάτη δεν μπορεί να μαθευτεί. Εάν τα χαρακτηρολογικά γνωρίσματα, όπως η εντιμότητα, είναι ορατά στους ανθρώπους, το έντιμο άτομο θα ωφεληθεί, διότι έχει την ικανότητα να επιλύει σημαντικά θέματα δέσμευσης. Θα είναι αξιόπιστος στις καταστάσεις όπου οι αμιγώς συμφεροντολόγοι είναι αναξιόπιστοι και, κατά συνέπεια, θα είναι περιζήτητος εταίρος σε περιπτώσεις που η εμπιστοσύνη αποτελεί βασική προϋπόθεση.

Όταν αποφασίζουμε να αφήσουμε φιλοδώρημα σε μια μακρινή

πόλη, αποφασίζουμε, ως έναν βαθμό, και ποιο είναι το είδος των χαρακτηρολογικών γνωρισμάτων που επιθυμούμε να καλλιεργήσουμε. Διότι, ενώ οι σύγχρονοι βιολόγοι έχουν αποδείξει ότι η ικανότητα να αναπτύξουμε διάφορα χαρακτηρολογικά γνωρίσματα είναι κληρονομική, κανείς δεν έχει αμφισβητήσει αποτελεσματικά την άποψη του δεκάτου ενάτου αιώνα ότι η κατήχηση και η άσκηση είναι απαραίτητες για την ανάδειξή τους. Έτσι η σχέση αιτιότητας μεταξύ χαρακτήρα και συμπεριφοράς είναι αμφίδρομη. Είναι βέβαιο ότι ο χαρακτήρας επηρεάζει τη συμπεριφορά. Ωστόσο και η συμπεριφορά επηρεάζει τον χαρακτήρα. Παρά την αναμφισβήτητη ικανότητα των ανθρώπων να κοροϊδεύουν τον εαυτό τους και να δικαιολογούν τα αδικαιολόγητα, ελάχιστοι θα καταφέρουν να διατηρήσουν την προδιάθεση να συμπεριφερθούν τίμια αν επιδίδονται συχνά σε καθαρά καιροσκοπική συμπεριφορά.

Ο στόχος του καιροσκόπου είναι να φαίνεται έντιμος και παράλληλα να μη χάνει καμιά ασφαλή ευκαιρία για προσωπικό κέρδος. Θέλει να κάνει τον καλό σε σημαντικούς ανθρώπους, αλλά την ίδια ώρα αποφεύγει να δώσει φιλοδώρημα σε μακρινές πόλεις. Ωστόσο, εάν τα χαρακτηρολογικά γνωρίσματα είναι αναγνωρίσιμα, η απάτη αυτή δεν είναι δυνατή. Για να φαίνεσαι έντιμος, ίσως είναι αναγκαίο, ή τουλάχιστον πολύ χρήσιμο, να είσαι έντιμος.

Σ' αυτές τις παρατηρήσεις, υπάρχει το πρώτο σπέρμα μιας πολύ διαφορετικής λογικής, η οποία μας παρακινεί να αφήνουμε φιλοδωρήματα στα μακρινά εστιατόρια. Το κίνητρο δεν είναι να αποφύγουμε το ενδεχόμενο να μας ανακαλύψουν, αλλά να διατηρήσουμε και να ενισχύσουμε την προδιάθεσή μας για τιμιότητα. Αν παραλείψω να αφήσω φιλοδώρημα σε μια μακρινή πόλη, θα δυσκολευτώ να διατηρήσω τα συναισθήματα που με ωθούν να συμπεριφέρομαι έντιμα και σε άλλες περιπτώσεις. Αυτή ακριβώς η αλλαγή στην ψυχολογική μου εξάρτυση και όχι η παράλειψή μου να αφήσω φιλοδώρημα είναι εκείνο που θα καταλάβουν οι άλλοι.

Οι ηθικοί φιλόσοφοι και διάφοροι άλλοι έχουν επανειλημμένα τονίσει τις δυσμενείς κοινωνικές συνέπειες της αχαλίνωτης επιδίωξης του ατομικού συμφέροντος. Οι ωφελιμιστές, για παράδειγμα, μας προτρέπουν να δείχνουμε αυτοσυγκράτηση, επειδή ο κόσμος θα ήταν καλύτερος εάν δείχναμε όλοι αυτοσυγκράτηση. Για τους καιροσκόπους ωστόσο, αυτές οι εκκλήσεις δεν αποδείχθηκαν ισχυρές. Σκέφτονται, με φαινομενικά άψογη λογική, ότι η δική τους συμπεριφορά δεν επηρεάζει ιδιαίτερα αυτά που κάνουν οι άλλοι. Επειδή η κατάσταση του κόσμου είναι σε μεγάλο βαθμό ανεξάρτητη από το πώς συμπεριφέρονται, οι ίδιοι συμπεραίνουν ότι το καλύτερο είναι να πάρουν όσα πιο πολλά μπορούν και να πιστέψουν ότι έτσι κάνουν όλοι. Επειδή όλο και περισσότεροι άνθρωποι συμμερίζονται αυτή την άποψη, γίνεται όλο και πιο δύσκολο, ακόμα και για τους πιο γνήσια έντιμους ανθρώπους, να μην κάνουν κι αυτοί το ίδιο.

Στο παρελθόν, οι φίλοι μου κι εγώ παραπονιόμασταν ότι νιώθαμε κορόιδα επειδή πληρώναμε όλους τους φόρους μας, όταν τόσοι και τόσοι θρασύτατα απέφευγαν να πληρώσουν τους δικούς τους. Πιο πρόσφατα, ωστόσο, η ενασχόλησή μου με το μοντέλο της δέσμευσης άλλαξε άρδην την άποψή μου σ' αυτό το θέμα. Ακόμα ενοχλούμαι όταν ο υδραυλικός ζητάει να τον πληρώσω χωρίς απόδειξη· ωστόσο, τώρα η δυσαρέσκειά μου μετριάζεται στη σκέψη ότι η πληρωμή των φόρων είναι μια επένδυση που κάνω εγώ για να διατηρήσω μια έντιμη προδιάθεση. Σ' αυτές τις περιπτώσεις, η αρετή δεν είναι απλώς η ανταμοιβή του εαυτού της· μπορεί επίσης να οδηγήσει σε υλικές ανταμοιβές σε άλλους τομείς. Δεν είμαι σίγουρος αν η εξωτερική αυτή αμοιβή είναι μεγαλύτερη από το ποσό που θα μπορούσα να κλέψω ατιμωρητί από την εφορεία. Τα στοιχεία όμως, όπως θα δούμε, αποδεικνύουν ότι δεν αποκλείεται διόλου να είναι.

Ακόμα και η απλή πιθανότητα τέτοιων ανταμοιβών αλλάζει εντελώς το δίλημμά μας για το εάν θα πρέπει να καλλιεργήσουμε μια έντιμη προδιάθεση. Σύμφωνα με τις πατροπαράδοτες απόψεις για την ηθική, οι καιροσκόποι έχουν κάθε λόγο να παραβιάζουν τους κανόνες (και να διδάσκουν τα παιδιά τους να κάνουν το ίδιο) σε κάθε περίπτωση που η παραβίαση είναι επικερδής. Το μοντέλο της δέσμευσης αμφισβητεί εκ θεμελίων αυτή την άποψη. Αυτό για μένα είναι το πιο γοητευτικό μήνυμά του. Επειδή το μοντέλο προτείνει μια κατανοητή απάντηση στο πιεστικό ερώτημα «Κι εγώ τι θα βγάλω;», ελπίζω ότι θα παρακινήσει ακόμα και τον πιο σκληροπυρηνικό κυνικό να αισθανθεί μεγαλύτερο ενδιαφέρον για τους άλλους.

ΚΕΦΑΛΑΙΟ ΔΥΟ

Το Παραδοξο του Αλτρουισμου

Στο βιβλιο του *Growing up*, ο Russell Baker αναφέρει ότι, την ε-
ποχή της οικονομικής ύφεσης, το σόι της μητέρας του καθότανε γύρω
από το τραπέζι της κουζίνας αργά το βράδυ και μιλούσε για την οι-
κογενειακή περιουσία που είχε χαθεί παλιά. Η ύπαρξή της είχε ανα-
καλυφθεί πριν από πολλά χρόνια από τον παππού του –τον «Παπ-
πούλη»–, όταν ταξίδεψε στην Αγγλία για να διερευνήσει την ιστορία
της οικογένειας. Εκεί έμαθε ότι κατάγονταν από έναν «βαθύπλουτο ε-
πίσκοπο του Λονδίνου που ζούσε την εποχή του Μάρλμπορο και της
βασίλισσας Άννας».

Φαίνεται ότι ο επίσκοπος είχε κληροδοτήσει την περιουσία του
στους συγγενείς του της Βιρτζίνια –δηλαδή στους προγόνους του
Baker–, αλλά κάτι έγινε και η κληρονομιά δεν έφτασε ποτέ στην άλ-
λη πλευρά του Ατλαντικού. Είπανε στον Παππούλη ότι τα πάντα «εί-
χαν πάει στο Στέμμα» και ότι ήταν πλέον ιδιοκτησία της αυτοκρατο-
ρίας. Η οικογένεια, ωστόσο, ήταν σίγουρη ότι «Βρετανοί επιτήδειοι»
είχαν καταχραστεί την περιουσία που τους ανήκε.

Σύμφωνα με τις διηγήσεις τους, η απώλεια ήταν σημαντική.
«Γύρω στο ένα εκατομμύριο δολάρια σε σημερινά λεφτά», κατά τα λε-
γόμενα του θείου Άλεν. «Περί τα πενήντα ή εξήντα εκατομμύρια»,
σύμφωνα με τον θείο Χαλ.

Ο νεαρός Russell, που ήταν έντεκα ετών, είχε συνεπαρθεί με τα
αλλοτινά πλούτη της οικογένειας. Αλλά η αδελφή του η Ντόρις, που
ήταν δύο χρόνια μικρότερη, ήταν πιο σκληρό καρύδι. Όπως αναφέρει
ο Baker:

Την έξαψή μου για την αμύθητη χαμένη κληρονομιά την εξανέμισε η Ντόρις όταν, κάποιο βράδυ, εκεί που γκρίνιαζα επειδή έπρεπε να πουλάω περιοδικά, είπα: «Εάν ο πατέρας της μαμάς είχε πάρει την περιουσία της οικογένειας, δεν θα αναγκαζόμουνα να δουλεύω». «Δεν φαντάζομαι να πιστεύεις όλα αυτά τα μούσια, ε;» αποκρίθηκε. Σταμάτησα να πιστεύω σ' αυτή την ιστορία στη στιγμή. Δεν θα επέτρεπα σ' ένα εννιάχρονο κοριτσάκι να μου βάλει τα γυαλιά στη δυσπιστία.

Όπως ο νεαρός Baker, έτσι και οι περισσότεροι συμπεριφοριστές φοβούνται ότι οι συνάδελφοί τους θα τους θεωρήσουν αφελείς. Νιώθουν άβολα, για παράδειγμα, όταν καλούνται να εξηγήσουν γιατί κάποιος οδοντίατρος εργάζεται στο διοικητικό συμβούλιο κάποιου τοπικού φιλανθρωπικού ιδρύματος. Ενδεχομένως προσφέρει εθελοντική εργασία από καθαρή γενναιοδωρία, αλλά οι κοινωνικοί συμπεριφοριστές διστάζουν να μιλήσουν για τέτοια κίνητρα. Αισθάνονται πιο πολύ στα νερά τους εάν φανταστούν ότι ο οδοντίατρος ελπίζει να κερδίσει τη γενική εκτίμηση κι έτσι να προσελκύσει περισσότερα δόντια για φτιάξιμο. Και είναι γεγονός ότι, όταν εξετάζουμε τους καταλόγους των μελών των ροταριανών και άλλων οργανώσεων «φιλανθρωπικού περιεχομένου», βρίσκουμε άπειρο πλήθος δικηγόρων, ασφαλιστών και άλλων ανθρώπων που πουλάνε κάτι, ενώ σπανίως συναντάμε ταχυδρομικούς υπαλλήλους ή πιλότους.

Ο ψυχρός ερευνητής φοβάται όσο τίποτα στον κόσμο την ταπείνωση που θα υποστεί έτσι και αποκαλέσει κάποια πράξη αλτρουιστική και βγει αργότερα κάποιος πιο κυνικός συνάδελφός του και αποδείξει ότι ήταν κατά βάθος συμφεροντολογική. Αυτός ο φόβος σίγουρα βοηθά να καταλάβουμε τους ποταμούς μελάνης που έχουν ξοδέψει οι συμπεριφοριστές στην προσπάθειά τους να ξεθάψουν εγωιστικά κίνητρα για πράξεις που φαινομενικά θεωρούνται πράξεις αυτοθυσίας. Θα εξετάσω τις πιο σημαντικές από αυτές τις προσπάθειες και θα υποστηρίξω ότι ευθύνονται, όχι βέβαια εξ ολοκλήρου, αλλά οπωσδήποτε ως έναν βαθμό, για την αποτυχία μας στην επιδίωξη του ατομικού συμφέροντος.

Το αόρατο χέρι

Οι σύγχρονοι συμπεριφοριστές ανάγουν την προέλευση της θεωρίας του ατομικού συμφέροντος στα γραπτά του Άνταμ Σμιθ. Η οξυδερκής διαπίστωση του Σκοτσέζου φιλοσόφου, συμπυκνωμένη σε δύο σύντομες προτάσεις, ήταν ότι:

Δεν οφείλουμε το δείπνο μας στην καλοσύνη του χασάπη, του κάπελα ή του φούρναρη, αλλά στο ενδιαφέρον τους για το δικό τους συμφέρον. Απευθυνόμαστε όχι στον ανθρωπισμό τους, αλλά στην αγάπη τους για τον εαυτό τους, και δεν τους μιλάμε ποτέ για τις ανάγκες μας, αλλά για τα δικά τους οφέλη.

Σύμφωνα με την πρόταση του Σμιθ, η αναζήτηση του προσωπικού κέρδους συχνά ωφελεί τους άλλους. Ο έμπορος που κυνηγά το κέρδος κινείται λες και τον κατευθύνει κάποιο αόρατο χέρι για να μας προμηθεύσει τα προϊόντα που επιθυμούμε περισσότερο. Ωστόσο ο Σμιθ δεν έτρεφε την αυταπάτη ότι οι συνέπειες είναι πάντοτε ευεργετικές. «Οι άνθρωποι του ίδιου επαγγέλματος», έγραφε, «συναντιούνται σπανίως, αλλά η συζήτησή τους καταλήγει σε μια συνωμοσία εναντίον του δημόσιου συμφέροντος ή σε κάποια συνεννόηση για την αύξηση των τιμών».

Πολλοί άνθρωποι, και οι επιστήμονες της συμπεριφοράς είναι καταφανώς ελάχιστοι μεταξύ αυτών, προσβάλλονται από την άποψη ότι η συμπεριφορά κυριαρχείται τόσο από το ατομικό συμφέρον. Ακόμα και ο ίδιος ο Άνταμ Σμιθ, στο παλαιότερο έργο του *Η θεωρία των ηθικών αισθημάτων*, περιέγραψε συγκινητικά τη συμπόνια του ανθρώπου για τους συνανθρώπους του:

Όσο εγωιστής κι αν θεωρείται ο άνθρωπος, είναι φανερό ότι υπάρχουν στη φύση του κάποιες αρχές οι οποίες τον κάνουν να ενδιαφέρεται για την τύχη των άλλων και του καθιστούν την ευτυχία τους απαραίτητη, παρότι δεν παίρνει τίποτε από αυτήν, πέρα από τη χαρά να τη βλέπει. Τέτοιου είδους αρχή είναι η συμπόνια ή ο οίκτος, το συναίσθημα που νιώθουμε για τη δυστυχία των άλλων, όταν είτε τη βλέπουμε είτε τη φανταζόμαστε πολύ παραστατικά. Ότι πολύ συχνά στενοχωριόμαστε για τη στενοχώρια των άλλων είναι ένα θέμα τόσο αυταπόδεικτο, ώστε να μη χρειάζονται συγκεκριμένα περιστατικά για να το αποδείξω· διότι αυτό το συναίσθημα, όπως και όλα τα άλλα πρωτογενή πάθη της ανθρώπινης φύσεως, δεν περιορίζεται κατά κανέναν τρόπο στους ε-νάρετους και τους εύσπλαχνους, αν και αυτοί οι άνθρωποι μπορεί να το νιώθουν με την πιο ακραία ευαισθησία. Ο μεγαλύτερος κακούργος, ο πιο πωρωμένος παραβάτης των νόμων της κοινωνίας διαθέτει ο-πωσδήποτε ένα μερίδιο από τα αυτά τα συναισθήματα.[1]

Ωστόσο ποιος μπορεί να αρνηθεί ότι οι άνθρωποι φροντίζουν πάνω απ' όλα για τον εαυτό τους και την οικογένειά τους; Ή ότι αυτή η άποψη έχει τη δύναμη να εξηγήσει τη συμπεριφορά; Όταν κάποιος ντετέκτιβ ερευνά έναν φόνο, το πρώτο ερώτημα που θέτει είναι: «Ποιος είχε να κερδίσει από τον θάνατο του θύματος;» Όταν ένας οικονομολόγος μελετά κάποια κυβερνητική ρύθμιση, θέλει να μάθει ποιανού το εισόδημα θα αυξηθεί. Όταν κάποιος γερουσιαστής προτείνει ένα καινούριο χρηματοδοτικό πρόγραμμα, ο πολιτικός επιστήμονας προσπαθεί να ανακαλύψει ποιοι από τους ψηφοφόρους του είναι αυτοί που, κατά κύριο λόγο, θα ωφεληθούν. Η χρησιμότητα αυτού του είδους των ερωτημάτων δεν αποδεικνύει βέβαια ότι τα εγωιστικά κίνητρα είναι τα μόνα που έχουν σημασία. Παρ' όλα αυτά, η σπουδαιότητά τους σπανίως τίθεται υπό αμφισβήτηση.

Ο εγωισμός και το μοντέλο του Δαρβίνου

Η πιο σημαντική θεωρητική βάση για το μοντέλο του ατομικού συμφέροντος δεν προέρχεται από το έργο του Σμιθ *Ο πλούτος των εθνών*, αλλά από το βιβλίο του Καρόλου Δαρβίνου *Η καταγωγή των ειδών* (1859). Ο Δαρβίνος εξήγησε ότι ο μοναδικός τρόπος για να διαδοθεί περισσότερο ένα κληρονομικό χαρακτηριστικό είναι να αυξηθεί η α-ναπαραγωγική ικανότητα των *ατόμων* που το φέρουν. Οι επιπτώσεις ενός χαρακτηριστικού στην ευημερία του συνολικού πληθυσμού δεν έχει και μεγάλη σημασία στην πρόταση του Δαρβίνου.

Κάποια από τα εμφανέστερα αποδεικτικά στοιχεία αυτής της πρότασης αφορούν στα χαρακτηριστικά που προτιμώνται από τη σε-ξουαλική επιλογή. Η παγόνα, για παράδειγμα, για κάποιο λόγο ελ-κύεται από τα αρσενικά παγόνια που έχουν στην ουρά τους μεγάλα πολύχρωμα φτερά – όσο μεγαλύτερα, τόσο το καλύτερο. Αυτή η προτίμηση μπορεί να ξεκίνησε επειδή τα μεγάλα φτερά είναι μια χρήσιμη ένδειξη γενικότερης ρώμης, πράγμα που για την παγόνα αποτελεί έ-να καλό χαρακτηριστικό, άξιο να κληροδοτηθεί στους απογόνους της. Αλλά, όποια κι αν ήταν η προέλευση αυτής της προτίμησης, από τη στιγμή που υπάρχει, θα τείνει να αυτο-αναπαράγεται. Μια παγόνα που ενδιαφέρεται για την αναπαραγωγική επιτυχία του αρσενικού μι-κρού της δεν χρειάζεται ιδιαίτερο λόγο για την προτίμησή της στη με-γάλη ουρά, αρκεί το ότι και όλα τα άλλα θηλυκά παγόνια την προτι-μούν. Κάθε θηλυκό παγόνι που ζευγαρώνει με ένα αρσενικό με κοντή ουρά είναι πιο πιθανό να αποκτήσει αρσενικά παγονάκια με κοντή ουρά, που κι αυτά, με τη σειρά τους, θα δυσκολευτούν να βρουν τη δι-κή τους σύντροφο.

Εάν τα αρσενικά παγόνια με τα μεγάλα φτερά γεννούν τους περισσότερους απογόνους, τότε αναπόφευκτα θα υπάρξει μια «γενιά ρωμαλέας ράτσας με μεγάλα φτερά» μεταξύ των αρσενικών. Κάθε φορά η σεξουαλική επιλογή ευνοεί τα αρσενικά παγόνια με τη μεγα-λύτερη ουρά. Το αποτέλεσμα είναι ότι σταδιακά αποκτούν τόσο με-γάλες ουρές, ώστε γίνονται πιο ευάλωτα στους θηρευτές. Τα αρσενι-κά παγόνια, ως σύνολο, θα ευημερούσαν περισσότερο εάν είχαν όλα μικρές ουρές. Κι ωστόσο ένα μεταλλαγμένο αρσενικό με αισθητά μι-κρότερη ουρά θα ευημερούσε λιγότερο από τα υπόλοιπα, επειδή θα ή-ταν λιγότερο ελκυστικό για τα θηλυκά παγόνια.

Το παράδειγμα του παγονιού μάς κάνει να αντιληφθούμε το κε-ντρικό ζήτημα, δηλαδή ότι η μονάδα επιλογής στο μοντέλο του Δαρ-βίνου είναι το άτομο και όχι η ομάδα ή το είδος. Με δεδομένο το επί-πεδο στο οποίο συντελείται η επιλογή, η συμπεριφορά και τα φυσικά χαρακτηριστικά του κάθε είδους πρέπει να εξελιχθούν με τρόπους που προάγουν τα αναπαραγωγικά συμφέροντα όχι ολόκληρου του εί-δους, αλλά του κάθε ξεχωριστού μέλους του. Μπροστά στην επιλογή ανάμεσα σε μια πράξη που θα ωφελήσει τους άλλους και μιαν άλλη, που δεν θα εξυπηρετήσει παρά τα δικά του στενά συμφέροντα, λέγε-ται ότι κάθε ζώο έχει προγραμματιστεί από τις δυνάμεις της εξέλιξης ώστε να ακολουθεί τον δεύτερο δρόμο.

Αυτή η αρχή είναι θεμελιώδης. Δεν ισχύει μόνο στο μέγεθος των φτερών της ουράς, αλλά ακόμα και στο ζήτημα της απάτης. Ο Βρετανός βιολόγος Richard Dawkins δίνει ένα τέτοιο παράδειγμα με την ακόλουθη περιγραφή της συμπεριφοράς των πουλιών που φτιάχνουν φωλιές:

Πολλά πουλιά τρέφονται μέσα στη φωλιά από τους γονείς τους. Όλα χάσκουν και φωνάζουν, και ο γονιός ρίχνει ένα σκουλήκι ή ένα ψίχουλο στο ανοικτό στόμα ενός από αυτά. Το πόσο δυνατά φωνάζει κάθε νεογνό είναι, στην ιδανική περίπτωση, ανάλογο με το πόσο πεινάει. Κατά συνέπεια, εάν ο γονιός δίνει πάντοτε το φαγητό στο πουλάκι που φωνάζει περισσότερο, θα πάρουν όλα το μερίδιο που δικαιούνται, αφού, όταν κάποιο θα έχει φάει αρκετά, δεν θα φωνάζει τόσο δυνατά. Τουλάχιστον αυτό θα συνέβαινε εάν ο κόσμος ήταν ιδανικά πλασμένος, εάν τα άτομα δεν εξαπατούσαν. Αλλά, υπό το πρίσμα της θεωρίας μας του εγωιστικού γονιδίου, πρέπει να περιμένουμε ότι τα άτομα θα εξαπατούν και θα λένε ψέματα για το πόσο πεινάνε. Αυτό θα κλιμακώνεται, μέχρι που θα χάσει το νόημά του, διότι, αν όλα λένε ψέματα φωνάζοντας πολύ δυνατά, το επίπεδο αυτό της έντασης αποτελεί τον κανόνα και τελικά παύει να είναι ψέμα. Ωστόσο δεν μπορεί να αποκλιμακωθεί, επειδή το πουλάκι που θα κάνει το πρώτο βήμα να μειώσει την ένταση της φωνής του θα τιμωρηθεί με μείωση της τροφής και θα πεινάσει.[2]

Εάν η ανθρώπινη φύση διαμορφωνόταν από τις δυνάμεις της φυσικής επιλογής, το αναπόφευκτο συμπέρασμα θα ήταν ότι η συμπεριφορά των ανθρώπων πρέπει να είναι απολύτως εγωιστική, όπως αυτή που αποδίδει ο Dawkins στα πουλάκια. Αυτή η προέκταση του μοντέλου του Δαρβίνου στην ανθρώπινη συμπεριφορά παραμένει, ωστόσο, υπό έντονη αμφισβήτηση, κυρίως διότι πολλοί αρνούνται να ενστερνιστούν την άποψη πως δεν υπάρχουν αυθεντικά φιλάνθρωπες παρορμήσεις στους ανθρώπους.

Η επιλογή της συγγένειας

Οι βιολόγοι έχουν κάνει αναρίθμητες προσπάθειες να εξηγήσουν συμπεριφορές που εκ πρώτης όψεως μοιάζουν με αυτοθυσία. Πολλές από αυτές τις προσπάθειες χρησιμοποιούν την άποψη του William Hamilton περί της επιλογής της συγγένειας.³ Σύμφωνα με τον Hamilton, ένα άτομο μπορεί πολλές φορές να προαγάγει το γενετικό του μέλλον θυσιαζόμενο για άλλα που φέρουν αντίγραφα των δικών του γονιδίων. Πράγματι, για κάποια μέλη ορισμένων ειδών (όπως το μυρμήγκι-εργάτης, που δεν έχει τη δυνατότητα αναπαραγωγής), η βοήθεια προς τους συγγενείς τους είναι ο *μοναδικός* τρόπος για να προαγάγουν την επιβίωση πανομοιότυπων γονιδίων. Το μοντέλο της επιλογής της συγγένειας προβλέπει ότι οι γονείς θα κάνουν «αλτρουιστικές» θυσίες για τα παιδιά τους, οι αδελφοί για τις αδελφές τους και ούτω καθεξής. (Αρκετές δεκαετίες πριν από τον Hamilton, ο J. B. S. Haldane είχε πει ότι θα το έβρισκε λογικό να θυσιάσει τη ζωή του για να σώσει τις ζωές οκτώ εξαδέλφων του – μια και τα πρώτα ξαδέλφια, κατά μέσο όρο, έχουν το ένα όγδοο του γενετικού τους υλικού κοινό.)

Το μοντέλο της συγγένειας χωράει άνετα στο δαρβινικό πλαίσιο και αναμφισβήτητα έχει δείξει προγνωστική δύναμη. Για παράδειγμα, ο Ε. Ο. Wilson απέδειξε ότι το κατά πόσο τα μυρμήγκια θα βοηθήσουν το ένα το άλλο είναι δυνατόν να προβλεφθεί με μεγάλη α-κρίβεια από τον βαθμό της συγγένειάς τους.⁴ Ο Robert Trivers έχει ε-πιπλέον δείξει ότι το συγγενικό μοντέλο προβλέπει και συγκεκριμένες *συγκρούσεις μεταξύ συγγενών.* Ο Trivers προέβλεψε συγκρούσεις μη-τέρας-παιδιών για τον απογαλακτισμό, αποδεικνύοντας ότι η περίο-δος θηλασμού που εξυπηρετεί καλύτερα τα αναπαραγωγικά συμφέ-ροντα της μητέρας είναι πολύ πιο σύντομη από αυτήν που εξυπηρετεί καλύτερα τα παιδιά της.⁵

Οι θυσίες που γίνονται προς όφελος των συγγενών είναι ένα παράδειγμα αυτού που ο Ε. Ο. Wilson αποκαλεί «*ακραιφνή* αλτρουι-σμό, μια σειρά από αντιδράσεις που παραμένουν σχετικά ανεπηρέα-στες από την κοινωνική ανταμοιβή ή τιμωρία, μετά την παιδική ηλι-κία».⁶ Από κάποια άποψη, η συμπεριφορά που αποδίδεται στο μο-ντέλο της επιλογής της συγγένειας δεν είναι πραγματική συμπεριφο-ρά αυτοθυσίας. Όταν ένα άτομο βοηθά κάποιο συγγενή, δεν κάνει τί-ποτε άλλο παρά να βοηθά εκείνο το κομμάτι του εαυτού του που ε-μπεριέχεται στα γονίδια του συγγενούς του.

Όπως παρατηρεί ωστόσο ο φιλόσοφος Philip Kitcher, αυτή η αντίληψη δεν λαμβάνει καθόλου υπόψη της το τεράστιο προσωπικό τίμημα που πληρώνουν αυτοί που θυσιάζονται για συγγενείς τους.

Όταν φέρνουμε στον νου μας περιπτώσεις αλτρουιστικών πράξεων προς συγγενείς, δεν σκεφτόμαστε συνήθως τις ενστικτώδεις αντιδράσεις των γονιών που ορμάνε να σώσουν τα παιδιά τους, πριν καλά καλά καταλάβουν τον κίνδυνο που απειλεί τους ίδιους. Σκεφτόμαστε τους πολιτικούς κρατούμενους που υπομένουν βασανιστήρια για να προφυλάξουν τους δικούς τους, την Κορδέλια που συνοδεύει τον πατέρα της στη φυλακή, την απόφαση της Αντιγόνης να θάψει τον αδελφό της. Αυτές τις περιπτώσεις δεν είναι διόλου εύκολο να τις κάνουμε πέρα ως αντιδράσεις «σχετικά αμετάβλητες μετά την παιδική ηλικία». Αντιθέτως, μοιάζουν να αποκαλύπτουν θαρραλέα αυτοθυσία, μετά από ώριμη σκέψη.[7]

Πάντως ο μεγάλος σκόπελος του μοντέλου της συγγενικής επιλογής, για το θέμα που εξετάζουμε εδώ, δεν είναι ότι αποτυγχάνει να εξηγήσει τουλάχιστον *μερικές* από τις μεγαλόψυχες συμπεριφορές που κατατάσσονται στην κατηγορία του ακραιφνούς αλτρουισμού. Το πρόβλημα είναι ότι, εξ ορισμού, δεν μπορεί να εξηγήσει πολλές ξεκάθαρες περιπτώσεις αυθεντικά μη εγωιστικής συμπεριφοράς απέναντι σε μη συγγενικά πρόσωπα.

Μερικοί παρατηρητές έχουν προτείνει ότι ο ακραιφνής αλτρουισμός μπορεί να είναι ένα εξελικτικό κατάλοιπο, ένα πρότυπο που διαμορφώθηκε από την επιλογή της συγγένειας σε μια περίοδο που οι άνθρωποι ζούσαν κυρίως σε ομάδες στενών συγγενών. Σύμφωνα μ' αυτή την άποψη, ο διαχωρισμός μεταξύ συγγενικού και μη συγγενικού προσώπου δεν είχε κάποιο ιδιαίτερο πλεονέκτημα, εφόσον όλοι ήταν συγγενείς.

Ασφαλώς και οι πρόγονοί μας ζούσαν σε μικρές συγγενικές ομάδες στη μεγαλύτερη περίοδο της εξέλιξης του ανθρώπινου είδους, και αναμφίβολα είναι απόλυτα λογικό να πούμε ότι γνωρίσματα που κυριαρχούσαν εκείνη την περίοδο ενδέχεται να έχουν διασωθεί μέχρι τη σύγχρονη εποχή. Αλλά ακόμα και στις αρχικές ομάδες των κυνηγών-συλλεκτών, το μοντέλο της επιλογής της συγγένειας δεν προβλέπει συμπεριφορά χωρίς διακρίσεις.

Αυτό συμβαίνει απλώς επειδή η γενετική συγγένεια φθίνει εξαιρετικά γρήγορα από τη στιγμή που αφήνουμε τα στενά όρια της πυρηνικής οικογένειας. Τα αδέλφια έχουν, κατά μέσο όρο, μόνο τα μισά από τα γονίδιά τους ίδια, τα πρώτα ξαδέλφια μόνον το ένα όγδοο και τα δεύτερα ξαδέλφια μόλις το ένα τριακοστό δεύτερο. Έτσι, με γενετικούς όρους, τα δεύτερα ξαδέλφια διαφέρουν ελάχιστα από τους τελείως ξένους και το μοντέλο της επιλογής της συγγένειας προβλέπει ένα πάρα πολύ μικρό όφελος από τη βοήθεια που θα τους δώσουμε. Έχει αποδειχθεί ότι τα έντομα κάνουν διακρίσεις όταν παρέχουν τη βοήθειά τους και ότι τις κάνουν βάσει πολύ μικρότερων αποκλίσεων στον βαθμό συγγένειας.[8] Επειδή πάντοτε υπήρχαν μεγάλες αποκλίσεις στον βαθμό γενετικής συγγένειας, ακόμα και μεταξύ των μελών των ομάδων των κυνηγών-συλλεκτών, οι δυνάμεις της επιλογής της συγγένειας αποκλείεται να έχουν παραγάγει αλτρουιστική συμπεριφορά χωρίς διακρίσεις.

Ανταποδοτικός αλτρουισμός

Ο Trivers και άλλοι μελετητές έχουν προσπαθήσει να εξηγήσουν τον αλτρουισμό για τα μη συγγενικά πρόσωπα με μια θεωρία περί *ανταποδοτικού αλτρουισμού*, σύμφωνα με την οποία οι άνθρωποι ευεργετούν τους άλλους προσδοκώντας ότι οι πράξεις τους αυτές θα αναγνωριστούν και θα επιβραβευτούν μελλοντικά με κάποια αντίστοιχη πράξη καλοσύνης.[9] Οι αμοιβαίες περιποιήσεις μεταξύ μη συγγενικών ζώων είναι ένα παράδειγμα που αναφέρεται πολύ συχνά. Τα ζώα δυσκολεύονται να βγάλουν τα παράσιτα από το κεφάλι τους, αλλά μπορούν να τα βγάλουν εύκολα από τα κεφάλια άλλων ζώων. Κατά συνέπεια, το κάθε ζώο μπορεί να ωφεληθεί συνάπτοντας, που λέει ο λόγος, ένα «συμβόλαιο» περί αμοιβαίων περιποιήσεων με κάποιο άλλο ζώο.

Για να επιτύχουν αυτά τα «συμβόλαια», είναι αναγκαίο τα ζώα να έχουν την ικανότητα να αναγνωρίζουν τα συγκεκριμένα άλλα ζώα και να μην προσφέρουν τις υπηρεσίες τους σε εκείνα που αρνούνται να τις ανταποδώσουν. Διαφορετικά, οι πληθυσμοί τους σταδιακά θα κυριαρχηθούν από απατεώνες, από εκείνους που περιμένουν περιποιήσεις, αλλά δεν ξοδεύουν τον πολύτιμο χρόνο τους για να περιποιηθούν άλλους.

Στη φύση παρατηρείται μεγάλη ποικιλία συμβιωτικών σχέσεων. Περίπου πενήντα είδη ψαριών, για παράδειγμα, είναι γνωστό ότι ζούνε από το καθάρισμα των παρασίτων από το σώμα μεγαλύτερων ψαριών. Για να εκτελέσουν αυτά τα καθήκοντα, είναι μερικές φορές α-ναγκαίο τα μικρότερα ψάρια να κολυμπήσουν μέσα στα στόματα των μεγαλύτερων. Είναι πολύ δύσκολο να φανταστούμε κάποια πράξη που να απαιτεί μεγαλύτερη εμπιστοσύνη από αυτήν. Ο καθαριστής χρειάζεται κάποιου είδους εγγύηση ότι δεν θα τον καταβροχθίσουν. Ο καθαριζόμενος επίσης χρειάζεται κάποιο λό-γο για να πιστέψει ότι ο καθαριστής δεν θα τον δαγκώσει. Και ο κα-θαριστής και ο καθαριζόμενος έχουν αναπτύξει πολύ ειδικευμένα σω-ματικά χαρακτηριστικά και τρόπους συμπεριφοράς που τους κάνουν να αλληλοαναγνωρίζονται. Και παρότι έχει παρατηρηθεί ότι παρου-σιάζονται καμιά φορά μιμητές και απατεώνες, οι σχέσεις αυτές είναι ως επί το πλείστον εξαιρετικά σταθερές.

Ο άνθρωπος βεβαίως έχει τη μεγαλύτερη ικανότητα από όλα τα ζώα να αναγνωρίζει και να θυμάται την παρελθούσα συμπεριφο-ρά άλλων μελών του είδους του. Όπως γνωρίζουμε σήμερα, υπάρχει μια συγκεκριμένη περιοχή του εγκεφάλου που στεγάζει την ικανότη-τα να αναγνωρίζουμε τα πρόσωπα. (Οι άνθρωποι που υφίστανται βλά-βες και στα δύο ημισφαίρια αυτής της περιοχής, ύστερα από εγκεφα-λικό, λειτουργούν ως επί το πλείστον φυσιολογικά, αλλά δεν κατα-φέρνουν να αναγνωρίσουν ούτε τα πρόσωπα των στενών συγγενών τους.) Δεν είναι διόλου αβάσιμη λοιπόν η ερμηνεία του Trivers περί ανταποδοτικού αλτρουισμού μεταξύ των ανθρώπων.

Κι ωστόσο πολλές από τις προβλέψεις αυτού του μοντέλου δεν ανταποκρίνονται πολύ καλά στα όσα παρατηρούμε στη ζωή. Σκε-φτείτε, παραδείγματος χάριν, την πρόβλεψη του μοντέλου για το τι θα κάνει ένας περαστικός εάν πρέπει να σώσει κάποιον που πνίγεται. Σύμφωνα με την τυπική λογική του μοντέλου, εάν η πιθανότητα του αρωγού να πνιγεί είναι, φέρ' ειπείν, 1 προς 20, τότε η προσπάθεια διά-σωσης πρέπει να γίνει μόνον εφόσον υπάρχει περίπτωση μεγαλύτερη του 1 προς 20 ο σωσμένος να ανταποδώσει μελλοντικά τη χάρη. Με τέτοιους συλλογισμούς, θα έπρεπε να γίνονται ελάχιστες προσπάθειες διάσωσης.

Κι ωστόσο οι προσπάθειες διάσωσης ήταν ανέκαθεν πολύ συ-νηθισμένες, ακόμα κι όταν συνεπάγονταν εξαιρετικό κίνδυνο για τον αρωγό. Για παράδειγμα, ένα πολύ κρύο βράδυ στα μέσα Ιανουαρίου του 1982, ο Λένυ Σκούτνικ βούτηξε στον παγωμένο ποταμό Πότομακ για να σώσει έναν από τους επιζώντες της πτήσης 90 της Air Florida, που πριν από μερικά λεπτά είχε προσκρούσει στη γέφυρα της 14ης Ο-δού. Δεν ήταν διόλου βέβαιο ότι ο αρωγός θα έφτανε έγκαιρα στη γυναίκα που πάλευε, αλλά ακόμα κι αν έφτανε, δεν ήταν σίγουρο ότι θα κατόρθωνε να επιστρέψει στην όχθη. Στο τέλος, κατάφερε να βγάλει στη στεριά τη γυναίκα, που ήταν μία από τους πέντε μόνο επιζήσαντες της καταστροφής.

Όλοι μας τιμούμε το θάρρος του Σκούτνικ. Αλλά τόσο η δική του, όσο και αναρίθμητες άλλες παρόμοιες πράξεις γενναιότητας σίγουρα δεν είναι αποτέλεσμα κάποιας προσδοκίας για ανταποδοτικά οφέλη. Άλλωστε, αν υπάρχει τέτοια προσδοκία, ποιος ο λόγος να τιμούμε αυτές τις πράξεις;

Η πράξη του Σκούτνικ ήταν μια ξεκάθαρη περίπτωση ακραιφνούς αλτρουισμού. Ο ανταποδοτικός αλτρουισμός, αντιθέτως, είναι έ-να παράδειγμα αυτού που ο Wilson αποκαλεί *νόθο αλτρουισμό*, δηλαδή πράξεις που γίνονται με την προσδοκία ότι η κοινωνία θα ανταποδώσει.[10] Ο στόχος μας εδώ, για μία ακόμα φορά, είναι να προσπαθήσουμε να καταλάβουμε τον ακραιφνή αλτρουισμό.

«Μία σου και μία μου» και το δίλημμα του φυλακισμένου

Όπως είδαμε στο Κεφάλαιο Ένα, η επιδίωξη του ατομικού συμφέροντος συχνά οδηγεί τους ανθρώπους σε σφάλματα. Σε πολλές περιπτώσεις μπορούμε να επιτύχουμε αυτό που θέλουμε μόνον εάν ο καθένας από εμάς παραμερίσει το ατομικό του συμφέρον. Σε περιόδους καύσωνα στη Νέα Υόρκη, η εταιρεία ηλεκτρισμού Edison λέει στους κατοίκους ότι θα έχουν άφθονο ρεύμα για τις βασικές τους ανάγκες, εάν κανένας πελάτης της δεν ανάψει τα κλιματιστικά του πριν από τις 10:00 μ.μ. Για να μη χρειαστεί να υποστούν διακοπή ρεύματος, οι περισσότεροι καταναλωτές θα ήταν πρόθυμοι να περιμένουν τόσες ώρες. Εντούτοις ο φόβος ότι πολλοί άλλοι θα αθετήσουν αυτή τη συμφωνία ματαιώνει πολλές τέτοιες προσπάθειες συνεργασίας. Από τη στιγμή που κάποιος θα ακούσει το κλιματιστικό ενός γείτονα να λειτουργεί στις 7:00 μ.μ., η συμφωνία παύει να ισχύει.

Αυτού του τύπου τα διλήμματα είναι εδώ και πολύ καιρό το α-
γαπημένο θέμα των επιστημόνων της συμπεριφοράς και των θεωρητι-
κών των παιγνίων. Το πιο πολυσυζητημένο παράδειγμα είναι το *δίλημ-
μα του φυλακισμένου*. Η ανακάλυψη αυτού του απλού παιγνιδιού α-
ποδίδεται στον μαθηματικό Α. W. Tucker και το παιγνίδι πήρε το όνο-
μά του από το παράδειγμα που χρησιμοποιήθηκε αρχικά για να το ε-
ξηγήσει. Δύο φυλακισμένοι κρατούνται σε χωριστά κελιά για ένα σο-
βαρό έγκλημα το οποίο όντως διέπραξαν. Ωστόσο ο εισαγγελέας δεν
διαθέτει επαρκείς αποδείξεις και μπορεί να τους καταδικάσει μόνο για
ελαφρύτερο παράπτωμα, για το οποίο η ποινή είναι, φέρ' ειπείν, ένας
χρόνος φυλάκισης. Λένε στον κάθε φυλακισμένο ότι, εάν ο ένας ομο-
λογήσει ενώ ο άλλος δεν πει τίποτα, αυτός που θα ομολογήσει θα αφε-
θεί ελεύθερος και ο άλλος θα πάει 20 χρόνια φυλακή. Εάν ομολογή-
σουν και οι δύο, θα καταδικαστούν σε μια ενδιάμεση ποινή, φέρ' ειπείν
5 χρόνια. (Αυτές οι αμοιβές συνοψίζονται στον Πίνακα 2.1.) Δεν επι-
τρέπεται στους δύο φυλακισμένους να επικοινωνήσουν μεταξύ τους.

Η κυρίαρχη στρατηγική στο δίλημμα του φυλακισμένου είναι η
ομολογία. Άσχετα με το τι θα κάνει ο Ψ, ο Χ θα εκτίσει μικρότερη ποι-
νή εάν μιλήσει. Εάν ο Ψ ομολογήσει επίσης, ο Χ θα καταδικαστεί σε
5 χρόνια αντί για 20· και, εάν ο Ψ δεν μιλήσει, ο Χ θα γλυτώσει και
τον έναν χρόνο φυλακή. Οι αμοιβές είναι απολύτως συμμετρικές, ο-
πότε ο Ψ επίσης θα ωφεληθεί εάν ομολογήσει, ανεξάρτητα από τι θα
κάνει ο Χ. Το πρόβλημα, για μια ακόμα φορά, είναι ότι, αν ο καθένας
συμπεριφερθεί με γνώμονα το ατομικό του συμφέρον, τότε και οι δύο
θα τα πάνε χειρότερα απ' όσο θα τα πήγαιναν εάν ο καθένας τους εί-
χε επιδείξει αυτοσυγκράτηση. Κι έτσι, όταν ομολογήσουν και οι δυο,
τρώνε από 5 χρόνια, αντί για τον έναν χρόνο που θα τους εξασφάλιζε
η σιωπή τους.

Αν και δεν επιτρέπεται να μιλήσουν μεταξύ τους οι φυλακισμέ-
νοι, θα ήταν λάθος να συμπεράνουμε ότι αυτή είναι η πραγματική πη-
γή της δυσκολίας. Το πρόβλημά τους οφείλεται σε έλλειψη *εμπιστοσύ-
νης*. Μια απλή υπόσχεση να μην ομολογήσουν δεν αλλάζει τις υλικές
αμοιβές του παιγνιδιού. (Εάν μπορούσαν να υποσχεθούν ο ένας στον
άλλο ότι δεν θα ομολογήσουν, θα ήταν και πάλι προτιμότερο για το α-
τομικό συμφέρον του καθενός να μην τηρήσει την υπόσχεσή του.)

Σε μια παλαιά μελέτη, οι ψυχολόγοι Anatol Rapoport και Albert Chammah διερεύνησαν το πώς συμπεριφέρονται οι άνθρωποι στην καθημερινή ζωή όταν αντιμετωπίζουν επαναλαμβανόμενες περιπτώσεις διλήμματος του φυλακισμένου.[11]

ΠΙΝΑΚΑΣ 2.1 *Το δίλημμα του φυλακισμένου*

		ΦΥΛΑΚΙΣΜΕΝΟΣ Ψ	
		ΟΜΟΛΟΓΕΙ	ΔΕΝ ΟΜΟΛΟΓΕΙ
ΦΥΛΑΚΙΣΜΕΝΟΣ Χ	ΟΜΟΛΟΓΕΙ	5 χρ. για τον καθένα	0 χρ. για τον Χ 20 χρ. για τον Ψ
	ΔΕΝ ΟΜΟΛΟΓΕΙ	20 χρ. για τον Χ 0 χρ. για τον Ψ	1 χρ. για τον καθένα

Τα πειράματά τους, όπως και εκατοντάδες άλλα που ακολούθησαν, έδιναν στα ζεύγη των παικτών δύο επιλογές: *συνεργασία* ή *προδοσία.* Τα κέρδη ήταν μικρά χρηματικά ποσά αντί για ποινή φυλάκισης, αλλά η δομή του παιγνιδιού ήταν, κατά τ' άλλα, ακριβώς η ίδια με το δίλημμα του φυλακισμένου. Ο πίνακας 2.2 παρουσιάζει ένα τυπικό παιγνίδι.

Όπως και προηγουμένως, η κυρίαρχη στρατηγική για μία και μοναδική παρτίδα του παιγνιδιού είναι η προδοσία. Με την προδοσία επιτυγχάνεται μεγαλύτερη αμοιβή, ανεξάρτητα από το τι κάνει ο συμπαίκτης. Όπως και στο αρχικό δίλημμα του φυλακισμένου, ωστόσο, ο κάθε παίκτης κερδίζει περισσότερα από την αμοιβαία συνεργασία παρά από την αμοιβαία προδοσία.

Η βασική ανακάλυψη των Rapoport και Chammah ήταν ότι οι άνθρωποι επιδεικνύουν μια ισχυρή τάση συνεργασίας *όταν παίζουν επανειλημμένα με τον ίδιο συμπαίκτη.* Ο λόγος είναι απλός. Εάν το παιγνίδι πρόκειται να παιχθεί πολλές φορές, ένας συνεργαζόμενος έχει τη δυνατότητα να προβεί σε αντίποινα σε περίπτωση που ο άλλος τον προδώσει. Από τη στιγμή που γίνεται φανερό ότι η προδοσία προκαλεί εκδίκηση, και τα δύο μέρη προσαρμόζονται συνήθως στο πρότυπο της αμοιβαίας συνεργασίας. Οι Rapoport και Chammah βάφτισαν τη στρατηγική που επιβραβεύει τη συνεργασία και εκδικείται για την προδοσία *«μία σου και μία μου».*

Στο πρόσφατο βιβλίο του, ο Robert Axelrod διερευνά πώς τα πηγαίνει η στρατηγική «μία σου και μία μου» έναντι πολλών άλλων α-ντίπαλων στρατηγικών.[12] Η στρατηγική «μία σου και μία μου» ορίζε-ται τυπικά ως «συνεργαστείτε στην πρώτη κίνηση και μετά, σε κάθε επόμενη κίνηση, κάντε αυτό που έκανε ο άλλος παίκτης στην προη-γούμενη κίνηση».

ΠΙΝΑΚΑΣ 2.2 *Το δίλημμα του φυλακισμένου*
με νομισματικά οφέλη

| | | ΠΑΙΚΤΗΣ Ψ | |
		ΠΡΟΔΟΣΙΑ	ΣΥΝΕΡΓΑΣΙΑ
ΠΑΙΚΤΗΣ Χ	ΠΡΟΔΟΣΙΑ	2 σεντς για τον καθένα	6 σεντς για τον Χ 0 για τον Ψ
	ΣΥΝΕΡΓΑΣΙΑ	0 για τον Χ 6 σεντς για τον Ψ	4 σεντς για τον καθένα

Είναι «ευγενική» στρατηγική, με την έννοια ότι ξεκινάει με διάθεση για συνεργασία. Είναι όμως επίσης και σκληρή στρατηγική, διότι τιμωρεί αμέσως τις προδοσίες της άλλης πλευράς. Εάν και οι δύο παίκτες παίζουν «μία σου και μία μου», το αποτέλεσμα είναι η τέ-λεια συνεργασία σε όλες τις παρτίδες του παιγνιδιού. Ένα ζεύγος παικτών που ακολουθεί το «μία σου και μία μου» κερδίζει συνεπώς τη μεγαλύτερη δυνατή συνολική αμοιβή.

Ο Axelrod εξέτασε υποθετικούς πληθυσμούς στους οποίους δεν αντιπροσωπευόταν μόνον το «μία σου και μία μου», αλλά και πολυά-ριθμες άλλες στρατηγικές. Έκανε προσομοιωτικές ασκήσεις με υπο-λογιστές, για να ανακαλύψει τις συνθήκες που ευνοούν την ανάδειξη της συνεργασίας. Ανακάλυψε ότι το «μία σου και μία μου» τα πήγαι-νε πολύ καλά παίζοντας με πολλές άλλες κυνικές στρατηγικές, οι ο-ποίες είχαν σχεδιαστεί με τον συγκεκριμένο σκοπό να το νικήσουν.

Στην πρόταση του Axelrod, η ανάδειξη της συνεργασίας απαι-τεί ένα αρκετά σταθερό σύνολο παικτών, όπου ο καθένας θυμάται αυ-τό που έκαναν οι άλλοι παίκτες στις προηγούμενες αλληλοεπιδράσεις τους. Απαιτεί επίσης ότι το μέλλον έχει βαρύνουσα σημασία για τους παίκτες, διότι μόνον ο φόβος της εκδίκησης συγκρατεί τους ανθρώπους από την προδοσία. Όταν υπάρχουν αυτές οι συνθήκες, οι συνεργάτες αλληλοαναγνωρίζονται και αποφεύγουν τους προδότες.* Οι υψηλότερες αμοιβές, που συμβαδίζουν με τις επιτυχημένες συνεργασίες, βοηθούν τους συνεργαζόμενους να καταλάβουν μεγαλύτερο μερίδιο του συνολικού πληθυσμού.

Οι συνθήκες που απαιτούνται από το μοντέλο «μία σου και μία μου» συναντώνται συχνά στους ανθρώπινους πληθυσμούς. Πολλοί άνθρωποι αλληλοεπιδρούν επαναληπτικά και οι περισσότεροι θυμούνται πώς τους συμπεριφέρθηκαν οι άλλοι. Ο Axelrod έχει συγκεντρώσει πειστικές αποδείξεις ότι αυτές οι δυνάμεις μάς βοηθούν να εξηγήσουμε τη συμπεριφορά των ανθρώπων. Η πιο εντυπωσιακή από τις αποδείξεις αυτές προέρχεται από τις αφηγήσεις του συστήματος «ζήσε και άσε τους άλλους να ζήσουν», που αναπτύχθηκε στις μάχες των χαρακωμάτων του Α΄ Παγκόσμιου πολέμου. Σε πολλές πολεμικές ζώνες, οι ίδιες εχθρικές μονάδες είχαν στρατοπεδεύσει σε αντικρινά χαρακώματα για αρκετά χρόνια. Οι μονάδες αυτές ήταν συχνά ανάλογης δυναμικότητας, με αποτέλεσμα ότι καμία πλευρά δεν μπορούσε να ελπίζει ότι θα κατορθώσει να εξοντώσει γρήγορα την άλλη. Οι επιλογές τους ήταν είτε να πολεμήσουν με σφοδρότητα, οπότε και οι δύο πλευρές θα είχαν σοβαρές απώλειες, είτε να επιδείξουν αυτοσυγκράτηση.

Οι συνθήκες της αλληλοεπίδρασης στον πόλεμο των χαρακωμάτων, όπως τις περιγράφει ο ιστορικός Tony Ashworth, είναι πολύ παραπλήσιες με εκείνες που απαιτούνται για την επιτυχία τού «μία

---

* Για την ακρίβεια, η ανάδειξη της συνεργασίας στην έρευνα του Axelrod προϋποθέτει επίσης ότι οι παίκτες δεν γνωρίζουν πόσες φορές θα παίξουν ο ένας με τον άλλο. Εάν, για παράδειγμα, ήξεραν ότι θα αλληλοεπιδράσουν ακριβώς 100 φορές, ο κάθε παίκτης θα ήξερε ότι στην 100ή, ή τελευταία, παρτίδα η ενδεδειγμένη κίνηση για το ατομικό συμφέρον είναι η προδοσία, επειδή δεν θα υπήρχε πλέον τρόπος για κανέναν να προβεί σε αντίποινα. Αυτό όμως σημαίνει ότι δεν μπορεί να υπάρξει αποτελεσματική απειλή για εκδίκηση ούτε στην 99η παρτίδα, κι αυτό με τη σειρά του σημαίνει ότι θα ήταν καλύτερο να προδώσει και την 99η φορά. Επειδή το ίδιο ισχύει βήμα προς βήμα για κάθε προηγούμενη παρτίδα, η λύση τού «μία σου και μία μου» ξηλώνεται. Οι Kreps, Milgrom, Roberts και Wilson (1982) ισχυρίζονται ότι το συνεργατικό παιγνίδι μπορεί, παρ' όλα αυτά, να είναι λογικό σ' αυτές τις περιστάσεις, εάν υπάρχει κάποια πιθανότητα οι άλλοι να ακολουθήσουν παράλογα τη στρατηγική τού «μία σου και μία μου».

σου και μία μου».[13] Οι ταυτότητες των παικτών ήταν λίγο ως πολύ σταθερές. Οι μεταξύ τους αλληλοεπιδράσεις ήταν επαναλαμβανόμενες, συχνά πολλές φορές ημερησίως για μεγάλες περιόδους. Η κάθε πλευρά μπορούσε εύκολα να καταλάβει πότε πρόδιδε η άλλη πλευρά. Και η κάθε πλευρά είχε σαφώς συμφέρον να ελαχιστοποιήσει τις μελλοντικές της απώλειες.

Δεν υπάρχει αμφιβολία ότι το «μία σου και μία μου» αναδείχθηκε η κυρίαρχη στρατηγική τόσο στις συμμαχικές, όσο και στις γερμανικές μονάδες. Παρότι υπήρχε έντονη αποδοκιμασία από την πλευρά των επιτελείων, η αυτοσυγκράτηση των στρατιωτών ήταν πάντοτε εμφανής. Αναφερόμενος στις νυχτερινές περιπολίες που γίνονταν έξω από τα χαρακώματα, ο Ashworth γράφει:

... και οι Βρετανοί και οι Γερμανοί στις ήσυχες περιοχές των χαρακωμάτων θεωρούσαν δεδομένο ότι, αν γινόταν τυχαία κάποια μετωπική συνάντηση, καμία περίπολος δεν θα άνοιγε πυρ, αλλά ότι η καθεμιά θα προσπαθούσε να αποφύγει την άλλη. Η κάθε περίπολος παραχωρούσε στην άλλη ανακωχή, παρότι η επίθεση δεν ήταν απλώς δυνατή αλλά και επιβεβλημένη, υπό τον όρο βεβαίως ότι η χειρονομία αυτή θα έβρισκε ανταπόκριση, διότι, εάν η μία περίπολος άνοιγε πυρ, το ίδιο θα έκανε και η άλλη.[14]

Σύμφωνα με τη διήγηση ενός από αυτούς που πήραν μέρος στις μάχες:

... και ξαφνικά, πίσω από κάποιο όρυγμα ή ανάχωμα, ήρθαμε αντιμέτωποι με μια γερμανική περίπολο ... απείχαμε η μια από την άλλη περίπου είκοσι γιάρδες, είχαμε οπτική επαφή. Κούνησα βαριεστημένα το χέρι μου σαν να έλεγα: Και ποιος ο λόγος να αλληλοεξοντωθούμε; Ο Γερμανός αξιωματικός έδειξε να κατάλαβε και οι δύο περίπολοι έκαναν μεταβολή και προχώρησαν προς τα δικά τους χαρακώματα.[15]

Συχνά οι βομβαρδισμοί γίνονταν μόνο σε συγκεκριμένες ώρες της ημέρας και αποφεύγονταν οι πιο ευαίσθητες ώρες και θέσεις. Για παράδειγμα, οι ώρες των γευμάτων και οι σκηνές των νοσοκομείων ήταν συνήθως, στο πλαίσιο μιας σιωπηρής συμφωνίας, εκτός πεδίου βολής.

Οι συνθήκες που εξετάστηκαν από τον Axelrod μας βοηθούν

να εξηγήσουμε όχι μόνον πότε οι άνθρωποι θα συνεργαστούν, αλλά επίσης και πότε είναι πιο πιθανό να *αποφύγουν* τη συνεργασία. Ό-πως παρατηρεί ο Axelrod, η αμοιβαία αυτοσυγκράτηση στις μάχες των χαρακωμάτων άρχισε να φθίνει από τη στιγμή που το τέλος του πολέμου ήταν πλέον απολύτως ορατό. Στον επιχειρηματικό κόσμο συμβαίνουν τα ίδια με τον πόλεμο. Οι εταιρείες πληρώνουν έγκαιρα τους λογαριασμούς τους, διατείνεται ο Axelrod, όχι επειδή είναι το σωστό, αλλά επειδή θα χρειαστούν και στο μέλλον εμπορεύματα από τους ίδιους προμηθευτές. Όταν η μελ-λοντική αλληλοεπίδραση φαίνεται απίθανη, συχνά αυτή η τάση για συνεργασία παραλύει: «Ένα άλλο καλό παράδειγμα είναι η περίπτω-ση μιας επιχείρησης που βρίσκεται στα πρόθυρα της χρεοκοπίας και πουλά τα περιουσιακά της στοιχεία υπό την επίβλεψη ενός τρίτου που έχει οριστεί ως διαιτητής». Η πώληση θα γίνει σε σημαντικά χαμηλό-τερη τιμή, διότι:

... από τη στιγμή που ένας κατασκευαστής παίρνει την κάτω βόλτα, α-κόμα και οι καλύτεροι πελάτες του θα αρχίσουν να αρνούνται πλη-ρωμές για εμπορεύματα που ήδη έχουν παραλάβει, επικαλούμενοι κα-τασκευαστικές ατέλειες, αδυναμία τήρησης των προδιαγραφών, αρ-γοπορημένη παράδοση ή οτιδήποτε άλλο μπορείτε να φανταστείτε. Η ηθική στο εμπόριο επιβάλλεται μόνο μέσω της βεβαιότητας ότι η σχέ-ση με τον ίδιο πελάτη ή προμηθευτή θα συνεχιστεί. Η αποτυχημένη ε-πιχείρηση, έχοντας χάσει τη δύναμη επιβολής που αντλούσε από αυτή τη βεβαιότητα, δεν πρόκειται βέβαια να την αντικαταστήσει με την α-πειλή της πτώχευσης.[16]

Ακόμα κι ο πανεπιστημιακός χώρος δεν εξαιρείται από τον κα-νόνα: «... τα μέλη μιας πανεπιστημιακής κοινότητας είναι πιθανό να φερθούν πιο άσχημα σε έναν επισκέπτη καθηγητή απ' ό,τι στους υ-πόλοιπους συναδέλφους τους».[17]

Είναι αδύνατον να διαφωνήσεις με την άποψη ότι η εμπιστο-σύνη και η συνεργασία εμφανίζονται συχνά για τους λόγους που προ-βάλλουν αυτοί οι συγκεκριμένοι συγγραφείς. Ο υλικός κόσμος είναι ένα αντίξοο περιβάλλον και το τίμημα για την άκριτα φιλάνθρωπη συμπεριφορά μπορεί να είναι η αδυναμία επιβίωσης.

Αλλά και πάλι, το πρόβλημα που παρουσιάζει το «μία σου και

μία μου», ως προς το θέμα που μας απασχολεί εδώ, είναι ότι δεν συνιστά αυθεντικά *αλτρουιστική* συμπεριφορά. Είναι μάλλον όπως και ο ανταποδοτικός αλτρουισμός, ένα σαφές παράδειγμα *συνετής συμπεριφοράς* – με εκλεπτυσμένη σύνεση αναμφίβολα, αλλά χωρίς να παύει να είναι συμφεροντολογική συμπεριφορά. Το άτομο που συνεργάζεται μόνο στις συνθήκες που καθορίζονται από αυτές τις θεωρίες δεν μπορεί να διεκδικήσει τα ύψη κάποιου ηθικού βάθρου. Αυτοί που ψάχνουν για βαθύτερες, για ευγενέστερες παρορμήσεις στους ανθρώπους πρέπει να ψάξουν αλλού.

Τα τροποποιητικά αισθήματα

Σίγουρα έχει υπόψη του αυτές τις παρορμήσεις ο Trivers όταν γράφει: «Η επιλογή ίσως ευνοεί τη δυσπιστία προς εκείνους που προβαίνουν σε αλτρουιστικές πράξεις χωρίς τη συναισθηματική βάση της γενναιοδωρίας ή της ενοχής, επειδή οι αλτρουιστικές τάσεις αυτών των ατόμων μπορεί μελλοντικά να αποδειχθούν λιγότερο δεδομένες».[18] Αναφέρει ανάλογους ρόλους και για άλλα τροποποιητικά αισθήματα όπως η «ιερή αγανάκτηση», η φιλία και η συμπόνια.

Η παρουσία τέτοιων συναισθημάτων μάς βοηθά να ερμηνεύσουμε πολλές από τις παρατηρήσεις που οι απλοί υπολογισμοί περί αμοιβαιότητας δεν μπορούν να ερμηνεύσουν. Όπως παρατηρήσαμε στο Κεφάλαιο Ένα, για παράδειγμα, η προσδοκία του αμοιβαίου οφέλους δεν αποτελεί κίνητρο για να αφήσει κάποιος φιλοδώρημα σε ένα εστιατόριο μακρινής πόλης. Η γενναιοδωρία όμως ή η συμπόνια προσφέρει ισχυρό κίνητρο για κάτι τέτοιο.

Αυτό που ο Trivers δεν εξηγεί καθαρά είναι ο τρόπος με τον οποίο τα συναισθήματα αυτά μας αποφέρουν υλικά οφέλη. Για να καταλάβουμε τη δυσκολία, πρέπει να θυμηθούμε ότι το βασικό πρόβλημα που και οι δύο θεωρίες προσπαθούν να λύσουν είναι το επαναλαμβανόμενο δίλημμα του φυλακισμένου.* Όπως υπογραμμίζουν και

---

* Ο Axelrod διατυπώνει το πρόβλημα αυτό με σαφήνεια. Ο Trivers το υπονοεί, δίνοντας έμφαση στις επαναλαμβανόμενες αλληλοεπιδράσεις και στην ανάγκη να θυμόμαστε πώς συμπεριφέρθηκαν συγκεκριμένα άτομα κατά το παρελθόν.

οι Axelrod και Trivers, το κάθε άτομο έχει ένα απολύτως εγωιστικό κίνητρο για να συνεργαστεί σ' αυτό το πλαίσιο, κι αυτό είναι η αποφυγή των αντιποίνων που θα προκαλέσει η προδοσία. Ο Axelrod τονίζει επίσης ότι αυτό το κίνητρο, *από μόνο του*, είναι αρκετό για να διασφαλίσει το μέγιστο όφελος.

Τα άτομα με κάποιο *επιπρόσθετο* κίνητρο τείνουν να τα πηγαίνουν χειρότερα, επειδή μερικές φορές συνεργάζονται σε περιπτώσεις που η συνεργασία είναι από υλικής απόψεως ασύμφορη. Για παράδειγμα, κάποιος που θέλει να αποφύγει την ενοχή μπορεί να συνεργαστεί ακόμα και σε περιπτώσεις που το δίλημμα του φυλακισμένου τίθεται μια και έξω, ή να πληρώσει τους λογαριασμούς του ακόμα κι όταν είναι φανερό ότι ο πιστωτής του βρίσκεται στα πρόθυρα χρεοκοπίας. Αντιθέτως, το «μία σου και μία μου» δεν έχει καμία ισχύ σ' αυτή την περίπτωση, όπου η βέλτιστη στρατηγική είναι σίγουρα η προδοσία.

Ένα άτομο που νιώθει συμπόνια είναι εξαιρετικά απρόθυμο να προβεί σε αντίποινα. Με τους όρους του Axelrod, αυτή η τάση χαρακτηρίζει τους ανθρώπους που παίζουν «δύο σου και μία μου» – τη στρατηγική που εκδικείται μόνον όταν οι συμπαίκτες προδίδουν δυο συνεχείς φορές. Σε όλα τα περιβάλλοντα που μελέτησε ο Axelrod, το «μία σου και μία μου» τα πήγε πολύ καλύτερα από το «δύο σου και μία μου».

Ο Trivers ισχυρίζεται ότι η «ιερή αγανάκτηση» μπορεί να αποβεί χρήσιμη, διότι μας ωθεί να τιμωρήσουμε τους ανθρώπους που αρνούνται να μας ανταποδώσουν κάποια χάρη. Αλλά και το «μία σου και μία μου» χρησιμοποιεί αυτή την τιμωρία, και μάλιστα, όπως υπογραμμίζει ο Axelrod, εκεί ακριβώς που πρέπει και στον βαθμό που πρέπει. Κάποιος που ωθείται από «ιερή αγανάκτηση» σπαταλά ενέργεια στην προσπάθεια να τιμωρήσει ανθρώπους με τους οποίους ξέρει ότι δεν θα αλληλεπιδράσει ποτέ μελλοντικά. Αυτό βεβαίως εξυπηρετεί από κοινωνικής απόψεως, αλλά το κάθε άτομο θα τα πήγαινε καλύτερα εάν άφηνε τη δαπανηρή αγανάκτηση στους άλλους. Ένα άλλο πρόβλημα με την «ιερή αγανάκτηση» είναι ότι οι άνθρωποι που ωθούνται από αυτήν μπορεί να προβούν σε υπερβολικά αντίποινα, α-κόμα και εναντίον των μόνιμων εμπορικών εταίρων τους. («Ακόμα και φίλοι σκοτώνονται για εντελώς ασήμαντες διαφωνίες».)[19] Με τους όρους του Axelrod, η «ιερή αγανάκτηση» συγγενεύει λοιπόν με το «δύο μου για μία σου», μια ακόμα από τις πολλές στρατηγικές που νικήθηκαν από το «μία σου και μία μου».

Εάν το «μία σου και μία μου» απαιτούσε από τους ανθρώπους να κάνουν πολύπλοκους υπολογισμούς, τότε τα τροποποιητικά αισθήματα ίσως να ήταν χρήσιμα ως γενικοί κανόνες. Εάν υπαγόρευαν αρκετά συχνά μιαν αποδοτικότερη συμπεριφορά και εάν μας εξοικονομούσαν τον χρόνο και την ενέργεια που απαιτούν οι πολύπλοκοι υπολογισμοί, ίσως να τα κατάφερναν, κατά μέσο όρο, καλύτερα από το «μία σου και μία μου». Δεδομένης όμως της υπερβολικά απλοϊκής φύσης τού «μία σου και μία μου», ένας τέτοιος ρόλος δεν φαίνεται πιθανός. Ακόμα και τα πιο κουτά άτομα διεκπεραιώνουν εύκολα τους υπολογισμούς που χρειάζεται αυτή η στρατηγική.

Για να συνοψίσουμε, το πλεονέκτημα της περιγραφής του Trivers είναι ότι τα τροποποιητικά αισθήματα βοηθούν να εξηγήσουμε γιατί οι άνθρωποι ενεργούν αλτρουιστικά ακόμα και σε περιπτώσεις στις οποίες δεν ανταμείβεται αυτή τους η συμπεριφορά. Στην εκδοχή του Axelrod, στην οποία δεν αναφέρονται καν συναισθήματα, αυτού του είδους η συμπεριφορά παραμένει μυστήριο. Το μειονέκτημα της εκδοχής του Trivers είναι ότι δεν εξηγεί καθαρά τον τρόπο με τον οποίο τα τροποποιητικά αισθήματα αποφέρουν υλικά οφέλη στους ανθρώπους. Όταν οι συμπεριφορές που ευνοούνται από αυτά τα συναισθήματα διαφέρουν από αυτές που υπαγορεύει το «μία και μία μου», το τελευταίο δείχνει να υπερέχει. Και όταν και οι δύο μηχανισμοί οδηγούν στις ίδιες συμπεριφορές, τα τροποποιητικά αισθήματα φαίνονται περιττά. Μολονότι και οι δυο περιγραφές της συνεργασίας είναι πολύ παρόμοιες, του Trivers δείχνει να είναι πολύ πιο κοντά στις δικές μας παρατηρήσεις περί αλτρουιστικής συμπεριφοράς, ενώ του Axelrod εναρμονίζεται μάλλον περισσότερο με το δαρβινικό μοντέλο της ατομικής επιλογής.*

Δεν ισχυρίζομαι ωστόσο ότι τα τροποποιητικά αισθήματα που περιγράφονται από τον Trivers δεν παίζουν κανένα ρόλο. Αντιθέτως,

---

* Βεβαίως ο Trivers πρωτοπαρουσίασε αρχικά το μοντέλο του ανταποδοτικού αλτρουισμού δέκα και πλέον χρόνια πριν βγει το βιβλίο του ο Axelrod. Ωστόσο, ακόμα και στις πιο πρόσφατες μελέτες του (1985), εξακολουθεί να τονίζει τη σημασία των αισθημάτων διαμεσολάβησης.

στα επόμενα δύο κεφάλαια θα υποστηρίξω ότι είναι όντως πάρα πολύ χρήσιμα. Η άποψή μου στο σημείο αυτό είναι ότι χρειάζονται πολλές διευκρινίσεις για τον ακριβή *τρόπο* με τον οποίο μας βοηθούν.

Η επιλογή της ομάδας

Το προσφιλέστερο πεδίο πεδίο των βιολόγων και όποιων άλλων πιστεύουν ότι οι άνθρωποι είναι αυθεντικά αλτρουιστές είναι τα μοντέλα της επιλογής της ομάδας. Πολλοί βιολόγοι εκφράζουν τη δυσπιστία τους γι' αυτά τα μοντέλα, τα οποία απορρίπτουν την κύρια δαρβινική παραδοχή ότι η επιλογή γίνεται σε ατομικό επίπεδο.* Για παράδειγμα, σ' ένα πρόσφατο κείμενό του, ο Trivers συμπεριλαμβάνει ένα κεφάλαιο με τον τίτλο «Η πλάνη της επιλογής της ομάδας».[20] Με ελάχιστα συγκαλυμμένη περιφρόνηση, ορίζει την επιλογή της ομάδας ως «τη διαφορική αναπαραγωγή των ομάδων, που συχνά θεωρείται ότι ευνοούν χαρακτηριστικά που επιβαρύνουν το άτομο, αλλά εξελίσσονται διότι ωφελούν την ευρύτερη ομάδα». Οι υποστηρικτές της επιλογής της ομάδας προσπάθησαν να δείξουν ότι ο αυθεντικός αλτρουισμός, όπως ορίζεται συμβατικά, δεν είναι παρά ένα τέτοιο χαρακτηριστικό. Η ροπή για αποφυγή της απάτης, ακόμα και όταν δεν υπάρχει περίπτωση να αποκαλυφθεί, είναι ένα ενδεικτικό παράδειγμα. Στις περιπτώσεις που η απάτη δεν μπορεί να αποκαλυφθεί, το «μία σου και μία μου» και άλλες μορφές ανταποδοτικού αλτρουισμού δεν έχουν συνταγή επιτυχίας, μια και είναι αδύνατο στους συνεργαζόμενους να εκδικηθούν τους προδότες.

Μπορεί άραγε ο αλτρουισμός να εξελίχθηκε μέσω της επιλογής της ομάδας; Για να έχει συμβεί κάτι τέτοιο, θα έπρεπε οι αλτρουιστικές ομάδες να ευημερούν περισσότερο από τις λιγότερο αλτρουιστικές στον ανταγωνισμό για τα σπάνια αγαθά. Αυτή η προϋπόθεση, από μόνη της, δεν παρουσιάζει προβλήματα. Ο αλτρουισμός *είναι* αποδοτικός στο επίπεδο της ομάδας (θυμηθείτε ότι τα ζεύγη των συνεργαζόμενων στο δίλημμα του φυλακισμένου τα πάνε καλύτερα από τα ζεύγη των

---

* Για μια εξαιρετική επισκόπηση των τεχνικών δυσκολιών που αντιμετωπίζουν τα μοντέλα της επιλογής της ομάδας, βλέπε και το βιβλίο του Wilson, 1975, Κεφάλαιο 5.

προδοτών) και μπορούμε εύκολα να φανταστούμε τρόπους με τους οποίους οι αλτρουιστικές ομάδες μπορούν να αποφύγουν την εκμετάλλευση από λιγότερο αλτρουιστικές ομάδες. Για παράδειγμα, μια αλτρουιστική ομάδα μπορεί να απομονωθεί απόλυτα από τις άλλες ομάδες. Αυτή η απομόνωση, αν και παρουσιάζεται σπάνια, συμβαίνει.[21] Αλλά ακόμα και εάν υποθέσουμε ότι η καλύτερη απόδοση των αλτρουιστικών ομάδων τις καθιστά ικανές να υπερέχουν έναντι όλων των άλλων ομάδων, η εκδοχή της επιλογής της ομάδας σκοντάφτει και πάλι σε ένα σημαντικό εμπόδιο. Ο συμβατικός ορισμός είναι, και εδώ, ότι η μη αλτρουιστική συμπεριφορά συμφέρει το άτομο. Ακόμα και σε μια αλτρουιστική ομάδα, δεν θα είναι όλα τα άτομα εξίσου αλτρουιστικά. Και όταν τα άτομα διαφέρουν, θα υπάρξει πίεση επιλογής που θα είναι υπέρ των λιγότερο αλτρουιστικών μελών της ομάδας. Καθώς λοιπόν αυτά τα άτομα θα αποκομίζουν μεγαλύτερα οφέλη, θα καταλαμβάνουν ένα όλο και μεγαλύτερο μερίδιο του συνόλου της αλτρουιστικής ομάδας.

Οπότε, ακόμα και στην περίπτωση που μία αμιγώς αλτρουιστική ομάδα νικάει όλες τις υπόλοιπες ομάδες, η λογική της επιλογής σε ατομικό επίπεδο θα σημάνει τελικά την καταστροφή τής αυθεντικά αλτρουιστικής συμπεριφοράς. Μπορεί να νικήσει μόνον όταν ο ρυθμός εξαφάνισης των ομάδων είναι αντίστοιχος με τον ρυθμό θνησιμότητας των ατόμων μέσα στις ομάδες. Όπως τονίζει ο Wilson, στην πράξη αυτή η συνθήκη δεν εμφανίζεται καθόλου ή εμφανίζεται εξαιρετικά σπάνια.

Παρότι το θέμα της διαμάχης για την επιλογή της ομάδας είναι ακόμα ανοικτό, σήμερα οι περισσότεροι βιολόγοι απορρίπτουν την άποψη ότι υπάρχει πιθανότητα να εμφανίστηκε η αυθεντικά αλτρουιστική συμπεριφορά μέσω της επιλογής της ομάδας. Και μάλιστα πολλοί αντιμετωπίζουν τους οπαδούς της επιλογής της ομάδας όπως αντιμετώπισε η εννιάχρονη Ντόρις Μπέικερ τον αδελφό της Russell.

Πολιτισμικές πιέσεις

Ίσως ο αλτρουισμός και άλλες μορφές συμπεριφοράς αυτοθυσίας δεν έχουν καμία απολύτως βιολογική προέλευση, αλλά, τουναντίον, είναι αποτέλεσμα του πολιτισμικού εθισμού. Αυτή μοιάζει να είναι και η άποψη του William Hamilton όταν γράφει ότι:

... θεωρείται ότι το ζωικό μέρος της φύσης μας ενδιαφέρεται πιο πολύ να αποκτήσει «περισσότερα απ' τον μέσο όρο» παρά «το μέγιστο δυνατό». ... [Αυτό] σημαίνει ... ολοκληρωτική αδιαφορία για κάθε αξία, ατομική ή ομαδική, που δεν συμφωνεί με την ανταγωνιστική ανατροφή. Συνεπώς το ζώο που ενυπάρχει στη φύση μας δεν μπορεί να θεωρηθεί ο πιο κατάλληλος θεματοφύλακας των αξιών του πολιτισμένου ανθρώπου.[23]

Όλοι σχεδόν οι γνωστοί ανθρώπινοι πολιτισμοί έχουν επενδύσει πολλά τόσο στη διδασκαλία, όσο και στην τήρηση των ηθικών κωδίκων συμπεριφοράς. Οι περισσότεροι από αυτούς τους κώδικες αντιτίθενται «στο ζώο που ενυπάρχει στη φύση μας», ζητώντας από τους ανθρώπους να παραιτηθούν από το προσωπικό τους όφελος εν ονόματι του ενδιαφέροντος προς τους άλλους. Ίσως αυτοί οι κώδικες να είναι η πραγματική εξήγηση των πράξεων αυτοθυσίας.

Γνωρίζουμε ωστόσο ότι υπάρχουν τουλάχιστον κάποιες εκδηλώσεις αυτοθυσίας που είναι σαφές ότι ο πολιτισμός δεν μπορεί να ερμηνεύσει. Η επιδίωξη της εκδίκησης, που αναπτύχθηκε εν συντομία στο Κεφάλαιο Ένα, είναι ένα παράδειγμα. Οι περισσότεροι πολιτισμοί όχι μόνο δεν ενθαρρύνουν τη βεντέτα, αλλά επιπλέον παίρνουν ουσιαστικά μέτρα για να την αποτρέψουν. Σε αντίθεση με τη γενική εντύπωση, η βιβλική ρήση «οφθαλμόν αντί οφθαλμού και οδόντα αντί οδόντος» δεν είναι μια παραίνεση για την επιδίωξη της εκδίκησης, αλλά μια έκκληση για τον περιορισμό της στα επίπεδα της αρχικής πρόκλησης. Είναι ασφαλές να υποθέσουμε ότι η ύπαρξη ενός πολιτισμικού κανόνα που προσπαθεί να περιορίσει μια δεδομένη συμπεριφορά σημαίνει ότι, εάν οι άνθρωποι αφήνονταν να ενεργούν αυθόρμητα, θα ακολουθούσαν στο έπακρο αυτή τη δεδομένη συμπεριφορά. Κατά συνέπεια, ο πολιτισμικός εθισμός δεν προσφέρεται ως εξήγηση του φαινομένου της αυτοθυσίας.

Η ίδια αντίρρηση ωστόσο είναι σαφές ότι δεν μπορεί να ισχύσει και στην περίπτωση των πολιτισμικά ενθαρρυνόμενων συμπεριφορών, όπως η εντιμότητα και η φιλανθρωπία. Πολλοί ισχυρίζονται ότι αυτές οι συμπεριφορές δεν θα υπήρχαν καθόλου εάν δεν υπήρχε η πίεση των πολιτισμικών δυνάμεων. Σε τελευταία ανάλυση, η εντιμότητα διαφέρει πολύ από πολιτισμό σε πολιτισμό, αλλά και μεταξύ ομάδων του ίδιου πολιτισμού. Το μέλος της μαφίας ακολουθεί έναν κώδικα συμπεριφοράς που είναι πολύ διαφορετικός από εκείνον που ακολουθεί ο πρεσβυτεριανός διάκονος. Αυτό αποδεικνύει ότι δεν υπάρχει κάτι που να μοιάζει με μια απλή βιολογική παρότρυνση να «είμαστε έντιμοι». Εάν υπάρχει κάποιο κληροδοτούμενο ένστικτο, πρέπει να είναι εξαιρετικά εύπλαστο – κάτι σαν «δώσε προσοχή σ' αυτό που διδάσκουν οι γύρω σου και προσπάθησε να το ακολουθήσεις».

Είναι άραγε αναγκαίο ένα τέτοιο ένστικτο, ή μήπως οι πολιτισμικοί κανόνες αρκούν από μόνοι τους για να εξηγήσουν την ύπαρξη της αλτρουιστικής συμπεριφοράς; Είναι εύκολο να δεχτούμε ότι οι πολιτισμικοί κανόνες είναι προαπαιτούμενο για την εμφάνιση της αλτρουιστικής συμπεριφοράς. Γνωρίζουμε, σε τελευταία ανάλυση, ότι, στους πολιτισμούς που δεν ενθαρρύνουν τον αλτρουισμό, η εμφάνισή του σπανίζει.

Είναι επίσης εύκολο να δούμε γιατί ακόμα και κάποιος εγγενώς εγωιστής θα χαιρόταν να ζει σε έναν πολιτισμό που κηρύσσει τους αλτρουιστικούς κανόνες, γιατί, εάν επικρατούν αυτοί οι κανόνες, οι άλλοι θα του φέρονται επιεικέστερα.

Παρ' όλα αυτά, από την οπτική του δύσπιστου συμπεριφοριστή, το πραγματικό μυστήριο παραμένει: Γιατί άραγε ένα ιδιοτελές άτομο να ακολουθήσει έναν τέτοιο κώδικα; Με άλλα λόγια, οφείλουμε να εξηγήσουμε γιατί δεν υπάρχει κάποιο ακαταμάχητο πλεονέκτημα στην παραβίαση των ηθικών κωδίκων σε όλες τις περιπτώσεις που ο παραβάτης σαφώς θα ωφελούνταν. Μερικοί άνθρωποι βεβαίως τους παραβιάζουν. Αλλά οι περισσότεροι άνθρωποι δεν είναι τόσο καιροσκόποι. Σ' έναν κόσμο όπου υπάρχουν εμφανώς υψηλά κέρδη από την καιροσκοπική συμπεριφορά, πώς μπορεί να επιβιώσει οτιδήποτε άλλο πέρα από τον απόλυτο καιροσκοπισμό;

Πρέπει να τονίσω, σ' αυτό το σημείο, ότι με τον «απόλυτο καιροσκοπισμό» δεν εννοώ την καταφανώς αντικοινωνική συμπεριφορά. Ο πραγματικός καιροσκόπος συνεργάζεται όταν είναι προς το συμφέρον του και συνήθως αποφεύγει τις απάτες ακόμα κι όταν υπάρχουν ελάχιστες πιθανότητες να τον πιάσουν. Μπορεί μάλιστα να δίνει την εντύπωση υποδειγματικού πολίτη. Αλλά υπάρχουν πάρα πολλοί τρόποι που ένας φαινομενικά υποδειγματικός πολίτης μπορεί να προδώσει χωρίς σχεδόν καμία πιθανότητα τιμωρίας. Μπορεί μεταξύ άλλων:

– να κρατήσει τα μετρητά που είναι στο πορτοφόλι που βρίσκει,
– να μη δηλώσει αυτό το ποσό στην εφορεία,
– να παραφουσκώσει τα έξοδά του και τα ποσά που ζητάει α-πό τις ασφαλιστικές εταιρείες,
– να μην αφήσει φιλοδώρημα σε εστιατόρια ξένων πόλεων,
– να αφήνει σκουπίδια σε κάποια ερημική παραλία,
– να αποσυνδέσει τη συσκευή ελέγχου καυσαερίων του αυτοκινήτου του.

Ίσως κάποιοι άνθρωποι τα κάνουν όλα αυτά. Πολύ περισσότεροι κάνουν κάποια από αυτά. Είναι στη φύση αυτών των πράξεων ό-τι, ενώ μπορεί να γνωρίζουμε ότι *κάποιος* τις κάνει, δεν γνωρίζουμε *ποιος*. Ωστόσο γνωρίζουμε ότι δεν τις κάνουν όλοι. Εάν όλοι είχαν α-φαιρέσει τις συσκευές ελέγχου καυσαερίων από τα αυτοκίνητά τους, ο αέρας θα ήταν ακόμα πιο μολυσμένος· εάν ο καθένας άφηνε τα σκουπίδια του, οι παραλίες θα ήταν ακόμα πιο βρώμικες.

Οι άνθρωποι που αρνούνται να ακολουθήσουν αυτή την τακτική τα πάνε υποχρεωτικά χειρότερα από τους άλλους; Πολλές θρησκείες διδάσκουν ότι οι ενάρετοι άνθρωποι προσδοκούν τις μεγάλες αμοιβές στην άλλη ζωή. Αλλά η συμβατική σοφία λέει ότι, σ' αυτή τη ζωή, η αρετή πρέπει να είναι η ανταμοιβή του εαυτού της. Από υλική άποψη, οι προδότες, σε καθεμία από τις περιστάσεις που αναφέραμε προηγουμένως, τα πάνε καλύτερα. Αυτό είναι το θεμελιώδες παράδο-ξο του δαρβινικού μοντέλου και άλλων υλιστικών θεωριών της αν-θρώπινης ύπαρξης. Δεν αφήνουν κανένα παραθυράκι για την ενάρε-τη συμπεριφορά, κι ωστόσο υπάρχουν πλείστες όσες αποδείξεις ενά-ρετης συμπεριφοράς.

Ενώ οι πολιτισμικοί κανόνες είναι αναγκαίοι, δεν εξηγούν ικα-νοποιητικά αυτή τη συμπεριφορά. Πρώτα απ' όλα τίθεται το ερώτη-μα γιατί οι καιροσκόποι γονείς συμβάλλουν στην προσπάθεια να δι-δαχθούν τα παιδιά τους να μη συμπεριφέρονται καιροσκοπικά. Γιατί δεν λένε απλώς: «Να έχετε μια ευπρόσωπη παρουσία μέσα στην ομά-δα σας, να τηρείτε τις υποχρεώσεις σας όταν η αθέτησή τους δεν μπο-ρεί να μην αποκαλυφθεί, αλλά, κατά τ' άλλα, αρπάξτε κάθε ευκαιρία κέρδους που θα βρεθεί στον δρόμο σας»;

Πιθανώς θα μπορούσε να υπάρξει νομοθεσία που να εμποδίζει τους καιροσκόπους γονείς να μεταδίδουν τέτοια μηνύματα. Έχουμε, παραδείγματος χάριν, υποχρεωτική παιδεία και προσπαθούμε να μεταδώσουμε αγαθές πολιτισμικές αξίες στα σχολεία μας. Ωστόσο γνωρίζουμε ότι υπάρχουν τουλάχιστον κάποιοι άνθρωποι –οι κοινωνικά απροσάρμοστοι, ας πούμε– που είναι εντελώς αναίσθητοι ακόμα και στις πλέον έντονες μορφές του πολιτισμικού εθισμού. Και εφόσον οι καιροσκόποι τα πάνε συστηματικά καλύτερα απ' όλους τους άλλους, η άτεγκτη λογική του μοντέλου της εξέλιξης λέει ότι τελικά θα έπρεπε να είχαμε μόνο τέτοιους ανθρώπους.

Κι ωστόσο αυτό δεν έχει συμβεί. Στο Κεφάλαιο Ένα ισχυρίστηκα ότι ένας από τους λόγους που αυτό δεν έχει συμβεί είναι ότι οι ανιδιοτελείς άνθρωποι είναι αισθητά διαφορετικοί από τους υπόλοιπους και ότι ο λόγος που έχουν επιβιώσει οφείλεται ακριβώς στη διαφορετικότητά τους. Ας εξετάσουμε λοιπόν λεπτομερώς αυτή τη θέση.

ΜΙΑ ΘΕΩΡΙΑ ΗΘΙΚΩΝ ΑΙΣΘΗΜΑΤΩΝ

ΤΙΣ ΠΡΩΤΕΣ πρωινές ώρες της 13ης Μαρτίου 1964, ο Ουίνστον Μόζλυ πήρε από πίσω μια γυναίκα που είχε βγει από το αυτοκίνητό της κοντά σε κάποιο σταθμό του τρένου στο Κουίνς της Νέας Υόρκης. Την πρόλαβε μπροστά από ένα βιβλιοπωλείο κοντά στο διαμέρισμά της, της επιτέθηκε, πάλεψε μαζί της, την έριξε κάτω και τη μαχαίρωσε στο στήθος. Καθώς η γυναίκα φώναζε βοήθεια, άναψαν πολλά φώτα και άνοιξαν πολλά παράθυρα γειτονικών διαμερισμάτων. Από την πλεονεκτική θέση του έβδομου ορόφου, ένας γείτονας φώναξε: «Άσε το κορίτσι ήσυχο!»

Ο Μόζλυ απομακρύνθηκε. Όμως, όπως είπε αργότερα: «Είχα την αίσθηση ότι εκείνος ο άντρας θα έκλεινε το παράθυρό του και θα πήγαινε να κοιμηθεί, και τότε θα επέστρεφα». Κι επέστρεψε. Ακολούθησε στη σκάλα το θύμα του που φώναζε, μπήκε στο διαμέρισμά της, τη μαχαίρωσε άλλες οκτώ φορές και τη βίασε. Η αστυνομία της Νέας Υόρκης δεν έλαβε καμία κλήση για το περιστατικό μέχρι τις 3:50 π.μ., περίπου τριάντα λεπτά αφότου οι απελπισμένες κραυγές του θύματος είχαν ξυπνήσει τη γειτονιά. Όταν πια η αστυνομία έφτασε στον τόπο του εγκλήματος, η Κίτυ Τζενοβέζε ήταν ήδη νεκρή.

Μεταξύ των γειτόνων που η αστυνομία ανέκρινε αργότερα, 38 παραδέχτηκαν ότι είχαν ακούσει τις κραυγές της. Ο καθένας από αυτούς ενδεχομένως να έσωζε την Κίτυ μ' ένα απλό τηλεφώνημα, κι ωστόσο κανείς δεν είχε μπει στον κόπο. Οι ανακριτές άκουσαν δικαιολογίες όπως: «Ήμουνα κουρασμένος», «Νομίσαμε ότι ήταν ερωτικό καβγαδάκι» και «Ειλικρινά φοβηθήκαμε». Ένα ζευγάρι είχε σβήσει τα φώτα και παρακολουθούσε την επίθεση πίσω από τις κουρτίνες.

Τα επόμενα χρόνια η υπόθεση αυτή έγινε πασίγνωστο σύμβολο

της ανθρώπινης αδιαφορίας για κάποιον άνθρωπο που βρίσκεται σε κίνδυνο. Σχεδόν όλοι όσοι έχουν ακούσει την ιστορία κατακρίνουν δριμύτατα τους γείτονες της Κίτυ Τζενοβέζε. Ωστόσο, μια και παραμένει αναλλοίωτο το γεγονός ότι τόσο πολλοί άνθρωποι δεν αντέδρασαν, ενδέχεται οι επικριτές τους, που μιλούν με βεβαιότητα όντας έξω απ' τον χορό, να μην έχουν δίκιο όταν πιστεύουν ότι στη θέση τους δεν θα έκαναν το ίδιο.

Η υπόθεση Τζενοβέζε και άλλα παρόμοια περιστατικά αναφέρονται συχνά για να συνηγορήσουν υπέρ του καθαρά ιδιοτελούς χαρακτήρα της ανθρώπινης φύσης. Κι ωστόσο υπάρχουν εξίσου τρανταχτά παραδείγματα που συνηγορούν υπέρ μιας σαφώς λιγότερο απογοητευτικής εικόνας. Για παράδειγμα, κάποιος που επέζησε από ένα μοιραίο περιστατικό διηγείται πώς τρεις τεχνικοί του CBS συνάντησαν έναν άντρα που έσερνε τη Μάργκαρετ Μπαρμπέρα σε ένα απομονωμένο πάρκινγκ, δίπλα στον ποταμό Χάντσον στο Μανχάταν. Παρότι ο κακοποιός κρατούσε πιστόλι μεγάλου διαμετρήματος, οι τρεις άντρες έτρεξαν να βοηθήσουν τη Μάργκαρετ. Είναι βέβαιο ότι τα κίνητρα που οδήγησαν στον θάνατο τους Λίο Κουράνσκι, Ρόμπερτ Σούλτζε και Έντουαρντ Μπένφορντ, εκείνο το βράδυ της άνοιξης του 1982, δεν ήταν εγωιστικά. Είναι απολύτως βέβαιο ότι δεν σκέφτηκαν καθόλου να κάνουν μια συνετή ενέργεια στο πλαίσιο κάποιου ανταποδοτικού αλτρουισμού.

Ο Άνταμ Σμιθ, στο βιβλίο του που έχει σχεδόν τον ίδιο τίτλο μ' αυτό το κεφάλαιο και το οποίο εκδόθηκε στα 1759, μιλούσε για τη συμπόνια και άλλα ηθικά αισθήματα που κάνουν τους ανθρώπους να βάζουν τα συμφέροντα των άλλων πάνω από τα δικά τους. Ο Σμιθ πίστευε ότι η φύση μάς προίκισε με αυτά τα αισθήματα για το καλό της ανθρωπότητας.[1] Με τους σύγχρονους όρους, η άποψή του είναι συναφής με το γνωστό μοντέλο της επιλογής της ομάδας – τα ευγενή ένστικτα κοστίζουν σε όσους τα έχουν, αλλά εξακολουθούν να υπάρχουν διότι προωθούν την επιβίωση του ανθρώπινου είδους. Όπως παρατηρήσαμε ωστόσο και στο προηγούμενο κεφάλαιο, οι περισσότεροι βιολόγοι απορρίπτουν κατηγορηματικά αυτή την άποψη. Κι ωστόσο οι εξηγήσεις που δίνουν οι υποστηρικτές του μοντέλου της επιλογής του ατόμου είναι στην καλύτερη περίπτωση ατελείς, και στη χειρότερη καταφανώς ανεπαρκείς.

Η εξελικτική άποψη για την ανθρώπινη φύση επιμένει ότι η συ-μπεριφορά και άλλα χαρακτηριστικά υπάρχουν για έναν και μόνο λό-γο – για να προωθήσουν την επιβίωση των γονιδίων των ατόμων που έχουν αυτά τα χαρακτηριστικά. Η ζάχαρη έχει γλυκιά γεύση, για πα-ράδειγμα, επειδή οι πίθηκοι που προτιμούσαν τα ώριμα φρούτα είχαν περισσότερες πιθανότητες από τους άλλους να επιβιώσουν και να α-φήσουν απογόνους. Με την ίδια λογική, τα άτομα που κοιτάζουν α-ποκλειστικά το ατομικό τους συμφέρον θα έπρεπε να ευημερούν πε-ρισσότερο από τα αλτρουιστικά και, κατά συνέπεια, θα έφταναν κά-ποτε να αποτελούν ολόκληρο τον πληθυσμό. Οι υλικές δυνάμεις μοιά-ζουν να μας διαβεβαιώνουν ότι θα καταλήξουμε με ανθρώπους που θα είναι όλοι σαν τους γείτονες της Κίτυ Τζενοβέζε, ότι κανένας δεν θα είναι σαν τους Κουράνσκι, Σούλζε και Μπένφορντ. Το πλαίσιο της θεωρίας της επιλογής του ατόμου δεν αφήνει κανένα περιθώριο για την ανάδειξη ανιδιοτελούς συμπεριφοράς.

Γι' αυτόν ακριβώς τον λόγο, πολλοί ισχυρίζονται ότι το εξελι-κτικό μοντέλο δεν μπορεί να εφαρμοστεί στην ανθρώπινη συμπερι-φορά. Μην μπορώντας να αρνηθούν ότι υπάρχουν ευγενείς τάσεις, ό-ταν έχουμε αδιάσειστες αποδείξεις ότι υπάρχουν, οι άνθρωποι αυτοί θεωρούν πιο εύκολο να ισχυριστούν ότι ο δαρβινισμός σταματάει στους πιθήκους. Σύμφωνα με την άποψή τους, ο πολιτισμός και άλλες μη βιολογικές δυνάμεις έχουν τόσο βαρύνουσα σημασία στους αν-θρώπους, ώστε θα ήταν προτιμότερο να μη λαμβάνουμε υπόψη μας τις εξελικτικές δυνάμεις.

Σκοπός μου σ' αυτό το κεφάλαιο είναι να χρησιμοποιήσω μια απλή ιδέα της οικονομικής θεωρίας για να σκιαγραφήσω έναν εναλ-λακτικό δρόμο της θεωρίας της επιλογής του ατόμου, μέσω του οποίου μπορεί να αναδείχθηκαν ο αλτρουισμός και άλλες εμφανείς μορφές α-νιδιοτελούς συμπεριφοράς. Ο μηχανισμός που θα περιγράψω διαφέ-ρει από εκείνους που συναντήσαμε στο Κεφάλαιο Δύο κατά το ότι οι συμπεριφορές που προσπαθεί να εξηγήσει είναι ανιδιοτελείς με την πιο αυστηρή έννοια: Εάν τα άτομα μπορούσαν επιλεκτικά να τις α-ποφύγουν, τα άτομα αυτά και οι συγγενείς τους θα τα πήγαιναν κα-λύτερα από υλικής απόψεως. Στα επόμενα κεφάλαια θα εξετάσω μια πλειάδα αποδεικτικών στοιχείων που είναι συνεπή με την εκδοχή που προτείνω εδώ. Αλλά το πεδίο αυτής της εργασίας είναι περιορισμένο κι έτσι δεν ισχυρίζομαι ότι αυτός ο μηχανισμός είναι *η μοναδική* εξήγηση, ή έστω η πιο σημαντική εξήγηση, για την ανιδιοτελή συμπεριφορά. Ελπίζω απλώς να καταδείξω ότι ο μηχανισμός αυτός είναι μια πιθανή εκδοχή και να παρακινήσω ίσως και άλλους να τη διερευνήσουν περισσότερο.

Προτού προχωρήσω στις λεπτομέρειες του επιχειρήματος, καλό είναι να ξεκαθαρίσω τι δεν προσπαθώ να επιτύχω. Όταν παρουσίαζα κάποιες παλαιότερες εκδοχές αυτής της εργασίας, πάντοτε υπήρχαν μερικά άτομα στο ακροατήριο που αγανακτούσαν ακόμα και στην α-πλή αναφορά ότι οι βιολογικές δυνάμεις παίζουν κάποιο ρόλο στις ανθρώπινες επιλογές. Σ' αυτούς τους ανθρώπους θέλω να τονίσω πως δεν σκοπεύω να πείσω κανέναν ότι οι βιολογικές δυνάμεις παίζουν τέτοιο ρόλο. Σκοπός μου είναι να αποδείξω ότι, ακόμα και εάν οι βιο-λογικές δυνάμεις ήταν οι *μοναδικές* που επηρέαζαν τη συμπεριφορά, *ακόμα και τότε* θα ήταν δυνατόν να αναδειχθεί ανιδιοτελής συμπεριφορά. Το βασικό μου επιχείρημα είναι απλώς ότι τα γνωστά κοινω-νιοβιολογικά μοντέλα δεν έχουν ασχοληθεί επαρκώς με μια σημαντι-κή κατηγορία προβλημάτων που αντιμετωπίζουν οι άνθρωποι στα κοινωνικά περιβάλλοντα, και ότι οι συμπεριφορές που απαιτούνται για την επίλυση αυτών των προβλημάτων είναι πολύ διαφορετικές α-πό εκείνες που εμφανίζονται στα γνωστά μοντέλα.

Για την εκδοχή που προτείνω, δεν χρειάζεται να αποδεχθούμε την άποψη ότι οι βιολογικές δυνάμεις έχουν βαρύνουσα σημασία. Δεν χρειάζεται όμως ούτε να την απορρίψουμε.

Τα ηθικά αισθήματα ως μηχανισμοί επίλυσης προβλημάτων

Σύμφωνα με τα εξελικτικά μοντέλα, για να αναδειχθεί ένα γνώρισμα, δεν πρέπει απλώς να είναι ωφέλιμο για το άτομο, αλλά πρέπει επίσης να είναι και πιο ωφέλιμο από άλλα γνωρίσματα που συντηρούνται α-πό τους ίδιους σωματικούς πόρους. Σκεφτείτε την εξέλιξη της όρασης. Οι άνθρωποι και άλλα ζώα βλέπουν μόνον ένα τμήμα από το φάσμα. Ένα άτομο που θα μπορούσε να βλέπει καλά την υπέρυθρη περιοχή του φάσματος θα είχε κάποια εμφανή πλεονεκτήματα έναντι των υ-πολοίπων· ειδικότερα, θα είχε καλύτερη νυχτερινή όραση. Και ωστόσο η ανθρώπινη όραση σταματά στο κόκκινο χρώμα. Ο λόγος, σύμφωνα με την εξέλιξη, είναι ότι το νευρολογικό δυναμικό που χρειάζεται για να υποστηρίξει την υπέρυθρη όραση αναλώνεται σε πιο σημαντικές χρήσεις. Προφανώς αυτό που θα κέρδιζε ένα άτομο εάν είχε την ικανότητα να βλέπει το υπέρυθρο φάσμα δεν είναι τόσο πολύτιμο όσο η ύπαρξη μιας γενικά οξύτερης όρασης μέσα σ' ένα πιο περιορισμένο φάσμα.

Για να εξελιχθεί λοιπόν ένα ηθικό αίσθημα, πρέπει κατά κάποιον τρόπο να παρέχει όχι απλώς κάποιο πλεονέκτημα, αλλά κάποιο σημαντικό πλεονέκτημα. Η θεωρία των ηθικών αισθημάτων που θα σκιαγραφήσω σ' αυτό το κεφάλαιο εισηγείται ότι αυτά τα αισθήματα παρέχουν πράγματι αυτό το πλεονέκτημα. Μας βοηθούν να επιλύσουμε ένα σημαντικό και επαναλαμβανόμενο θέμα κοινωνικής αλληλοεπίδρασης – δηλαδή το *θέμα της δέσμευσης* που παρουσίασα στο Κεφάλαιο Ένα.

Παραδείγματα θεμάτων δέσμευσης

Θυμηθείτε ότι το πρόβλημα της δέσμευσης εμφανίζεται όταν συμφέρει το άτομο να δεσμευτεί οριστικά ότι θα συμπεριφερθεί με κάποιο συγκεκριμένο τρόπο, που αργότερα μπορεί να αποδειχθεί αντίθετος με το ατομικό του συμφέρον.* Μερικές περιπτώσεις:

Η ΑΠΑΤΗ ❖ Δύο άτομα, ο Σμιθ και ο Τζόουνς, συνεταιρίζονται σε μια δυνητικά επικερδή επιχείρηση, ας πούμε ένα εστιατόριο. Η δυνατό-

---

* Αυτό που εδώ αποκαλώ *θέματα δέσμευσης* ίσως είναι γνωστό σε κάποιους αναγνώστες ως *θέματα προδέσμευσης*, τον όρο που χρησιμοποιούν οι περισσότεροι οικονομολόγοι για να τα περιγράψουν (Strotz, 1956, Williamson, 1977, Dixit 1980, Eaton και Lipsey 1981, Schmalensee, 1978). Έχω μάλιστα κι εγώ ο ίδιος αναφερθεί σ' αυτά με αυτό το όνομα (Frank, 1985). Ο όρος των οικονομολόγων επελέχθηκε μάλλον για να τονίσει ότι οι λύσεις σ' αυτά τα ζητήματα απαιτούν από τους ανθρώπους να δεσμευτούν *εκ των προτέρων*. Αλλά πώς αλλιώς μπορεί κανείς να δεσμευτεί, εάν όχι εκ των προτέρων; Ο όρος *προδέσμευση* είναι πλεονασμός. Είναι λιγότερο εξόφθαλμος από τη φράση κάποιου αθλητικού σχολιαστή ότι οι γηπεδούχοι είχαν «νικήσει σε οκτώ συνεχή παιγνίδια στη σειρά χωρίς καμία ήττα», αλλά δεν παύει να είναι ατυχής.

τητα κέρδους ξεκινά από τα φυσικά πλεονεκτήματα που προσφέρει η κατανομή της εργασίας και η εξειδίκευση. Ο Σμιθ είναι ταλαντούχος μάγειρας, αλλά είναι συνεσταλμένος και δεν ξέρει να διευθύνει μια ε- πιχείρηση. Αντίθετα, ο Τζόουνς δεν μπορεί να βράσει ούτε αυγό, αλ- λά είναι γοητευτικός και διαθέτει επιχειρηματικό ταλέντο. Και οι δυο μαζί διαθέτουν τα αναγκαία προσόντα για να ξεκινήσουν μια επιτυ- χημένη επιχείρηση. Εάν όμως δούλευε ο καθένας μόνος του, οι δυνα- τότητές τους θα ήταν πολύ πιο περιορισμένες.

Το πρόβλημα είναι το ακόλουθο: Ο καθένας θα έχει ευκαιρίες να εξαπατήσει τον άλλο, χωρίς να υπάρχει περίπτωση η απάτη του να αποκαλυφθεί. Ο Τζόουνς μπορεί να ξαφρίζει την ταμειακή μηχανή χωρίς να το ξέρει ο Σμιθ. Αλλά και ο Σμιθ μπορεί να παίρνει μίζες από τους προμηθευτές τροφίμων.

Εάν μόνον ο ένας από τους δύο εξαπατά τον άλλο, τότε τα πάει πολύ καλά. Αυτός που δεν εξαπατά τα πάει άσχημα, αλλά δεν είναι σίγουρος για ποιο λόγο συμβαίνει αυτό. Το ότι βγάζει λίγα δεν είναι αξιόπιστη ένδειξη απάτης, μια και υπάρχουν πολλές ανεπίληπτες ε- ξηγήσεις γιατί μια δουλειά μπορεί να πάει άσχημα. Εάν το θύμα εξα- πατά επίσης, τότε κι αυτός μπορεί να μην πιαστεί στα πράσα και θα τα πάει καλύτερα απ' όσο στην περίπτωση που δεν θα εξαπατούσε – ωστόσο δεν θα τα πάει το ίδιο καλά όσο στην περίπτωση που και οι δύο θα ήταν έντιμοι.

Από τη στιγμή που αρχίζει κάποια επιχείρηση, το ατομικό συμ- φέρον υπαγορεύει αναμφισβήτητα την απάτη. Ωστόσο, εάν και οι δύο δεσμεύονταν να μην κάνουν απάτες, θα κέρδιζαν από αυτήν τους τη δέσμευση. Το πρόβλημα που αντιμετωπίζουν είναι παρόμοιο με εκεί- νο που εξετάσαμε στο παράδειγμα της απαγωγής στο Κεφάλαιο Ένα και στο δίλημμα του φυλακισμένου στο Κεφάλαιο Δύο.

Η ΑΠΟΤΡΟΠΗ ❖ Ας υποθέσουμε ότι ο Σμιθ και ο Τζόουνς έχουν γει- τονικά χωράφια και ο πρώτος είναι σιτοπαραγωγός κι ο δεύτερος αγε- λαδοτρόφος. Ο Τζόουνς ευθύνεται για κάθε καταστροφή που προξε- νούν τα γελάδια του στο σιτάρι του Σμιθ. Εάν περιφράξει το χωράφι του, μπορεί να εμποδίσει οριστικά την καταστροφή, η περίφραξη όμως στοιχίζει 200 δολάρια. Εάν αφήσει τη γη του απερίφρακτη, τα γελάδια του θα βοσκήσουν σιτάρι αξίας 1.000 δολαρίων. Ο Τζόουνς ωστόσο γνωρίζει ότι, εάν τα γελάδια του φάνε το σιτάρι του Σμιθ, ο Σμιθ θα αναγκαστεί να πληρώσει 2.000 δολάρια για να ασκήσει δικαστική δίωξη. Εάν δεν υπήρχαν αυτά τα δικαστικά έξοδα, ο Σμιθ θα απειλούσε τον Τζόουνς ότι, εφόσον δεν περιφράξει το κτήμα του, θα του κάνει μήνυση για τις ζημιές. Εάν όμως ο Τζόουνς πιστεύει ότι ο Σμιθ είναι ένας λογικός άνθρωπος που σκέφτεται το ατομικό του συμφέρον, αυτή η απειλή δεν είναι αξιόπιστη. Από τη στιγμή που οι αγελάδες έχουν ήδη φάει το σιτάρι, δεν υπάρχει πλέον λόγος να καταφύγει ο Σμιθ στα δικαστήρια. Θα έχανε περισσότερα απ' όσα θα έπαιρνε πίσω.

Εάν ο Σμιθ δεσμευόταν ωστόσο να καταφύγει στη δικαιοσύνη σε περίπτωση ζημιάς, αυτό το πρόβλημα θα λυνόταν. Γνωρίζοντας ότι η δίκη για τη ζημιά θα ήταν βέβαιη, ο Τζόουνς δεν θα είχε πια κανένα κέρδος να μην περιφράξει το χωράφι του και, κατά συνέπεια, ο Σμιθ δεν θα χρειαζόταν να υποστεί τα δικαστικά έξοδα.*

Η ΔΙΑΠΡΑΓΜΑΤΕΥΣΗ ❖ Σ' αυτό το παράδειγμα, οι Σμιθ και Τζόουνς έχουν και πάλι την ευκαιρία να κάνουν μια επικερδή συνεταιριστική πράξη. Υπάρχει κάποια δουλειά που μόνον εκείνοι μπορούν να κάνουν και η οποία θα τους αποφέρει συνολικά 1.000 δολάρια. Ο Τζόουνς δεν έχει ιδιαίτερη ανάγκη αυτά τα χρήματα, ενώ ο Σμιθ πρέπει να ξεχρεώσει σημαντικούς λογαριασμούς. Μια θεμελιώδης αρχή της θεωρίας της διαπραγμάτευσης λέει ότι η πλευρά που χρειάζεται λιγότερο τη συγκεκριμένη συναλλαγή βρίσκεται σε πιο πλεονεκτική θέση. Συνεπώς η διαφορά της προσωπικής τους κατάστασης δίνει στον Τζόουνς το πλεονέκτημα. Μια και χρειάζεται λιγότερο τα κέρδη, εάν απειλήσει ότι δεν θα δεχτεί τη δουλειά έτσι και δεν πάρει τη μερίδα του λέο

---

* Προσέξτε ότι, σ' αυτή την περίπτωση, το πρόβλημα επιλύεται με μια ενδεχόμενη δέσμευση, μια δέσμευση που θα πραγματοποιηθεί μόνον εάν συμβεί κάποιο συγκεκριμένο περιστατικό. Στο πρόβλημα της απάτης, η λύση απαιτούσε από τα δύο μέρη να τηρήσουν απαρχής μέχρι τέλους τη δέσμευσή τους ότι θα παραιτηθούν από το ατομικό τους συμφέρον και δεν θα διαπράξουν απάτη. Εδώ, αντιθέτως, ο Σμιθ δεσμεύεται να παραβλέψει το προσωπικό του συμφέρον μόνο στην περίπτωση που ο Τζόουνς δεν θα περιφράξει το κτήμα του. Και εάν ο Τζόουνς γνωρίζει ότι ο Σμιθ έχει προβεί στην ενδεχόμενη δέσμευση να τον μηνύσει, το ενδεχόμενο αυτό δεν πρόκειται να προκύψει. Κι έτσι ο Σμιθ δεν θα αναγκαστεί τελικά να παραβλέψει το ατομικό του συμφέρον.

ντος, ας πούμε 800 δολάρια, θα είναι αξιόπιστος. Σ' αυτή την περίπτωση, προκειμένου να μη ματαιωθεί η δουλειά, συμφέρει τον Σμιθ να υποχωρήσει.

Ο Σμιθ θα μπορούσε ωστόσο να είχε προστατέψει τη θέση του εάν είχε σκεφτεί να κάνει κάποια δέσμευση να μην αποδεχτεί, ας πούμε, λιγότερο από τα μισά κέρδη. Μια πιθανή λύση στην κατεύθυνση της επίτευξης αυτού του στόχου θα ήταν να υπογράψει ένα συμβόλαιο σύμφωνα με το οποίο θα πρόσφερε 500 δολάρια στο Ρεπουμπλικανικό Κόμμα, στην περίπτωση που θα δεχόταν να πάρει λιγότερα από 500 δολάρια από τη δουλειά με τον Τζόουνς. (Ο Σμιθ είναι δημοκρατικός μέχρι τα μπούνια και νιώθει αποστροφή για μια τέτοια εξέλιξη.) Εάν λοιπόν έκανε ένα τέτοιο συμβόλαιο, δεν θα τον συνέφερε πλέον να ενδώσει στην απειλή του Τζόουνς. (Εάν ο Σμιθ αποδεχόταν τα 200 δολάρια, θα έπρεπε να πληρώσει τη δωρεά των 500 δολαρίων, πράγμα που θα σήμαινε ότι θα είχε μπει μέσα κι άλλα 300 δολάρια απ' ό,τι εάν δεν είχε κάνει καθόλου τη δουλειά με τον Τζόουνς.) Η απειλή του Τζόουνς ξαφνικά χάνει κάθε ισχύ.

Ο ΓΑΜΟΣ ❖ Σαν τελευταία περίπτωση του προβλήματος της δέσμευσης, ας εξετάσουμε τη δυσκολία που αντιμετωπίζει ένα ζευγάρι που θέλει να παντρευτεί και να δημιουργήσει οικογένεια. Ο καθένας θεωρεί τον άλλο κατάλληλο σύντροφο. Ο γάμος όμως είναι μία σημαντική επένδυση και κάθε άνθρωπος φοβάται μήπως τυχόν πάει στράφι εάν ο σύντροφός του τον εγκαταλείψει μελλοντικά επειδή του έτυχε κάτι καλύτερο. Εάν δεν υπάρξει ικανοποιητική διαβεβαίωση ότι αυτό δεν πρόκειται να συμβεί, κανένας από τους δυο δεν θα προθυμοποιηθεί να κάνει τις απαιτούμενες επενδύσεις για να στεριώσει ο γάμος τους.

Το ζευγάρι θα μπορούσε να επιλύσει το πρόβλημά του με τη σύνταξη ενός λεπτομερειακού γαμήλιου συμβολαίου που θα επέβαλλε σημαντικές κυρώσεις σ' αυτόν που θα επιχειρούσε να φύγει. Άλλωστε και οι δύο είναι διατεθειμένοι να παραιτηθούν από τις ενδεχόμενες μελλοντικές ευκαιρίες, ώστε να τους συμφέρει να επενδύσουν στην τωρινή τους προσπάθεια να φτιάξουν οικογένεια. Οι σκοποί τους θα εξυπηρετούνταν καλύτερα εάν έπαιρναν τώρα τα κατάλληλα μέτρα, τα οποία θα άλλαζαν τα κίνητρα που μπορεί να αντιμετωπίσουν μελλοντικά.

Σ' αυτές τις περιπτώσεις, δύο είναι τα στοιχεία που ξεχωρίζουν: Πρώτον, τα ίδια τα προβλήματα, εάν όχι και οι προτεινόμενες λύσεις, δεν είναι ούτε ασήμαντα ούτε φανταστικά. Στις συνεταιρικές επιχειρήσεις οι πρακτικοί λόγοι παρεμποδίζουν πάντα τη δυνατότητα να ελέγχουμε τι κάνουν οι άλλοι. Επανειλημμένα, η απάτη από κάθε ενδιαφερόμενο μέρος οδηγεί σε ένα χειρότερο αποτέλεσμα για όλους. Σ' αυτές τις περιπτώσεις, εάν υπήρχε τρόπος να γίνουν κατηγορηματικές δεσμεύσεις κατά της απάτης, όλοι θα έβγαιναν ωφελημένοι. Παρομοίως, στα ανταγωνιστικά περιβάλλοντα οι ευκαιρίες για αρπαγή είναι διαδεδομένες. Και όπου υπάρχουν αυτές οι ευκαιρίες, υπάρχει και α-φθονία κυνικών ανθρώπων που τις εκμεταλλεύονται. Η ικανότητα ε-πίλυσης θεμάτων αποτροπής θα ήταν ένα προσόν μεγίστης σημασίας. Εξίσου σημαντικά είναι και τα θέματα διαπραγμάτευσης. Ζω σημαίνει παζαρεύω. Οι άνθρωποι πρέπει συνεχώς να κάνουν παζάρια για να μοιράσουν τους καρπούς των κοινών τους προσπαθειών. Όσοι έ-χουν την ικανότητα να επιλύουν με επιτυχία αυτά τα προβλήματα έ-χουν ένα ξεκάθαρο πλεονέκτημα. Και τέλος, σχεδόν όλοι μας αντιμε-τωπίζουμε κάποια εκδοχή του ζητήματος του γάμου. Η αμφισβήτηση της εξαιρετικής σημασίας που έχει η επίλυση αυτού του ζητήματος δεν είναι καθόλου εύκολη.

Το δεύτερο προφανές στοιχείο που ανακύπτει από τα τέσσερα παραδείγματα είναι ότι οι προτεινόμενες λύσεις είναι είτε απελπιστι-κά ασαφείς είτε τρομερά θεωρητικές. Καταρχήν δεν προτάθηκε κα-μιά λύση ως προς τον τρόπο δέσμευσης κατά της απάτης στις περι-πτώσεις που η αποκάλυψη της απάτης είναι αδύνατη. Επίσης δεν γί-νεται λόγος για το πώς θα τηρηθεί η δέσμευση για αντίποινα στην πε-ρίπτωση που ο επιτιθέμενος δεν θα την πάρει στα σοβαρά. Τα συμ-βόλαια, όπως αυτό που προτάθηκε ως λύση στο πρόβλημα της δια-πραγμάτευσης, μάλλον δεν είναι δεσμευτικά από νομικής απόψεως, και υπάρχουν πολλοί λόγοι για τους οποίους δεν θα θέλαμε να είναι. Άλλωστε υπάρχουν ήδη πολλές ποινές για τη διακοπή των επίσημων γαμήλιων συμβολαίων και ωστόσο ελάχιστοι άνθρωποι τα θεωρούν ι-κανά να δεσμεύσουν τους δύο συντρόφους να μη χωρίσουν, αν πι-στεύουν ότι το συμφέρον τους βρίσκεται αλλού.

Τα αισθήματα ως κίνητρα

Η ειρωνεία του προβλήματος της δέσμευσης είναι ότι αναφύεται ε-
πειδή τα υλικά κίνητρα μιας δεδομένης στιγμής ωθούν τους ανθρώ-
πους να συμπεριφερθούν με τρόπους που αντιστρατεύονται τα μελ-
λοντικά υλικά τους συμφέροντα. Οι λύσεις που προτάθηκαν στα πα-
ραπάνω παραδείγματα προσπαθούν όλες να τροποποιήσουν τα υλικά
κίνητρα. Για παράδειγμα, ας θυμηθούμε ότι στο Κεφάλαιο Ένα το θύ-
μα της απαγωγής έλυσε το πρόβλημα της απάτης με το να δώσει στον
απαγωγέα ενοχοποιητικά στοιχεία για τον εαυτό του, στοιχεία τέτοια
που θα διασφάλιζαν τη σιωπή του. Με τον ίδιο τρόπο, τα συμβόλαια
που προτάθηκαν για τη διαπραγμάτευση και το πρόβλημα του γάμου
επιτυγχάνουν τον στόχο τους μέσω της αλλαγής των υλικών απολα-
βών των ανθρώπων.

Όπως παρατηρήσαμε ωστόσο, δεν είναι πάντα εφικτό να αλλά-
ξουμε τα υλικά κίνητρα με τον τρόπο που θέλουμε. Ευτυχώς υπάρχει
μια δυνητικά επικερδής εναλλακτική προσέγγιση. Τα υλικά κίνητρα
δεν είναι η μόνη δύναμη που ρυθμίζει τη συμπεριφορά. Ακόμα και
στα βιολογικά μοντέλα, όπου αυτού του τύπου τα κίνητρα είναι το
πρώτιστο μέλημα, δεν παίζουν *άμεσο* ρόλο στην ενεργοποίηση της
συμπεριφοράς. Εκεί η συμπεριφορά ρυθμίζεται άμεσα από έναν πο-
λύπλοκο μηχανισμό ψυχολογικών αμοιβών.

Το σύστημα που ρυθμίζει τη λήψη τροφής μάς δείχνει ανάγλυ-
φα τη λειτουργία αυτού του μηχανισμού. Οι άνθρωποι ή τα ζώα δεν
τρώνε υπακούοντας σε κάποιον ορθολογικό υπολογισμό των θερμιδι-
κών τους αναγκών. Τρώνε επειδή ένα σύμπλεγμα βιολογικών δυνά-
μεων τους κάνει να «πεινούν» όταν το περιεχόμενο του στομάχου
τους, το επίπεδο σακχάρου στο αίμα και άλλοι διατροφικοί δείκτες πέ-
φτουν κάτω από διάφορες οριακές τιμές. Πεινάω σημαίνει νιώθω ένα
υποκειμενικό αίσθημα δυσαρέσκειας στο κεντρικό νευρικό σύστημα.
Η πείρα και ίσως τα εγγενή νευρικά κυκλώματα μας λένε ότι η λήψη
τροφής θα ανακουφίσει αυτό το αίσθημα.

Σε γενικές γραμμές, αυτός είναι ο λόγος που τρώμε. Υπάρχει
βέβαια και υλικό όφελος στο φαγητό, αυτό είναι σίγουρο. Εάν ένας
οργανισμός δεν έτρωγε, η φυσική επιλογή θα τον απέρριπτε. Αλλά τα
υλικά αυτά οφέλη κερδίζονται πιο σίγουρα εάν η λήψη τροφής ρυθ-

μίζεται απευθείας από τον μηχανισμό ανταμοιβής. Όταν η τροφή σπανίζει, η αναζήτησή της απαιτεί μεγάλη προσπάθεια, πράγμα που είναι δύσκολο για κάποιον που έχει ήδη εξασθενήσει από έλλειψη τροφής. Σ' ένα τέτοιο άτομο, το αίσθημα της έντονης πείνας μπορεί να ενεργοποιήσει αποθέματα ενέργειας με έναν τρόπο που οι απλοί λογικοί υπολογισμοί αδυνατούν να το κάνουν.

Ο εναρμονισμός των συμπεριφορών που ευνοούνται από τον μηχανισμό ανταμοιβής και εκείνων που ευνοούνται από τον ορθολογικό υπολογισμό είναι, στην καλύτερη περίπτωση, ατελής. Ο μηχανισμός της αμοιβής παρέχει γενικούς κανόνες που, ως επί το πλείστον, δουλεύουν καλά, αν και όχι σε όλες τις περιπτώσεις. Όταν μάλιστα οι περιβαλλοντικές συνθήκες διαφέρουν σημαντικά από εκείνες στις ο- ποίες εξελίχθηκε ο μηχανισμός ανταμοιβής, τα δύο είδη συμπεριφο- ρών συγκρούονται.

Η λήψη τροφής είναι ένα καλό παράδειγμα. Σήμερα πιστεύου- με ότι η έλλειψη τροφής ήταν συχνό φαινόμενο σε ολόκληρη σχεδόν την ιστορία της εξέλιξης. Κάτω από αυτές τις συνθήκες, η ύπαρξη ε- νός μηχανισμού ανταμοιβής που ευνοούσε την υπερβολική λήψη τρο- φής, στις εποχές που υπήρχε αφθονία τροφής, ήταν ωφέλιμη. Οι άν- θρωποι που συμπεριφέρονταν σύμφωνα μ' αυτό τον μηχανισμό πά- χαιναν και δημιουργούσαν έτσι έναν προστατευτικό κλοιό για τις πε- ριόδους της πείνας. Ωστόσο, στις σύγχρονες βιομηχανικές κοινωνίες, οι άνθρωποι είναι πολύ πιθανότερο να πεθάνουν από έμφραγμα πα- ρά από πείνα. Σήμερα ο ορθολογικός υπολογισμός του ατομικού συμ- φέροντος επιτάσσει να διατηρούμε το βάρος μας. Είναι πασίγνωστο ότι αυτός ο υπολογισμός συγκρούεται με τον μηχανισμό ανταμοιβής και, συχνά μάλιστα, ηττάται.

Όταν λέμε ότι τα κίνητρα που υπαγορεύει ο λογικός υπολογι- σμός των υλικών απολαβών ηττώνται πολύ συχνά από τον μηχανισμό ανταμοιβής, δεν σημαίνει ότι ο λογικός υπολογισμός είναι ασήμαντος για την επιβίωση. Αντιθέτως, η ικανότητά μας να κάνουμε εύστοχους λογικούς υπολογισμούς σίγουρα έπαιξε πολύ σημαντικό ρόλο στην ε- πιβίωσή μας, στον ανταγωνισμό μας με άλλα ζωικά είδη που είναι πο- λύ πιο δυνατά, πιο γρήγορα και πιο γόνιμα από εμάς.

Το καίριο σημείο για την παρούσα μελέτη είναι ότι οι λογικοί υ- πολογισμοί παίζουν μόνον έμμεσο ρόλο. Ας υποθέσουμε, για παρά-

δείγμα, ότι ένα πεινασμένο άτομο εκτιμά ότι η παχυσαρκία δεν το ω-
φελεί και γι' αυτό τον λόγο αποφεύγει να φάει. Ο λογικός υπολογισμός
του σίγουρα έπαιξε κάποιο ρόλο, αλλά μόνον έμμεσο ρόλο. Και πάλι,
ο μηχανισμός ανταμοιβής είναι αυτός που ελέγχει άμεσα τη συμπερι-
φορά του. Ο λογικός υπολογισμός πληροφορεί τον μηχανισμό αμοιβής
ότι η πολυφαγία θα έχει δυσμενείς επιπτώσεις. Η προοπτική αυτή
προκαλεί δυσάρεστα αισθήματα. Και αυτά ακριβώς τα αισθήματα εί-
ναι εκείνα που ανταγωνίζονται άμεσα την παρόρμηση να φάει. Οι λο-
γικοί υπολογισμοί που εισπράττονται με αυτό τον συγκεκριμένο τρόπο
είναι κάτι σαν εισαγόμενα δεδομένα στον μηχανισμό ανταμοιβής.

Τα αισθήματα και τα συναισθήματα είναι προφανώς τα αμεσό-
τερα αίτια πολλών συμπεριφορών. Οι βιοχημικές διεργασίες μερικών
από αυτά –πείνα, θυμός, φόβος, σεξουαλικές ορμές, παραδείγματος
χάριν– είναι αρκετά γνωστές και μπορούν να προκληθούν με ηλε-
κτρική διέγερση σε συγκεκριμένα σημεία του εγκεφάλου. Κάποια άλ-
λα δεν έχουν χαρτογραφηθεί τόσο καλά, εμφανίζονται όμως με τέτοια
σταθερότητα σε διαφορετικές κοινωνίες, που είναι πολύ πιθανόν να έ-
χουν κι αυτά νευροανατομικά αίτια.

Μερικά αισθήματα –ο θυμός, η περιφρόνηση, η αποστροφή, ο
φθόνος, η απληστία, η ντροπή και η ενοχή– έχουν οριστεί από τον
Άνταμ Σμιθ ως ηθικά αισθήματα. Η θεωρία της ανταμοιβής των συ-
μπεριφοριστών ισχυρίζεται ότι αυτά τα αισθήματα, όπως και το αί-
σθημα της πείνας, μπορούν να ανταγωνιστούν τα αισθήματα που πη-
γάζουν από τους λογικούς υπολογισμούς και ότι το κάνουν πολύ συ-
χνά. Γι' αυτόν ακριβώς τον λόγο μπορούν να βοηθήσουν τους ανθρώ-
πους να διευθετήσουν το θέμα της δέσμευσης.

Εν πάση περιπτώσει, είναι ξεκάθαρο ότι αυτά τα αισθήματα
μπορούν να αλλάξουν τα κίνητρα των ανθρώπων με κάποιους επιθυ-
μητούς τρόπους. Σκεφτείτε, για παράδειγμα, ένα άτομο που είναι ικα-
νό να νιώσει έντονα αισθήματα ενοχής. Αυτό το άτομο δεν θα εξα-
πατήσει, ακόμα και όταν η απάτη το συμφέρει από υλικής απόψεως.
Ο λόγος δεν είναι ότι φοβάται μήπως το πιάσουν, αλλά ότι απλώς δεν
θέλει να εξαπατήσει. Η αποστροφή που νιώθει για τα συναισθήματα
ενοχής αλλάζει τις απολαβές που του παρουσιάζονται.* Το ότι δεν

_____

* Με καθαρά υλικά κριτήρια, οι απολαβές του παραμένουν οι ίδιες. Και εφόσον,

χρειάζεται να ελέγχουμε ένα τέτοιο άτομο για να αποφύγουμε κάποια απάτη εκ μέρους του αναιρεί το συνηθισμένο πρόβλημα, ότι δεν έ- χουμε τη δυνατότητα να το ελέγχουμε.

Με τον ίδιο τρόπο, ένας άνθρωπος που εξαγριώνεται όταν υφί- σταται κάποια αδικία δεν χρειάζεται επίσημο συμβόλαιο που να τον δεσμεύει να πάρει εκδίκηση. Θα προσπαθήσει να εκδικηθεί επειδή το *θέλει, ακόμα κι όταν, από καθαρά υλική άποψη, δεν τον συμφέρει*. Το αίσθημα του θυμού θα αντισταθμίσει τα υλικά κίνητρά του.

Το ίδιο το αίσθημα του δικαίου μπορεί να αποτελέσει τον μη- χανισμό δέσμευσης που απαιτείται για την επίλυση του προβλήματος της διαπραγμάτευσης. Θυμηθείτε ότι ο Σμιθ βρισκόταν σε μειονεκτι- κότερη θέση στη διαπραγμάτευση επειδή χρειαζόταν τα χρήματα πε- ρισσότερο από τον Τζόουνς. Όμως εάν ο Σμιθ ενδιαφέρεται όχι μόνο για το πόσα χρήματα θα πάρει σε απόλυτους αριθμούς, αλλά και για το πώς θα μοιραστεί το συνολικό ποσό, θα έχει μεγαλύτερη έφεση στην άρνηση μιας άδικης μοιρασιάς. Το ενδιαφέρον για τη δίκαια κα- τανομή ισοδυναμεί με την υπογραφή συμβολαίου που αποτρέπει την αποδοχή της αδικίας σε κάποια ανισότιμη συμφωνία.

Έτσι δεν αποτελεί έκπληξη που το πρόβλημα του γάμου μπο- ρεί κι αυτό να επιλυθεί καλύτερα με τα ηθικά αισθήματα παρά με ά- κομψα επίσημα συμβόλαια. Η μεγαλύτερη εγγύηση για την περίπτω- ση που θα υπάρξει αλλαγή στα μελλοντικά υλικά κίνητρα είναι ο ι- σχυρός δεσμός της αγάπης. Εάν, μετά από δέκα χρόνια, ο ένας σύζυ- γος προσβληθεί από κάποια μακρόχρονη ασθένεια, τα υλικά κίνητρα του άλλου απαιτούν να βρει έναν νέο σύντροφο. Όμως ένας βαθύς δε- σμός στοργής θα καταστήσει αυτή την αλλαγή των κινήτρων άσχετη, πράγμα που ανοίγει άπλετα τον δρόμο για τις σημερινές επενδύσεις στη σχέση, που διαφορετικά θα ήταν εξαιρετικά ριψοκίνδυνες.

Ωστόσο οι αλλαγές κινήτρων που αναφέρθηκαν δεν αρκούν α- πό μόνες τους για να διευθετήσουν το θέμα της δέσμευσης. Είναι ό- μως βέβαιο ότι τα έντονα αισθήματα ενοχής *αρκούν* για να εμποδί- σουν ένα άτομο να κάνει μια απάτη. Και η ικανοποίηση που νιώθου- με επειδή κάναμε το σωστό το καθιστά, στην κυριολεξία, ανταμοιβή

στις βιολογικές θεωρίες της συμπεριφοράς, αυτές είναι οι μόνες απολαβές που έχουν ση- μασία, η απέχθειά του για την απάτη δεν κάνει το δίλημμά του λιγότερο αληθινό.

του εαυτού του. Αλλά το θέμα μας, και πάλι, είναι να εξηγήσουμε πώς εξελίχθηκαν αυτά τα αισθήματα μέσα στον υλικό κόσμο. Δεν μπορούμε να φάμε τα ηθικά αισθήματα. Για να είναι βιώσιμα σε ανταγωνιστικά περιβάλλοντα, πρέπει να αποφέρουν κάποια υλική απολαβή. Ας θυμηθούμε ότι το δυνητικό κέρδος της εντιμότητας είναι η συνεργασία με άλλους που είναι επίσης έντιμοι. Για να κατορθώσει ο άνθρωπος που δεν εξαπατά να τα πάει καλά από υλικής απόψεως, οι άλλοι πρέπει να μπορούν να αναγνωρίζουν ότι είναι έντιμος, και αυτός, με τη σειρά του, πρέπει να μπορεί να αναγνωρίζει τα άτομα που δεν εξαπατούν. Η εκδικητικότητα είναι επίσης ασύμφορη, εκτός και εάν οι άλλοι έχουν κάποιον τρόπο να βλέπουν ότι ένα άτομο είναι εκδικητικό. Σε περίπτωση που το άτομο διαθέτει το ένστικτο της εκδίκησης αλλά οι άλλοι δεν μπορούν να το καταλάβουν, το αίσθημα αυτό δεν θα κατορθώσει να αποτρέψει τους πιθανούς απατεώνες. Και εάν κάποιος πέσει, ούτως ή άλλως, θύμα απάτης, είναι προτιμότερο να μην επιθυμεί την εκδίκηση. Τελικά το χειρότερο από όλα είναι να αναγκαστείς να ξοδέψεις 2.000 δολάρια για να πάρεις τα 1.000 δολάρια που αξίζει το κατεστραμμένο σιτάρι. Για παρόμοιους λόγους, το αίσθημα του δικαίου και η ικανότητα να αγαπάς δεν θα αποφέρουν υλικά οφέλη εάν δεν υπάρχει κάποιος τρόπος να γίνουν γνωστά στους άλλους.

Αλλά πώς να γίνει γνωστό κάτι τόσο υποκειμενικό όσο τα ενδότερα αισθήματα ενός ανθρώπου; Σίγουρα δεν αρκεί μια απλή δήλωση («Είμαι έντιμος. Εμπιστευτείτε με»). Τα βασικά συστατικά του μηχανισμού δέσμευσης που έχω στο μυαλό μου αποτυπώνονται θαυμάσια στη γελοιογραφία του Frank Modell στην Εικόνα 3.1. Το ζευγάρι πρέπει να αποφασίσει εάν θα αγοράσει ένα μολύβι από τον κύριο με το μαστίγιο. Εάν θεωρούν ότι είναι ένα λογικό άτομο που σκέφτεται το ατομικό του συμφέρον, η παρουσία του μαστίγιου δεν έχει σημασία. Ο μικροπωλητής καταλαβαίνει ότι κανένα ποσό από τις επιπλέον πωλήσεις μολυβιών δεν μπορεί να τον αποζημιώσει για τον χρόνο που θα εκτίσει στη φυλακή στην περίπτωση που θα χρησιμοποιήσει το μαστίγιο. Εάν όμως το ζευγάρι θεωρήσει ότι ο άντρας δεν στέκει καλά, το μαστίγιο θα παίξει ρόλο.

Σ' αυτή την περίπτωση, τους συμφέρει να αγοράσουν το μολύβι, ανεξαρτήτως από το εάν το χρειάζονται ή όχι. Έτσι ο μικροπωλη-

ΕΙΚΟΝΑ 3.1 *Ο εκβιαστής*
Σχέδιο του Modell © 1971 The New Yorker Magazine, Inc.

τής θα πουλήσει ένα παραπάνω μολύβι χωρίς να χρειαστεί να σηκώσει το μαστίγιό του.

Προσέξτε ότι η πινακίδα που κρέμεται στον λαιμό του δεν είναι η μόνη, ούτε η καλύτερη, ένδειξη ότι δεν είναι απόλυτα λογικός. Αντιθέτως, το γεγονός πως κατάλαβε ότι η πινακίδα μπορεί να εξυπηρετήσει τον σκοπό του μειώνει σαφώς την πιθανότητα να χρησιμοποιήσει το μαστίγιο. Αυτό που στην πραγματικότητα δηλώνει πως θα το κάνει είναι η έκφραση του προσώπου του. Οι άνθρωποι που έχουν πλήρη έλεγχο του εαυτού τους απλώς δεν έχουν τέτοια *όψη*.

Παράδειγμα: το ζήτημα της απάτης

Εάν τα ηθικά αισθήματα είναι τόσο χρήσιμα, γιατί υπάρχουν τόσο πολλοί ανέντιμοι άνθρωποι στον κόσμο; Ποιες δυνάμεις εμπόδισαν τα ηθικά αισθήματα να εξοστρακίσουν τα λιγότερο ευγενικά αισθήματα, που είναι επίσης ένα εμφανές συστατικό της ανθρώπινης φύσης; Για

80   ΤΑ ΠΑΘΗ ΤΗΣ ΛΟΓΙΚΗΣ

να διερευνήσουμε αυτά τα ερωτήματα, ας εξετάσουμε ένα συγκεκριμένο παράδειγμα του ζητήματος της απάτης. Ας πάρουμε πάλι το παράδειγμα του εστιατορίου. Ο Σμιθ και ο Τζόουνς έχουν και οι δύο την επιλογή να εξαπατήσουν ή να μην εξαπατήσουν, πράγμα που μας δίνει τέσσερις δυνατούς συνδυασμούς συμπεριφοράς. Για να γίνει πιο απτό το παράδειγμά μας, ας υποθέσουμε ότι οι απολαβές αυτών των συνδυασμών είναι αυτές που αναφέρονται στον Πίνακα 3.1. Οι όροι *προδοσία* και *συνεργασία* σημαίνουν στην περίπτωση αυτή *απάτη* και *εντιμότητα* αντίστοιχα.

Οι απολαβές στον Πίνακα 3.1 είναι οι ίδιες με εκείνες που είδαμε στο χρηματικό δίλημμα του φυλακισμένου στο Κεφάλαιο Δύο. Όπως και εκεί, έτσι και τώρα η κυρίαρχη στρατηγική είναι η προδοσία. Ο Τζόουνς αποκομίζει περισσότερα από την προδοσία, άσχετα με το τι κάνει ο Σμιθ, και το ίδιο ισχύει και για τον Σμιθ. Εάν ο Τζόουνς πιστεύει ότι ο Σμιθ θα ακολουθήσει το ατομικό του συμφέρον, θα προβλέψει προδοσία του Σμιθ. Οπότε, μόνο και μόνο για να προστατευθεί, είναι πιθανόν να νιώσει υποχρεωμένος να προδώσει και ο ίδιος. Όταν προδίδουν και οι δύο, ο καθένας παίρνει 2 μονάδες. Το απογοητευτικό στοιχείο εδώ, όπως και σε όλα τα ανάλογα διλήμματα, είναι ότι θα μπορούσαν εύκολα να πάρουν και οι δύο περισσότερα. Εάν είχαν συνεργαστεί, θα έπαιρναν και οι δύο από 4 μονάδες.

ΠΙΝΑΚΑΣ 3.1 *Χρηματικές απολαβές σε μια συνεταιρική δουλειά*

| | | ΣΜΙΘ | |
		ΠΡΟΔΟΣΙΑ	ΣΥΝΕΡΓΑΣΙΑ
ΤΖΟΟΥΝΣ	ΠΡΟΔΟΣΙΑ	2 ο καθένας	6 ο Τζόουνς 0 ο Σμιθ
	ΣΥΝΕΡΓΑΣΙΑ	0 ο Τζόουνς 6 ο Σμιθ	4 ο καθένας

Και τώρα ας υποθέσουμε ότι δεν έχουμε μόνο τον Σμιθ και τον Τζόουνς, αλλά έναν μεγάλο πληθυσμό. Ακόμα, πως έχουμε ζεύγη ατόμων που συνεταιρίζονται και πως η σχέση μεταξύ συμπεριφοράς και απολαβών για τα μέλη του κάθε ζεύγους είναι αυτή που βλέπουμε στον Πίνακα 3.1. Ας υποθέσουμε επιπλέον ότι κάθε άτομο αυτού του πληθυσμού ανήκει στον έναν από τους δύο τύπους – συνεργάτης ή προδότης. Ο συνεργάτης είναι κάποιος που, ενδεχομένως λόγω έντονου πολιτισμικού εθισμού, έχει αναπτύξει μια γενετικά κληροδοτημένη ικανότητα να νιώθει ένα ηθικό αίσθημα που τον προδιαθέτει στη συνεργασία. Ο προδότης είναι κάποιος που είτε του λείπει εντελώς αυτή η ικανότητα είτε δεν την έχει καλλιεργήσει.

Σ' αυτό το πλαίσιο, οι συνεργαζόμενοι είναι ακραιφνείς αλτρουιστές, με την έννοια που περιέγραψα στο Κεφάλαιο Δύο. Αποφεύγουν τις απάτες ακόμα και όταν δεν υπάρχει πιθανότητα να τους ανακαλύψουν, και αυτή η συμπεριφορά είναι σαφώς αντίθετη προς τα υλικά τους συμφέροντα. Οι προδότες, αντιθέτως, είναι καθαροί καιροσκόποι. Επιλέγουν πάντοτε αυτό που θα μεγιστοποιήσει τα προσωπικά τους κέρδη. Το ζητούμενο τώρα είναι να προσδιορίσουμε τι θα συμβεί όταν οι άνθρωποι που ανήκουν σ' αυτούς τους δύο τύπους εμπλακούν σε μια πάλη επιβίωσης μεταξύ τους. Το πόσο καλά θα τα πάει ο κάθε ανθρώπινος τύπος θα εξαρτηθεί από το εάν (και πόσο εύκολα) αναγνωρίζεται. Θα εξετάσω, μία προς μία, τις διάφορες περιπτώσεις.

ΟΤΑΝ ΟΙ ΣΥΝΕΡΓΑΤΕΣ ΚΑΙ ΟΙ ΠΡΟΔΟΤΕΣ ΜΟΙΑΖΟΥΝ ❖ Καταρχάς ας υποθέσουμε ότι οι συνεργάτες και οι προδότες έχουν την ίδια ακριβώς εμφάνιση. Σ' έναν τέτοιο πληθυσμό, οι δύο τύποι ανθρώπων θα ζευγαρώνουν τυχαία. Φυσικά οι συνεργάτες (αλλά και οι προδότες) θα προτιμούν να ζευγαρώσουν με συνεργάτες, αλλά δεν έχουν επιλογή. Εφόσον όλοι μοιάζουν εξωτερικά, πρέπει να το ρισκάρουν. Συνεπώς οι αναμενόμενες απολαβές, τόσο για τους συνεργάτες, όσο και για τους προδότες, εξαρτώνται από την πιθανότητα να ζευγαρώσουν με συνεργάτη, και αυτό με τη σειρά του εξαρτάται από την αναλογία των συνεργατών στον πληθυσμό.

Ας υποθέσουμε, π.χ., ότι ο πληθυσμός αποτελείται σχεδόν εξ ολοκλήρου από συνεργάτες. Ένας συνεργάτης είναι τότε σχεδόν σίγουρος ότι θα έχει συνεταίρο συνεργάτη και έτσι περιμένει μια απολαβή 4 μονάδων. Ο σπάνιος προδότης αυτού του πληθυσμού είναι επίσης σχεδόν βέβαιος ότι θα έχει συνεταίρο έναν συνεργάτη και μπορεί να αναμένει μια απολαβή 6 μονάδων. (Βεβαίως ο άτυχος συνεταίρος του προδότη λαμβάνει μηδενική αμοιβή, αλλά η δική του κακοτυχία αποτελεί μεμονωμένη περίπτωση και δεν επηρεάζει σημαντικά τον μέσο όρο απολαβών που θα πάρει συνολικά η ομάδα των συνεργατών.) Ας υποθέσουμε τώρα ότι ο πληθυσμός αποτελείται από μισούς συνεργάτες και μισούς προδότες. Το κάθε άτομο έχει τότε τις ίδιες πιθανότητες να συνεταιριστεί είτε με προδότη είτε με συνεργάτη. Συνεπώς οι συνεργαζόμενοι έχουν ίσες πιθανότητες να λάβουν είτε μηδέν είτε 4 μονάδες, κι έτσι ο μέσος όρος των απολαβών τους είναι 2 μονάδες. Οι προδότες, με τη σειρά τους, έχουν ίσες πιθανότητες να λάβουν 2 ή 6 μονάδες, οπότε ο μέσος όρος της αμοιβής τους θα είναι 4 μονάδες. Γενικά ο μέσος όρος απολαβών του κάθε ανθρώπινου τύπου αυξάνεται μαζί με το ποσοστό των συνεργατών στον πληθυσμό – του συνεργάτη επειδή υπάρχουν λιγότερες πιθανότητες να τον εκμεταλλευτεί ένας προδότης, του προδότη επειδή υπάρχουν περισσότερες πιθανότητες να βρει εκμεταλλεύσιμο συνεταίρο. Οι ακριβείς σχέσεις που διέπουν τις συγκεκριμένες απολαβές αυτού του παραδείγματος φαίνονται στο Σχήμα 3.1.

Όταν οι συνεργάτες και οι προδότες μοιάζουν, πώς θα εξελιχθεί ο πληθυσμός με την πάροδο του χρόνου; Στα εξελικτικά μοντέλα, το κάθε άτομο αναπαράγει ανάλογα με τον μέσο όρο των απολαβών του: Εκείνοι που παίρνουν τις μεγαλύτερες υλικές απολαβές έχουν τα απαιτούμενα μέσα για να αναθρέψουν μεγαλύτερους αριθμούς απογόνων.* Και εφόσον, στην περίπτωση αυτή, οι προδότες πάντοτε παίρνουν μεγαλύτερο μέσο όρο απολαβών, η αναλογία τους μέσα στον πληθυσμό θα αυξάνεται διαρκώς με την πάροδο του χρόνου. Οι συνεργάτες, ακόμα κι αν αρχικά συνιστούν σχεδόν ολόκληρο τον πληθυσμό, είναι κατά συνέπεια καταδικασμένοι να εκλείψουν. Ό-

---

* Είναι αλήθεια ότι, τα τελευταία χρόνια, η σχέση μεταξύ του εισοδήματος και του μεγέθους της οικογένειας είναι *αρνητική*. Αλλά, εάν δεχτούμε ότι τα αισθήματα σφυρηλατούνται από τη φυσική επιλογή, η σχέση που έχει σημασία είναι εκείνη που υπήρχε κατά τη διάρκεια του μεγαλύτερου μέρους της ιστορίας της εξέλιξης. Και αυτή η σχέση ήταν αδιαμφισβήτητα θετική: Οι περίοδοι πείνας ήταν συχνές και τα περισσότερα παιδιά που επιβίωναν ήταν τα παιδιά των ατόμων που είχαν τους περισσότερους υλικούς πόρους. Επιπλέον πολλές από τις αρχέγονες κοινωνίες ήταν πολυγαμικές – τα πλουσιότερα μέλη τους συνήθως είχαν πολλές γυναίκες, αφήνοντας αρκετούς φτωχούς χωρίς γυναίκα.

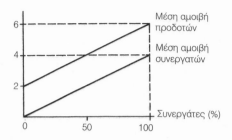

ΣΧΗΜΑ 3.1 Μέσες αμοιβές όταν οι συνεργάτες
και οι προδότες μοιάζουν

ταν οι συνεργάτες και οι προδότες μοιάζουν, δεν είναι δυνατόν να προκύψει αυθεντική συνεργασία. Η περίπτωση αυτή αποτυπώνει, σε γενικές γραμμές, την παραδοσιακή κοινωνιοβιολογική αντίληψη της συμπεριφοράς.

ΟΤΑΝ ΟΙ ΣΥΝΕΡΓΑΖΟΜΕΝΟΙ ΑΝΑΓΝΩΡΙΖΟΝΤΑΙ ΕΥΚΟΛΑ ❖ Και τώρα ας υποθέσουμε ότι ισχύουν όλα τα προηγούμενα, αλλά με μία διαφορά: ότι οι συνεργάτες και οι προδότες είναι απολύτως αναγνωρίσιμοι. Ας φανταστούμε ότι οι συνεργάτες γεννιούνται με ένα κόκκινο Σ στο μέτωπό τους, οι προδότες με ένα κόκκινο Π. Ξαφνικά όλα αντιστρέφονται. Οι συνεργάτες μπορούν τώρα να συνεταιριστούν επιλεκτικά με αλλήλους και έτσι εξασφαλίζουν μια απολαβή 4 μονάδων. Κανείς συνεργάτης δεν χρειάζεται πλέον να συνεταιριστεί με προδό-

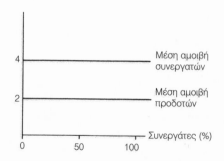

ΣΧΗΜΑ 3.2 Μέσες αμοιβές όταν συνεργάτες και προδότες
είναι απολύτως αναγνωρίσιμοι

τη. Οι προδότες δεν μπορούν παρά να συνεταιριστούν με αλλήλους, οπότε έχουν απολαβές μόνο 2 μονάδων.

Εφόσον όλοι οι παράγοντες της τύχης έχουν εξαλειφθεί από τη διαδικασία της αλληλοεπίδρασης, οι απολαβές δεν εξαρτώνται πλέον από την αναλογία των συνεργατών στον πληθυσμό (βλέπε και το Σχήμα 3.2). Οι συνεργάτες παίρνουν πάντα 4, οι προδότες παίρνουν πάντα 2.

Αυτή τη φορά οι μεγαλύτερες απολαβές των συνεργατών τούς επιτρέπουν να δημιουργήσουν μεγαλύτερες οικογένειες, πράγμα που σημαίνει ότι συνιστούν όλο και μεγαλύτερη μερίδα του πληθυσμού. Όταν οι συνεργαζόμενοι μπορούν να αναγνωριστούν εύκολα, τότε ε- κείνοι που απειλούνται με εξαφάνιση είναι οι προδότες.

ΜΙΜΗΣΗ ΧΩΡΙΣ ΚΟΣΤΟΣ Ή ΚΑΘΥΣΤΕΡΗΣΗ ❖ Οι προδότες πάντως δεν είναι υποχρεωτικό ότι θα εξαφανιστούν. Ας υποθέσουμε ότι εμ- φανίζεται μια μεταλλαγμένη ομάδα προδοτών, μια ομάδα που συ- μπεριφέρεται ακριβώς σαν τους άλλους προδότες, αλλά που το κάθε μέλος της δεν έχει ένα κόκκινο Π στο μέτωπό του, αλλά ένα κόκκινο Σ. Μια και αυτή η συγκεκριμένη ομάδα προδοτών έχει την ίδια ακρι- βώς εμφάνιση με τους συνεργαζόμενους, είναι αδύνατον για τους συ- νεργαζόμενους να τους αποφύγουν. Κατά συνέπεια, ο κάθε απατεώ- νας έχει τις ίδιες πιθανότητες να συνεταιριστεί με συνεργαζόμενο ό- σες και ένας αυθεντικός συνεργάτης. Και αυτό σημαίνει ότι οι μεταλ- λαγμένοι προδότες θα έχουν υψηλότερη προσδοκώμενη απολαβή α- πό τους συνεργαζόμενους.

Οι μη μεταλλαγμένοι προδότες –αυτοί που συνεχίζουν να φέ- ρουν το κόκκινο Π– θα έχουν χαμηλότερες απολαβές κι από τις δύο άλλες ομάδες και, όπως και προηγουμένως, είναι καταδικασμένοι σε εξαφάνιση. Όμως, εάν οι συνεργαζόμενοι δεν προσαρμοστούν κατά κάποιον τρόπο, τότε κι αυτοί θα αντιμετωπίσουν την ίδια μοίρα. Όταν οι προδότες μπορούν να μιμηθούν τέλεια το ιδιαίτερο χαρακτηριστι- κό των συνεργατών χωρίς κόστος και χωρίς καθυστέρηση, το χαρα- κτηριστικό χάνει τη διαφοροποιητική του δύναμη. Και εφόσον οι συ- νεργαζόμενοι και οι μεταλλαγμένοι προδότες είναι εξωτερικά πανο- μοιότυποι, επανερχόμαστε στην πρώτη περίπτωση, η οποία προαναγ- γέλλει την καταστροφή των συνεργαζόμενων.

MIA ΘΕΩΡΙΑ ΗΘΙΚΩΝ ΑΙΣΘΗΜΑΤΩΝ

ΚΟΣΤΟΣ ΕΞΑΚΡΙΒΩΣΗΣ ❖ Οι προδότες βεβαίως δεν έχουν το μονοπώλιο της ικανότητας προσαρμογής. Εάν κάποιες τυχαίες μεταλλάξεις τροποποιήσουν το ιδιαίτερο χαρακτηριστικό των συνεργατών, οι προδότες θα έχουν να κάνουν με κινούμενο στόχο. Ας φανταστούμε ότι το κόκκινο Σ, με το οποίο οι συνεργάτες κατόρθωναν αρχικά να αλληλοαναγνωρίζονται, έχει εξελιχθεί με τον καιρό σε ένα ροδοκόκκινο χρώμα όλου του προσώπου –κάτι σαν κοκκίνισμα– και ότι κάποιοι προδότες έχουν επίσης ροδοκόκκινο πρόσωπο. Αλλά επειδή οι συνεργάτες πραγματικά βιώνουν τα συναισθήματα που υπαγορεύουν τη συνεργασία, έχουν κατά μέσο όρο πιο έντονο κοκκίνισμα.

Γενικά είναι θεμιτό να περιμένουμε μια συνεχή αύξηση της έντασης του κοκκινίσματος και στις δύο ομάδες.* Για να το κάνουμε απλούστερο, ας υποθέσουμε ότι οι επιδερμίδες αποκτούν ένα από τα εξής δύο διακριτικά: (1) έντονο κοκκίνισμα και (2) ελαφρό κοκκίνισμα. Αυτοί με το έντονο κοκκίνισμα είναι συνεργάτες, αυτοί με το ελαφρό κοκκίνισμα είναι προδότες. Εάν οι δύο αυτοί ανθρώπινοι τύποι μπορούσαν να αναγνωριστούν με μία ματιά, οι προδότες και πάλι θα ήταν καταδικασμένοι. Ας υποθέσουμε όμως ότι απαιτείται προσπάθεια για να ελέγξουμε την ένταση του κοκκινίσματος ενός ατόμου. Για να το δούμε πιο συγκεκριμένα, ας υποθέσουμε ότι η εξακρίβωση κοστίζει 1 μονάδα. Όσοι πληρώνουν αυτό το κόστος, μαθαίνουν την αλήθεια: Οι συνεργάτες και οι προδότες εξακριβώνονται με βεβαιότητα 100%. Για όσους δεν πληρώνουν τη 1 μονάδα του κόστους εξακρίβωσης, οι δύο τύποι είναι εντελώς αξεχώριστοι.

Για να δούμε τι συμβαίνει αυτή τη φορά, ας υποθέσουμε ότι οι απολαβές είναι και πάλι αυτές που δόθηκαν στον Πίνακα 3.1 και ας αναλογιστούμε το πρόβλημα που αντιμετωπίζει ένας συνεργάτης που προσπαθεί να αποφασίσει αν θα πληρώσει το κόστος εξακρίβωσης. Εάν το πληρώσει, μπορεί να είναι βέβαιος ότι θα συνεταιριστεί με συνεργάτη και, κατά συνέπεια, θα πάρει μια απολαβή 4 - 1 = 3 μονάδες. Εάν δεν το πληρώσει, η απολαβή του είναι αβέβαιη. Συνεργάτες και προδότες θα του φαίνονται ολόιδιοι και θα πρέπει να ρισκάρει. Εάν

---

* Στο Παράρτημα του βιβλίου αναπτύσσω λεπτομερώς ένα μοντέλο μ' αυτή την ιδιότητα.

τύχει να συνεταιριστεί με συνεργάτη, θα πάρει 4 μονάδες. Εάν όμως συνεταιριστεί με προδότη, δεν θα πάρει τίποτα. Το κατά πόσο είναι λογικό να πληρώσει τη 1 μονάδα της εξακρίβωσης εξαρτάται λοιπόν από την πιθανότητα αυτών των δύο ενδεχόμενων. Ας υποθέσουμε ότι η μερίδα των συνεργατών είναι 90%. Εάν δεν πληρώσει το κόστος εξακρίβωσης, ο συνεργάτης θα συνεργαστεί με έναν άλλο συνεργάτη 90 στις 100 φορές, με έναν προδότη μόνο 10 στις 100. Η απολαβή του θα έχει συνεπώς μια μέση τιμή $(0,9 \times 4)$ + $(0,1 \times 0) = 3,6$. Αφού αυτή είναι υψηλότερη από την καθαρή απολαβή των 3 μονάδων που θα έπαιρνε εάν πλήρωνε το κόστος εξακρίβωσης, είναι σαφώς προτιμότερο να μην το πληρώσει.

Και τώρα ας υποθέσουμε ότι το ποσοστό των συνεργατών δεν είναι 90% αλλά 50%. Εάν ο συνεργάτης δεν πληρώσει το κόστος ε- ξακρίβωσης, τώρα θα έχει μόνον 50 στις 100 πιθανότητες να συνεται- ριστεί με προδότη. Ο μέσος όρος της απολαβής του θα είναι συνεπώς μόνο 2 μονάδες, δηλαδή 1 μονάδα λιγότερη απ' ό,τι εάν είχε πληρώ- σει το κόστος. Μ' αυτά τα δεδομένα, θα ήταν σαφώς προτιμότερο να το πληρώσει.

Οι αριθμοί σ' αυτό το παράδειγμα υποδηλώνουν ένα «σημείο ε- ξισορρόπησης», τη στιγμή που η πληθυσμιακή μερίδα των συνεργα- τών είναι 75%. Όταν υπάρχει αυτή η αναλογία, ο συνεργάτης που δεν πληρώνει το κόστος έχει 75% πιθανότητα να πάρει 4 μονάδες και 25% πιθανότητα να μην πάρει τίποτα. Η μέση απολαβή του είναι συ- νεπώς 3 μονάδες, η ίδια με εκείνην που θα έπαιρνε εάν είχε πληρώσει το κόστος. Όταν η πληθυσμιακή μερίδα των συνεργατών είναι χαμη- λότερη του 75%, είναι πάντοτε προτιμότερο γι' αυτούς να πληρώσουν το κόστος εξακρίβωσης· και όταν η μερίδα των συνεργατών είναι πά- νω από 75%, σε καμία περίπτωση δεν τους συμφέρει να υποστούν αυ- τό το έξοδο.

Έχοντας υπόψη μας αυτό τον κανόνα, μπορούμε πλέον να υ- πολογίσουμε πώς θα εξελιχθεί, συν τω χρόνω, ο πληθυσμός. Όταν η πληθυσμιακή μερίδα των συνεργατών είναι χαμηλότερη του 75%, ό- λοι οι συνεργάτες θα πληρώσουν το κόστος εξακρίβωσης και θα έ- χουν απολαβές 3 μονάδων συνεταιριζόμενοι μεταξύ τους. Οι προδό- τες δεν έχουν κανένα συμφέρον να υποστούν αυτή τη δαπάνη, αφού οι οξυδερκείς συνεργάτες δεν θα συνεταιριστούν μαζί τους ούτως ή άλλως. Το μόνο που απομένει στους προδότες είναι να συνεταιριστούν μεταξύ τους και να έχουν απολαβές μόνο 2 μονάδες. Κατά συνέπεια, εάν ξεκινήσουμε με μια πληθυσμιακή μερίδα συνεργατών που είναι χαμηλότερη του 75%, οι συνεργάτες θα έχουν υψηλότερη κατά μέσο όρο απολαβή, το οποίο σημαίνει ότι θα αυξηθεί το μερίδιό τους στον πληθυσμό.

Σε πληθυσμούς όπου οι συνεργάτες συνιστούν πάνω από το 75%, τα πράγματα αντιστρέφονται. Εδώ πια δεν είναι λογικό να πληρωθεί το κόστος εξακρίβωσης. Κατά συνέπεια, οι συνεργάτες και οι προδότες θα συνεταιρίζονται τυχαία, πράγμα που σημαίνει ότι οι προδότες θα έχουν υψηλότερη μέση απολαβή. Στη συνέχεια η διαφορά αυτή στις απολαβές θα προκαλέσει τη συρρίκνωση της πληθυσμιακής μερίδας των συνεργατών.

Με δεδομένες τις τιμές που πήραμε στο συγκεκριμένο παράδειγμα, οι μέσες αναμενόμενες απολαβές των δύο ομάδων παρουσιάζονται στο Σχήμα 3.3. Όπως παρατηρήσαμε, ο δείκτης των συνεργατών είναι υψηλότερος από τον δείκτη των προδοτών για μερίδα μικρότερη του 75%, αλλά χαμηλότερος για μεγαλύτερη μερίδα. Η απότομη διακοπή στον δείκτη των προδοτών αντικατοπτρίζει το γεγονός ότι, στα αριστερά του 75%, όλοι οι συνεργάτες πληρώνουν την εξακρίβωση, στα δεξιά του 75% δεν πληρώνει κανένας. Μόλις η μερίδα του πληθυσμού υπερβεί το 75%, ξαφνικά οι προδότες αποκτούν πρόσβαση στα θύματά τους. Ο κανόνας της εξέλιξης είναι, και πάλι, ότι οι υψηλότερες σχετικές απολαβές καταλήγουν στην αύξηση της μερίδας του πληθυσμού. Αυτός ο κανόνας καθιστά σαφές ότι, στο συγκεκριμένο παράδειγμα, ο πληθυσμός θα σταθεροποιηθεί σε 75% συνεργάτες.

Είναι προφανές ότι το 75% δεν είναι κανένας μαγικός αριθμός, αλλά εξαρτάται από τις διάφορες παραμέτρους. Εάν, για παράδειγμα, το κόστος εξακρίβωσης ήταν μεγαλύτερο από 1 μονάδα, η πληθυσμιακή μερίδα των συνεργατών θα ήταν μικρότερη. Μια μείωση της αμοιβής, στην περίπτωση που οι συνεργάτες συνεταιρίζονται μεταξύ τους, θα είχε παρόμοιο αποτέλεσμα στην ισορροπία των πληθυσμιακών μερίδων. Αυτό που επιχειρεί να καταδείξει αυτό το παράδειγμα είναι ότι, όταν υπάρχει κόστος εξακρίβωσης, θα υπάρξουν και πιέσεις που θα σπρώξουν τον πληθυσμό σ' ένα σταθερό μείγμα συ-

νεργατών και προδοτών. Από τη στιγμή που ο πληθυσμός σταθερο-
ποιείται στο συγκεκριμένο μείγμα, τα μέλη και των δύο ομάδων θα έ-
χουν την ίδια μέση απολαβή και, κατά συνέπεια, έχουν τις ίδιες πιθα-
νότητες επιβίωσης. Με άλλα λόγια, υπάρχει ειδική οικολογική εστία
και για τις δύο ομάδες. Αυτό το αποτέλεσμα είναι καταφανώς διαφο-
ρετικό από το παραδοσιακό κοινωνιοβιολογικό συμπέρασμα ότι μό-
νον ο καιροσκοπισμός μπορεί να επιβιώσει.

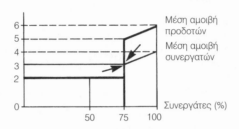

ΣΧΗΜΑ 3.3 Μέσες εξοφλήσεις και δαπάνες διερεύνησης

Είναι αναγκαίες οι κληρονομικές ικανότητες;

Σύμφωνα με το μοντέλο της δέσμευσης, η επιβίωση της φιλοτιμίας ο-
φείλεται εν μέρει σε μια τάση να είμαστε δεκτικοί στην πολιτισμική εκ-
παίδευση. Αυτή η άποψη δεν είναι διαφορετική από την εκδοχή των
επικριτών του βιολογικού μοντέλου, οι οποίοι επιμένουν ότι η μονα-
δική εξήγηση του ανθρώπινου αλτρουισμού είναι ο πολιτισμός. Όπως
είδαμε ωστόσο στο Κεφάλαιο Δύο, η εκδοχή των επικριτών σκοντά-
φτει στην περίπτωση των ανθρώπων που δεν είναι δεκτικοί στον πο-
λιτισμικό εθισμό. Ειδικότερα, δεν εξηγεί γιατί αυτοί οι άνθρωποι δεν
θα κυριαρχήσουν τελικά. Και από τη στιγμή που γνωρίζουμε ότι υ-
πάρχουν πολλοί τέτοιοι άνθρωποι, το ερώτημα είναι κεφαλαιώδες.
     Εάν επρόκειτο να εξηγήσουμε τον αλτρουισμό μέσα σε ένα κα-
θαρά υλιστικό πλαίσιο, η δεκτικότητα στην πολιτισμική εκπαίδευση
δεν είναι επαρκής. Ας θυμηθούμε πως, για να κατορθώσει κάποια συ-
μπεριφορική προδιάθεση να βοηθήσει στην επίλυση του προβλήμα-
τος της δέσμευσης, πρέπει οι άλλοι να έχουν την ικανότητα να τη δια-

κρίνουν. Είναι εύκολο να δεχτούμε ότι η πολιτισμική εκπαίδευση θα μπορούσε να ενσταλάξει κάποιο ηθικό αίσθημα. Δεν είναι όμως διόλου αυτονόητο ότι θα μπορούσε *από μόνη της* να ερμηνεύσει και το κοκκίνισμα ή κάποιο άλλο ορατό σύμπτωμα αυτού του αισθήματος.

Στην πατροπαράδοτη εκδοχή για τον ρόλο του πολιτισμού, χρειάζεται λοιπόν να προσθέσουμε και κάποιο μηχανισμό μέσω του οποίου το άτομο που έχει εσωτερικεύσει ένα πολιτισμικό μήνυμα γίνεται αισθητά διαφορετικό, και μάλιστα με τρόπο που δεν επηρεάζεται, τουλάχιστον εν μέρει, από τον συνειδητό έλεγχο του ατόμου. Στην περίπτωση των σωματικών συμπτωμάτων, όπως το κοκκίνισμα, είναι δύσκολο να κατανοήσουμε πώς θα μπορούσε αυτός ο μηχανισμός να είναι εξ ολοκλήρου μη βιολογικός. Οι επικριτές της βιολογικής απόψεως μπορούν να επιμένουν ότι το γεγονός πως ένα έντιμο άτομο κοκκινίζει όταν λέει ψέματα είναι απολύτως τυχαίο. Και πράγματι, στο Κεφάλαιο Έξι θα δούμε ότι πολλά από τα συμπτώματα της συναισθηματικής διέγερσης δεν αποκλείεται να κατάγονται από αιτίες εντελώς ανεξάρτητες από τον ρόλο που παίζουν ως ενδείξεις πρόθεσης. Για να μπορεί όμως η αλτρουιστική συμπεριφορά να αποφέρει κάποια υλική απολαβή με τον τρόπο που προτείνει το μοντέλο της δέσμευσης, είναι αναγκαίο κάποιο βιολογικό συναισθηματικό σύμπτωμα, τυχαίο ή μη.

Τα ηθικά αισθήματα μας προδιαθέτουν να συμπεριφερόμαστε με συγκεκριμένους τρόπους. Είμαστε κάτι σαν το περιστροφικό γυροσκόπιο που έχει την προδιάθεση να διατηρήσει τον αρχικό του προσανατολισμό. Αυτή η μεταφορά μού φαίνεται πολύ πρόσφορη για την κατανόηση των ξεχωριστών ρόλων της φύσης και του πολιτισμού: Σκέφτομαι ότι ο ρόλος της φύσης είναι να μας προικίζει με μια ικανότητα αντίστοιχη μ' αυτήν που έχει το ακίνητο γυροσκόπιο· και ότι ο ρόλος του πολιτισμού είναι να περιστρέφει το γυροσκόπιο και να καθορίζει τον προσανατολισμό του. Και οι δύο αυτοί ρόλοι είναι εξίσου απαραίτητοι.

Η σημασία της συμπόνιας

Εάν η προοπτική των δυσάρεστων αισθημάτων ενοχής είναι ο μοναδικός παράγοντας για την αποτροπή τη απάτης, πρέπει να διερωτηθούμε πώς θα αναγνωρίσουμε ότι κάποιος έχει την ικανότητα να νιώσει ενοχή. Το πρόβλημα που παρουσιάζεται εδώ είναι ότι, εάν η ύπαρξη αυτής της ικανότητας δεν αφήνει τους ανθρώπους να διαπράξουν απάτη, οι άνθρωποι που διαθέτουν αυτή την ικανότητα δεν θα έχουν ποτέ την ευκαιρία να παρουσιάσουν τα συμπτώματά της. Για να σταθεί η εκδοχή του μοντέλου της δέσμευσης για το πώς επιβιώνουν οι έντιμοι άνθρωποι, υπάρχει σαφώς η ανάγκη κάποιου συναισθηματικού προπομπού του αισθήματος της ενοχής.

Αυτό τον ρόλο μπορεί να τον παίζει η συμπόνια. Για να μπορέσει να προκαλέσει ενοχή μια πράξη που βλάπτει κάποιον άλλο, είναι αναγκαίο να νιώθουμε κάποια συμπόνια για το θύμα. Για παράδειγμα, ο Γάλλος χωρικός που είπε ψέματα όταν κάποιος ναζί τον ρώτησε εάν είχε κρύψει Εβραίους στο υπόγειό του δεν ένιωσε καμιά ενοχή που οι ναζί θα ζημιώνονταν από το ψέμα του, επειδή δεν ένιωθε κανέναν οίκτο για τέτοιου είδους ανθρώπους.

Εάν η παρουσία της συμπόνιας είναι μια καλή προειδοποίηση για την ικανότητα να νιώσουμε ενοχή, τότε μπορούμε να αναγνωρίσουμε τα αξιόπιστα άτομα μέσω συμπτωμάτων της συμπόνιας και όχι της ενοχής. Και όντως, πολλά άτομα είπαν ότι βασίζονται στη συμπόνια για να προβλέψουν τα αποτελέσματα του φανταστικού πειράματος που εξετάσαμε στο Κεφάλαιο Ένα (όπου το θέμα ήταν, αν θυμάστε, να σκεφτούμε έναν άνθρωπο που θα επέστρεφε έναν χαμένο φάκελο που είχε μέσα 1.000 δολάρια).

Ο ρόλος της δύναμης των αριθμών

Μια σημαντική δύναμη που κρύβεται πίσω από την ανάδειξη της μη καιροσκοπικής συμπεριφοράς στο μοντέλο της δέσμευσης είναι η δύναμη των αριθμών – οι οικονομίες κλίμακος, στο ιδίωμα των οικονομολόγων. Εάν τα δύο άτομα δεν ήταν πιο αποτελεσματικά από τον ένα, δεν θα υπήρχε ποτέ λόγος να εκτεθούμε στην πιθανότητα της απάτης που ενέχει κάθε αλληλοεπίδραση. Επίσης δεν θα υπήρχε κανένας λόγος να παζαρεύουμε για το πώς θα μοιραστούν οι καρποί των συλλογικών προσπαθειών. Θα ήταν σαφώς πιο εύκολο να κάνουμε τη δουλειά μας μόνοι μας.

Το θέμα του γάμου είναι πιθανότατα το πιο οφθαλμοφανές παράδειγμα για τα οφέλη της εξειδίκευσης. Ένα άτομο που ενεργεί μοναχικά έχει ελάχιστες πιθανότητες να καταφέρει να δημιουργήσει οικογένεια.

Από τα συγκεκριμένα ζητήματα δέσμευσης που εξετάσαμε, το ζήτημα της αποτροπής είναι αυτό που εξαρτάται λιγότερο από την ύπαρξη οικονομιών κλίμακας. Ακόμα όμως κι αυτό επηρεάζεται από αυτές. Δεν θα υπήρχε καμία ανάγκη για αποτροπή εάν ήταν βολικό να ξεκόψουμε πλήρως από κάθε αλληλοεπίδραση με άλλα άτομα. Οι οικονομίες κλίμακας ωστόσο είναι ένας ισχυρός λόγος για να αποφύγουμε την απομόνωση. Για να τις εκμεταλλευτούμε, πρέπει να εμπλακούμε σε κοινωνικές αλληλοεπιδράσεις. Όσο πιο στενά αλληλοεπιδρούμε, τόσο πιο πολλές ευκαιρίες για απάτη παρουσιάζονται και τόσο πιο μεγάλη γίνεται η ανάγκη για μια αποτελεσματική στρατηγική αποτροπής.

Αυτό όμως δεν σημαίνει ότι τα εκδικητικά άτομα θα κερδίζουν πάντα όταν υπάρχουν οικονομίες κλίμακας. Για παράδειγμα, θα ήταν απολύτως εσφαλμένο να ισχυριστούμε ότι οι Χάτφιλντ και οι ΜακΚόυ βγήκαν κερδισμένοι επειδή κάποιο ηθικό αίσθημα τους υποχρέωνε να επιζητούν την εκδίκηση. Όμως δεν ισχυρίζομαι κάτι τέτοιο. Εκείνο που λέω είναι ότι οι άνθρωποι που έχουν ένα τέτοιο αίσθημα μπορούν, *κατά μέσο όρο*, να τα πάνε καλύτερα από τους ανθρώπους που δεν το έχουν. Η δυνητική χρησιμότητα του αισθήματος βρίσκεται στην ικανότητά του να αποτρέπει την επιθετικότητα. Όταν το επιτυγχάνει, τα άτομα που έχουν αυτό το αίσθημα προφανώς τα πάνε καλύτερα. Όταν αποτυγχάνει, όπως στην περίπτωση των Χάτφιλντ και ΜακΚόυ, τότε τα πάνε χειρότερα. Όπως αποδείχθηκε, το καλύτερο και για τις δύο οικογένειες θα ήταν να εγκαταλείψουν το πεδίο της σύγκρουσης στο άκουσμα του πρώτου πυροβολισμού. Γενικά πάντως αυτό δεν σημαίνει ότι κάθε άτομο θα τα πήγαινε καλύτερα εάν είχε γεννηθεί χωρίς την τάση να επιζητεί εκδίκηση.

Ο κοινωνιολόγος Jack Weller σημειώνει ότι τα ποσοστά εγκληματικότητας στις κοινότητες των Απαλαχίων ορέων είναι πολύ χαμηλά, κι αυτό το αποδίδει στο ότι «οι ορεσίβιοι αποφεύγουν να κάνουν κάτι που οι γείτονές τους ενδεχομένως θα ερμηνεύσουν σαν παρέμβαση, ή που με κάποιον τρόπο μπορεί να προκαλέσει εχθρότητα».[2]

Έχοντας υπόψη μας την παραστατική ιστορία των Χάτφιλντ και ΜακΚόυ, είναι εύκολο να φανταστούμε την πηγή αυτής της επιφύλαξης. Το καίριο σημείο για τον σκοπό της έρευνάς μας είναι ότι μας ωφελεί να μην ταλαιπωρούμαστε από τους γείτονές μας. Εφόσον οι βίαιες ιδιοσυγκρασίες που αποτρέπουν τέτοιου τύπου επιθετικότητα δεν προκαλούνται συχνά, ενδέχεται να αποδειχθούν πολύ χρήσιμες. Κάτι ανάλογο ισχύει και στην περίπτωση που ριψοκινδυνεύουμε για να σώσουμε κάποιον. Θα ήταν παράλογο να υποστηρίξουμε ότι οι Κουράνσκι, Σούλζε και Μπένφορντ βγήκαν κερδισμένοι από την παρόρμησή τους να βοηθήσουν τη γυναίκα στο πάρκινγκ του Μανχάταν. Και πάλι όμως εγώ δεν ισχυρίζομαι κάτι τέτοιο. Η απολαβή, εάν υπάρχει, βρίσκεται στο ότι αυτού του τύπου οι άνθρωποι είναι εμφανώς διαφορετικοί –και πιο ελκυστικοί– από άλλους, κι αυτό τους δίνει μεγαλύτερη δυνατότητα να θρέψουν τα υλικά οφέλη της κοινωνικής συνεργασίας. Κατά συνέπεια, όπως και στο παράδειγμα της αποτροπής, το να είμαστε φιλότιμοι είναι μεγάλο ρίσκο. Στην περίπτωση που θα βρεθούμε σε συνθήκες όπου χρειάζεται να σώσουμε κάποιον, είναι πολύ πιθανόν να βγούμε χαμένοι. Σε κάθε άλλη περίπτωση, θα βγούμε κερδισμένοι. Σε όλους αρέσουν οι φιλότιμοι άνθρωποι και όλοι έχουν την τάση να τους εμπιστεύονται. Εάν οι επιχειρήσεις διάσωσης που υπαγορεύουν τα έντονα αισθήματα φιλότιμου δεν μας τυχαίνουν συχνά, τα αισθήματα αυτά μπορούν οπωσδήποτε να αποβούν προς όφελός μας.

Στο μοντέλο της δέσμευσης, τα ηθικά αισθήματα δεν θα μπορούσαν, παρ' όλα αυτά, να προκύψουν εάν δεν υπήρχαν άφθονες οικονομίες κλίμακας στις κοινωνικές αλληλοεπιδράσεις.

Μια σημείωση για τη λογική συμπεριφορά

Η αντίληψη ότι τα ηθικά αισθήματα μπορούν να επιλύσουν θέματα δέσμευσης μας βοηθάει να ξεκαθαρίσουμε κάποιες ασάφειες ως προς το τι σημαίνει λογική συμπεριφορά. Τα φιλοσοφικά κείμενα κάνουν διάκριση μεταξύ δύο τουλάχιστον βασικών εκδοχών της λογικής συμπεριφοράς.[3] Στην αποκαλούμενη θεωρία της άμεσης επιδίωξης, λογικό είναι η αποτελεσματική επιδίωξη του σκοπού που έχει κάποιος τη στιγμή της απόφασης και της δράσης. Για παράδειγμα, σύμφωνα μ' αυτή την προσέγγιση, το άτομο που αποφεύγει τις απάτες επειδή έχει αισθήματα ενοχής θεωρείται λογικό, ακόμα και αν δεν υπάρχει πιθανότητα να αποκαλυφθεί η απάτη του.

Κατ' επέκταση, και ένα άτομο που πίνει υδροκυάνιο επειδή νιώθει την επιτακτική επιθυμία να το κάνει συμπεριφέρεται επίσης λογικά, από τη σκοπιά της άμεσης επιδίωξης. Η προφανής δυσκολία αυτής της προσέγγισης είναι ότι επιτρέπει σε όλες σχεδόν τις συμπεριφορές να θεωρούνται λογικές, από τη στιγμή που κάποιος τις προτιμά.

Η δεύτερη εκδοχή της λογικής συμπεριφοράς, η θεωρία του α-τομικού συμφέροντος, προσπαθεί να παρακάμψει αυτό το πρόβλημα. Ισχυρίζεται ότι μία πράξη είναι λογική εφόσον προωθεί αποτελεσματικά τα συμφέροντα του ατόμου που την εκτελεί. Η θεωρία του ατομικού συμφέροντος κρίνει ότι ένα άτομο που δεν εξαπατά ενώ ξέρει πως η απάτη δεν θα αποκαλυφθεί –ακόμα και όταν ωθείται από ηθικά αισθήματα– δρα παράλογα.

Η ειρωνεία είναι ωστόσο ότι η προσέγγιση της θεωρίας του α-τομικού συμφέροντος μας επιτρέπει να ισχυριστούμε ότι ένα ιδιοτελές άτομο μπορεί θαυμάσια να θέλει να έχει κίνητρα ηθικών αισθημάτων, αρκεί βέβαια οι άλλοι να μπορούν να καταλάβουν ότι διαθέτει τέτοια αισθήματα. Ίσως μάλιστα να κάνει εσκεμμένες ενέργειες για να αυξήσει την πιθανότητα να διαπνέεται από αυτά (για παράδειγμα, μπορεί να γίνει μέλος μιας εκκλησίας ή να ψάχνει ευκαιρίες για να εξασκήσει την εντιμότητα). Από τη στιγμή όμως που τα αισθήματα αυτά θα έχουν επίδραση στη συμπεριφορά του, η θεωρία του ατομικού συμφέροντος τον κατατάσσει στις παράλογες συμπεριφορές. Αλλά το μοντέλο της δέσμευσης μπορεί τουλάχιστον να μας βοηθήσει να κατανοήσουμε γιατί μια τέτοια συμπεριφορά, λογική ή παράλογη, μπορεί να είναι διαδεδομένη.

Το μοντέλο της δέσμευσης μοιάζει με τη γνωστή εξελικτική εκδοχή ως προς το ότι προβλέπει το αναπόφευκτο της καιροσκοπικής συμπεριφοράς. Διαφέρει όμως τουλάχιστον σ' ένα καίριο σημείο: ότι η καιροσκοπική συμπεριφορά δεν είναι η *μόνη* βιώσιμη στρατηγική. Υπάρχει οπωσδήποτε χώρος, και ίσως άφθονος χώρος, για ανιδιοτελείς συμπεριφορές, με όλη τη σημασία της λέξης.

Οφείλω να τονίσω για μία ακόμα φορά ότι το μοντέλο της δέσμευσης δεν αντιμετωπίζει τους συνεργάτες σαν ρομπότ που είναι γενετικά προγραμματισμένα να αποφεύγουν το ατομικό συμφέρον. Α-ντιθέτως, δέχεται –σε μερικές περιπτώσεις μάλιστα σχεδόν απαιτεί– ότι ο πολιτισμικός εθισμός παίζει κεντρικό ρόλο στην απόκτηση των ηθικών αισθημάτων. Επιτρέπει στους ανθρώπους να κάνουν και ορθολογικές επιλογές για τα είδη του εθισμού στους οποίους εκτίθενται. Συνεπώς, σύμφωνα με το μοντέλο, μια τάση για συνεργασία μπορεί να είναι, αλλά μπορεί και να μην είναι κληρονομικό γνώρισμα. Το μοντέλο λειτουργεί ακόμα και εάν το βιολογικό του στοιχείο περιορίζεται σε ένα κληρονομικό σύμπλεγμα συμπτωμάτων, το οποίο εκδηλώνεται σε ανθρώπους που έχουν αφομοιώσει μια προδιάθεση για συνεργασία. Είναι βέβαιο ότι, ακόμα και ο πιο μαχητικός επικριτής των βιολογικών θεωριών, δεν θα βρει αυτή την προϋπόθεση απαράδεκτη.

Για το μοντέλο της δέσμευσης, έντιμος είναι κάποιος για τον ο-ποίο η τιμιότητα είναι αυτοσκοπός. Δεν ενδιαφέρεται καθόλου για το εάν η συμπεριφορά αυτή θα του εξασφαλίσει κάποιο υλικό όφελος. Εξάλλου αυτή του ακριβώς η στάση είναι ο λόγος που μπορούμε να τον εμπιστευτούμε σε καταστάσεις όπου η συμπεριφορά του δεν μπορεί να ελεγχθεί.

Η τιμιότητα, εφόσον είναι αναγνωρίσιμη, δημιουργεί σημαντικές ευκαιρίες που διαφορετικά δεν θα υπήρχαν.* Το γεγονός ότι τα τίμια άτομα όντως αποκομίζουν κάποια υλική απολαβή είναι σαφώς ο λόγος που αυτό το χαρακτηριστικό επιβιώνει, σύμφωνα με τη θεωρία της επιλογής του ατόμου. Αλλά ακόμα και αν ο κόσμος επρόκειτο να καταστραφεί σήμερα το βράδυ, οπότε δεν θα υπήρχε καμία πιθανότητα να τιμωρηθεί η προδοσία, το αυθεντικά τίμιο άτομο δεν θα εξαπατούσε.

Το «μία σου και μία μου», ο ανταποδοτικός αλτρουισμός, η ε-πιλογή της συγγένειας και άλλες γνωστές εξελικτικές προσεγγίσεις της ανιδιοτελούς συμπεριφοράς δίνουν μια πολύ διαφορετική εικόνα

---

* Ο George Akerlof (1983) υποστηρίζει κάτι ανάλογο.

της ανθρώπινης φύσης. Η αλήθεια είναι ότι, παρ' όλη την αδιαμφι-σβήτητη αξία τους, αυτές οι προσεγγίσεις δεν δίνουν καμιά απολύτως εξήγηση για τη μη καιροσκοπική συμπεριφορά.

Όσο για το συνοπτικό παράδειγμα με τους ανθρώπους που έ-χουν Σ ή Π στα μέτωπά τους, δεν είναι διόλου καλύτερο. Για να γίνει πειστικός ο ισχυρισμός ότι μπορούμε να κερδίσουμε από μια προδιά-θεση για συνεργασία, πρέπει να αναφερθούμε πιο αναλυτικά στο πώς ακριβώς προκύπτει αυτή η προδιάθεση και πώς μπορεί να αναγνωρι-στεί από τους άλλους. Αυτό το ζήτημα είναι καθοριστικής σημασίας* και εκεί θα δώσουμε την προσοχή μας στα επόμενα τρία κεφάλαια.

---

* Ο David Gauthier (1985) παρατηρεί και αυτός ότι η προδιαθέση να συμπε-ριφερόμαστε με τρόπους που δεν εξυπηρετούν το ατομικό συμφέρον μπορεί να αποβεί ωφέλιμη, αλλά δεν εξετάζει πώς ανακύπτει ούτε πώς την αναγνωρίζουν οι άλλοι.

ΚΕΦΑΛΑΙΟ ΤΕΣΣΕΡΑ

Η ΦΗΜΗ

Ο Η. L. MENCKEN είπε κάποτε ότι η συνείδηση είναι η εσωτερική φωνή που σου λέει ότι κάποιος μπορεί να σε βλέπει. Ο διακεκριμένος κοινωνιοβιολόγος Robert Trivers πρέπει να ήταν στο ίδιο περίπου μήκος κύματος όταν έγραφε: «... ίσως η συνηθισμένη ψυχολογική παραδοχή πως νιώθουμε ενοχές, ακόμα και στις περιπτώσεις που συμπεριφερόμαστε άσχημα στην ιδιωτική μας ζωή, να στηρίζεται στο ότι πολλές παρεκτροπές είναι *πιθανόν* να γνωστοποιηθούν».[1]

Στα παραδείγματα που εξετάσαμε στο Κεφάλαιο Τρία, το σήμα κινδύνου που εκπέμπει η συνείδηση δεν είχε καμία χρησιμότητα. Ας θυμηθούμε ότι σ' εκείνα τα παραδείγματα η απάτη ήταν αδύνατο να αποκαλυφθεί. Ίσως ορισμένες φορές να υπάρχουν και στην αληθινή ζωή τέτοιες περιπτώσεις. Κατά πόσο όμως μπορεί κανείς να είναι σίγουρος ότι δεν θα τον πιάσουν είναι κάτι τελείως διαφορετικό. Η ιστορία μας είναι γεμάτη από «τέλεια» εγκλήματα που πήγαν στραβά. Ακόμα και εκείνος που βρίσκει ένα γεμάτο πορτοφόλι σ' ένα έρημο πάρκο ίσως διερωτηθεί μήπως το βάλανε εκεί επίτηδες, για να χρησιμοποιήσουν το περιστατικό σε κάποιο επεισόδιο του *Candid Camera*.

Κάποιος που συνελήφθη μια φορά να εξαπατά «σταμπάρεται» ως ικανός να το ξανακάνει, πράγμα που είναι προφανές ότι περιορίζει τις μελλοντικές του ευκαιρίες. Από κάτι τέτοιες παρατηρήσεις γεννήθηκε το ρητό: «Η τιμιότητα είναι η καλύτερη πολιτική». Σύμφωνα με αυτή τη γενικά αποδεκτή άποψη, ακόμα κι ένα απλώς συνετό άτομο –κάποιος που δεν ενδιαφέρεται «πραγματικά» για το σωστό– είναι καλύτερο να προσπερνά τις ευκαιρίες που του παρουσιάζονται για απάτη, όσο ελκυστικές κι αν είναι εκ πρώτης όψεως. Εάν ακολουθήσει αυτή την τακτική, θα αποκτήσει τη φήμη του τίμιου ανθρώπου. Αυτή η φήμη θα τον βοηθήσει με τον ίδιο τρόπο που το έντονο κοκκίνισμα του προσώπου βοήθησε τους έντιμους ανθρώπους του προηγούμενου κεφαλαίου, δηλαδή θα χρησιμεύσει ως σοβαρή ένδειξη τιμιότητας.

Ο Trivers εισηγείται ότι το αίσθημα της ενοχής μπορεί να ευνοήθηκε από τη φυσική επιλογή, εξαιτίας της ικανότητάς του να προστατεύει τους ανθρώπους από την αποκάλυψη της απάτης και συνεπώς να τους βοηθά να αποκτήσουν καλή φήμη. Ίσως πράγματι η ε-νοχή να ευνοήθηκε γι' αυτό τον λόγο, όχι όμως για τις αιτίες που επικαλούνται συνήθως οι μελετητές.

Η πλάνη τού «κακό αποτέλεσμα σημαίνει κακή απόφαση»

Το επιχείρημα της φήμης φαντάζει ορθό, αλλά η προσεκτική εξέτασή του δείχνει ότι υποπίπτει σ' ένα σημαντικό λογικό σφάλμα. Το επιχείρημα λέει, με δύο λόγια, ότι, εάν κάποιος δεν εξαπατά ποτέ, θα βγάλει καλή φήμη και ότι τα οφέλη της καλής φήμης θα υπερσκελίσουν οποιοδήποτε κέρδος θα είχε αν εξαπατούσε. Είναι λοιπόν αντίστοιχο με το να λέμε ότι, επειδή πάντοτε υπάρχει κάποια πιθανότητα να πιαστούμε, δεν είναι ποτέ λογικό να εξαπατούμε. Εάν πάρουμε κατά γράμμα αυτή την άποψη, τότε σίγουρα είναι εσφαλμένη. Είναι ένα ξεκάθαρο παράδειγμα της πλάνης που λέει ότι: «κακό αποτέλεσμα σημαίνει κακή απόφαση».

Για να αποδείξουμε ότι πρόκειται για πλάνη, ας κάνουμε την υπόθεση ότι κάποιος σάς προτείνει το ακόλουθο: Πρέπει να τραβήξετε μία άσπρη μπάλα από ένα δοχείο που περιέχει 999 άσπρες μπάλες και μόνο μία κόκκινη. Εάν τραβήξετε μια άσπρη μπάλα από το δοχείο, όπως είναι το πιθανότερο να συμβεί, θα κερδίσετε 1.000 δολάρια. Εάν τραβήξετε τη μοναδική κόκκινη μπάλα, θα χάσετε 1 δολάριο. Ας υποθέσουμε ότι παίζετε το παιχνίδι και ότι τυχαίνει να τραβήξετε την κόκκινη μπάλα. Μήπως θα ισχυριστείτε ότι πήρατε εσφαλμένη α-πόφαση; Εάν ναι, τότε υποπίπτετε στην πλάνη. Τη στιγμή που πήρατε την απόφαση, ήταν πασιφανές ότι ήταν η σωστή. Κάθε λογικό ά-τομο θα έπαιρνε την ίδια απόφαση. Βέβαια το ότι χάσατε είναι πολύ δυσάρεστο, αλλά αυτό δεν σημαίνει ότι η απόφασή σας ήταν κακή.

98   ΤΑ ΠΑΘΗ ΤΗΣ ΛΟΓΙΚΗΣ

Ο συνάδελφός μου Richard Thaler περιγράφει την ίδια εσφαλμένη συμπεριφορά σε ένα επεισόδιο του Εθνικού Αμερικάνικου Πρωταθλήματος του 1980, όπου ο ιδιοκτήτης της ομάδας των Yankees George Steinbrenner απέλυσε τον προπονητή Ferraro θεωρώντας κάποια απόφασή του υπεύθυνη για την ήττα. Ωστόσο η απόφαση του προπονητή ήταν σωστή.

Όταν, πριν από δύο αιώνες, ο Άνταμ Σμιθ έγραφε: «Το ότι ο κόσμος κρίνει από το αποτέλεσμα και όχι από τον σκοπό υπήρξε το παράπονο όλων των εποχών και είναι ό,τι πιο αποθαρρυντικό για την αρετή», ήταν σαν να είχε στον νου του όλους τους δύστυχους Ferraro αυτού του κόσμου.[2] Η πλάνη που λέει ότι κακό αποτέλεσμα σημαίνει και κακή απόφαση αποθαρρύνει όχι μόνο την ενάρετη συμπεριφορά, αλλά και κάθε άλλη συμπεριφορά, συμπεριλαμβανομένης και της απάτης όταν υπάρχει σοβαρός κίνδυνος κακού αποτελέσματος.

Ωστόσο δεν είναι παράλογο να κάνουμε απάτες, όποιες κι αν είναι οι πιθανότητες να μας πιάσουν. Ακόμα κι αν λάβουμε υπόψη μας την πιθανή ζημιά που θα υποστεί η υπόληψή μας, η απάτη δεν παύει να συμφέρει σε περιπτώσεις που η πιθανότητα αποκάλυψής της είναι αρκετά μικρή. Ας αποκαλέσουμε αυτές τις περιπτώσεις χρυσές ευκαιρίες. Η εύρεση ενός γεμάτου πορτοφολιού σε ένα ερημικό πάρκο είναι μια χρυσή ευκαιρία. Ο άνθρωπος που επιστρέφει τα χρήματα απλά και μόνον επειδή φοβάται ότι μπορεί να τον δείξει κάποιο επεισόδιο του Candid Camera σκέφτεται παρανοϊκά και όχι συνετά. Οι άνθρωποι συναντούν συχνά ευκαιρίες όπου οι πιθανότητες να τους ανακαλύψουν είναι τόσο μικρές, που κάνουν την απάτη λογική, και οι περισσότεροι δεν τις αφήνουν να πάνε χαμένες.

Η αμηχανία που προκαλεί το θέμα των χρυσών ευκαιριών στο επιχείρημα της φήμης φαίνεται εύκολα με τη βοήθεια ενός απλού παραδείγματος. Ας υποθέσουμε ότι στον κόσμο υπάρχουν δύο τύποι ανθρώπων, οι έντιμοι και οι ανέντιμοι, και ότι ο κάθε τύπος απαρτίζει το μισό του πληθυσμού. Οι πρώτοι δεν εξαπατούν ποτέ, οι δεύτεροι εξαπατούν μόνον όταν παρουσιάζεται κάποια χρυσή ευκαιρία. Αυτές οι ευκαιρίες δεν χρειάζεται να είναι απολύτως ασφαλείς. Στο παράδειγμά μας, ας υποθέσουμε ότι πιάνεται ένα ανέντιμο άτομο στα πενήντα.

Στη συνέχεια ας υποθέσουμε ότι χρειαζόμαστε ένα έντιμο άτομο για να κάνει μια δουλειά που θα του δώσει μια χρυσή ευκαιρία.

Κάποιος ανταποκρίνεται στην αγγελία που βάλαμε. Τι θα μάθουμε αν ερευνήσουμε τη φήμη που έχει; Σ' αυτό το περιβάλλον, 99 στα 100 άτομα θα έχουν καλή φήμη (τα 50 από αυτά θα είναι αυθεντικά έντιμα, τα 49 απατεώνες που δεν αποκαλύφθηκαν ποτέ). Ακόμα κι αν διαπιστώσουμε ότι ο υποψήφιός μας έχει καλή φήμη, γνωρίζουμε ότι υπάρχει 50% (49/99) πιθανότητα να εξαπατήσει εάν παρουσιαστεί η κατάλληλη ευκαιρία. Εφόσον οι ίδιες σχεδόν πιθανότητες (50/100) υπάρχουν και στην τυχαία επιλογή, είναι φανερό ότι δεν μας συμφέρει να υποβληθούμε σε έξοδα για να ερευνήσουμε τη φήμη του υποψήφιου. Εάν τα ανέντιμα άτομα συμπεριφέρονται λογικά, τα περισσότερα από αυτά θα αποφύγουν την αποκάλυψη. Κατά συνέπεια, έχουμε πολύ λίγες πιθανότητες να μάθουμε πώς θα συμπεριφερθούν οι άνθρωποι στην ειδική περίπτωση που μας ενδιαφέρει περισσότερο, δηλαδή στην περίπτωση της χρυσής ευκαιρίας.

Ούτε πάλι μπορούμε, όταν οι άνθρωποι δρουν λογικά, να ανακαλύψουμε αν κάποιος είναι έντιμος παρατηρώντας τι κάνει σε περιπτώσεις που η ανακάλυψη της απάτης δεν αποκλείεται. Αντίθετα με τις χρυσές ευκαιρίες, αυτές εδώ είναι περιπτώσεις όπου συνήθως μαθαίνουμε πώς συμπεριφέρθηκε ένα άτομο. Γι' αυτόν ακριβώς τον λόγο, δεν είναι λογικό να εξαπατήσει κανείς σ' αυτές τις περιπτώσεις. Αν λοιπόν δούμε ότι κάποιος δεν εξαπατά, μαθαίνουμε μόνον ότι είναι συνετός και όχι ότι είναι έντιμος. Από αυτή καθαυτή την έννοια της τιμιότητας, φαίνεται πως η φήμη ότι κάποιος δεν κάνει απάτες δεν λέει και πολλά. Η ανυπαρξία κακής φήμης δεν είναι το ίδιο πράγμα με το να έχεις τη φήμη ότι είσαι έντιμος. Τα είδη των ενεργειών που έχουμε τη δυνατότητα να παρατηρήσουμε δεν είναι πολύ καλά τεστ για το κατά πόσο ένα άτομο είναι έντιμο.*

---

* Και ο οικονομολόγος του Πανεπιστημίου του Σικάγο Lester Telser είναι επίσης επιφυλακτικός ως προς την αξία της φήμης, αλλά για διαφορετικό λόγο. Κατά την άποψή του, η δυσκολία δεν έγκειται στο ότι σπανίως συναντάμε καταστάσεις που δοκιμάζουν τον χαρακτήρα ενός ατόμου, αλλά στο ότι οι άνθρωποι δεν έχουν χαρακτήρα για να δοκιμαστεί: «... οι άνθρωποι ζητούν πληροφορίες για την αξιοπιστία αυτών με τους οποίους συναλλάσσονται. Η αξιοπιστία ωστόσο δεν είναι ένα εγγενές γνώρισμα του χαρακτήρα. Κάποιος είναι αξιόπιστος όταν και μόνον όταν η αξιοπιστία τον ωφελεί περισσότερο από την αναξιοπιστία. Ως εκ τούτου, οι πληροφορίες για το τι κερδίζει κάποιος με το να είναι αξιόπιστος είναι ουσιώδεις για την αξιολόγηση της πιθανότητας να είναι αξιόπιστος. Για παράδειγμα, ένας πλανόδιος πωλητής έχει μεγα-

Το αντίκρισμα της φήμης

Αυτές οι παρατηρήσεις σχετικά με τη φήμη θέτουν ένα πρόβλημα. Είναι φανερό ότι οι περισσότεροι άνθρωποι πιστεύουν ότι η φήμη παρέχει σημαντικές πληροφορίες. Εάν όμως δεν τις παρέχει, τότε γιατί οι άνθρωποι ενδιαφέρονται τόσο γι' αυτές; Για παράδειγμα, γιατί οι εταιρείες μπαίνουν στον κόπο να εξετάσουν τις συστάσεις που προσκομίζουν οι υποψήφιοι για κάποια δουλειά; Ή, πάλι, γιατί ο ιδιοκτήτης ενός σπιτιού ερευνά τη φήμη μιας εταιρείας προτού υπογράψει το συμβόλαιο για την επισκευή της στέγης του; Πρέπει μήπως να υποθέσουμε ότι αυτές οι συμπεριφορές είναι παράλογες; Εάν συμφωνούμε με την άποψη ότι όσοι εξαπατούν επιτυγχάνουν τους συμφεροντολογικούς σκοπούς τους, είμαστε υποχρεωμένοι να καταλήξουμε σ' αυτό το συμπέρασμα.

Ίσως όμως πρέπει εδώ να επανέλθουμε στο επιχείρημα της φήμης. Εκείνοι που το αντιμάχονται στηρίζονται κυρίως στην παραδοχή ότι τα ανέντιμα άτομα επιλέγουν με βάση τις ορθολογικές εκτιμήσεις. Όμως, στο προηγούμενο κεφάλαιο, εξετάσαμε πολλές περιπτώσεις που αμφισβητούν αυτή την παραδοχή. Ακόμα και ο πιο φανατικός ορθολογιστής δεν μπορεί να υποστηρίξει ότι οι επιλογές που σχετίζονται με τη λήψη τροφής καθορίζονται από αυστηρά λογικές δυνάμεις. Εκτός από τις δυνάμεις της λογικής, έχουμε και όρεξη, και πολύ συχνά τρώμε ακόμα κι όταν ξέρουμε ότι βλάπτει την υγεία μας.

Για ανάλογους λόγους, και οι απατεώνες δεν κυνηγούν το συμφέρον τους αποτελεσματικά. Διότι και στις αποφάσεις που αφορούν σε απάτες, οι λογικές εκτιμήσεις παίζουν μόνον έμμεσο ρόλο. Κάποιος συμφεροντολόγος βλέπει το κέρδος που θα έχει από μια δεδομένη ευκαιρία για απάτη, και τα συνακόλουθα ευχάριστα συναισθήματα του δημιουργούν την παρόρμηση να διαπράξει την απάτη. Ωστόσο αυτή την παρόρμηση την αντιμάχεται μια αντίθετή της που ξεπηδά από τη λογική συνεκτίμηση των πιθανοτήτων να πιαστεί στα πράσα. Εάν οι πιθανότητες είναι αρκετά μεγάλες ή α-

---

λύτερες πιθανότητες να μην είναι αξιόπιστος εάν είναι πιο δαπανηρό να του επιβάλλουμε κάποια ποινή. ... οι άνθρωποι είναι έντιμοι μόνον εφόσον η τιμιότητα, ή η δήθεν τιμιότητα, συμφέρει πιο πολύ από την ανεντιμότητα» (1980, σελ. 28, 29).

στάθμητες, η ορθολογική εκτίμηση αποφαίνεται ότι η απάτη δεν α-
ξίζει τον κόπο. Εντούτοις αυτή η εκτίμηση δεν κάνει τίποτε άλλο πα-
ρά να ενεργοποιεί μια δεύτερη σειρά συναισθημάτων που ανταγω-
νίζονται την παρόρμηση για απάτη. Δεν είναι καθόλου βέβαιο ότι
αυτές οι ανταγωνιστικές παρορμήσεις θα οδηγήσουν σε μια συνετή
επιλογή.

Από τη στιγμή που θα δεχτούμε την πιθανότητα ότι συχνά η α-
πόφαση της απάτης στηρίζεται σε μη ορθολογικά κριτήρια, έχουμε τη
λογική βάση για την ουσιαστική σύνδεση μεταξύ της καλής φήμης και
του πραγματικού χαρακτήρα ενός ανθρώπου. Ας υποθέσουμε, για πα-
ράδειγμα, ότι τα ανέντιμα άτομα εξαπατούν όχι μόνον εάν βρεθούν
μπροστά σε μια χρυσή ευκαιρία, αλλά συχνά ακόμα και σε περιπτώ-
σεις όπου υπάρχει μεγάλη πιθανότητα να πιαστούν. Εάν, φέρ' ειπείν,
οι μισοί από αυτούς πιαστούν τελικά, τότε, μαθαίνοντας τη φήμη που
έχει κάποιος, μαθαίνουμε πολύ περισσότερα γι' αυτόν. Αυτός που έ-
χει καλή φήμη είναι πλέον πολύ πιο πιθανό να είναι έντιμος σε σχέση
με κάποιον άλλο που επιλέγεται τυχαία (στο πλαίσιο του αριθμητικού
παραδείγματος που συζητήσαμε πιο πάνω, οι πιθανότητες πλέον εί-
ναι 67% και όχι 50%).

Σ' αυτό το σημείο, η σύνδεση φήμης και χαρακτήρα είναι ένα
θεωρητικό ενδεχόμενο, τίποτα περισσότερο. Το απλό ενδεχόμενο ότι
ένα ανέντιμο άτομο μπορεί να επιλέξει παράλογα δεν σημαίνει ότι εί-
ναι πιθανό να το κάνει σε σημαντικό αριθμό περιπτώσεων. Και κυ-
ρίως δεν σημαίνει ότι οι εξασφαλισμένες επιλογές του κλίνουν προς
την κατεύθυνση της συχνής εξαπάτησης. Για να μπορεί η καλή φήμη
να αποτελεί σημαντική ένδειξη για τον χαρακτήρα, πρέπει τα ανέντι-
μα άτομα να έχουν την τάση να εξαπατούν σε περιπτώσεις που υ-
πάρχουν πιθανότητες να πιαστούν. Διαφορετικά δεν θα πιάνονταν
αρκετά συχνά ώστε να αποκτήσουν κακή φήμη.

Απατηλά ελκυστικές ανταμοιβές

Η πειραματική ψυχολογία μάς παρέχει πειστικά στοιχεία για την ύ-
παρξη μιας τέτοιας τάσης, η οποία πηγάζει από την τάση των άμεσων
αμοιβών να φαίνονται παραπλανητικά ελκυστικές. Τα σχετικά στοι-

χεία προέρχονται από πειράματα που έχουν γίνει τόσο σε ανθρώπους, όσο και σε ζώα. Αυτά τα πειράματα αποδεικνύουν ότι δεν παίζει ρόλο μόνο το μέγεθος της υλικής αμοιβής ή τιμωρίας, αλλά και η χρονική στιγμή τους.

Για παράδειγμα, ας εξετάσουμε το ζεύγος των επιλογών που απεικονίζονται στο Σχήμα 4.1. Στην περίπτωση Α, ζητάμε από τα άτομα να επιλέξουν εδώ και τώρα μεταξύ των ακόλουθων δύο αμοιβών: (1) να πάρουν 100 δολάρια μετά από 28 ημέρες ή (2) να πάρουν 120 δολάρια μετά από 31 ημέρες. Σ' αυτό το πείραμα, οι περισσότεροι άνθρωποι αντιδρούν με λογικό τρόπο, επιλέγοντας τη δεύτερη αμοιβή. (Αυτή η απάντηση θεωρείται λογική διότι δεν υπάρχει καμία λογική επένδυση που να αποδίδει 20% τόκο σε τρεις ημέρες. Με άλλα λόγια, η δεύτερη αμοιβή αποτελεί σίγουρα μεγαλύτερο κέρδος από την πρώτη.)

Στην περίπτωση Β, προτείνουμε στα άτομα ένα διαφορετικό ζεύγος αμοιβών: (1′) 100 δολάρια σήμερα ή (2′) 120 σε τρεις μέρες. Τα χρηματικά ποσά είναι τα ίδια και στις δύο περιπτώσεις και οι αμοιβές έχουν και πάλι χρονική απόσταση τριών ημερών. Αυτή τη φορά όμως τα περισσότερα άτομα διαλέγουν την πρώτη αμοιβή. Η ανακολουθία έγκειται στο ότι ο ίδιος τόκος που καθιστά την αμοιβή (2) προτιμότερη από την αμοιβή (1) θα έπρεπε επίσης να καθιστά και την αμοιβή (2′) προτιμότερη από την αμοιβή (1′). Κι ωστόσο οι άνθρωποι επιλέγουν διαφορετικά στις δύο περιπτώσεις. Σύμφωνα με τον όρο του ψυχιάτρου George Ainslie, η άμεση αμοιβή είναι *απατηλή* σε σχέση με τη μακροπρόθεσμη.[3]

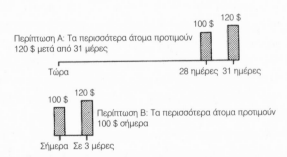

ΣΧΗΜΑ 4.1 *Το προβάδισμα της άμεσης ανταμοιβής*

Η εξήγηση που δίνουν οι ψυχολόγοι της συμπεριφοράς γι' αυτή την ανακολουθία είναι περίπου η εξής: Στο πρώτο ζεύγος εναλλακτικών, ο ψυχολογικός μηχανισμός ανταμοιβής θεωρεί και τις δύο α- νταμοιβές απόμακρες. Κάτι που θα γίνει σε 28 ημέρες θεωρείται σχεδόν εξίσου μακρινό με κάτι που θα γίνει σε 31 ημέρες. Εφόσον, ούτως ή άλλως, η ευχαρίστηση δεν είναι άμεση, γιατί να μη διαλέξει κανείς τη μεγαλύτερη; Στο δεύτερο ζεύγος εναλλακτικών, η αμεσότητα της πρώτης αμοιβής είναι, για πολλά άτομα, πάρα πολύ ελκυστική. Κατακλύζει τη συνείδησή τους και θολώνει την κρίση τους.

Οι ψυχολόγοι εξετάζουν τις επιλογές της χρονικής ανακολουθίας σύμφωνα με τον *νόμο της ισοτιμίας* του Richard Herrnstein. Μία από τις ιδιότητες του νόμου της ισοτιμίας είναι ότι η ελκυστικότητα μιας αμοιβής είναι αντιστρόφως ανάλογη με την καθυστέρησή της.[4] Στο συγκεκριμένο πλαίσιο, ο όρος *καθυστέρηση* σημαίνει το χρονικό διάστημα που απαιτείται μέχρι την απόδοση της αμοιβή. Ο νόμος της ισοτιμίας συνεπάγεται σημαντική έκπτωση των μακροπρόθεσμων α- μοιβών και δίνει το απόλυτο σχεδόν προβάδισμα σ' αυτές που παρέχονται άμεσα. (Η ονομασία του νόμου πηγάζει από την άλλη σημαντική του πρόβλεψη, που λέει ότι τα άτομα κατανέμουν τις προσπάθειές τους μεταξύ ανταγωνιστικών δραστηριοτήτων με τρόπο ώστε οι αμοιβές τους για κάθε μονάδα προσπάθειας να είναι «ισότιμα» ελκυστικές – δηλαδή οι αμοιβές να είναι εφάμιλλες.)

Στο Σχήμα 4.2, η σχέση ελκυστικότητας-καθυστέρησης που α- ποτυπώνει ο νόμος της ισοτιμίας απεικονίζει μια αμοιβή που θα αποδοθεί στις 31 Ιανουαρίου. Η ελκυστικότητα της αμοιβής διπλασιάζεται κάθε φορά που η καθυστέρηση μειώνεται στο μισό. Κατά συνέπεια, η ελκυστικότητα που υπάρχει στις 24 Ιανουαρίου, όταν έχουμε καθυστέρηση 7 ημερών, είναι διπλάσια από εκείνην που υπάρχει στις 17 Ιανουαρίου, όταν έχουμε καθυστέρηση 14 ημερών. Καθώς πλησιάζει η 31η Ιανουαρίου, η ελκυστικότητα της αμοιβής μεγαλώνει απεριόριστα. Ορισμένοι συγγραφείς αναγνωρίζουν ότι δεν είναι δυνατόν να μιλάμε για μια απείρως ελκυστική αμοιβή και παρατηρούν ότι κανένα από τα βασικά συμπεράσματα αυτής της θεωρίας δεν θα άλλαζε εάν η ελκυστικότητα προσέγγιζε κάποιο μεγάλο, πεπερασμένο ό- ριο, καθώς η καθυστέρηση θα προσέγγιζε το μηδέν.

Εμείς θα επικεντρωθούμε σε επιλογές του τύπου «όλα ή τίπο-

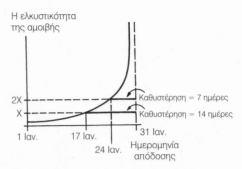

ΣΧΗΜΑ 4.2 *Η ελκυστικότητα μιας αμοιβής*
με ημερομηνία απόδοσης 31 Ιανουαρίου

τα», όπως στο Σχήμα 4.1 η απόφαση μεταξύ της αμοιβής των 100 ή
120 δολαρίων· ή όπως η απόφαση αν θα εξαπατήσουμε ή όχι. Σε τέ-
τοιες περιπτώσεις, ο νόμος της ισοτιμίας προβλέπει ότι θα επικρατή-
σει η εναλλακτική που προσφέρει την πιο ελκυστική αμοιβή *τη στιγ-
μή που γίνεται η επιλογή.*

Όταν επιλέγουμε μεταξύ δύο αμοιβών που και οι δύο αποκτώ-
νται την ίδια στιγμή, το αποτέλεσμα δεν εξαρτάται από τη στιγμή της
απόφασης. Η μεγαλύτερη από τις δύο αμοιβές είναι πιο ελκυστική, α-
νεξάρτητα από το πόσο απέχει από τη στιγμή της επιλογής. Ωστόσο
δεν μπορούμε να πούμε το ίδιο όταν η μεγαλύτερη από τις δύο αμοι-
βές πρόκειται να αποδοθεί αργότερα. Το Σχήμα 4.3 δείχνει την ελκυ-
στικότητα που παρουσιάζουν για κάποιο υποθετικό άτομο οι δύο α-
μοιβές που αναφέρονται στο Σχήμα 4.1. Η μία καμπύλη δείχνει την
ελκυστικότητα μιας αμοιβής 120 δολαρίων που θα αποδοθεί στις 31
Ιανουαρίου, και η άλλη την ελκυστικότητα μιας αμοιβής 100 δολα-
ρίων που θα αποδοθεί στις 28 Ιανουαρίου.

Σ' αυτό το παράδειγμα, οι δύο καμπύλες ελκυστικότητας συμ-
βαίνει να συναντώνται στις 26 Ιανουαρίου. Στη συγκεκριμένη ημερο-
μηνία, το υποθετικό άτομο δεν θεωρεί ελκυστικότερη καμία από τις
δύο αμοιβές. Πριν από τις 26 Ιανουαρίου, θα επέλεγε τη μεγαλύτερη
αμοιβή. Εντούτοις, μεταξύ της 26ης και της 28ης Ιανουαρίου, θα επέ-
λεγε τη μικρότερη. Χρησιμοποιώντας και πάλι τον όρο του Ainslie, η
αμοιβή των 100 δολαρίων είναι *απατηλή* σε σχέση με τα 120 δολάρια
της αμοιβής στο μεσοδιάστημα μεταξύ 26ης και 28ης Ιανουαρίου.

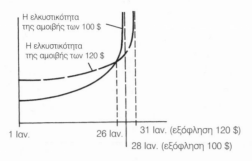

ΣΧΗΜΑ 4.3 Ο νόμος της ισοτιμίας και η απατηλή αμοιβή

Προσέξτε ότι η ακολουθία που υποδηλώνει ο νόμος της ισοτιμίας δεν είναι απλώς αποτέλεσμα της έκπτωσης που υφίστανται οι μελλοντικές αμοιβές. Δεν υπάρχει τελικά τίποτα το παράλογο εκεί. Σ' έναν αβέβαιο κόσμο, είναι πράγματι «κάλλιο ένα και στο χέρι παρά δέκα και καρτέρει». Οι ακολουθίες οφείλονται στο ειδικό μορφότυπο έκπτωσης που υποδηλώνει ο νόμος της ισοτιμίας. Στη λογική έκπτωση, η ελκυστικότητα της αμοιβής τείνει σταδιακά σε μια σταθερή τιμή καθώς πλησιάζει η ημέρα της απόδοσης. Τουναντίον, με τον νόμο της ισοτιμίας η ελκυστικότητα της αμοιβής αυξάνει πολύ απότομα, αν όχι απεριόριστα. Σύμφωνα με τη λογική έκπτωση, τέτοιου είδους αντιστροφές των προτιμήσεων, όπως αυτές που βλέπουμε στον νόμο της ισοτιμίας, δεν είναι δυνατόν να συμβούν.

Το εκπτωτικό στοιχείο του χρόνου στον νόμο της ισοτιμίας, ή σε κάποια συγγενή παραλλαγή του, είναι μία από τις πιο ρωμαλέες κανονικότητες της πειραματικής ψυχολογίας. Όταν ένα περιστέρι έχει τη δυνατότητα να επιλέξει, ραμφίζοντας το ένα από τα δύο κουμπιά, αν θα του δώσουν ένα κομματάκι φαΐ σε 30 δευτερόλεπτα από τη συγκεκριμένη χρονική στιγμή ή ένα πολύ μεγαλύτερο σε 40 δευτερόλεπτα, προτιμά το δεύτερο. Όταν όμως πρέπει να επιλέξει μεταξύ του μικρότερου κομματιού αυτή τη στιγμή και του μεγαλύτερου σε 10 δευτερόλεπτα, πολύ συχνά επιλέγει το πρώτο. Τα ποντίκια συμπεριφέρονται με τον ίδιο τρόπο. Το ίδιο και οι γάτες, οι σκύλοι, τα ινδικά χοιρίδια και τα γουρούνια. Το ίδιο κάνουν τις περισσότερες φορές και οι άνθρωποι. Αυτό το χαρακτηριστικό στοιχείο αποτελεί προφανώς μέρος του βασικού εξοπλισμού του νευρικού συστήματος των περισσότερων ζώων.

Τα συναισθήματα ως μηχανισμοί αυτοελέγχου

Αυτό δεν σημαίνει ότι οι υλικές αμοιβές και η καθυστέρηση μπαίνουν μηχανικά στον νόμο της ισοτιμίας και βγάζουν μια ντετερμινιστική θεωρία της ανθρώπινης συμπεριφοράς.* Αντιθέτως, οι άνθρωποι ε- λέγχουν οπωσδήποτε σε μεγάλο βαθμό τον τρόπο που αντιλαμβάνο- νται τις αμοιβές από ανταγωνιστικές δραστηριότητες. Απ' όσο ξέρω, ποτέ κανένα δικαστήριο δεν αποδέχθηκε μια γραμμή υπεράσπισης που να βασιζόταν στη δικαιολογία: «Δεν κατόρθωσα να αντισταθώ στην επιθυμία να κλέψω τα χρήματα – αυτά ήταν εκεί κι εγώ ακο- λουθούσα τον νόμο της ισοτιμίας». (Παρ' όλα αυτά, πολλές κοινωνίες έχουν νόμους κατά του δελεασμού, και ίσως ο νόμος της ισοτιμίας να είναι ένας από τους λόγους που θεσμοθετήθηκαν.)

Ο νόμος της ισοτιμίας δεν ισχυρίζεται ότι είναι αναπόφευκτη η ε- πιλογή κάποιας απατηλής αμοιβής. Για να καταλάβουμε το γιατί, ας ε- ξετάσουμε μια παραλλαγή του προβλήματος της απάτης που συζητή- σαμε στο Κεφάλαιο Τρία. Αυτή τη φορά ας υποθέσουμε ότι είναι δύ- σκολο να αποκαλυφθεί η απάτη, δεν είναι όμως αδύνατο. Εάν ο Σμιθ τη γλυτώσει, έχει μια άμεση απολαβή. Εάν πιαστεί ωστόσο, όχι μόνο δεν έχει άμεση απολαβή, αλλά βγάζει και άσχημη φήμη. Η λογική του εκτί- μηση του λέει ότι δεν πρόκειται για μια χρυσή ευκαιρία. Γνωρίζει ότι οι άνθρωποι που αποφεύγουν τις απάτες σε τέτοιες συνθήκες αποκτούν καλή φήμη και τα πάνε καλύτερα μακροπρόθεσμα. Παρ' όλα αυτά, η προοπτική της άμεσης απολαβής δεν παύει να τον βάζει σε πειρασμό.

---

* Ούτως ή άλλως, είναι ξεκάθαρο ότι η απλώς μηχανική ερμηνεία του νόμου της ισοτιμίας οδηγεί σε προβλέψεις που αντικρούονται από την καθημερινή εμπειρία. Ο νόμος της ισοτιμίας προβλέπει, για παράδειγμα, ότι οι άνθρωποι προτιμούν να βιώ- νουν τα ευχάριστα πράγματα όσο το δυνατόν πιο νωρίς και να αναβάλλουν τα δυσά- ρεστα για όσο το δυνατόν πιο αργά. Ωστόσο ο George Loewenstein (1987) απέδειξε ό- τι οι περισσότεροι άνθρωποι προτιμούν να αναβάλλουν τα έντονα και φευγαλέα θετι- κά βιώματα (όπως «ένα φιλί από τον αγαπημένο σου πρωταγωνιστή») και να τελειώ- νουν με τα δυσάρεστα (όπως «ένα σύντομο αλλά επίπονο ηλεκτροσόκ») όσο το δυνα- τόν συντομότερα. Ο Loewenstein υποστηρίζει ότι οι άνθρωποι θέλουν χρόνο για να α- πολαύσουν την προοπτική του φιλιού, ενώ προσπαθούν να μειώσουν κατά το δυνατόν περισσότερο τον χρόνο που περνούν με τον φόβο του ηλεκτροσόκ. Μόλις ωστόσο κα- ταλάβουμε ότι η αναμονή της απόλαυσης ή του πόνου συχνά παίρνει την ίδια μορφή με την αληθινή εμπειρία, η οποία βιώνεται έτσι ως τωρινή, είναι πλέον πασιφανές ότι οι συμπεριφορές αυτές δεν έρχονται σε αντίθεση με τον νόμο της ισοτιμίας.

Εάν ο Σμιθ έχει τη συναισθηματική προδιάθεση να θεωρεί την απάτη μια δυσάρεστη πράξη αυτή καθαυτή, δηλαδή εάν έχει συνείδηση, θα του είναι πιο εύκολο να αντισταθεί στον πειρασμό της απάτης. Εάν ο μηχανισμός της ψυχολογικής ανταμοιβής περιορίζεται στο να υπερτονίζει τις αμοιβές της παρούσας στιγμής, το απλούστερο αντιστάθμισμα σε μια απατηλή ανταμοιβή της απάτης είναι η ύπαρξη κάποιου ταυτόχρονου αισθήματος που μας ωθεί στην αντίθετη κατεύθυνση. Η ενοχή είναι ένα τέτοιο αίσθημα. Και επειδή κι αυτή επίσης συμπίπτει με τη στιγμή της επιλογής, δεν υφίσταται έκπτωση σε σχέση με την ανταγωνιστική υλική ανταμοιβή. Εάν κάποιος νιώθει μεγάλη ενοχή, η φαινομενική έλξη της επικείμενης υλικής ανταμοιβής εκμηδενίζεται.

Προσέξτε ότι αυτή η παρατήρηση δεν αντικρούει τον νόμο της ισοτιμίας. Μας λέει μάλλον ότι οι μη υλικές αμοιβές και τιμωρίες μπορούν και αυτές να παίξουν ρόλο. Ο νόμος της ισοτιμίας απλώς περιγράφει τον τρόπο με τον οποίο η ελκυστικότητα κάποιας αμοιβής –υλικής ή μη υλικής– αλλάζει ανάλογα με την καθυστέρησή της. Συνεπώς, μολονότι η ελκυστικότητα τείνει να μεγαλώνει υπερβολικά καθώς η καθυστέρηση πλησιάζει το μηδέν, μια επικείμενη υλική αμοιβή δεν είναι πάντοτε ακαταμάχητη. Μπορεί να αντισταθμιστεί αποτελεσματικά από ανταγωνιστικές αμοιβές, ακόμα και μη υλικές, αρκεί να είναι και αυτές επικείμενες.

Παρά ταύτα, ο νόμος της ισοτιμίας εξηγεί γιατί ένα απλώς συνετό άτομο μπορεί πολλές φορές να δυσκολευτεί να αποφύγει την απάτη, παρότι η λογική του ανάλυση αποδεικνύει ότι η απάτη δεν τον συμφέρει. Το πρόβλημα είναι ότι το υλικό κέρδος που προσφέρει η απάτη είναι άμεσο, ενώ η ποινή θα έρθει πολύ αργότερα ή και ποτέ. Εάν ο μηχανισμός ψυχολογικής ανταμοιβής δίνει πράγματι δυσανάλογο βάρος στις βραχυπρόθεσμες αμοιβές, κάποιο άτομο που ενδιαφέρεται μόνο για τις υλικές αμοιβές θα εξαπατήσει ακόμα και αν αυτό δεν είναι συνετό.*

---

* Ο Jon Elster μου επισήμανε πως το μορφότυπο της έκπτωσης που δίνει ο νόμος της ισοτιμίας δεν είναι ο μοναδικός τρόπος εμφάνισης των απατηλών διαχρονικών επιλογών. Οι βασικοί ισχυρισμοί αυτού του κεφαλαίου ισχύουν και όταν οι άνθρωποι χρησιμοποιούν υπερβολικά υψηλούς εκθετικούς ρυθμούς έκπτωσης.

Συνήθως, η σύνεση επιβάλλει την αποφυγή της απάτης, όπως έχει αποδειχθεί περίτρανα από τις θεωρίες τού «μία σου και μία μου» και του ανταποδοτικού αλτρουισμού. Σε τέτοιες περιπτώσεις, η ικανότητά μας να καταπνίξουμε την παρόρμηση για απάτη είναι ωφέλιμη. Έτσι μπορούμε να φανταστούμε έναν κόσμο στον οποίο οι άνθρωποι με συνείδηση τα πάνε καλύτερα από τους ασυνείδητους. Οι α- συνείδητοι άνθρωποι θα εξαπατούσαν σπανιότερα εάν το μπορούσαν, αλλά απλώς έχουν πολύ μεγαλύτερη δυσκολία στην επίλυση του θέματος του αυτοελέγχου. Οι άνθρωποι που έχουν συνείδηση, αντίθετα, είναι ικανοί να αποκτούν καλή φήμη και να συνεργάζονται επιτυχώς με άλλους που έχουν παρόμοια προδιάθεση.

Παρόμοια λογική ισχύει και στην περίπτωσης της εκδικητικότητας. Πολλές φορές είναι συνετό να πάρουμε εκδίκηση ακόμα και με σχετικά μεγάλο προσωπικό κόστος. Αυτό ισχύει ιδιαίτερα εάν η πράξη βοηθά να δημιουργήσουμε κάποια φήμη που αποτρέπει τις επιθετικές ενέργειες. Απολύτως ορθολογικά άτομα, με πλήρη αυτοέλεγχο, επιδιώκουν πάντα την εκδίκηση όταν τα μελλοντικά οφέλη από τη φήμη τους υπερβαίνουν το τρέχον κόστος της ανάληψης δράσης.

Το πρόβλημα, όπως και στο παράδειγμα της απάτης, είναι ότι τα οφέλη από τη φήμη του σκληρού είναι μελλοντικά, ενώ το τίμημα της εκδίκησης πληρώνεται εδώ και τώρα. Ο νόμος της ισοτιμίας θέτει λοιπόν και πάλι το θέμα του ελέγχου της παρόρμησης. Μπορεί κάποιος να καταλαβαίνει ότι συμφέρει να είναι σκληρός, κι ωστόσο να μπαίνει στον πειρασμό να αποφύγει το παρόν κόστος μιας σκληρής α- πάντησης. Στην προκειμένη περίπτωση, η προδιάθεση να θυμώνουμε όταν μας κάνουν κακό μπορεί να λύσει το θέμα του ελέγχου της παρόρμησης. Όπως γίνεται και στην περίπτωση της ενοχής, έτσι και ο θυμός βοηθά να μετατοπιστούν τα σχετικά μελλοντικά οφέλη στην τωρινή στιγμή. Σε περιπτώσεις που η έγνοια για τη φήμη κλίνει προς την πλευρά της δράσης, είναι πιο πιθανό να φερθεί συνετά ο οργισμένος παρά το συνετό άτομο που δεν νιώθει θυμό.

Επίσης μπορεί συχνά να είναι συνετό να αρνηθούμε μια επικερδή συναλλαγή επειδή οι όροι είναι άδικοι. Με τέτοιες πράξεις χτίζουμε τη φήμη του σκληρού διαπραγματευτή, η οποία μεταφράζεται σε καλύτερους όρους στις επόμενες συναλλαγές. Πρόκειται και πάλι για περίπτωση σύγκρουσης ανάμεσα στα μελλοντικά οφέλη και το σημερινό κόστος, με το συνακόλουθο πρόβλημα ελέγχου της παρόρμησης. Εδώ κάποιος που νιώθει φθόνο ή πικρία επειδή παίρνει λιγότερα από όσα δικαιούται θέτει σε λειτουργία τον μηχανισμό ανταμοιβής στην παρούσα στιγμή και, για τον λόγο αυτό, έχει περισσότερες πιθανότητες να φερθεί συνετά. Είναι πιο εύκολο να αρνηθεί κανείς κάποια επικερδή αλλά άδικη πρόταση όταν η αποδοχή της τον κάνει να νιώθει άσχημα.

Και τέλος, η αγάπη μπορεί κι αυτή να βοηθήσει το άτομο να ακολουθήσει μια πορεία ατομικού συμφέροντος. Τα μελλοντικά γεγονότα που μπορεί να δείξουν ότι δεν συμφέρει κάποιον να παραμείνει σε έναν γάμο δεν είναι το μόνο ενδεχόμενο που κάνει τους ανθρώπους να ανησυχούν. Φοβούνται επίσης μήπως διαπράξουν το σφάλμα να διαλύσουν έναν γάμο που τους συμφέρει να υπάρχει. Για μια ακόμα φορά ο νόμος της ισοτιμίας μάς βοηθά να εξηγήσουμε γιατί. Μπορεί να μπει κανείς στον πειρασμό μιας εξωσυζυγικής σχέσης, κι ωστόσο να καταλαβαίνει ότι θα ήταν καλύτερο να διατηρήσει τον γάμο του αλώβητο. Η άμεση αμοιβή της ερωτικής σχέσης είναι βέβαια απατηλή, αυτό όμως δεν σημαίνει ότι δεν είναι εξαιρετικά ισχυρή. Τα οφέλη από τη διατήρηση του γάμου, αν και πιο αυθεντικά, βρίσκονται ως επί το πλείστον στο μέλλον. Πρόκειται και πάλι για καθαρή περίπτωση ελέγχου της παρόρμησης.

Όπως και στα άλλα παραδείγματα, τα αντικρουόμενα συναισθήματα μπορούν να βοηθήσουν στην επίλυση κι αυτού του ζητήματος. Τα ισχυρά αισθήματα στοργής για τον/τη σύζυγο κάνουν τις ψυχολογικές ανταμοιβές της πίστης να μετακινηθούν προς το παρόν. Οι άνθρωποι που έχουν τέτοια αισθήματα είναι καλύτερα προετοιμασμένοι για την αντιμετώπιση του πειρασμού, ακόμα κι αν δεν είναι απολύτως άτρωτοι. Και γι' αυτό τον λόγο είναι πιο πιθανό να επιτύχουν στους μακροπρόθεσμους στόχους τους.

Ο νόμος της ισοτιμίας μάς λέει ότι η ελκυστικότητα μιας αμοιβής αυξάνεται υπερβολικά καθώς η καθυστέρηση πλησιάζει το μηδέν. Από αυτό έπεται ότι οι άνθρωποι οι οποίοι νοιάζονται μόνο για υλικές αμοιβές εξαπατούν (δεν παίρνουν εκδίκηση κτλ.) ακόμα κι όταν δεν είναι λογικό να κάνουν κάτι τέτοιο. Τα κέρδη της απάτης, για μια ακόμα φορά, είναι άμεσα, ενώ το κόστος, εφόσον υπάρχει, είναι μελλοντικό. Συνεπώς, όταν βλέπουμε ότι κάποιος δεν πιάστηκε ποτέ να εξαπατά, έχουμε σοβαρούς λόγους να πιστεύουμε ότι η συμπεριφορά του καθοδηγείται, τουλάχιστον εν μέρει, από μη υλικές αμοιβές. Και εδώ βρίσκεται η ουσία της αλήθειας της πεποίθησής μας ότι η φήμη έχει σημασία.

Κατ' αυτή την άποψη, η δύναμη της σχέσης φήμης και χαρακτήρα εξαρτάται από τον βαθμό στον οποίο οι άνθρωποι δυσκολεύονται να αντισταθούν στις άμεσες αμοιβές. Εάν ο έλεγχος των παρορμήσεων είναι μικρό πρόβλημα, δεν είναι εύκολο να συναχθεί συμπέρασμα. Εάν όμως πρόκειται για σοβαρό πρόβλημα, τότε σχεδόν κάθε άτομο που είναι απλώς συνετό άτομο (που νοιάζεται, με άλλα λόγια, μόνο για υλικές αμοιβές) θα πιαστεί κάποια στιγμή να εξαπατά.

Έκπτωση και λογική επιλογή

Συμβαίνει άραγε συχνά οι ανθρώπινες παρορμήσεις να μας ωθούν σε παράλογες επιλογές; Τουλάχιστον από τον δέκατο έβδομο αιώνα και μετά, οι φιλόσοφοι σαφώς πιστεύουν κάτι τέτοιο. Σύμφωνα με τον Τόμας Χομπς, οι περισσότεροι άνθρωποι είναι απίθανο να ακολουθήσουν τις επιταγές της λογικής, εξαιτίας «της διεστραμμένης τους επιθυμίας για άμεσο κέρδος». Ο Τζων Λοκ υπογράμμισε την αρετή του ανθρώπου που καλλιεργεί την ικανότητα «να απαρνείται τις ίδιες του τις Επιθυμίες, να εναντιώνεται στις ίδιες του τις κλίσεις και απλώς να ακολουθεί αυτό που η Λογική επιτάσσει ως καλύτερο, παρότι η Ορμή κλίνει προς την αντίθετη πλευρά». Ο Σπινόζα είχε κι αυτός την ίδια άποψη: «Στις επιθυμίες και στις κρίσεις τους για το τι είναι ωφέλιμο, [οι άνθρωποι] παρασύρονται από τα πάθη τους, λογαριάζουν το μέλλον ή οτιδήποτε άλλο ... καμία κοινωνία δεν μπορεί να υπάρξει χωρίς κυβέρνηση και αστυνομία και, κατά συνέπεια, χωρίς νόμους που να ελέγχουν τις αχαλίνωτες ορέξεις και παρορμήσεις των ανθρώπων». Ο Ντέιβιντ Χιουμ επισήμανε τη «βίαιη ροπή» προς την άμεση ικανοποίηση, την οποία αποκαλούσε «πηγή κάθε ακολασίας και αναταραχής, μετάνοιας και δυστυχίας».

Οι οικονομολόγοι του δεκάτου ενάτου αιώνα αναγνώριζαν κι αυτοί το θέμα του ελέγχου των παρορμήσεων. Για παράδειγμα, ο Stanley Jevons το περιγράφει ως εξής:

Για να εξασφαλίσουμε το μέγιστο όφελος στη ζωή, όλα τα μελλοντικά γεγονότα, όλες οι μελλοντικές χαρές ή οι λύπες πρέπει να επενεργούν πάνω μας σαν να ήταν σημερινά, χωρίς να ξεχνάμε την αβεβαιότητά τους ... Κανένα όμως ανθρώπινο μυαλό δεν είναι φτιαγμένο μ' αυτό τον τέλειο τρόπο: Ένα μελλοντικό αίσθημα επηρεάζει πάντοτε λιγότερο από ένα σημερινό.[5]

Ο Bohm-Bawerk μιλούσε για κάποια «ατέλεια της θέλησης», ο John Stuart Mill για «απερισκεψία», και στον αιώνα μας ο A. C. Pigou για «ελαττωματική τηλεσκοπική ικανότητα» του ανθρώπου. Πιο πρόσφατα, ο Robert Strotz[6] παρατήρησε ότι οι άνθρωποι, με την πάροδο του χρόνου, αλλάζουν συνήθως την ιεράρχηση των εναλλακτικών, α-κόμα και όταν δεν αλλάζουν οι πληροφορίες που έχουν.

Είναι σίγουρα δύσκολο να αποβάλουμε από την καθημερινή μας ζωή την ιδέα ότι τα προβλήματα ελέγχου των παρορμήσεων είναι πραγματικά και ουσιώδη. Όπως γνωρίζει κάθε γονιός, αποτελούν την κατάρα της ζωής των μικρών παιδιών. Επενδύουμε πολλή ενέργεια στην προσπάθεια να διδάξουμε τα παιδιά μας να αναβάλλουν την ι-κανοποίηση και μόνο ύστερα από χρόνια αρχίζουν οι προσπάθειες αυτές να καρποφορούν.

Το όφελος από τον παραμερισμό της μικρής, άμεσης αμοιβής υπέρ μιας μεγαλύτερης και μελλοντικής είναι ένα μάθημα που δεν μαθαίνεται εύκολα. Άλλωστε οι περισσότεροι ενήλικες συνεχίζουν να έ-χουν τα δικά τους προβλήματα ελέγχου των παρορμήσεων. Αυτός που κάνει δίαιτα βλέπει τη σοκολατίνα στον μπουφέ γλυκισμάτων και μπαίνει σε μεγάλο πειρασμό. Η λογική του εκτίμηση τον ωθεί στην ε-γκράτεια. Του λέει ότι το βάρος που θα πάρει είναι πολύ μεγάλο τί-μημα για μια παροδική στιγμή γαστρονομικής απόλαυσης. Κι ωστόσο, παρότι κάνει τέτοιες σκέψεις, πολύ συχνά ενδίδει. Και όταν ενδί-δει, σχεδόν πάντα το μετανιώνει.

Οι σκεπτικιστές αναρωτιούνται μερικές φορές κατά πόσο αυτή η μετάνοια είναι πραγματική.[7] Ίσως να ξέχασε πόσο απολαυστικό ή-ταν το γλυκό και τώρα παραπονιέται μόνο και μόνο επειδή αναγκά-ζεται να κάνει ακόμα πιο αυστηρή δίαιτα. Με άλλα λόγια, ο νόμος της ισοτιμίας εφαρμόζεται τόσο αναδρομικά, όσο και προοπτικά: Ανακα-λώντας το συμβάν εκ των υστέρων, η αυστηρότερη δίαιτα φαίνεται α-πατηλά απωθητική σε σχέση με την απόλαυση του γλυκού. Ένας τρόπος ελέγχου αυτής της πιθανότητας είναι, φέρ' ειπείν, να δούμε πώς νιώθει αυτός ο άνθρωπος μετά από έναν χρόνο. Υπό αυτούς τους όρους, τείνουμε να θεωρούμε τις τύψεις του πραγματικές. Εφόσον η απόλαυση του γλυκού και η δυσαρέσκεια για την αυστηρότερη δίαιτα έχουν παρέλθει εδώ και πολύ καιρό (και συνεπώς έχουν αμφότερες εκπέσει), μπορεί πια αμερόληπτα να πει ότι η απόλαυση του γλυκού δεν άξιζε τις συνέπειες.

Μέσα στην τελευταία δεκαετία, εμφανίστηκαν πολλά σημαντικά επιστημονικά συγγράμματα επί του θέματος του αυτοελέγχου.[8] Το κλασικό πρόβλημα του αυτοελέγχου είναι ένα πρόβλημα δέσμευσης όπως εκείνα που έχουμε ήδη εξετάσει. Όλοι σχεδόν οι συγγραφείς αναφέρουν το παράδειγμα του Οδυσσέα, που έπρεπε να περάσει δίπλα από επικίνδυνα βράχια όπου ζούσαν οι Σειρήνες. Ο Οδυσσέας ήξερε ότι, αν μπορούσε να ακούσει το τραγούδι των Σειρήνων, ήταν σίγουρο ότι δεν θα κατάφερνε να αντισταθεί στο κάλεσμά τους και το καράβι του θα τσακιζόταν στα βράχια. Επειδή κατάφερε να προβλέψει την προσωρινή αυτή αλλαγή στις προτιμήσεις του, σκέφτηκε ένα αποτελεσματικό δεσμευτικό τέχνασμα: Έδωσε οδηγίες στο πλήρωμά του να τον δέσουν σφιχτά στο κατάρτι και να μην τον λύσουν, ακόμα κι αν τους θερμοπαρακαλούσε, μέχρι να προσπεράσουν τις Σειρήνες.

Παρόμοια είδη τεχνασμάτων δέσμευσης είναι γνωστά και στις μέρες μας. Πολλοί άνθρωποι που φοβούνται ότι θα μπουν στον πειρασμό να ξοδέψουν τις οικονομίες τους τις βάζουν σε ειδικούς χριστουγεννιάτικους λογαριασμούς, που απαγορεύουν την ανάληψη χρημάτων πριν από τα τέλη του φθινοπώρου, ή κάνουν ασφάλειες ζωής με αυστηρούς όρους που προβλέπουν σημαντικές απώλειες εάν τα χρήματα αποσυρθούν πριν από τη συνταξιοδότηση. Επειδή φοβούνται ότι θα διακόψουν τη δίαιτά τους, κρύβουν το βαζάκι με τα φιστίκια σε κάποιο ντουλάπι. Επειδή φοβούνται ότι θα παίξουν πολλά στο καζίνο, περιορίζουν το χρηματικό ποσό που παίρνουν μαζί τους. Επειδή φοβούνται ότι θα ξαγρυπνήσουν βλέποντας τηλεόραση, βγάζουν την τηλεόραση από το υπνοδωμάτιό τους. Αυτές και αναρίθμητες παρόμοιες συμπεριφορές μπορούν να θεωρηθούν ως προσπάθειες για να αποφευχθούν οι απατηλές αμοιβές που είναι γνωστές από τον νόμο της ισοτιμίας.

Ακόμα και παραδοσιακά προβλήματα εξάρτησης σήμερα θεωρούνται από κάποιους συγγραφείς άμεσες συνέπειες του νόμου της ισοτιμίας.[9] Αυτοί οι συγγραφείς, και πολλοί άλλοι, υποστηρίζουν ότι η τάση να αποδίδουμε μεγάλη αξία στις άμεσες αμοιβές είναι ο παράγοντας που κρύβεται πίσω από τα περισσότερα προβλήματα με το αλκοόλ, τα τσιγάρα και άλλες ναρκωτικές ουσίες. Σύμφωνα μ' αυτή την άποψη, η δυσκολία του αλκοολικού βρίσκεται στο ότι η απόλαυση του ποτού είναι άμεση, ενώ ο πόνος έρχεται αργότερα. Εάν ο πονοκέφαλος μετά από ένα μεθύσι ερχόταν πριν από την απόλαυση της μέθης, ελάχιστοι άνθρωποι θα έπιναν πολύ (εξού και η αποτελεσματικότητα του φαρμάκου disulfiram-Antabuse, το οποίο προκαλεί ξαφνικά συναισθήματα ναυτίας αμέσως μόλις πιούμε μια γουλιά αλκοολούχου ποτού).

Μια εργασία[10] αξιολόγησε τα αποτελέσματα 60 δημοσιεύσεων που υποστηρίζουν την άποψη ότι η μετάθεση της χρονικής στιγμής των αμοιβών των αλκοολικών μπορεί να έχει σημαντική επίδραση στη συμπεριφορά τους. Αλκοολικοί που δεν αισθάνονται καμία αναστολή στην προοπτική της καταστροφής της καριέρας τους ή της διάλυσης της οικογένειάς τους συχνά ανταποκρίνονται θεαματικά ακόμα και σε πολύ μικρές αλλαγές στις άμεσες ποινές ή αμοιβές, όπως:

– όταν αναγκαστούν να κάνουν κάποια δουλειά πριν από κάθε ποτό,
– όταν τους βάζουν σε θάλαμο απομόνωσης για σύντομο χρονικό διάστημα μετά από κάθε ποτό, και
– όταν παίρνουν μικρά χρηματικά ποσά για την αποχή τους.

Μια άλλη μελέτη διαπιστώνει επίσης ότι η αύξηση της φορολογίας του αλκοόλ οδηγεί σταθερά σε σημαντική μείωση τόσο των θανατηφόρων ατυχημάτων που οφείλονται στο αλκοόλ, όσο και των θανάτων από κίρρωση του ήπατος.[11] Τα στοιχεία που αναφέρονται στην κίρρωση είναι ιδιαίτερα σημαντικά, διότι δείχνουν ότι η αύξηση του άμεσου κόστους του ποτού μειώνει την κατανάλωση αλκοόλ, ακόμα και σ' αυτούς που έχουν χρόνιο πρόβλημα αλκοολισμού.

Το πρόβλημα της εξάρτησης διαφέρει οπωσδήποτε ποσοτικά, αλλά όχι ποιοτικά απ' αυτό που αντιμετωπίζουμε όλοι – δηλαδή πώς να δώσουμε στις μακροπρόθεσμες ποινές και αμοιβές έναν πιο καθοριστικό ρόλο για τη συμπεριφορά μας. Έχουμε όλοι μας κάποιας μορφής εξάρτηση και πολεμάμε την παχυσαρκία, το τσιγάρο, το αλκοόλ, τις αθλητικές αναμεταδόσεις, τα αστυνομικά μυθιστορήματα και μια πλειάδα άλλων δελεαστικών δραστηριοτήτων. Το γεγονός πως ο ψυχολογικός μηχανισμός αμοιβών μάς δελεάζει με απολαύσεις της στιγμής δεν είναι παρά ένα στοιχείο της ανθρώπινης ιδιότητάς μας. Σύμφωνα με τις μελέτες που έχουν γίνει για τη συμπεριφορά, δεν είναι διόλου τραβηγμένο να συμπεράνουμε ότι οι λογικές εκτιμήσεις από μόνες τους συνήθως αποτυγχάνουν να διασφαλίσουν συμπεριφορές των οποίων οι αμοιβές είναι ως επί το πλείστον μελλοντικές.

Κατά συνέπεια, είναι λογικό να συμπεράνουμε ότι η φήμη πως κάποιος δεν εξαπατά αποκαλύπτει εν τέλει σημαντικές πληροφορίες για τον χαρακτήρα του. Με δεδομένη τη φύση του μηχανισμού ψυχολογικής ανταμοιβής, ο καθαρά συμφεροντολόγος άνθρωπος θα ενδώσει ορισμένες φορές στον πειρασμό της απάτης, ακόμα κι όταν γνωρίζει ότι η απάτη δεν τον συμφέρει. Και επειδή θα το κάνει, είναι πολύ πιθανόν αργά ή γρήγορα ότι θα αποκαλυφθεί. Και απ' αυτό συνάγεται ότι το άτομο που δεν έχει πιαστεί είναι πιθανόν να είναι κατά πάσα πιθανότητα κάτι παραπάνω από απλώς συνετό.

Πίσω στο «μία σου και μία μου»

Στο Κεφάλαιο Δύο είδαμε ότι η στρατηγική «μία σου και μία μου» είναι πάντα καλύτερος οδηγός συμπεριφοράς από τα τροποποιητικά συναισθήματα του Trivers, όταν έχουμε να κάνουμε με επαναλαμβανόμενα διλήμματα του φυλακισμένου. Οι υπολογισμοί που απαιτεί το «μία σου και μία μου» είναι ελάχιστοι και, αντίθετα με τη συμπεριφορά που υποκινείται από το συναίσθημα, το «μία σου και μία μου» δεν περικλείει τον κίνδυνο της υπερβολικής ή ανεπαρκούς συνεργασίας, της εκδίκησης κτλ.

Τώρα όμως μπορούμε να δούμε μια βασική δυσκολία τού «μία σου και μία μου». Η δυσκολία αυτή εντοπίζεται στα κίνητρα και όχι στην περιπλοκότητα των υπολογισμών. Ένα άτομο μπορεί να ξέρει ότι το «μία σου και μία μου» είναι η σωστή στρατηγική και, παρ' όλα αυτά, να μην έχει την πειθαρχία να την ακολουθήσει. Ο εκδικούμενος, παραδείγματος χάριν, πρέπει να υποστεί κάποιο άμεσο κόστος ελπίζοντας σε κάποιο μελλοντικό υλικό όφελος, κι αυτό το κάνει πιο εύκολα ο αγανακτισμένος παρά εκείνος που αναλύει τα πάντα με τη λογική. Παρότι τα ηθικά αισθήματα ορισμένες φορές οδηγούν σε λανθασμένες συμπεριφορές από καθαρά υλική άποψη, βοηθούν στην επίλυση των πανταχού παρόντων προβλημάτων ελέγχου της παρόρμησης. Κι αυτό μπορεί να αποδειχθεί σημαντικό πλεονέκτημα.

Γιατί τόσο μεγάλη έκπτωση;

Η πανταχού παρουσία των προβλημάτων ελέγχου της παρόρμησης μας κάνει να αναρωτηθούμε γιατί η φυσική επιλογή παρήγαγε έναν μηχανισμό ψυχολογικής ανταμοιβής που δίνει τόσο μεγάλη βαρύτητα στις άμεσες υλικές απολαβές. Γιατί δεν θα τα πήγαινε καλύτερα κάποια μετάλλαξη της οποίας οι μηχανισμοί ανταμοιβής θα έδιναν μεγαλύτερη βαρύτητα στο μέλλον;

Είναι σημαντικό να τονίσουμε ότι τα πειραματικά δεδομένα δεν λένε ότι οι άμεσες απολαβές έχουν υπερβολικά μεγάλη βαρύτητα σε όλες τις περιπτώσεις. Διαπιστώνουν μόνον ότι έχουν πάντα *πολύ μεγάλη* βαρύτητα. Εν γένει αυτό ήταν μάλλον θετικό στα περιβάλλοντα στα οποία εξελιχθήκαμε. Όταν οι πιέσεις της επιλογής είναι έντονες, οι άμεσες αμοιβές είναι συνήθως οι μόνες σημαντικές. Το παρόν, εν πάση περιπτώσει, είναι ο δρόμος για το μέλλον. Οι οργανισμοί που δεν επιβιώνουν στην παρούσα κατάσταση απλώς δεν έχουν μέλλον. Σε πολύ ανταγωνιστικά και αβέβαια περιβάλλοντα, η συγκέντρωση της προσοχής στην αντιμετώπιση των πιο άμεσων απειλών για την επιβίωση πρέπει να ήταν πάντα σημαντικό πλεονέκτημα.

Αν η επιλογή γινόταν μεταξύ ενός μηχανισμού ανταμοιβής που έδινε μεγάλη βαρύτητα στις άμεσες απολαβές, και κάποιου άλλου μηχανισμού που έδινε σταθερά μεγαλύτερο βάρος στο μέλλον, είναι εύκολο να φανταστούμε γιατί η φυσική επιλογή προτίμησε τον πρώτο. Η ανεπαρκής προσοχή, έστω και σε ελάχιστες σημαντικές καταστάσεις του παρόντος, μπορεί να επιφέρει καταστροφή.

Γιατί όμως δεν μπορεί ο μηχανισμός ανταμοιβής να κάνει ακριβέστερη διάκριση; Με άλλα λόγια, γιατί δεν δίνει μεγαλύτερη βαρύτητα στις μελλοντικές απολαβές μόνο σ' εκείνες τις περιπτώσεις ό-

που αυτό συνεπάγεται σημαντικά οφέλη; Απαντώντας σ' αυτά τα ε-
ρωτήματα, οι εξελικτικοί βιολόγοι σπεύδουν να επισημάνουν ότι η φυ-
σική επιλογή δεν έχει τη δυνατότητα να φτιάξει κάθε επιθυμητό συν-
δυασμό χαρακτηριστικών. Η διαδικασία αυτή προσκρούει σε πολυά-
ριθμα εμπόδια και οι λύσεις που συναντάμε στη φύση, ενώ μερικές
φορές είναι εκλεπτυσμένες, συνήθως είναι πολύ πιο χονδροειδείς από
εκείνες που θα έβρισκε ένας καλός μηχανικός. Μάλλον υπάρχουν σα-
φή όρια στη δυνατότητα της φύσης να συντονίζει με ακρίβεια τον μη-
χανισμό ανταμοιβής. Και, όπως παρατηρήσαμε, ένας μεταλλαγμένος
οργανισμός του οποίου ο μηχανισμός ψυχολογικής ανταμοιβής θα ή-
ταν μονίμως προσανατολισμένος στο μέλλον μπορεί να μη διέθετε το
απαιτούμενο ενδιαφέρον για τη δυναμική αντιμετώπιση των άμεσων
απειλών.

Οι Ainslie και Herrnstein προτείνουν ότι αυτή η σημαντική έκ-
πτωση μπορεί να ευνοήθηκε και από τους γνωστικούς περιορισμούς:

> Η βιολογική αξία του χαμηλού ποσοστού έκπτωσης είναι περιορισμέ-
> νη, επειδή απαιτεί από τον οργανισμό να εντοπίσει ποιο από όλα τα
> γεγονότα που συνέβησαν σε μια προηγούμενη περίοδο ωρών ή ημε-
> ρών οδήγησε σε κάποια συγκεκριμένη ενίσχυση. Καθώς μειώνεται το
> ποσοστό της έκπτωσης, αυξάνεται το φορτίο των πληροφοριών. Αν
> δεν γίνει ουσιαστική έκπτωση, η ενίσχυση λειτουργεί με ολόκληρη
> σχεδόν τη δύναμή της όχι μόνο στις αμέσως προηγούμενες συμπερι-
> φορές, αλλά ακόμα και σε εκείνες που εκδηλώθηκαν τις προηγούμε-
> νες ώρες ή μέρες. Το έργο της ανάλυσης των συμπεριφορών που οδή-
> γησαν στην ενίσχυση μπορεί να υπερβαίνει τη δυνατότητα επεξεργα-
> σίας πληροφοριών ενός είδους.[12]

Με δυο λόγια, παρά τα προφανή προβλήματα που μας δη-
μιουργεί ο ισχυρός προσανατολισμός μας στο παρόν, ίσως είναι αδύ-
νατον να απαλλαγούμε απ' αυτόν. Τα ηθικά αισθήματα μπορούν να
θεωρηθούν μια χονδροειδής προσπάθεια βελτίωσης του μηχανισμού
ανταμοιβής, ώστε να γίνει πιο ευαίσθητος, σε ειδικές περιπτώσεις,
στις μακροπρόθεσμες ανταμοιβές και τιμωρίες.

Ηθικά αισθήματα χωρίς σωματικά συμπτώματα

Από όσα αναφέραμε, βλέπουμε ότι είναι πιθανό τα ηθικά αισθήματα να εξελίχθηκαν έστω και χωρίς να υπάρχουν ορατά σωματικά συμπτώματα αυτών των αισθημάτων. Για να έχει συμβεί κάτι τέτοιο, πρέπει οι άνθρωποι να δυσκολεύονται να ακολουθήσουν τις συμπεριφορές που πιστεύουν ότι είναι προς το συμφέρον τους. Όπως είδαμε, αν δεν υπήρχε αυτή η δυσκολία, η σύνδεση ανάμεσα στην ορατή συμπεριφορά ενός ατόμου –τη φήμη του– και τον πραγματικό του χαρακτήρα δεν θα ήταν διόλου αξιόπιστη. Και όταν δεν υπάρχει αυτή η σύνδεση, παύει να υπάρχει και το πλεονέκτημα της καλής φήμης που θα απέφερε σε κάποιον η ικανότητά του να νιώθει ενοχή.

Η φήμη αποκτά νόημα μόνον εφόσον δεχόμαστε ότι, στην περίπτωση που τίθεται θέμα ελέγχου της παρόρμησης, οι άνθρωποι με αυθεντικά ηθικά αισθήματα είναι πιο ικανοί από τους υπόλοιπους να ενεργήσουν σύμφωνα με τα συμφέροντά τους. Εντούτοις η επίδραση αυτών των αισθημάτων δεν περιορίζεται μόνο στις περιπτώσεις όπου οι εν λόγω συμπεριφορές –τιμιότητα, εκδικητικότητα, πίστη κτλ.– εξυπηρετούν το ατομικό συμφέρον. Ας θυμηθούμε ότι ο άνθρωπος ελέγχει την παρόρμησή του για εξαπάτηση μέσω της ύπαρξης μιας ανταγωνιστικής παρόρμησης που δημιουργεί άμεσο ψυχολογικό κόστος αν εξαπατήσει. Παρότι αυτό το ανταγωνιστικό ηθικό αίσθημα μπορεί να προέκυψε λόγω των ευεργετικών συνεπειών του στις περιπτώσεις όπου η απάτη ήταν λογικά ασύμφορη, δεν λειτουργεί βάσει τέτοιων διακρίσεων. Με άλλα λόγια, αυτό το συναίσθημα θα είναι παρόν όχι μόνον όταν η απάτη δεν συμφέρει, αλλά κι εκεί που συμφέρει.

Οι άνθρωποι που έχουν καλή φήμη μπορούν, κατά συνέπεια, να επιλύσουν ακόμα και μη επαναλαμβανόμενα διλήμματα του φυλακισμένου. Για παράδειγμα, μπορούν να συνεργαστούν επιτυχώς μεταξύ τους σε επιχειρήσεις όπου είναι αδύνατο να αποκαλυφθεί η όποια απάτη. Εν ολίγοις, η αυθεντική ανιδιοτέλεια μπορεί να αναδειχθεί ακόμα κι όταν η καλή φήμη αποκτήθηκε βάσει μιας απλώς συνετής συμπεριφοράς. Μια και η φύση του μηχανισμού ψυχολογικής ανταμοιβής είναι δεδομένη, η φήμη αυτή δεν είναι διόλου αμελητέα. Οι άνθρωποι που την έχουν παρέχουν κάποια ένδειξη ότι υποκινούνται, τουλάχιστον εν μέρει, από κίνητρα που δεν ταυτίζονται εξ ολοκλήρου με το υλικό ατομικό συμφέρον.

Οι δύο δρόμοι των ηθικών αισθημάτων

Είδαμε λοιπόν δύο πιθανούς δρόμους μέσω των οποίων μπορεί να αναδείχθηκαν τα ηθικά αισθήματα. Τον πρώτο, τον οποίο περιγράψαμε στο Κεφάλαιο Τρία, θα τον αποκαλέσουμε δρόμο της *ειλικρίνειας των τρόπων*. Σύμφωνα μ' αυτή την εκδοχή, τα ηθικά αισθήματα συνοδεύονται από ορατές σωματικές ενδείξεις που επιτρέπουν στους απ' έξω να αντιληφθούν την ύπαρξή τους («Ο Σμιθ φαίνεται ειλικρινής. Ας τον προσλάβουμε»). Αντιθέτως, η δεύτερη εκδοχή –ο δρόμος της *καλής φήμης*– δεν απαιτεί την ύπαρξη εξωτερικών ενδείξεων. Επειδή η συνετή συμπεριφορά δεν είναι διόλου εύκολη, η καλή φήμη που τη συνοδεύει αναδεικνύεται αξιόπιστος τρόπος για την πιστοποίηση ηθικών αισθημάτων.

Σε πολλά σημεία οι δύο εκδοχές συγκλίνουν. Και οι δυο δρόμοι οδηγούν σε αλτρουιστική συμπεριφορά με την έννοια που την ορίσαμε στο Κεφάλαιο Δύο. Οι άνθρωποι που δεν εξαπατούν, ενώ υπάρχει σχεδόν μηδενική πιθανότητα να τους πιάσουν, γνωρίζουν ότι, εάν εξαπατούσαν, θα ήταν πλουσιότεροι. Αποφεύγουν τις απάτες όχι επειδή φοβούνται τις συνέπειες της αποκάλυψης, αλλά επειδή θα ένιωθαν άσχημα αν εξαπατούσαν.

Οι δύο εκδοχές συγκλίνουν επίσης στο ότι προβλέπουν ένα σταθερό μείγμα έντιμων ανθρώπων και καιροσκόπων στον πληθυσμό. Ας θυμηθούμε ότι, στην περίπτωση της ειλικρίνειας των τρόπων, το κόστος εξακρίβωσης καθιστούσε αδύνατο να υπάρχει πληθυσμός που να αποτελείται αποκλειστικά από συνεργάτες. Διότι, σε έναν τέτοιο πληθυσμό, η εξακρίβωση των ορατών ενδείξεων τιμιότητας δεν συμφέρει και, κατά συνέπεια, οι προδότες θα άρχιζαν να ευημερούν. Ανάλογοι παράγοντες εγγυώνται το ίδιο αποτέλεσμα στην περίπτωση της φήμης. Σε κάθε πληθυσμό που θα αποτελούνταν σχεδόν αποκλειστικά από συνεργάτες, δεν συμφέρει η συγκέντρωση πληροφοριών για τη φήμη των ανθρώπων, και συνεπώς οι προδότες θα τα πήγαιναν καλύτερα από τους συνεργάτες. Οι καιροσκόποι συνιστούν αναπόφευκτο στοιχείο του τοπίου και στις δύο εκδοχές.

Η επιρροή του πολιτισμού

Και οι δύο εκδοχές υποδηλώνουν επίσης έναν κατανοητό ρόλο για τον πολιτισμό, κάτι που οι προσεγγίσεις που εξετάσαμε στο Κεφάλαιο Δύο αδυνατούν να κάνουν. Εκείνες οι εκδοχές δυσκολεύονταν να εξηγήσουν γιατί οι καιροσκόποι γονείς συμμετέχουν στην προσπάθεια να μάθουν τα παιδιά τους να συνεργάζονται σε περιπτώσεις που η προδοσία είναι αδύνατο ή έστω πολύ δύσκολο να αποκαλυφθεί.

Με την εκδοχή της ειλικρίνειας των τρόπων, δεν αντιμετωπίζουμε τέτοιου είδους δυσκολία. Εάν υπάρχουν ορατές ενδείξεις των ηθικών αισθημάτων, τότε συμφέρει να τα καλλιεργούμε. Αυτά τα αισθήματα, για μια ακόμα φορά, είναι σχεδόν βέβαιο ότι δεν κληρονομούνται με κάποια συγκεκριμένη μορφή. Οι ορισμοί της τιμιότητας, οι έννοιες του δίκαιου, ακόμα και οι συνθήκες που προκαλούν θυμό διαφέρουν πολύ από πολιτισμό σε πολιτισμό. Εάν οι άνθρωποι κληρονομούν κάτι, αυτό είναι η επιδεκτικότητα στην εκμάθηση των συμπεριφορών που θα τους φανούν χρήσιμες στη ζωή τους. Σχεδόν όλοι οι πολιτισμοί επενδύουν ιδιαίτερα στην ηθική εκπαίδευση των νέων. Εφόσον οι άνθρωποι που εσωτερικεύουν επιτυχώς αυτές τις διδαχές είναι αισθητά διαφορετικοί από εκείνους που δεν τις εσωτερικεύουν, δεν είναι διόλου περίεργο που οι γονείς συμμετέχουν ενθουσιωδώς στην εκπαιδευτική διαδικασία.

Η εκδοχή της φήμης επίσης δεν δυσκολεύεται να εξηγήσει γιατί οι γονείς θέλουν να εμφυσήσουν στα παιδιά τους ηθικά αισθήματα, αφού και εδώ το άτομο ωφελείται από την απόκτηση τέτοιων αισθημάτων. Ακριβώς επειδή το διευκολύνουν να συμπεριφέρεται συνετά όταν έρχεται αντιμέτωπο με αντίθετες παρορμήσεις, διευκολύνουν και την απόκτηση καλής φήμης.

Στις παραδοσιακές εκδοχές, είναι εύκολο να καταλάβουμε τη χρησιμότητα των διαφόρων θρησκευτικών πεποιθήσεων για το σύνολο της κοινωνίας. Η σύνδεση όμως αυτών των πεποιθήσεων με τα υλικά συμφέροντα του ατόμου δεν είναι πάντοτε τόσο ευνόητη. Οι εκδοχές όμως της ειλικρίνειας των τρόπων και της καλής φήμης μάς βοηθούν να βρούμε πιθανές συνδέσεις. Η απειλή της Κόλασης και της αιώνιας καταδίκης κάνει το άτομο να νιώθει ιδιαίτερα άσχημα όταν διαπράττει κάποιο αμάρτημα. Εάν αυτά τα αισθήματα συνοδεύονται από ορατές ενδείξεις, τότε το άτομο ωφελείται για τους λόγους που αναλύσαμε στο Κεφάλαιο Τρία. Σε διαφορετική περίπτωση, μπορούν να το βοηθήσουν να επιλύσει το θέμα του ελέγχου της παρόρμησης, ο-πότε ωφελείται από την καλή φήμη.

Δύο διαφορετικά θέματα δέσμευσης

Οι δύο εκδοχές συγκλίνουν επίσης στο ότι και οι δύο αντιμετωπίζουν τα ηθικά αισθήματα ως πρακτικά τεχνάσματα για τη διευθέτηση θε-μάτων δέσμευσης. Το θέμα της δέσμευσης, για την εκδοχή της ειλι-κρίνειας των τρόπων, ήταν το να κάνουμε τον εαυτό μας να θέλει να είναι *τίμιος* όταν τα υλικά κίνητρα ευνοούν τις απάτες. Αντιθέτως, στην προσέγγιση της φήμης το θέμα της δέσμευσης ήταν να κάνουμε τον εαυτό μας να θέλει να είναι συνετός σε περιπτώσεις όπου τα μα-κροπρόθεσμα υλικά κίνητρα ευνοούν την τιμιότητα. Τα δύο αυτά θέ-ματα δέσμευσης είναι τελείως διαφορετικά. Η διευθέτηση του πρώτου είναι ευγενής, του δεύτερου απλώς λυσιτελής. Η ειρωνεία είναι ότι και τα δύο διευθετούνται με τα ίδια ακριβώς ηθικά αισθήματα.

Σχετικός καιροσκοπισμός

Και οι δύο εκδοχές για το πώς προέκυψαν τα ηθικά αισθήματα λένε για μια ισορροπία στην οποία αυτοί που έχουν ηθικά αισθήματα συ-νυπάρχουν με εκείνους που δεν έχουν. Σ' αυτή την ισορροπία οι υλι-κές απολαβές και των δύο ανθρώπινων τύπων είναι οι ίδιες.

Αν δεχτούμε τη σκοπιά των παραδοσιακών κοινωνιοβιολογικών μοντέλων, αυτή η ισότητα των απολαβών είναι μια περιφανής νίκη των ανιδιοτελών ατόμων. Όχι μόνο δεν έχουν οδηγηθεί στην εξαφάνιση, αλλά επιπλέον είναι ικανοί να τα πάνε εξίσου καλά, *από καθαρά υλι-κής απόψεως*, με αυτούς που λένε ψέματα, εξαπατούν, κλέβουν κ.ο.κ.

Από τη σκοπιά όμως κάποιου που πιστεύει ότι το κακό δεν συμφέρει, τότε οπωσδήποτε αυτή η ισότητα των απολαβών φαίνεται ανησυχητική. Ωστόσο στα επόμενα κεφάλαια θα εξετάσουμε κάποια στοιχεία που ευνοούν μια πολύ πιο αισιόδοξη ερμηνεία. Τα εξελικτι-κά μοντέλα μάς λένε ότι οι απολαβές πρέπει να εξισορροπούνται ό-

ταν δύο στρατηγικές έχουν *σχετική* διαφορά. Κατά συνέπεια, οι εκ-
δοχές λένε απλώς ότι θα υπάρχει κάποια ειδική εστία για τους *σχετι-*
κά καιροσκόπους. Δεν προσδιορίζουν πώς θα είναι οι καιροσκόποι με
απόλυτη έννοια. Άλλωστε θα εξετάσουμε πιο κάτω στοιχεία που δεί-
χνουν ότι τα εξαιρετικά καιροσκοπικά άτομα τα πάνε πολύ άσχημα α-
πό υλικής απόψεως. Τα στοιχεία αυτά υποδηλώνουν ότι, ακόμα και
για να επιβιώσει κάποιος, πρέπει να εσωτερικεύσει ένα μεγάλο ποσο-
στό των παραδοσιακών ηθικών διδαγμάτων. Η αλήθεια είναι ότι οι
άνθρωποι που απολαμβάνουν υλική επιτυχία δεν είναι πάντοτε υπο-
δείγματα αρετής. Αλλά αυτοί που δεν διαθέτουν ούτε ίχνος ηθικών
αισθημάτων είναι πολύ πιο πιθανό να καταλήξουν στη φυλακή παρά
στην κορυφή της κοινωνικής κλίμακας.

   Όταν εξετάζουμε τα απλά εξελικτικά μοντέλα, μια άλλη παγί-
δα στην οποία μπορεί να πέσουμε είναι να θεωρήσουμε ότι η ισότητα
των υλικών απολαβών σημαίνει ότι οι δύο τύποι στρατηγικής είναι έ-
να θέμα εντελώς αδιάφορο για την κοινωνία. Αυτό βέβαια είναι απο-
λύτως αναληθές. Την κοινωνία στο σύνολό της τη συμφέρει σαφώς να
γείρει όσο το δυνατόν περισσότερο την πλάστιγγα υπέρ των συναι-
σθηματικών ατόμων, και στα επόμενα κεφάλαια θα εξετάσω μια σει-
ρά από συγκεκριμένα βήματα για την επίτευξη αυτού του στόχου.

Οι δρόμοι της ειλικρίνειας των τρόπων και της καλής φήμης δεν αλ-
ληλοαποκλείονται. Ο δρόμος της φήμης είναι από μόνος του ικανός
να εξηγήσει την ανάδειξη των ηθικών αισθημάτων. Μπορεί όμως
κάλλιστα να λειτούργησε εκ παραλλήλου με τον μηχανισμό της ειλι-
κρίνειας των τρόπων, που περιγράψαμε στο Κεφάλαιο Τρία. Άλλω-
στε το μόνο που απαιτεί αυτός ο μηχανισμός είναι να υπάρχει κάποια
στατιστικά αξιόπιστη ένδειξη φιλοτιμίας. Τόσο οι ειλικρινείς τρόποι,
όσο και η φήμη εξυπηρετούν αυτό τον σκοπό.

   Τα στοιχεία που θα εξετάσουμε ευνοούν την άποψη ότι η φήμη
και οι ειλικρινείς τρόποι λειτουργούν παράλληλα. Για λόγους όμως
που θα εξετάσουμε στο επόμενο κεφάλαιο, ο μηχανισμός της φυσικής
επιλογής καθιστά μάλλον απίθανο να έχουν εξελιχθεί τα ηθικά αι-
σθήματα *αποκλειστικά* μέσω της οδού των ειλικρινών τρόπων.

ΚΕΦΑΛΑΙΟ ΠΕΝΤΕ

ΣΗΜΑΤΟΔΟΤΗΣΗ

Ο ΤΑΝ ΔΥΟ ΒΑΤΡΑΧΟΙ διεκδικούν την ίδια σύντροφο, ο καθένας τους έρχεται αντιμέτωπος με μια σοβαρή στρατηγική απόφαση. Πρέπει άραγε να παλέψει για χάρη της ή να πάει να ψάξει για άλλο ταίρι; Η πάλη σημαίνει ότι κινδυνεύει να τραυματιστεί. Αλλά και το ψάξιμο έχει κόστος. Αν μη τι άλλο, θα πάρει χρόνο. Και δεν υπάρχει καμία εξασφάλιση ότι η επόμενη υποψήφια σύντροφος δεν θα είναι κι αυτή αντικείμενο λατρείας κάποιου άλλου βατράχου.

Στη λήψη της απόφασης, σημαντικό ρόλο παίζει η εκτίμηση του κάθε βατράχου για τις αγωνιστικές ικανότητες του αντιπάλου. Εάν ο αντίπαλος είναι πιο ευμεγέθης, ο μικρότερος έχει λίγες πιθανότητες να τον νικήσει και, κατά συνέπεια, είναι πιο συνετό να συνεχίσει να ψάχνει. Στην αντίθετη περίπτωση, η πάλη μπορεί να συμφέρει περισσότερο.

Πολλές από αυτές τις μάχες γίνονται τη νύχτα, όταν είναι δύσκολο να δει ο ένας τον άλλο. Οι βάτραχοι λοιπόν θεωρούν σκόπιμο να βασίζονται σε μη οπτικές ενδείξεις. Η πιο αξιόπιστη από αυτές α-ποδείχθηκε ότι είναι η χροιά του κοάσματος του αντιπάλου. Γενικά, ό-σο μεγαλύτερος είναι ο βάτραχος, τόσο μακρύτερες και χοντρύτερες είναι οι φωνητικές του χορδές και συνεπώς πιο βαθύφωνο το κόασμα. Όταν λοιπόν μέσα στη νύχτα ακούγεται ένα βαθύ κόασμα, ο βάτραχος συμπεραίνει ότι προέρχεται από μεγάλο βάτραχο. Και πράγματι, τα πειράματα έχουν αποδείξει ότι ο κοινός βάτραχος (*Bufo bufo*) είναι πιθανότερο να πτοηθεί από ένα βαθύ κόασμα παρά από ένα τσιριχτό.[1]

Το έδαφος για απάτη είναι πολύ πρόσφορο εδώ. Ένας μεταλ-λαγμένος βάτραχος με μακρύτερες και χοντρύτερες φωνητικές χορ-δές, σαν αυτές που συνήθως συνδυάζουμε με τους μεγαλόσωμους βατράχους, θα έχει ένα πλεονέκτημα. Οι ενδεχόμενοι αντίπαλοι θα υ-περτιμήσουν τις αγωνιστικές του ικανότητες και μάλλον θα τον απο-φύγουν. Γι' αυτό τον λόγο, θα αποκτήσει μεγάλο αριθμό απογόνων. Όπως συμβαίνει με όλα τα γονίδια που διευκολύνουν την πρόσβαση σε σημαντικά αγαθά, τα γονίδια για τις μακρύτερες και βαθύτερες φω-νητικές χορδές θα εξαπλωθούν στον πληθυσμό των βατράχων.

Η διαδικασία κλιμάκωσης του μεγέθους των φωνητικών χορ-δών μπορεί να συνεχιστεί μέσω αρκετών επαναλήψεων. Κάποτε ω-στόσο οι σωματικοί περιορισμοί θα εμποδίσουν την περαιτέρω αύξη-ση. Άλλες δυνάμεις περιορίζουν το γενικό μέγεθος των βατράχων, και το μέγεθος των φωνητικών χορδών που μπορεί να αναπτύξει το σώ-μα ενός βατράχου έχει κάποιο όριο. Αργά ή γρήγορα επιτυγχάνεται μια ισορροπία όπου όλοι οι βάτραχοι έχουν μεγαλύτερες φωνητικές χορδές από πριν, αλλά τώρα πια η περαιτέρω αύξηση του μεγέθους των φωνητικών χορδών είναι πλέον ασύμφορη.

Με βάση τον αρχικό γνώμονα, τώρα ο κάθε βάτραχος ακούγε-ται μεγαλύτερος απ' ό,τι πραγματικά είναι. Από τη στιγμή που συμ-βαίνει αυτό, είναι φυσικό να εξαφανίζεται το στοιχείο της απάτης. Αυτό που μετρά τελικά στην απόφαση για την πάλη ή τη συνέχεια της αναζήτησης είναι η σύγκριση των μεγεθών και όχι τα απόλυτα μεγέ-θη. Από τη στιγμή που το αρχικό πλεονέκτημα των μεγαλύτερων φω-νητικών χορδών το έχουν πια όλοι οι βάτραχοι, η χροιά του κοάσμα-τος γίνεται και πάλι μια αξιόπιστη βάση για συγκρίσεις μεγέθους. Αλλιώς θα είχε πάψει προ πολλού να παίζει κάποιο ρόλο στις απο-φάσεις για πάλη.

Η επικοινωνία μεταξύ αντιπάλων

Είναι χρήσιμο να ξεχωρίσουμε την επικοινωνία μεταξύ ατόμων με κοινούς στόχους, από την επικοινωνία μεταξύ πιθανών αντιπάλων. Οι βάτραχοι που ψάχνουν για βατραχίνες εμπίπτουν προφανώς στη δεύ-τερη κατηγορία, οι συμπαίκτες του μπριτζ στην πρώτη. Όταν ένας παίκτης του μπριτζ χρησιμοποιεί τις κανονικές συμβάσεις χτυπήματος για να πει κάτι στον συμπαίκτη του, δεν υπάρχει λόγος να μην τον ε-μπιστευτεί ο συμπαίκτης του. Κανείς από τους δύο παίκτες δεν έχει κάτι να κερδίσει εξαπατώντας τον άλλο. Η επικοινωνία εδώ είναι απλώς ζήτημα μεταφοράς της πληροφορίας. Το μήνυμα πρέπει απλώς να μπορεί να αποκωδικοποιηθεί. Εάν εξαιρέσουμε την περίπτωση λάθους, η αξιοπιστία του δεν τίθεται υπό αμφισβήτηση.

Τα πράγματα είναι σαφώς διαφορετικά όταν τα συμφέροντα αυτών που επικοινωνούν είναι αντίθετα, ή έστω και δυνητικά αντίθετα. Για παράδειγμα, ας υποθέσουμε ότι ένας παίκτης του μπριτζ ψιθυρίζει στον αντίπαλό του στα αριστερά: «Πάντοτε χτυπάω συντηρητικά». Πώς πρέπει ο αντίπαλος να εκλάβει αυτό το μήνυμα; Είναι απολύτως κατανοητό. Η σχέση όμως μεταξύ των δύο παικτών είναι τέτοια, ώστε η φράση αυτή δεν παρέχει αληθή πληροφόρηση. Εάν το να παίζει κανείς συντηρητικά είναι πλεονέκτημα, αυτός θα ήταν επαρκής λόγος για να πει ο εν λόγω παίκτης ότι έτσι παίζει, είτε ήταν αλήθεια είτε ψέμα. Η δήλωση δεν είναι ούτε αξιόπιστη ούτε αναξιόπιστη. Απλώς δεν περιέχει καμία πληροφορία.

Τα σήματα με τα οποία θα ασχοληθούμε σ' αυτό το κεφάλαιο ανήκουν στον τύπο των σημάτων που δίνουν δύο άτομα των οποίων τα συμφέροντα είναι, τουλάχιστον δυνητικά, αντικρουόμενα. Θα ασχοληθούμε, παραδείγματος χάριν, με τα σήματα που μεταδίδονται μεταξύ δύο ατόμων που αντιμετωπίζουν διλήμματα του φυλακισμένου ή άλλα θέματα δέσμευσης. Εάν οι συμβαλλόμενοι είναι συμφεροντολόγοι, οι δηλώσεις του τύπου «δεν θα προδώσω» είναι προβληματικές, με την έννοια που είδαμε στην περίπτωση των αντιπάλων στο μπριτζ. Δεν πρέπει να μεταδίδουν καμία πληροφορία.

Εάν όμως οι παίκτες δεν είναι αμιγώς συμφεροντολόγοι, πώς μπορούν να το μεταδώσουν αυτό ο ένας στον άλλο; Είναι εύλογο ότι μια απλή δήλωση δεν είναι αρκετή. Και πράγματι, πολλοί έχουν διερωτηθεί αν είναι δυνατόν, ακόμα και θεωρητικά, να μεταδώσουν αντίπαλοι πληροφορίες για τις προθέσεις τους.[2]

Ωστόσο ξέρουμε ότι οι αντίπαλοι μπορούν να μεταδώσουν πληροφορίες που έχουν στρατηγική σημασία. Οι βάτραχοι εν τέλει είναι ικανοί να εκπέμπουν πληροφορίες αυτού του είδους. Δεν το κάνουν όμως δηλώνοντας απλά: «Είμαι μεγάλος βάτραχος». Ο υποδηλούμενος ισχυρισμός του μεγάλου βατράχου είναι αξιόπιστος μόνον εξαιτίας των σωματικών περιορισμών που εμποδίζουν τον μικρό βάτραχο να βγάλει βαθύ κόασμα.

Μερικοί μελετητές θεωρούν το πρόβλημα της μετάδοσης πληροφοριών περί μεγέθους και άλλων σωματικών χαρακτηριστικών ριζικά διαφορετικό από το πρόβλημα της μετάδοσης πληροφοριών για προθέσεις.[3] Και ωστόσο οι προθέσεις είναι τόσο συχνά συνάρτηση των ικανοτήτων, ώστε η χρησιμότητα αυτής της διάκρισης δεν είναι πάντοτε ευνόητη. Ένας βάτραχος μπορεί δικαιολογημένα να μαντέψει ότι ο αντίπαλος με το βαθύ κόασμα «προτίθεται» να παλέψει σε περίπτωση πρόκλησης. Κάτω από αυτό το πρίσμα, η πρόθεση είναι απλώς μια λογική πρόβλεψη για το τι θα κάνει ένα άτομο που έχει κάποια δεδομένα χαρακτηριστικά. Η συναισθηματική προδιάθεση ενός ανθρώπου να αντιδρά με έναν συγκεκριμένο τρόπο είναι ένα χαρακτηριστικό ανάλογο με το βαθύ κόασμα. Θα μπορούσαμε να πούμε πως ο αντίπαλος που διακρίνει ένα τέτοιο χαρακτηριστικό διακρίνει και τις προθέσεις του αντιπάλου του.

Το παράδειγμα του βατράχου δείχνει τρεις ιδιότητες των σημάτων μεταξύ δυνητικών αντιπάλων: (1) η απομίμησή τους πρέπει να έχει μεγάλο κόστος, (2) συνήθως πηγάζουν από αιτίες που δεν έχουν καμία σχέση με τη σηματοδότηση, και (3), εάν κάποια άτομα χρησιμοποιούν σήματα που εκχωρούν ευνοϊκές πληροφορίες για τον εαυτό τους, οι άλλοι θα αναγκαστούν να αποκαλύψουν ανάλογες πληροφορίες, ακόμα και όταν είναι λιγότερο ευνοϊκές γι' αυτούς. Η καθεμιά από αυτές τις αρχές είναι σημαντική για τη διερεύνηση του πώς προήλθαν τα σήματα της πρόθεσης, δηλαδή οι ενδείξεις της συναισθηματικής προδιάθεσης. Αυτό το θέμα θα αποτελέσει το κύριο μέλημά μας στο Κεφάλαιο Έξι. Στο παρόν κεφάλαιο θα διατυπώσω την κάθε αρχή όπως αναδεικνύεται στο παράδειγμα των βατράχων και στη συνέχεια θα προσπαθήσω να δείξω πώς λειτουργεί, μέσω παραδειγμάτων της σε διάφορα άλλα περιβάλλοντα.

Η αρχή της δαπανηρής προσποίησης

Για να είναι αξιόπιστο ένα σήμα μεταξύ αντιπάλων, πρέπει να είναι δαπανηρό, ή γενικότερα δύσκολο, να το στείλει κανείς προσποιούμενος. Εάν οι μικροί βάτραχοι μπορούσαν να μιμηθούν ανέξοδα το βαθύ κόασμα που χαρακτηρίζει τους μεγάλους βατράχους, το βαθύ κόα σμα θα έπαυε *να είναι χαρακτηριστικό* των μεγάλων βατράχων. Δεν μπορούν όμως. Οι μεγάλοι βάτραχοι έχουν μια φυσική υπεροχή, και από μόνο του αυτό το γεγονός επιτρέπει στη βαθύτητα του κοάσματος να αναδειχθεί σε αξιόπιστο σημείο.

Η *αρχή της δαπανηρής προσποίησης* ισχύει και στα σήματα μεταξύ ανθρώπων. Στο μυθιστόρημα του Elmore Leonard *Glitz*, ο Βίνσεντ Μόρα τη χρησιμοποιεί για να δηλώσει μια πλευρά του χαρακτήρα του σε κάποιον αντίπαλο. Ο Μόρα είναι ένας αστυνομικός του Μαϊάμι που η φιλενάδα του, η Άιρις, δολοφονήθηκε στο Ατλάντικ Σίτι. Ετοιμάζεται να πλησιάσει τον Ρίκυ, ένα τσιράκι του υποκόσμου που μάλλον γνωρίζει κάτι για τον θάνατό της. Ο Μόρα καταλαβαίνει ότι ο Ρίκυ κινδυνεύει να δολοφονηθεί από τα αφεντικά του εάν αποκαλύψει κάτι για τις δραστηριότητές τους σε έναν παρείσακτο. Οπότε η μοναδική του ελπίδα για να αποσπάσει από τον Ρίκυ πληροφορίες είναι να απειλήσει *άμεσα* ότι θα τον σκοτώσει αυτός. (Και πάλι ο νόμος της ισοτιμίας!)

Ωστόσο υπάρχει η εγγενής δυσκολία ότι ο Μόρα καταλαβαίνει πως ο Ρίκυ γνωρίζει ότι δεν θα ήταν λογικό για κάποιον απ' έξω να σκοτώσει ένα μέλος του υποκόσμου. Σκοπός του Μόρα είναι, κατά συνέπεια, να πείσει τον Ρίκυ είτε ότι δεν είναι λογικός είτε ότι είναι τόσο σκληρός, που το ενδεχόμενο εκδίκησης του υποκόσμου δεν τον απασχολεί.

Η Ελντοράντο του Ρίκυ είναι παρκαρισμένη έξω από ένα μπαρ και ο Ρίκυ είναι μέσα στο μπαρ και εισπράττει κάποια χρήματα προστασίας από τον ιδιοκτήτη. Καθώς ο Μόρα τον περιμένει να βγει, σηκώνει μια κοτρόνα πέντε κιλά και την κρύβει κάτω από την καμπαρντίνα του. Όταν ο Ρίκυ βγαίνει από το μπαρ, ο Μόρα είναι ακουμπισμένος πάνω στην Ελντοράντο. Ο Ρίκυ τον πλησιάζει καχύποπτα.

«Κάνε στην άκρη».
«Κάποιος σου έσπασε το παράθυρο», είπε ο Βίνσεντ.
«Πού;»
Τώρα προχωρούσε βιαστικά. Ο Βίνσεντ του έκανε ένα νεύμα προς την πλευρά του οδηγού και ο Ρίκυ τον προσπέρασε σφιγμένος. Ο Βίνσεντ πήγε δίπλα του.
«Τι μου τσαμπουνάς τώρα; Το παράθυρο είναι εντάξει».

Ο Βίνσεντ του έριξε μια ματιά και έκανε ότι παραξενεύτηκε. Έβγαλε την κοτρόνα από την καμπαρντίνα του και, με την ίδια κίνηση, την κοπάνησε πάνω στο φιμέ τζάμι, που έγινε θρύψαλα. Στράφηκε στον Ρίκυ και είπε:
«Μα είναι σπασμένο, δεν το βλέπεις;»
Ο Ρίκυ είπε:
«Είσαι τρελός;»
Αλαφιασμένος:
«Είσαι για δέσιμο;»
Του Βίνσεντ του άρεσε η ερώτηση και του άρεσε ο τρόπος που Ο Ρίκυ στεκόταν εκεί σε κατάσταση σοκ, αυτά τα νεκρά μάτια που φανέρωναν για πρώτη φορά μια σπίθα ζωής και αναρωτιόντουσαν: Τι είναι τούτο πάλι; Η έκφρασή του, το βλογιοκομμένο του πρόσωπο τον έκαναν να δείχνει ευάλωτος, δυστυχισμένος· ο φουκαράς, ήθελε να ξέρει τι σήμαινε αυτό, είχε μπερδευτεί.

Ο Μόρα βάζει τον Ρίκυ να οδηγήσει την Κάντιλακ και να πάει σ' ένα ερημικό σημείο κάπου κοντά στην προκυμαία, όπου, χωρίς καν να υψώσει τη φωνή του, δεν δυσκολεύεται καθόλου να μάθει όλα όσα ο Ρίκυ ξέρει για την Άιρις.

Το κόλπο του Μόρα με την κοτρόνα είναι αποτελεσματικό διότι δεν είναι κάτι που θα έκανε ο καθένας. Οι περισσότεροι ήπιοι, απαθείς άνθρωποι σίγουρα δεν θα μπορούσαν να το κάνουν. Η αρχή της δαπανηρής προσποίησης είναι ένας αρκετά σοβαρός λόγος για να φοβάται ο Ρίκυ ότι ο Μόρα είναι πραγματικά πολύ σκληρός ή τρελός, ή και τα δύο. Προσέξτε ότι, για να δουλέψει αυτό το σήμα, δεν χρειάζεται να είναι αδύνατο για κάποιον ήπιο, λογικό άνθρωπο να σπάσει το παράθυρο, αρκεί απλώς να είναι απίθανο.

Τα λογοτεχνικά παραδείγματα προφανώς δεν συνιστούν αντικειμενικές αλήθειες για την ανθρώπινη φύση. Παίζουν τον ρόλο φανταστικών πειραμάτων που δείχνουν τη διαισθητική μας αντίληψη για τον τρόπο συμπεριφοράς των ανθρώπων. Εάν το απόσπασμα του Leonard μας λέει κάτι, είναι επειδή οι περισσότεροι αναγνώστες δεν δυσκολεύονται να φανταστούν ότι, εάν βρίσκονταν στη θέση του Ρίκυ, θα έπαιρναν κι αυτοί στα σοβαρά τις παράλογες απειλές του Μόρα.

Εντούτοις η αρχή της δαπανηρής προσποίησης δεν περιορίζεται μόνο στις φανταστικές ιστορίες. Τη συναντάμε επίσης, για παράδειγμα, στο *Fatal Vision* του Joe McGinnis. Ανακοινώνουν στον λοχαγό Τζέφρυ ΜακΝτόναλντ, έναν στρατιωτικό γιατρό στο σώμα των πεζοναυτών, πως υπάρχουν υποψίες ότι δολοφόνησε τη γυναίκα του και τις κόρες του. Ο στρατός τού έχει διορίσει έναν στρατιωτικό συνήγορο. Παράλληλα όμως η μητέρα του έχει επιστρατεύσει για την υπεράσπιση του γιου της τον Μπέρναρντ Σίγκαλ, έναν φημισμένο δικηγόρο της Φιλαδέλφειας. Όταν ο Σίγκαλ τηλεφωνεί στον ΜακΝτόναλντ στο Fort Bragg, N.C. για να του συστηθεί, η πρώτη του ερώτηση αφορά στον στρατιωτικό συνήγορο του ΜακΝτόναλντ:

«Τα παπούτσια του είναι γυαλισμένα;»
«Τι;»
Ο ΜακΝτόναλντ δεν μπορούσε να πιστέψει στ' αυτιά του. Εδώ κόντευαν να τον βγάλουν δολοφόνο της ίδιας της γυναίκας του και των παιδιών του, και στην πρώτη του συνομιλία με τον μεγαλοδικηγόρο από τη Φιλαδέλφεια, που υποτίθεται ότι προσλήφθηκε για να βγάλει την άκρη, η πρώτη ερώτηση που ακούει είναι για την κατάσταση των παπουτσιών του άλλου δικηγόρου.
Ο Σίγκαλ επανέλαβε την ερώτηση.
«Και αυτή τη φορά», είπε αργότερα, «μπόρεσα σχεδόν να ακούσω το χαμόγελο του Τζεφ από το τηλέφωνο. Τότε κατάλαβα για πρώτη φορά ότι είχα έναν πελάτη που δεν ήταν απλώς νοήμων, αλλά και φοβερά εύστροφος. "Όχι", είπε, "για να πω την αλήθεια, τα παπούτσια του δικηγόρου ήταν κάπως ατημέλητα". "Εντάξει", λέω, "εν τοιαύτη περιπτώσει εμπιστέψου τον. Συνεργάσου μαζί του μέχρι να μπορέσω να έρθω εκεί κάτω". Το ζήτημα ήταν, βλέπετε, ότι, εάν κάποιος στρατιωτικός δικηγόρος γυαλίζει τα παπούτσια του, αυτό σημαίνει ότι προσπαθεί να αρέσει στο σύστημα. Και εάν προσπαθούσε να αρέσει στο σύστημα, σ' αυτή την περίπτωση –εφόσον το σύστημα, κοινοποιώντας την υποψία του, είχε ήδη δηλώσει ότι επιθυμούσε την καταδίκη του πελάτη του–, τότε ο δικηγόρος δεν επρόκειτο να κάνει κάτι για τον Τζεφ. Τα αγυάλιστα παπούτσια σήμαιναν ότι μάλλον ενδιαφερόταν περισσότερο για την ιδιότητά του ως δικηγόρου».

Η κατάσταση των παπουτσιών του δικηγόρου προφανώς δεν είναι αλάθητο κριτήριο των προτεραιοτήτων που έχει στη ζωή του.

Ωστόσο έδωσε τουλάχιστον *κάποιο* στοιχείο για να υποψιαστούμε ότι δεν ήταν λακές του στρατιωτικού κατεστημένου. Ένας δικηγόρος που φορά αγυάλιστα παπούτσια απλώς για να δώσει την εντύπωση ότι δεν αποβλέπει στην προαγωγή του στα ανώτατα κλιμάκια του στρατού πραγματικά *δεν προάγεται*. Συνεπώς οι μόνοι άνθρωποι που μπορούν να στείλουν με ασφάλεια ένα τέτοιο σήμα είναι εκείνοι που πραγματικά νοιάζονται περισσότερο για τη νομική τους ιδιότητα.

Ως τελευταίο παράδειγμα της αρχής της δαπανηρής προσποίησης, ας πάρουμε ένα πτυχίο μετ' επαίνων από ένα φημισμένο πανεπιστήμιο. Οι εργοδότες ψάχνουν για ανθρώπους που είναι έξυπνοι και πρόθυμοι να εργαστούν σκληρά. Υπάρχουν πραγματικά πάρα πολλοί άνθρωποι στον κόσμο που έχουν αυτά τα χαρακτηριστικά, κι ωστόσο δεν έχουν δίπλωμα από φημισμένο πανεπιστήμιο. Παρ' όλα αυτά, οι εργοδότες έχουν δίκιο να πιστεύουν ότι κάποιος που έχει ένα τέτοιο δίπλωμα είναι και έξυπνος και εργατικός. Και έχουν δίκιο επειδή δεν υπάρχει τρόπος να αποκτήσει κανείς ένα φημισμένο πτυχίο μετ' επαίνων χωρίς να έχει αυτά τα χαρακτηριστικά.

Η αρχή της προέλευσης

Μια δεύτερη σημαντική γενική αρχή που δείχνει το παράδειγμα με τα βατράχια είναι ότι το χαρακτηριστικό που χρησιμεύει ως σήμα δεν δημιουργείται συνήθως γι' αυτό τον λόγο. Η αποκαλούμενη *αρχή της προέλευσης* διατυπώθηκε για πρώτη φορά από τον νομπελίστα εθνολόγο Niko Tinbergen[4] και λέει ότι η αρχική αναλογική σχέση μεταξύ του μεγέθους του βατράχου και της βαθύτητας του κοάσματος ήταν εντελώς επουσιώδης για τις αρχικές λειτουργίες του κοάσματος, όποιες κι αν ήταν αυτές. Η σχέση δημιουργήθηκε επειδή οι μεγαλόσωμοι βάτραχοι συνέβαινε, για λόγους τελείως άσχετους με τη σηματοδότηση, να έχουν μεγαλύτερες φωνητικές χορδές.

Εάν δεν συνέβαινε αυτό, πώς αλλιώς θα εξελισσόταν το βαθύφωνο κόασμα σε ένδειξη μεγέθους; Ας υποθέσουμε ότι αρχικά το μέγεθος του βατράχου και το βάθος της φωνής *δεν ήταν* αλληλένδετα. Για να αναδειχθεί η αλληλένδετη σχέση, έπρεπε οι μεταλλά-

ξεις προς την κατεύθυνση των βαθύφωνων κοασμάτων στους μεγά-
λους βατράχους να ευνοηθούν από τη φυσική επιλογή. Για να συμ-
βεί αυτό, η πρώτη μετάλλαξη προς ένα ελαφρώς βαθύτερο κόασμα
πρέπει να ωφελούσε τον συγκεκριμένο μεγάλο βάτραχο στον οποίο
συντελέστηκε. Ωστόσο ένας μοναχικός μεγάλος βάτραχος με ένα ε-
λαφρώς βαθύτερο κόασμα δύσκολα θα δημιουργούσε τη γενική ε-
ντύπωση ότι οι βάτραχοι με βαθύτερα κοάσματα είναι πιο επίφοβοι.
Η βαθύτητα λοιπόν του κοάσματος, από μόνη της, δεν είναι λόγος
για να περιμένουμε από τον συγκεκριμένο βάτραχο να αφήσει πε-
ρισσότερους απογόνους απ' ό,τι οι μεγάλοι βάτραχοι με το κανονι-
κό κόασμα. Το βαθύ κόασμα μπορεί να λειτουργήσει ως σήμα μεγέ-
θους μόνον όταν χαρακτηρίζει τους περισσότερους μεγάλους βα-
τράχους. Για να διαδοθούν όμως τα γονίδια του βαθύφωνου κοά-
σματος, έπρεπε να ωφέλησαν τον πρώτο μεγάλο βάτραχο στον ο-
ποίο εμφανίστηκαν. Το προβληματικό σ' αυτή τη διαδικασία είναι το
πρώτο βήμα.
    Ένα ακόμα πιο ενδεικτικό παράδειγμα της αρχής της προέλευ-
σης παρουσιάζεται στην περίπτωση ενός σκαθαριού που μοιάζει με
κομματάκι κοπριάς και, για τον λόγο αυτό, γλυτώνει από τους θηρευ-
τές. Είναι σχεδόν βέβαιο ωστόσο ότι δεν απέκτησε γι' αυτό αυτή την ό-
ψη. Οι εξελικτικοί βιολόγοι τονίζουν ότι τα χαρακτηριστικά που δη-
μιουργούνται από τη φυσική επιλογή αναπτύσσονται με αδιόρατες με-
ταβολές. Σε κάθε στάδιο, το νέο χαρακτηριστικό πρέπει να είναι πιο
χρήσιμο από εκείνο το οποίο εκτοπίζει. Η φύση της εξελικτικής διαδι-
κασίας καθιστά σαφές ότι κάποια μορφολογικά χαρακτηριστικά δεν εί-
ναι δυνατόν να έχουν αναδυθεί για τη συγκεκριμένη λειτουργία που τα
βλέπουμε να επιτελούν σήμερα. Επί παραδείγματι, οι πρώτες αδιόρα-
τες μεταβολές στην εξέλιξη αυτού του σκαθαριού προς την κατεύθυν-
ση της σημερινής του εμφάνισης δεν μπορεί να επιλέχθηκαν για τον τε-
λικό ρόλο που επρόκειτο να παίξουν. Διότι, όπως διερωτάται και ο
Stephen Jay Gould: «... σε τι μπορεί να ωφελούσε η 5% ομοιότητα με
καβαλίνα;»[5]
    Κατά πάσα πιθανότητα, το σκαθάρι εξελίχθηκε σε κάτι που
πλησιάζει τη σημερινή του μορφή για λόγους τελείως άσχετους με τη
σημερινή λειτουργία της εμφάνισής του. Μόνον όταν έμοιαζε *ήδη* αρ-
κετά με κοπριά, ώστε να ξεγελά τους πιο μυωπικούς θηρευτές, μπο-

ρούσε η φυσική επιλογή να ευνοήσει τις αλλαγές, *επειδή* θα το έκαναν μια ακόμα καλύτερη απομίμηση.*

Ας σημειωθεί ότι η αρχή της προέλευσης είναι μια αρχή του μηχανισμού της φυσικής επιλογής ο οποίος, από την ίδια τη φύση του, δεν αποβλέπει στο μέλλον. Η φυσική επιλογή δεν είναι κάτι που, αφού πρώτα εκτιμήσει ότι μια σειρά από διαδοχικά στάδια θα οδηγήσει τελικά σε κάποιο γόνιμο αποτέλεσμα, προχωράει ύστερα στο πρώτο, α-διαφορώντας για τις τρέχουσες συνέπειές του. Εάν το πρώτο στάδιο δεν επιτύχει κάτι χρήσιμο, το δεύτερο στάδιο δεν θα υπάρξει ποτέ.

Η αρχή της προέλευσης δεν ισχύει για σήματα που είναι αποτέλεσμα συνειδητών ενεργειών των ατόμων. Αυτές οι ενέργειες μπορούν να είναι σκόπιμες και να αποβλέπουν στο μέλλον. Εάν ένας στρατιωτικός δικηγόρος θέλει να δώσει σήμα αντικομφορμιστικής στάσης στη δουλειά του, δεν χρειάζεται να περιμένει μέχρι να φθαρεί λίγο λίγο το βερνίκι των παπουτσιών του. Μπορεί απλώς να αποφύγει να γυαλίσει τα παπούτσια του ή, εάν είναι ήδη γυαλισμένα, να τα βρωμίσει επιτόπου. Η αρχή της προέλευσης ισχύει μόνο για παθητικά σήματα, και ειδικά εκείνα που δημιουργούνται από τη φυσική επιλογή. Δεν αφορά στα ενεργητικά ή εσκεμμένα σήματα.

Η αρχή της πλήρους αποκάλυψης

Μία τρίτη σημαντική αρχή που δείχνει το παράδειγμα των βατράχων θα την αποκαλέσω *αρχή της πλήρους αποκάλυψης*. Αυτή η αρχή λέει ότι, εάν κάποια άτομα ωφελούνται από την αποκάλυψη μιας πλεο-

---

* Ο Dawkins (1986) αντικρούει το επιχείρημα του Gould λέγοντας ότι οι αδιόρατες αλλαγές είναι ορισμένες φορές αρκετές για να ξεγελάσουν κάποιους θηρευτές, κάτω από ορισμένες συνθήκες. Παραδόξως όμως ο Dawkins μάλλον δεν κατάλαβε την ουσία του ισχυρισμού του Gould. Ο Gould είναι σαφές ότι εννοεί μια αλλαγή τόσο απειροελάχιστη, που να κάνει το σκαθάρι να μη μοιάζει περισσότερο με κομματάκι κοπριάς απ' ό,τι μ' ένα πλήθος άλλα πράγματα που δεν έχουν την παραμικρή ομοιότητα με κάτι τέτοιο. Εάν αυτή η αλλαγή ξεγέλασε έστω και έναν θηρευτή, τότε το σκαθάρι θα έπρεπε να μοιάζει αρκετά με κοπριά ευθύς εξαρχής. Σ' αυτή την περίπτωση όμως, πώς έφτασε σ' αυτό το σημείο; Οπωσδήποτε μέσα από μια σειρά μικρών μορφολογικών αλλαγών, που δεν είχαν καμία απολύτως σχέση με την τελική ομοιότητά του με κοπριά.

νεκτικής ιδιότητας κάποιου χαρακτηριστικού, τα υπόλοιπα άτομα θα αναγκαστούν να αποκαλύψουν τις μειονεκτικότερες δικές τους ιδιότητες. Αυτή η αρχή βοηθά να απαντήσουμε στο φαινομενικά εύλογο ερώτημα για ποιο λόγο τα μικρότερα βατράχια κοάζουν και αυτά.[6] Κοάζοντας λένε στους άλλους βατράχους το πόσο μικρά είναι. Γιατί να μην παραμένουν σιωπηλά και να τους αφήνουν να διερωτώνται;

Ας υποθέσουμε ότι όλοι οι βάτραχοι που η φωνή τους ήταν πιο ψιλή από κάποιο οριακό επίπεδο σιωπούσαν. Ας φανταστούμε έναν δείκτη από το 1 έως το 10 που μετράει το ύψος του κοάσματος ενός βατράχου, όπου το 10 είναι η πιο ψιλή νότα και το 1 η χαμηλότερη· και ας υποθέσουμε, αυθαίρετα, ότι οι βάτραχοι με τιμή μεγαλύτερη του 6 σιωπούσαν. Είναι εύκολο να δούμε γιατί κάθε τέτοιο σχήμα θα ήταν εσωτερικά ασταθές. Ας σκεφτούμε έναν βάτραχο με δείκτη 6,1, λίγο πάνω από το όριο. Εάν παραμείνει σιωπηρός, τι θα σκεφτούν οι άλλοι βάτραχοι; Η πείρα θα τους έχει μάθει ότι, μια και είναι σιωπηρός, το κόασμά του θα πρέπει να είναι πάνω από 6. Πόσο πιο πάνω όμως;

Αυτό δεν μπορούν να το ξέρουν. Μπορούν ωστόσο να κάνουν μια στρατηγική πρόβλεψη. Ας υποθέσουμε ότι οι βάτραχοι ήταν ομοιόμορφα κατανεμημένοι στην κλίμακα της έντασης. Με οριακή τιμή κοάσματος το 6, η πείρα θα υποδείκνυε ότι ο μέσος δείκτης των βατράχων που μένουν σιωπηλοί είναι το 8 (το ενδιάμεσο μεταξύ 6 και 10). Έτσι κάθε βάτραχος με δείκτη μικρότερο από το 8 θα δημιουργούσε με τη σιωπή του την εντύπωση ότι είναι μικρότερος απ' όσο θα ήταν στην πραγματικότητα. Ο βάτραχός μας λοιπόν που έχει δείκτη 6,1 θα είχε κάθε λόγο να κοάζει.

Κατά συνέπεια, εάν το όριο γι' αυτούς που σιωπούν είναι το 6, συμφέρον όλων των βατράχων με δείκτη κάτω του 8 είναι να κοάζουν. Εάν κοάζουν, βεβαίως το όριο δεν θα παραμείνει στο 6. Θα μεταφερθεί στο 8. Εντούτοις και το όριο των 8 δεν θα παραμείνει σταθερό, διότι τότε θα συμφέρει όλους τους βατράχους με δείκτη μικρότερο του 9 να κοάζουν. Κάθε όριο κατώτερο από το 10 είναι καταδικασμένο να ανατραπεί για τους ίδιους λόγους. Αυτό δεν συμβαίνει επειδή οι μικροί βάτραχοι επιθυμούν να δηλώσουν με το κόασμά τους το μικρό τους μέγεθος. Αλλά είναι αναγκασμένοι να κοάσουν για να μη φανούν μικρότεροι από το πραγματικό τους μέγεθος.

Η αρχή της πλήρους αποκάλυψης προέρχεται από το γεγονός

ότι όλοι οι δυνητικοί αντίπαλοι δεν έχουν πρόσβαση στις ίδιες πληροφορίες. Στην περίπτωση του βατράχου, η ασυμμετρία είναι ότι ο σιωπηλός βάτραχος γνωρίζει με ακρίβεια το μέγεθός του, ενώ ο αντίπαλός του κάνει απλώς μια βάσιμη υπόθεση. Παρόμοιες ασυμμετρίες εμφανίζονται σε πολλά σημαντικά σήματα μεταξύ των ανθρώπων.

Για παράδειγμα, αυτά τα σήματα μας βοηθούν να εξηγήσουμε γιατί οι εταιρείες δίνουν εγγύηση ακόμα και για προϊόντα κακής ποιότητας. Σ' αυτό το σημείο, η ασυμμετρία έγκειται στο ότι οι κατασκευαστές γνωρίζουν πολύ περισσότερα από τους καταναλωτές για την ποιότητα των προϊόντων τους. Ο κατασκευαστής που γνωρίζει ότι έχει το καλύτερο προϊόν έχει ένα πολύ ισχυρό κίνητρο για να διαλαλήσει αυτή την πληροφορία στους πελάτες του. Ένας αξιόπιστος τρόπος για να δώσει αυτή την πληροφορία είναι να παρέχει εγγύηση πλήρους κάλυψης για τυχόν ελαττώματα του προϊόντος. (Αυτό το τέχνασμα είναι αξιόπιστο εξαιτίας της αρχής της δαπανηρής προσποίησης – ένα κακό προϊόν χαλάει συχνά, πράγμα που σημαίνει ότι δεν συμφέρει να συνοδεύεται από εγγύηση πλήρους κάλυψης.)

Από τη στιγμή που αυτό το προϊόν εισέρχεται στην αγορά με την εγγύηση πλήρους κάλυψης, οι καταναλωτές αμέσως γνωρίζουν πολύ περισσότερα όχι μόνο για τη *δική του* ποιότητα, αλλά και για την ποιότητα όλων των υπολοίπων προϊόντων. Συγκεκριμένα ο καταναλωτής πλέον γνωρίζει ότι τα προϊόντα που δεν έχουν εγγύηση δεν μπορεί να είναι πολύ καλής ποιότητας. Εφόσον δεν διαθέτει περισσότερες πληροφορίες για κάποιο προϊόν που δεν συνοδεύεται από εγγύηση, ο συνετός καταναλωτής θα κατατάξει την ποιότητά του στο μέσο επίπεδο αυτών των προϊόντων. Αυτό όμως σημαίνει ότι οι καταναλωτές θα υποτιμήσουν την ποιότητα των προϊόντων που είναι μόνο ελαφρώς κατώτερα από το καλύτερο προϊόν.

Ας αναλογιστούμε για λίγο την κατάσταση που αντιμετωπίζει ο κατασκευαστής του προϊόντος που είναι ελαφρώς κατώτερο από το καλύτερο. Εάν εξακολουθήσει να μην παρέχει εγγύηση, οι καταναλωτές θα σκεφτούν ότι το προϊόν του είναι χειρότερο απ' ό,τι είναι στην πραγματικότητα. Κατά συνέπεια, τον συμφέρει να δίνει κι αυτός εγγύηση. Επειδή όμως το προϊόν του είναι ελαφρώς κατώτερης ποιότητας, οι όροι της εγγύησης δεν γίνεται να είναι του ίδιου επιπέδου με εκείνους του καλύτερου προϊόντος.

Από τη στιγμή που υπάρχει εγγύηση για το δεύτερο καλύτερο προϊόν, η κατηγορία των υπόλοιπων προϊόντων που δεν έχουν εγγύηση αποκτά κατώτερη μέση ποιότητα από πριν. Η διαδικασία επαναλαμβάνεται, ώσπου στο τέλος όλοι οι κατασκευαστές πρέπει είτε να δώσουν εγγύηση είτε να αποδεχθούν το γεγονός ότι οι καταναλωτές θεωρούν τα προϊόντα τους χειρότερα απ' όσο είναι. Γενικά, όσο πιο χαμηλή είναι η ποιότητα του προϊόντος, τόσο πιο περιορισμένοι γίνονται οι όροι της εγγύησης. Όμως είναι σαφές ότι οι κατασκευαστές δεν θέλουν να διαλαλήσουν την κακή ποιότητα του προϊόντος τους με την παροχή μειωμένης κάλυψης. Το πρόβλημά τους είναι ότι η απουσία εγγύησης πλήρους κάλυψης οδηγεί τους καταναλωτές να τοποθετούν το ποιοτικό επίπεδο των προϊόντων τους σε πιο χαμηλή θέση απ' ό,τι είναι στην πραγματικότητα.

Ας σημειωθεί ότι η αρχή της προέλευσης του Tinbergen δεν ισχύει στην περίπτωση της εγγύησης των προϊόντων. Σε αντίθεση με το κόασμα του βατράχου ή με την όψη του σκαθαριού, οι εγγυήσεις των προϊόντων δεν ξεκίνησαν με σκοπό άσχετο προς τη σηματοδότηση της ποιότητας του προϊόντος. Εδώ έχουμε να κάνουμε με ενεργητικά σήματα και όχι με παθητικά. Αυτή η διάκριση είναι σημαντική, διότι μερικά από τα σήματα με τα οποία θα ασχοληθούμε στη συνέχεια πιθανότατα αναδείχθηκαν μέσω της φυσικής επιλογής, ενώ άλλα μέσω εσκεμμένων ενεργειών.

Ένα ενδεικτικό παράδειγμα της αρχής της πλήρους αποκάλυψης είναι οι άκαρπες κυβερνητικές προσπάθειες για τον περιορισμό των πληροφοριών που οι εταιρείες απαιτούν από όσους κάνουν αίτηση για δουλειά. Ας πάρουμε, για παράδειγμα, τη νομοθεσία που απαγορεύει στους εργοδότες να ρωτούν για την οικογενειακή κατάσταση των αιτούντων και εάν σκοπεύουν να κάνουν παιδιά. Πριν ψηφιστεί αυτός ο νόμος, οι εργοδότες ζητούσαν συνεχώς τέτοιες πληροφορίες, ειδικά από τις γυναίκες υποψήφιες. Η πληροφορία αυτή συσχετίζεται με την πιθανότητα παραμονής στο εργατικό δυναμικό, και το κίνητρο του εργοδότη που τη ζητά είναι να μην επενδύσει στην πρόσληψη και εκπαίδευση εργαζομένων που δεν θα μείνουν στη δουλειά για πολύ καιρό. Εφόσον εδώ η προσποίηση είναι δαπανηρή (ελάχιστοι άνθρωποι είναι διατεθειμένοι να μην παντρευτούν μόνο και μόνο για να δείξουν ότι δεν θα φύγουν από τη δουλειά τους), η πληροφορία αυτή μπορεί να χρησιμεύσει σαν σήμα μεταξύ δύο ανταγωνιστικών πλευρών. Ο σκοπός του νόμου ήταν να εμποδίσει τους εργοδότες να επιλέγουν υποψήφιους με κριτήριο την οικογενειακή τους κατάσταση.

Για να το επιτύχουμε αυτό, ωστόσο, δεν αρκεί απλώς να απαγορεύσουμε στους εργοδότες να κάνουν ερωτήσεις δημογραφικού περιεχομένου. Κι αυτό γιατί, εάν κάποια γυναίκα συνειδητοποιήσει ότι η δική της οικογενειακή κατάσταση την τοποθετεί σε πλεονεκτική θέση, έχει κάθε κίνητρο να προσφέρει εθελοντικά τις σχετικές πληροφορίες. Αυτή η ενέργεια υποκινεί τη γνωστή διαδικασία αποκάλυψης, σύμφωνα με την οποία σταδιακά οι υποψήφιοι για πρόσληψη θα προσφέρουν εθελοντικά και ελεύθερα όλες τις πληροφορίες, εκτός αν είναι πολύ δυσμενείς γι' αυτούς. Ο υποψήφιος που δεν δίνει εθελοντικά πληροφορίες, έστω και ελαφρώς δυσμενείς, κατατάσσεται στη λιγότερο ευνοϊκή κατηγορία. Για να επιτύχει η νομοθεσία τον σκοπό της, πρέπει να βρει κάποιον τρόπο που να εμποδίζει τους υποψήφιους να δίνουν εθελοντικά τις πληροφορίες που επιθυμεί ο εργοδότης.

Οι άνθρωποι και τα πράγματα έχουν συγκεκριμένα γνωρίσματα, και αυτά με τη σειρά τους είναι συνήθως ιεραρχημένα. Κάποια γνωρίσματα είναι, κατά γενική ομολογία, καλύτερα από άλλα. Η αξιοπιστία είναι καλύτερη από την αναξιοπιστία, η εργατικότητα καλύτερη από την τεμπελιά και ούτω καθεξής. Το γενικό μήνυμα της αρχής της πλήρους αποκάλυψης είναι ότι η έλλειψη αποδεικτικών στοιχείων για το ότι κάποιοι ή κάτι δεν ανήκει στην καλύτερη κατηγορία εκλαμβάνεται συνήθως ως ένδειξη πως ανήκει στη χειρότερη. Με μια τέτοια διατύπωση, η αρχή φαίνεται εξαιρετικά απλή. Και παρ' όλα αυτά, οι συνέπειές της δεν είναι πάντα τόσο προφανείς.

Για παράδειγμα, μας βοηθά στην επίλυση του παλιού παράδοξου σύμφωνα με το οποίο τα καινούρια αυτοκίνητα συνήθως χάνουν μεγάλο μέρος της αξίας τους από τη στιγμή που θα βγουν από την έκθεση αυτοκινήτων. Πώς ακριβώς συμβαίνει κι ένα αυτοκίνητο που αγοράστηκε 15.000 δολάρια την Τετάρτη να αποφέρει μόνο 12.000 στην αγορά μεταχειρισμένων την Πέμπτη; Είναι ξεκάθαρο ότι το αυτοκίνητο δεν χάνει 20% από την αξία του μέσα σε 24 ώρες λόγω φθοράς.

Οι οικονομολόγοι πάλευαν επί σειρά ετών να κατανοήσουν αυτό το περίεργο ζήτημα. Μερικοί, παρεκκλίνοντας αμήχανα από τα γνωστά τους συμπεράσματα για την ανθρώπινη φύση, έφτασαν στο

σημείο να υποθέσουν ότι οι καταναλωτές έχουν παράλογες προκατα-
λήψεις για τα μεταχειρισμένα αυτοκίνητα. Ωστόσο, κατά τον George
Akerlof, ίσως δεν είναι αναγκαίο να καταφύγουμε σε μυστηριώδεις
προλήψεις. Στην εργασία του *The Market for «Lemons»*, μία από τις
πιο πολυσυζητημένες οικονομικές μελέτες επί δεκαετίες, πρότεινε μια
ιδιοφυή εξήγηση (που ήταν η πρώτη σαφής διατύπωση της αρχής της
πλήρους αποκάλυψης).[7]

Ο Akerlof ξεκινά με την παραδοχή ότι τα καινούρια αυτοκίνη-
τα είναι, χονδρικά, δύο ειδών – καλά και «πατάτες». Εξωτερικά φαί-
νονται ίδια, αλλά ο ιδιοκτήτης του κάθε συγκεκριμένου αυτοκινήτου
γνωρίζει εκ πείρας σε ποιον τύπο ανήκει το δικό του. Μια και οι υπο-
ψήφιοι αγοραστές δεν τα ξεχωρίζουν, τα καλά αυτοκίνητα και οι «πα-
τάτες» πρέπει να πωλούνται στην ίδια τιμή. Συνήθως πιστεύουμε ότι
η κοινή τιμή θα είναι ο σταθμισμένος μέσος όρος των τιμών των δύο
τύπων αυτοκινήτου. Στην αγορά των καινούριων αυτοκινήτων, πράγ-
ματι, αυτή η εντύπωση αποδεικνύεται χονδρικά σωστή.

Ωστόσο, στην αγορά των μεταχειρισμένων, τα πράγματα δου-
λεύουν διαφορετικά. Επειδή τα καλά αυτοκίνητα αξίζουν για τους ι-
διοκτήτες τους περισσότερο απ' όσο αξίζουν οι «πατάτες» για τους
δικούς τους, ένα καταφανώς μεγαλύτερο μερίδιο από «πατάτες» πη-
γαίνει πολύ γρήγορα στην αγορά των μεταχειρισμένων. Καθώς οι α-
γοραστές προσέχουν αυτή την τάση, η τιμή των μεταχειρισμένων αυ-
τοκινήτων αρχίζει να πέφτει. Εν συνεχεία αυτή η πτώση της τιμής ε-
νισχύει την αρχική τάση των ιδιοκτητών των καλών αυτοκινήτων να
μην τα πουλήσουν. Σε εξαιρετικές περιπτώσεις, συμβαίνει κιόλας τα
μοναδικά διαθέσιμα μεταχειρισμένα αυτοκίνητα να είναι «πατάτες».

Η οξυδέρκεια του Akerlof έγκειται στο ότι κατάλαβε πως το
γεγονός και μόνο της πώλησης ενός αυτοκινήτου αποτελεί σημαντική
πληροφορία για την ποιότητά του. Αυτό φυσικά δεν σημαίνει ότι οι
άνθρωποι πουλάνε τα αυτοκίνητά τους μόνο όταν είναι «πατάτες».
Εντούτοις ο γενικός κανόνας είναι αρκετός για να μην μπορεί ο ιδιο-
κτήτης ενός καλού αυτοκινήτου να πιάσει *καλή τιμή* στην αγορά των
μεταχειρισμένων. Κι αυτό ίσως είναι το μόνο που χρειάζεται για να
ξεκινήσει την ήδη γνωστή διαδικασία της πλήρους αποκάλυψης. Και
όντως, τα αυτοκίνητα που δεν παρουσιάζουν κανένα πρόβλημα σπα-
νίως καταλήγουν στην αγορά των μεταχειρισμένων, εκτός από τις πε-

ριπτώσεις που υπάρχει μεγάλη πίεση από εξωτερικούς παράγοντες («Λόγω μετοίκησης, πωλείται Βόλβο στέισον»).

Η εξήγηση του Akerlof συνεπώς δικαιώνει την εντύπωσή μας ότι η υποτίμηση λόγω φθοράς δεν είναι ικανοποιητικός λόγος για τη μεγάλη διαφορά στην τιμή μεταξύ καινούριων και μεταχειρισμένων αυτοκινήτων. Το χάσμα αυτό γίνεται πολύ πιο κατανοητό ως απόρροια του γεγονότος ότι τα αυτοκίνητα που καταλήγουν στα μεταχειρισμένα είναι απλώς χαμηλότερης ποιότητας από τα αυτοκίνητα που δεν καταλήγουν.

Σήματα ηθικών αισθημάτων

Παρότι πολύ συχνά ο σκοπός των ηθικών αισθημάτων είναι να διευκολύνουν τη συνεργασία, η κάθε συνάντηση παρουσιάζει ευκαιρίες για εκμετάλλευση. Και μόνο το να δείχνεις έντιμος ή εκδικητικός παρουσιάζει πλεονεκτήματα. Τα σήματα των ηθικών αισθημάτων είναι χαρακτηριστικά παραδείγματα επικοινωνίας μεταξύ δυνητικών αντιπάλων. Κάθε ικανοποιητική εξήγηση της προέλευσής τους πρέπει, κατά συνέπεια, να είναι συνεπής με τους περιορισμούς που θέτουν οι θεωρητικές γνώσεις μας για τέτοια είδη επικοινωνίας.

Η αρχή της δαπανηρής προσποίησης, για παράδειγμα, πρέπει σίγουρα να διέπει την τελική μορφή που παίρνουν τα σήματα των ηθικών αισθημάτων. Δηλώσεις του τύπου «Είμαι έντιμος» απλώς δεν αρκούν. Στην περίπτωση της καλής φήμης ως προς τα ηθικά αισθήματα, η αρχή της δαπανηρής προσποίησης λειτουργεί μέσω του νόμου της ισοτιμίας που αναλύσαμε στο Κεφάλαιο Τέσσερα. Ας θυμηθούμε πως ένας συνετός άνθρωπος, για να αναπτύξει τη φήμη ότι δεν είναι απατεώνας, είναι αναγκαίο να απορρίψει το βραχυπρόθεσμο όφελος του μηχανισμού της ψυχολογικής αμοιβής, κάτι που έχει οπωσδήποτε κόστος. Στην περίπτωση ειλικρινών τρόπων ως προς τα ηθικά αισθήματα, θα δούμε στο επόμενο κεφάλαιο για ποιο λόγο οι απατεώνες δεν μπορούν να προσομοιάσουν ανέξοδα τα σωματικά συμπτώματα των συναισθηματικών προδιαθέσεων. Και θα φανεί ότι υπάρχουν σημαντικοί λόγοι που καθιστούν ιδιαίτερα πολυδάπανη την υποταγή όλων των εκφράσεων του συναισθήματος σε συνειδητό έλεγχο.

Στις προσπάθειές μας να κατανοήσουμε πώς μεταδίδονται ηθικά αισθήματα μεταξύ των ανθρώπων, θα χρειαστεί επίσης να χρησιμοποιήσουμε τη διάκριση μεταξύ ενεργητικών και παθητικών σημάτων. Τα σωματικά συμπτώματα των ηθικών αισθημάτων ανήκουν στην παθητική κατηγορία και, κατά συνέπεια, υπόκεινται στην αρχή της προέλευσης. Αυτή η αρχή μάς λέει ότι είναι εξαιρετικά απίθανο τα σωματικά συμπτώματα των ηθικών αισθημάτων να προέκυψαν ε-ξαιτίας της σηματοδοτικής τους ιδιότητας. Η πρώτη μικρή μετάλλαξη που θα είχε σαν αποτέλεσμα την εμφάνιση κάποιου συμπτώματος στον φορέα του αισθήματος δεν θα δημιουργούσε την εντύπωση μιας γενικότερης σχέσης μεταξύ του συμπτώματος και της συμπεριφοράς. Οπότε είναι δύσκολο να καταλάβουμε με ποιον τρόπο η φυσική επιλογή θα εννοούσε το σύμπτωμα λόγω της σηματοδοτικής του ιδιότητας. Όπως και στην περίπτωση του κοάσματος του βατράχου, η αρχή της προέλευσης μας κάνει να προτιμήσουμε μια εξήγηση σύμφωνα με την οποία τα αισθήματα ξεκίνησαν υπηρετώντας κάποιο σκοπό που δεν έχει σχέση με τα σωματικά τους συμπτώματα.

Η θεωρία της φήμης, που σκιαγραφήσαμε στο Κεφάλαιο Τέσσερα, προτείνει αυτήν ακριβώς την ερμηνεία. Διότι, σύμφωνα με αυτή την προσέγγιση, μια μικρή μετάλλαξη προς την κατεύθυνση ενός η-θικού αισθήματος μπορεί να είναι χρήσιμη, ακόμα κι αν δεν συνοδεύεται από κάποιο ορατό σωματικό σύμπτωμα. Εφόσον συμβάλλει, έστω και πλαγίως, στη δημιουργία μιας φήμης συνετής συμπεριφοράς, η φυσική επιλογή θα ευνοήσει το αναδεικνυόμενο αίσθημα. Και συμβαίνει επίσης, όπως θα δούμε και στο επόμενο κεφάλαιο, να υπάρχει μια τυχαία σύνδεση μεταξύ καταστάσεων συναισθηματικής διέγερσης και ορατών σωματικών συμπτωμάτων. Αν και αυτή η σύνδεση πιθανώς δεν ήταν η αιτία που προκάλεσε την ανάδειξη των ηθικών αισθημάτων, δεν ήταν διόλου εμπόδιο στην ανάδειξή τους. Από τη στιγμή που η τυχαία σύνδεση μεταξύ ενός αισθήματος και των συμπτωμάτων του αναγνωρίζεται από τους απ' έξω, οι πιέσεις της επιλογής επιδρούν όχι μόνο στο ίδιο το αίσθημα, αλλά και στα συμπτώματά του.

Σε αντίθεση με τα παθητικά σήματα, τα ενεργητικά δεν υπόκεινται στην αρχή της προέλευσης. Αυτό σημαίνει ότι τα σήματα των ηθικών αισθημάτων μπορεί ορισμένες φορές να είναι αποτέλεσμα ε-σκεμμένης ενέργειας. Αιτία ενός τέτοιου σήματος μπορεί, ας πούμε, να είναι η σχέση ανάμεσα στα ηθικά αισθήματα και τις ζημιές ή τα κέρδη από τη συμμετοχή σε συγκεκριμένες ομάδες. Για παράδειγμα, ίσως σε γενικές γραμμές οι συμπονετικοί άνθρωποι να απολαμβάνουν τη δουλειά του κοινωνικού λειτουργού, ενώ οι άκαρδοι να τη βρίσκουν μάλλον επίπονη. Σε αυτές τις περιπτώσεις, οι ομάδες στις οποίες αποφασίζουν να μπουν οι άνθρωποι μας παρέχουν στατιστικά έγκυρες πληροφορίες για τα ηθικά τους αισθήματα.

Αυτή η άποψη ακολουθείται στην πράξη από εύπορα ζευγάρια της Νέας Υόρκης που προσλαμβάνουν γκουβερνάντες για τα παιδιά τους. Η επιμέλεια των παιδιών είναι μία από εκείνες τις δουλειές όπου η εμπιστοσύνη παίζει πολύ σημαντικό ρόλο, μια και είναι πολύ δύσκολο να επιτηρήσουμε τη συμπεριφορά του ανθρώπου που την αναλαμβάνει. Ο κύριος λόγος που εν τέλει χρειαζόμαστε κάποιον για να φροντίζει τα παιδιά είναι ότι δεν βρισκόμαστε εμείς οι ίδιοι στο σπίτι, ώστε να αναλάβουμε τη φροντίδα τους. Προφανώς η πείρα έχει πείσει πολλούς Νεοϋορκέζους ότι η τοπική αγορά εργασίας δεν είναι η κατάλληλη για την εύρεση ανθρώπων που εκτελούν σωστά τα καθήκοντά τους, όταν δεν υπάρχει επίβλεψη.

Η λύση που ακολουθούν πολλά από αυτά τα ζευγάρια είναι να βάζουν αγγελία για γκουβερνάντα σε κάποια εφημερίδα του Σολτ Λέικ Σίτι. Έχουν διαπιστώσει ότι οι μορμόνοι είναι πολύ πιο αξιόπιστοι από τον μέσο Νεοϋορκέζο. Το σήμα αυτό αποδίδει διότι κάποιος που απλώς θέλει να φανεί αξιόπιστος θεωρεί δυσάρεστο, εάν όχι αδύνατο, να τηρεί τα ήθη των μορμόνων. Η συγκεκριμένη παράδοση απαιτεί συνεχή, εντατική ηθική άσκηση, που οι περισσότεροι από τους καθαρά καιροσκόπους δεν θα μπορούσαν να αντέξουν. Όπως και η βαθύτητα του κοάσματος του βατράχου ήταν σήμα για το μέγεθός του, έτσι και η συμμετοχή στις τάξεις των μορμόνων είναι ένα καλό σημάδι αξιοπιστίας, διότι θα ήταν εξαιρετικά πολυδάπανο για κάποιον καιροσκόπο να παραστήσει τον μορμόνο.

Επίσης και η αρχή της πλήρους αποκάλυψης παίζει κι αυτή ρόλο στην κατανόηση του πώς μεταδίδονται τα ηθικά αισθήματα στους πιθανούς αντιπάλους. Λέει, για παράδειγμα, ότι είναι γενικά πολύ δύσκολο να εξαιρεθεί κάποιος από τη διαδικασία της σηματοδότησης. Διότι εάν, φέρ' ειπείν, η έκφραση συγκίνησης είναι μια αξιόπιστη ένδειξη για την *παρουσία* αυτών των αισθημάτων, η ασυγκινησία θα είναι συνεπώς μια ένδειξη της *απουσίας* τους. Εκεί που χρειαζόταν να γνωστοποιηθεί το μέγεθος, τα μικρότερα βατράχια ήταν αναγκασμένα να συμμετέχουν στον συναγωνισμό του κοάσματος. Κατά τον ίδιο τρόπο, εκεί που έχουν σημασία τα ηθικά αισθήματα, η μη έκφρασή τους θα προκαλέσει δυσμενή ερμηνεία της θέσης μας.

Η αρχή της πλήρους αποκάλυψης δεν ισχύει μόνο στα σωματικά συμπτώματα, αλλά και στη φήμη. Εξηγεί τον λόγο για τον οποίο ήταν κάποτε δύσκολο για τους καιροσκόπους να απαλύνουν τα παρεπόμενα της κακής φήμης. Στις σημερινές συνθήκες, που χαρακτηρίζονται από μεγάλη κινητικότητα, ο καιροσκόπος ακολουθεί τη στρατηγική της μετακίνησης σε άλλη πόλη κάθε φορά που τον πιάνουν στα πράσα. Όμως σε λιγότερο κινητικές εποχές, αυτή η στρατηγική ήταν λιγότερο αποτελεσματική. Διότι, την εποχή που οι κοινωνίες ήταν πιο σταθερές, οι αξιόπιστοι άνθρωποι είχαν κάθε συμφέρον να παραμείνουν στο ίδιο μέρος και να δρέψουν τους καρπούς της καλής φήμης που είχαν παλέψει να αποκτήσουν. Όπως δεν συμφέρει τον ιδιοκτήτη ενός καλού αυτοκινήτου να το πουλήσει, δεν συνέφερε κι έναν έντιμο άνθρωπο να μετοικήσει. Στα σταθερά περιβάλλοντα, οι μετακινούμενοι, όπως συμβαίνει και με τα μεταχειρισμένα αυτοκίνητα, κινούσαν την υποψία. Σήμερα ωστόσο υπάρχουν τόσο πολλές εξωτερικές πιέσεις για μετακίνηση, ώστε το γεγονός ότι είσαι καινούριος στην πόλη δεν οδηγεί πια σε τέτοιο συμπέρασμα.

Αυτά τα παραδείγματα δείχνουν πώς λειτουργούν οι τρεις γενικές αρχές που διέπουν τη μετάδοση των πληροφοριών μεταξύ ανθρώπων που τα συμφέροντά τους είναι αντικρουόμενα: οι αρχές της δαπανηρής προσποίησης, της προέλευσης και της πλήρους αποκάλυψης. Τα παθητικά σήματα που δημιουργούνται από τη φυσική επιλογή πρέπει να συμμορφώνονται και με τις τρεις αρχές, ενώ τα ενεργητικά σήματα δεν υπόκεινται στην αρχή της προέλευσης. Στο επόμενο κεφάλαιο θα α-σχοληθούμε με τα σωματικά συμπτώματα των ηθικών αισθημάτων. Επειδή αυτά τα συμπτώματα είναι πιθανόν να έχουν ξεκινήσει από παθητική μορφή και επειδή είναι ξεκάθαρο ότι ενέχονται στην επικοινωνία μεταξύ πιθανών αντιπάλων, υπόκεινται και στις τρεις αρχές.

ΚΕΦΑΛΑΙΟ ΕΞΙ

ΑΠΟΚΑΛΥΠΤΙΚΕΣ ΕΝΔΕΙΞΕΙΣ

Ο ΚΑΘΕΝΑΣ που ρίχνει μια ματιά στην Εικόνα 6.1 βλέπει ότι οι προθέσεις των δύο σκύλων δεν είναι οι ίδιες.

Το σκυλί στην αριστερή πλευρά έχει τη στάση που ο Κάρολος Δαρβίνος ονομάζει *στάση επίθεσης*.[1] Πλησιάζει με το κεφάλι ανασηκωμένο, την ουρά του όρθια και άκαμπτη, το τρίχωμα της πλάτης και του λαιμού σηκωμένο. Περπατά στητό, τα αυτιά του είναι τεντωμένα και το βλέμμα του καρφωμένο. «Αυτές οι ενέργειες ... οφείλονται στην πρόθεση του σκύλου να επιτεθεί στον αντίπαλό του και συνεπώς είναι σε μεγάλο βαθμό κατανοητές».[2]

Ωστόσο, όταν ο σκύλος πλησιάζει το αφεντικό του, όλα σχεδόν τα στοιχεία της εμφάνισής του είναι αντίθετα. Αντί να προχωρά στητός, ο σκύλος καμπουριάζει. Η ουρά του είναι χαμηλά και την κουνάει δεξιά και αριστερά. Το τρίχωμά του είναι λείο. Τα αυτιά του είναι πεσμένα και τα χείλη του χαλαρά. Τα μάτια του δεν είναι πια καρφωμένα.

ΕΙΚΟΝΑ 6.1 *Η στάση επίθεσης και η αντίθετή της*
[Πηγή: Δαρβίνος, 1873 (1872), σελ. 52, 53]

Η αρχή των χρήσιμων αλληλένδετων συνηθειών

Ο Δαρβίνος χρησιμοποίησε αυτά τα σκίτσα για να εξηγήσει μερικές αρχές με τις οποίες ερμήνευε την έκφραση του συναισθήματος στον άνθρωπο και στα ζώα. Η πρώτη είναι η *αρχή των χρήσιμων αλληλένδετων συνηθειών*:

> Ορισμένες περίπλοκες ενέργειες χρησιμεύουν άμεσα ή έμμεσα σε κάποιες συγκεκριμένες ψυχικές διαθέσεις, στην ανακούφιση ή την ικανοποίηση κάποιων αισθήσεων, επιθυμιών κτλ., και κάθε φορά που εμφανίζεται, έστω και αδιόρατα, η ίδια ψυχική διάθεση, έχουμε την τάση, μέσω της δύναμης της συνήθειας και του συνειρμού, να κάνουμε τις ίδιες κινήσεις, παρότι μπορεί τότε να μην έχουν καμία χρησιμότητα.[3]

Αυτή η αρχή θα έπρεπε καλύτερα να λέγεται *αρχή των χρήσιμων αλληλένδετων κινήσεων*, διότι δεν ισχύει μόνο για τις καθ' έξιν συμπεριφορές, αλλά και για εκείνες που κυβερνώνται από το ένστικτο ή από τα εγγενή νευρικά κυκλώματα.

Παρατηρήστε τον τρόπο που η στάση του σκύλου στην αριστερή πλευρά της Εικόνας 6.1 ταιριάζει σε θέση μάχης στην κάθε της λεπτομέρεια. Ακόμα και το ανασηκωμένο τρίχωμα στον λαιμό και στην πλάτη του σκύλου εξυπηρετεί αυτό τον σκοπό, αφού τον κάνει να δείχνει μεγαλύτερος και, κατά συνέπεια, πιο επίφοβος για τον αντίπαλό του. Το κάθε στοιχείο της στάσης του σκύλου βρίσκεται κάτω από τον άμεσο έλεγχο του κεντρικού του νευρικού συστήματος. Για να σηκωθεί το τρίχωμα, τα νευρικά ερεθίσματα πρέπει να ταξιδέψουν από τον εγκέφαλο του σκύλου σε όλη τη σπονδυλική του στήλη και στο δέρμα του λαιμού και της πλάτης, όπου και ενεργοποιούν πολύ μικρούς λείους μυς που περιβάλλουν τον κάθε θύλακο. Το έργο του συντονισμού όλων των ερεθισμάτων που δίνουν τη θέση επίθεσης είναι απερίγραπτα σύνθετο.

Για την επιτέλεση αυτού του έργου, η φύση βασίζεται σε διάφορους μηχανισμούς. Σ' αυτή την περίπτωση, οι αναγκαίοι συντονιστικοί μηχανισμοί στον εγκέφαλο του σκύλου εξελίχθηκαν μέσω της φυσικής επιλογής, όπως και το τρίχωμά του. Η στάση επίθεσης πυροδοτείται αστραπιαία από τα συναισθήματα που βιώνονται τη στιγμή της μάχης. Ένας σκύλος που θα έπρεπε να πάρει αυτή τη στάση μέσω εκούσιου συντονισμού των σχετικών μυϊκών ομάδων δεν θα είχε ούτε τα πιο στοιχειώδη εφόδια για να αντιμετωπίσει ξαφνικές απειλές.

Λόγω του φυσικού πλεονεκτήματος που είναι εγγενές στους ενστικτώδεις και τους καθ' έξιν (ακούσιους) τύπους απόκρισης, ο Δαρβίνος συμπέρανε ότι αυτοί οι τύποι μπορούν να συνδεθούν με συγκεκριμένες ψυχικές διαθέσεις.[4] Με άλλα λόγια, ότι πρέπει να είναι αξιόπιστα σήματα των ψυχικών διαθέσεων που τους προκαλούν. Ο Δαρβίνος δεν είχε φυσικά υπόψη του την αρχή της προέλευσης του Tinbergen (βλέπε Κεφάλαιο Πέντε) την εποχή που έγραφε για τη στάση επίθεσης των σκυλιών. Είναι όμως προφανές ότι η αρχή των χρήσιμων αλληλένδετων συνηθειών εναρμονίζεται με την αρχή του Tinbergen, εφόσον δεν θεωρεί ότι η στάση του σκύλου προέκυψε εξαιτίας του ρόλου της ως σήματος πρόθεσης.

Η αρχή της αντίθεσης

Μια δεύτερη αρχή που απεικονίζεται στην Εικόνα 6.1 είναι η *αρχή της αντίθεσης* του Δαρβίνου:

> Κάποιες ψυχικές διαθέσεις οδηγούν ... σε ... κινήσεις που είχαν αρχικά, ή ίσως έχουν ακόμα, κάποια χρησιμότητα· και ... όταν εμφανίζεται η ακριβώς αντίθετη ψυχική διάθεση, υπάρχει μια ισχυρή ακούσια τάση να γίνουν οι ακριβώς αντίθετες κινήσεις, παρότι αυτές ποτέ δεν χρησίμευσαν σε τίποτα.[5]

Η κάθε λεπτομέρεια στη δεξιά πλευρά της Εικόνας 6.1, για παράδειγμα, έρχεται σε έντονη αντίθεση με την αντίστοιχη λεπτομέρεια στη στάση επίθεσης, παρότι, όπως το λέει ο Δαρβίνος, «καμία από αυτές, που τόσο καθαρά εκφράζουν την αγάπη, δεν έχει την παραμικρή άμεση χρησιμότητα για το ζώο».[6]

Ο Δαρβίνος απέρριψε την άποψη ότι οι αντίθετες κινήσεις μπορεί να προήλθαν από κάποια εσκεμμένη προσπάθεια να μεταδοθούν αντίθετες ψυχικές διαθέσεις. Υποστήριξε ότι προήλθαν μάλλον από το γεγονός ότι οι αντίθετες προθέσεις συνδέονται πολύ συχνά στην πράξη με αντίθετες ενέργειες. Όταν θέλουμε ένα αντικείμενο να μετακινηθεί αριστερά, το σπρώχνουμε προς τα αριστερά· όταν το θέλουμε δεξιά, το σπρώχνουμε δεξιά. Συχνά κάνουμε τις ίδιες αυτές κινήσεις ακόμα και σε συνθήκες όπου γνωρίζουμε ότι δεν θα έχουμε αποτέλεσμα. Ο Δαρβίνος περιγράφει τις γνωστές χειρονομίες του παίκτη που πρωτοπαίζει μπιλιάρδο και θα ήθελε η άτυχη μπαλιά του να πάρει κλίση προς μια άλλη κατεύθυνση: «Όταν βλέπει την μπάλα του να οδεύει προς τη λάθος κατεύθυνση, ενώ αυτός θέλει διακαώς να τη δει προς μια άλλη κατεύθυνση, δεν μπορεί να αποφύγει ... να κάνει κάποιες ασυνείδητες κινήσεις που σε άλλες περιπτώσεις τις είχε βρει αποτελεσματικές».[7]

Επειδή οι αντίθετες ομάδες μυών συνδέονται πολύ συχνά με α-ντίθετους σκοπούς, ο Δαρβίνος πίστευε ότι υπήρχε μια φυσική ροπή οι αντίθετες ψυχικές διαθέσεις να προκαλούν αντίθετες μυϊκές κινήσεις. Φαίνεται ότι ήξερε καλά ότι, αφ' ης στιγμής ένα σύμπλεγμα κινήσεων ξεκινούσε από την αρχή της αντίθεσης, η φυσική επιλογή μπορεί να ε-νέτεινε τη χρησιμότητά του ως σήματος πρόθεσης. Αλλά κατάλαβε ότι ο σηματοδοτικός ρόλος δεν ήταν απαραίτητος για την ανάδειξή τους. Η αρχή της αντίθεσης, όπως και η αρχή των χρήσιμων αλληλένδετων συνηθειών, είναι λοιπόν απολύτως συνεπής με την αρχή της προέλευσης του Tinbergen. Όπως λέει και ο Tinbergen, ο σηματοδοτικός ρόλος των αντιθετικών κινήσεων δεν ευθύνεται για την ανάδειξή τους.

Η αρχή της άμεσης δράσης του νευρικού συστήματος

Η τρίτη και τελευταία αρχή του Δαρβίνου για την έκφραση του συναισθήματος ήταν η αρχή της άμεσης δράσης του νευρικού συστήματος:

Όταν το sensorium [η κοινή έδρα των αισθήσεων] διεγείρεται έντονα, παράγεται υπερβολική νευρική δύναμη και μεταδίδεται σε συγκεκριμένες κατευθύνσεις που εξαρτώνται από τη σύνδεση των νευρικών κυττάρων και, όσον αφορά στο μυϊκό σύστημα, από τη φύση των καθ' έξιν κινήσεων.[8]

Με τη σημερινή ορολογία, η υπερβολική νευρική δύναμη θα λεγόταν κατάσταση υπερδιέγερσης. Μια συνηθισμένη εκδήλωση είναι το ανεξέλεγκτο τρέμουλο των μυών. Ο Δαρβίνος κατάλαβε ότι, εφόσον αυτό το τρέμουλο δεν έχει πραγματική χρησιμότητα, και συχνά μάλιστα είναι και επικίνδυνο, δεν μπορούσε να ερμηνευθεί με την αρχή του για τις χρήσιμες αλληλένδετες συνήθειες.

Βεβαίως, επειδή ήταν διερευνητικό άτομο, δεν μπορούσε να πιστέψει ότι η υπερβολική νευρική δύναμη δεν είχε καμία εξήγηση. Επειδή οι πιέσεις που αντιμετωπίζει το άτομο είναι πολύ διαφορετικές, το ίδιο είναι και οι ανάγκες του για ενέργεια. Μερικές φορές υπάρχει άμεσος κίνδυνος κι άλλες φορές απόλυτη ασφάλεια. Η ενέργεια είναι ένα σπάνιο αγαθό και οι επιτυχέστεροι οργανισμοί είναι εκείνοι που την επιστρατεύουν όταν είναι πιθανόν να τους χρησιμεύσει ιδιαίτερα. Ο μηχανισμός της διέγερσης, που ρυθμίζει την ετοιμότητα του ατόμου για δράση, εξελίχθηκε κάτω από τις πιέσεις της έλλειψης ενέργειας. Χρησιμοποιώντας τις αισθητηριακές πληροφορίες, το άτομο αξιολογεί κάθε κατάσταση ανάλογα με τους στόχους του. Με βάση αυτή την αξιολόγηση, ο μηχανισμός της διέγερσης κάθε ατόμου εστιάζει την προσοχή του και ρυθμίζει την αποδέσμευση ενέργειας που χρειάζεται σε κάθε περίσταση.

Όταν απειλείται σοβαρά η ζωή του, για παράδειγμα, γεννιέται το συναίσθημα του έντονου φόβου. Ο φόβος, με τη σειρά του, ερεθίζει το αυτόνομο νευρικό σύστημα, το οποίο ενεργοποιεί τους λείους ή ακούσιους μυς και τα όργανα, πυροδοτώντας την άνοδο της αδρεναλίνης, του καρδιακού παλμού, της πίεσης, του σακχάρου και μια σειρά από άλλες αλλαγές που σήμερα ονομάζουμε αντίδραση «πάλη ή φυγή». Κάποιος που παλεύει ή το σκάει για να σώσει τη ζωή του δεν έχει λόγο να εξοικονομεί ενέργεια.

Κι όμως, υπάρχουν πολλές περιπτώσεις όπου η καλύτερη απόκριση σε κάποιο ερέθισμα τρόμου δεν είναι ούτε η πάλη ούτε η φυγή. Σ' αυτές τις περιπτώσεις, τα αποθέματα ενέργειας κινητοποιούνται πλήρως χωρίς να έχουν να πάνε πουθενά. Ο Δαρβίνος κατάλαβε ότι τότε το φυσικό αποτέλεσμα είναι να διοχετευτεί η υπερβολική νευρική ενέργεια στα συνήθη κανάλια, με αποτέλεσμα το τρέμουλο του φοβισμένου ανθρώπου.

Ένα σημαντικό γνώρισμα αυτής της εκδοχής είναι ότι η υπερβολική νευρική δύναμη δεν διοχετεύεται τυχαία, αλλά εκφορτίζεται κατά προτίμηση στις νευρικές διόδους που δεν ελέγχονται από τη θέληση. Σήμερα βεβαίως γνωρίζουμε ότι μάλλον δεν υπάρχουν νευρικές διόδοι που να μην υπόκεινται, τουλάχιστον εν μέρει, σε συνειδητή χειραγώγηση. Για παράδειγμα, ο ολοκληρωμένος γιόγκι μπορεί να ρυθμίσει τη θερμοκρασία του σώματός του, τον σφυγμό του, την πίεσή του και άλλες μεταβολικές διαδικασίες που για τους περισσότερους ανθρώπους είναι ανεξέλεγκτες. Με κάποια προσπάθεια, ακόμα και οι μη εκπαιδευμένοι άνθρωποι μπορούν να καταστείλουν βαθύτατα ριζωμένες κινήσεις και ενέργειες. Υπάρχει ωστόσο μια ξεκάθαρη ιεραρχία μεταξύ των διόδων του νευρικού συστήματος, ανάλογα με το πόσο εύκολα επιδέχεται η καθεμιά τον συνειδητό έλεγχο. Στη δαρβινική εκδοχή ο ερεθισμός εκδηλώνεται πρωταρχικά και πιο ελεύθερα μέσα από διόδους που υπόκεινται λιγότερο στον συνειδητό έλεγχο.

Επειδή ο ερεθισμός τείνει να εκδηλώνεται μέσα απ' αυτές τις διόδους, τα συνακόλουθα συμπτώματα αποκαλύπτουν στατιστικά αξιόπιστες πληροφορίες για τις υποκείμενες συναισθηματικές καταστάσεις. Στον βαθμό που δεν υπάρχουν πραγματικά ακούσιες νευρικές δίοδοι, η σύνδεση μεταξύ συμπτωμάτων και ψυχικών καταστάσεων δεν είναι τέλεια. Τα συμπτώματα όμως δεν παύουν να είναι διαφωτιστικά, από πιθανολογική τουλάχιστον σκοπιά.

Προσέξτε ότι, σύμφωνα με την τρίτη αρχή του Δαρβίνου, η σχέση μεταξύ του συναισθήματος και των συμπτωμάτων του είναι και πάλι εντελώς τυχαία. Όπως και στις δύο πρώτες αρχές του, η αρχή της άμεσης δράσης του νευρικού συστήματος απολήγει σε εκφράσεις συναισθήματος που υπάρχουν ανεξάρτητα από την ικανότητά τους να μεταδώσουν πληροφορίες στους απ' έξω. Δηλαδή, όπως και οι δύο πρώτες αρχές του, έτσι και η τρίτη συμφωνεί με την αρχή της προέλευσης του Tinbergen. Κατά συνέπεια, οι τρεις αρχές του Δαρβίνου μας παρέχουν την εξήγηση που χρειαζόμαστε (βλέπε Κεφάλαιο Πέντε) για το πώς τα ορατά συμπτώματα των συναισθημάτων μπορεί να γεννήθηκαν ανεξάρτητα από την τελική τους χρησιμότητα ως σημάτων πρόθεσης.

Προτού εξετάσουμε λεπτομερώς συγκεκριμένα συναισθήματα, θα ήταν χρήσιμο να επανεξετάσουμε τον κύριο άξονα των επιχειρημάτων μας μέχρι στιγμής. Το βασικό μας θέμα, και πάλι, είναι γιατί οι άνθρωποι συμπεριφέρονται συχνά με τρόπους καταφανώς αντίθετους προς το υλικό τους συμφέρον. Για ποιο λόγο, για παράδειγμα, μπορεί η προοπτική της ενοχής να αποτρέψει κάποιους να εξαπατήσουν, ε- νώ είναι βέβαιο ότι η απάτη τους δεν θα αποκαλυφθεί;

Το μοντέλο της δέσμευσης διατείνεται ότι οι συναισθηματικές προδιαθέσεις συγκεκριμένης συμπεριφοράς μπορούν να βοηθήσουν στην επίλυση του διλήμματος του φυλακισμένου, στα προβλήματα των διαπραγματεύσεων και διάφορα άλλα ζητήματα δέσμευσης. Για να μπορέσουν τα συναισθήματα να εξυπηρετήσουν αυτό τον σκοπό, οι απ' έξω πρέπει να είναι ικανοί να διακρίνουν την ύπαρξή τους. Η αρχή της προέλευσης του Tinbergen διατείνεται ότι οι ορατές σωματικές ενδεί- ξεις μάλλον δεν γεννήθηκαν εξαιτίας του ρόλου τους ως ενδείξεων. Συ- νεπώς η αρχή της προέλευσης διατείνεται ότι η αρχική χρησιμότητα των συναισθημάτων δεν πρέπει να εξαρτιόταν από τα σωματικά τους συμπτώματα. Είτε υπήρχαν κάποιοι άλλοι τρόποι με τους οποίους οι απ' έξω τα αναγνώριζαν είτε εξυπηρετούσαν κάποιον άλλο σκοπό.

Είδαμε στο Κεφάλαιο Τέσσερα ότι τα συναισθήματα μπορεί πράγματι να εξυπηρετούν κάποιον άλλο σκοπό. Οι ψυχολογικές αμοι- βές διανέμονται σύμφωνα με τον νόμο της ισοτιμίας, ο οποίος συχνά ευνοεί συμπεριφορές που συγκρούονται με το μακροπρόθεσμο ατομι- κό συμφέρον. Όταν το άτομο ξέρει ότι η πιθανότητα να πιαστεί είναι μεγάλη, αντιλαμβάνεται ότι δεν είναι συνετό να εξαπατήσει, κι ωστό- σο μπορεί να εξαπατήσει επειδή τα κέρδη είναι τωρινά ενώ το κόστος θα έρθει πολύ αργότερα. Επίσης είδαμε πώς η ενοχή και άλλα συναι- σθήματα μπορούν να μετριάσουν αυτό το πρόβλημα της χρονικής στιγ- μής, μετατρέποντας το μελλοντικό κόστος ή όφελος σε σημερινό. Δη- λαδή είδαμε ότι τα ηθικά αισθήματα μπορεί αρχικά να είχαν (και ί- σως έχουν ακόμα) κάποια χρησιμότητα σε θέματα ελέγχου της πα- ρόρμησης.

Εάν συμβαίνει κάτι τέτοιο, τότε υπάρχει μια λογική βάση για να αναγνωρίζουμε την ύπαρξη συναισθηματικών προδιαθέσεων, ανεξαρ- τήτως της όποιας σωματικής ένδειξης τις συνοδεύει. Το απλό γεγονός ότι κάποιος συνεχώς συμπεριφέρεται συνετά είναι ένα σήμα για τους απ' έξω ότι είναι κάτι περισσότερο από ένα συνετό άτομο.

Έχοντας κατά νου αυτή την περίληψη της καταγωγής των συ- ναισθημάτων και της έκφρασής τους, ας περάσουμε τώρα στη λεπτο- μερειακή εξέταση των ίδιων των εκφραστικών μέσων.

Εκφράσεις του προσώπου

Οι μύες του προσώπου υπόκεινται, σε διαφορετικό βαθμό ο καθένας, σε εκούσιο έλεγχο. Οι μελέτες επί ασθενών με κάποια εγκεφαλική βλάβη δείχνουν ότι ο εκούσιος και ο ακούσιος έλεγχος των μυών του προσώπου συχνά ξεκινά από διαφορετικά μέρη του εγκεφάλου. Οι άνθρωποι που έχουν υποστεί κάποια βλάβη στα πυραμοειδή νευρικά συστήματα, για παράδειγμα, δεν μπορούν να γελάσουν κατ' εντολήν, όπως κάνουν οι κανονικοί άνθρωποι, κι ωστόσο γελούν κανονικά όταν κάτι τους διασκεδάζει. Ο τραυματισμός σε κάποια άλλα συγκεκριμένα μέρη του εγκεφάλου έχει το ακριβώς αντίθετο αποτέλεσμα: Οι ασθενείς μπορούν να γελούν εκούσια, αλλά δεν έχουν καμία αντίδραση όταν νιώθουν κέφι.[9] Επειδή πολλοί από τους μυς του προσώπου δεν υπόκεινται σε εκούσιο έλεγχο και επειδή το πρόσωπο είναι σαφώς ορατό, οι εκφράσεις του προσώπου είναι ένας εξαιρετικά σημαντικός φορέας της συναισθηματικής έκφρασης.

Οι εκφράσεις του προσώπου που χαρακτηρίζουν συγκεκριμένα συναισθήματα είναι αναγνωρίσιμες σε όλους σχεδόν τους πολιτισμούς. Ο κατάλογος των παγκοσμίως αναγνωρίσιμων εκφράσεων περιλαμβάνει την έκφραση του θυμού, του φόβου, της ενοχής, της έκπληξης, της αηδίας, της περιφρόνησης, της στενοχώριας, της θλίψης, της ευτυχίας και σίγουρα και αρκετές άλλες. Όπως έχουμε ήδη πει, η προσποίηση ότι αισθανόμαστε κάποια συναισθήματα, ενώ δεν τα αισθανόμαστε, έχει πλεονεκτήματα. Εάν όλοι οι μύες του προσώπου επιδέχονταν πλήρη συνειδητό έλεγχο, η ικανότητα των εκφράσεων του προσώπου να αποκαλύπτουν συναισθηματικές πληροφορίες θα ήταν ανύπαρκτη. Και ωστόσο οι άνθρωποι απανταχού Γης πιστεύουν ότι οι εκφράσεις του προσώπου έχουν αυτήν ακριβώς την ικανότητα.

Στο βιβλίο του *Telling Lies* (1985), ο ψυχολόγος Paul Ekman συνοψίζει τα συμπεράσματα που έβγαλαν ο ίδιος και οι συνάδελφοί του μετά από έρευνες σχεδόν τριών δεκαετιών για τα σωματικά συμπτώματα του συναισθήματος. Ο Ekman τονίζει ότι το κλειδί για να καταλάβουμε την αυθεντικότητα μιας έκφρασης του προσώπου είναι να επικεντρωθούμε στους μυς που υπόκεινται λιγότερο στον συνειδητό έλεγχο. Για προφανείς λόγους, αποκαλεί αυτούς τους μυς *αξιόπιστους μυς* του προσώπου. Σύμφωνα με την ανάλυσή μας στο Κεφά-

λαιο Πέντε, οι αξιόπιστοι μύες του προσώπου παράγουν σήματα συ-
ναισθήματος των οποίων η απομίμηση είναι δαπανηρή (δύσκολη).

Η Εικόνα 6.2 παρουσιάζει τις σημαντικότερες ομάδες μυών που
ελέγχουν τις εκφράσεις του προσώπου. Ζητώντας από όσους συμμετέ-
χουν στο πείραμα να κάνουν εκούσιες κινήσεις με συγκεκριμένους μυς
του προσώπου, μπορούμε να μάθουμε ποιες ομάδες μυών είναι πολύ
δύσκολο να ελέγξουμε. Κάποιες πλευρές των επόμενων τριών ομάδων
αποδεικνύονται ιδιαίτερα δύσκολες: ο τετράγωνος ανελκτήρ του γε-
νείου (μυς του πιγουνιού), ο πυραμοειδής μυς της ρινός (μυς της κο-
ρυφής της μύτης), ο μετωπιαίος και ο επισκύνιος (πτυχωτής).

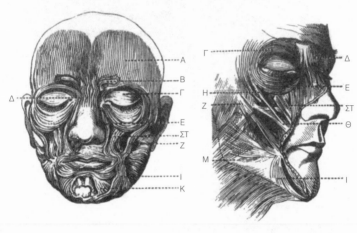

A. Μετωπιαίος μυς
B. Επισκύνιος μυς (πτυχωτής)
Γ. Ανελκτήρας του βλεφάρου
Δ. Πυραμοειδής μυς της ρινός
E. Ανελκτήρας του πτερύγιου της ρινός
ΣΤ. Ανελκτήρας της γωνίας των χειλέων
Z. Ζυγωματικός μείζων

H. Παρειακός μυς (βυκανητής)
Θ. Ζυγωματικός ελάσσων
I. Καθελκτήρας του γενείου
K. Τετράγωνος ανελκτήρας του γενείου
Λ. Γελαστήριος μυς (τμήμα του μυώδους
    πλατύσματος)

ΕΙΚΟΝΑ 6.2 *Οι σημαντικότερες ομάδες των μυών του προσώπου*
[Πηγή: Δαρβίνος, 1873 (1872), σελ. 24]

Για παράδειγμα, μόνον ένα 10% των ανθρώπων μπορούν ε-
σκεμμένα να κατεβάσουν τις άκρες των χειλιών τους χωρίς να κουνή-
σουν τους μυς του σαγονιού τους. Κι ωστόσο όλοι μας το κάνουμε αυ-
τόματα όταν νιώθουμε θλίψη ή στενοχώρια.[10]

ΕΙΚΟΝΑ 6.3 *Οι συνήθως αξιόπιστοι μύες: πυραμοειδής, μετωπιαίος*
και επισκύνιος (φωτογραφία του Philippe Halsman)

Στην Εικόνα 6.3 παρατηρήστε τα φρύδια του Γούντυ Άλεν. Παρατηρήστε ειδικά πώς ανασηκώνονται στο κέντρο του μετώπου. Τώρα πηγαίνετε μπροστά στον καθρέφτη σας και προσπαθήστε να μιμηθείτε αυτή την έκφραση. Εάν ανήκετε στο 85% του πληθυσμού, δεν θα μπορέσετε.[11] Η λοξή κλίση των φρυδιών, μαζί με τις ειδικές ρυτίδες στο μέτωπο, ενέχει κινήσεις των πυραμοειδών, του μετωπιαίου και των επισκύνιων που οι περισσότεροι άνθρωποι είναι ανίκανοι να προκαλέσουν εσκεμμένα.

Κι ωστόσο αυτή η ίδια διάταξη παράγεται άμεσα όταν νιώθουμε θλίψη, στενοχώρια ή απελπισία.* Ο Γούντυ Άλεν ανήκει σε μια μι-

---

* Ο Ekman και οι συνάδελφοί του πιστεύουν ότι η ίδια έκφραση συνδέεται επίσης με αισθήματα ενοχής, αν και οι δυσκολίες σχεδιασμού ενός πειράματος για την απόδειξη αυτής της άποψης είναι προφανείς.

ΕΙΚΟΝΑ 6.4 *Φόβος*
[*Πηγή: Δαρβίνος, 1873 (1872), σελ. 299*]

κρή μειοψηφία ανθρώπων που είτε γεννιούνται είτε αργότερα αποκτούν εκούσιο έλεγχο αυτής της έκφρασης.

Η Εικόνα 6.4 δείχνει τη χαρακτηριστική έκφραση του φόβου ή τρόμου. Τα φρύδια είναι ανασηκωμένα και σμιχτά, ένας ακόμα συνδυασμός των πυραμοειδών, επισκύνιων και μετωπιαίων μυών που είναι δύσκολο να ελέγξουμε. Λιγότεροι από 10% των ανθρώπων μπορούν να πάρουν εκούσια αυτή την έκφραση.[12] Το ανασηκωμένο άνω βλέφαρο και το σφιγμένο κάτω βλέφαρο είναι επίσης χαρακτηριστικά της έκφρασης του φόβου. Αλλά επειδή οι μύες των βλεφάρων ελέγχονται σχετικά εύκολα, τα στοιχεία αυτά μπορεί να λείπουν από την έκφραση των ανθρώπων που προσπαθούν να κρύψουν τον φόβο τους.

Στην Εικόνα 6.5 βλέπουμε τις χαρακτηριστικές εκφράσεις του θυμού και της έκπληξης. Οι μύες των φρυδιών και των βλεφάρων που

ΕΙΚΟΝΑ 6.5 *Θυμός και έκπληξη*
[Πηγές: (αριστερά) Leo de Wys, Inc., (δεξιά) αρχείο Bettmann]

συμμετέχουν σ' αυτές τις εκφράσεις ελέγχονται σχετικά εύκολα, οπότε είναι λιγότερο αξιόπιστες ενδείξεις πραγματικών συναισθηματικών καταστάσεων. Μια πιο ακριβής ένδειξη του θυμού, τουλάχιστον στις ελαφρύτερες μορφές του, είναι το ανεπαίσθητο στένεμα των χειλιών. Ο Ekman το περιγράφει με τον ακόλουθο τρόπο:

> Η περιοχή του κόκκινου γίνεται λιγότερο ορατή, χωρίς τα χείλη να ρουφιούνται ή να σφίγγονται υποχρεωτικά. Για τους περισσότερους ανθρώπους αυτή η μυϊκή κίνηση είναι πολύ δύσκολη και έχω παρατηρήσει ότι συχνά εμφανίζεται όταν κάποιος αρχίζει να θυμώνει, και μάλιστα προτού συνειδητοποιήσει το αίσθημα αυτό.[13]

Για τον Δαρβίνο η έκφραση με το ανοικτό στόμα, που συνοδεύει συνήθως την έκπληξη ή τον φόβο, εξηγείται εν μέρει από το γεγονός ότι η αναπνοή γίνεται πολύ πιο αθόρυβα από το στόμα παρά από τη μύτη. Η αθόρυβη αναπνοή διευκολύνει την ακοή και την αποφυγή της ανακάλυψης και, κατά συνέπεια, είναι σαφώς μια «χρήσιμη αλληλένδετη συνήθεια» για το άτομο που κινδυνεύει.

Μικροεκφράσεις

Ακόμα κι όταν μια έκφραση του προσώπου οφείλεται σε μυς που είναι σχετικά εύκολο να ελεγχθούν, ο έλεγχος αυτός μπορεί να απαιτεί χρόνο. Συνεπώς μερικές από τις πιο αξιόπιστες ενδείξεις του συναισθήματος προέρχονται από τη λεγόμενη *μικροέκφραση*. Αυτή είναι μια ολοκληρωμένη έκφραση του προσώπου, που αποκαλύπτει σωστά το υποκείμενο συναίσθημα, αλλά μονάχα για μια φευγαλέα στιγμή. Με το που εμφανίζεται, εξαφανίζεται και αντικαθίσταται από κάποια άλλη που συμφωνεί περισσότερο με το συναίσθημα που το άτομο ε- πιθυμεί να δείξει. Οι μικροεκφράσεις ή κάποια από τα στοιχεία τους δεν εμφανίζονται υποχρεωτικά όταν κάποιος προσπαθεί να κρύψει κάποιο συναίσθημα. Όταν όμως εμφανίζονται, είναι εξαιρετικά αξιόπιστες.

Τα μάτια

Η λαϊκή παράδοση δίνει μεγάλη έμφαση στο βλέμμα ως ένδειξη του πώς αισθάνεται κάποιος. Οι φευγαλέες ματιές ή η δυσκολία να κοιτάξεις τον άλλο κατάματα γενικά θεωρούνται ενδείξεις ενοχής. Όπως αναφέρει ο Δαρβίνος:

> Οι άνθρωποι με τους οποίους αλληλογραφώ απαντούν σχεδόν όλοι θετικά στην ερώτησή μου κατά πόσο η έκφραση της ενοχής ή της απάτης είναι αναγνωρίσιμη στις διάφορες ανθρώπινες φυλές· και εμπιστεύομαι τις απαντήσεις τους, αφού γενικά αρνούνται ότι η ζήλια μπορεί να α- ναγνωριστεί κατ' αυτό τον τρόπο. Στις περιπτώσεις που μου αναφέρουν λεπτομέρειες, πάντοτε γίνεται αναφορά στα μάτια. Λένε ότι ο ένοχος α- ποφεύγει να κοιτάξει τον κατήγορό του ή να του ρίξει έστω και φευγα- λέες ματιές. Λένε ότι τα μάτια «κοιτάζουν λοξά» ή «πηγαίνουν πέρα δώθε», ή ότι «τα βλέφαρα είναι χαμηλωμένα ή μισόκλειστα...»[14]

Ο Ekman επικρίνει την ερμηνεία του Δαρβίνου, θεωρώντας ό- τι οι κινήσεις των ματιών είναι από αυτές που ελέγχονται εύκολα. Πα- ραθέτει αρκετά παραδείγματα πασίγνωστων ψευτών που δεν δυσκο- λεύονταν να διατηρήσουν το βλέμμα τους σταθερό, ακόμα κι όταν διέπρατταν την πιο ύπουλη απάτη.[15] Όπως σημειώσαμε και στο Κεφάλαιο Ένα, λέγεται ότι ο Αδόλφος Χίτλερ ήταν μια τέτοια περίπτωση.

Εάν αυτό που θέλει να πει είναι ότι το σταθερό βλέμμα δεν αποτελεί απόλυτη ένδειξη αξιοπιστίας, τότε σίγουρα έχει δίκιο. Το ίδιο όμως μπορεί να ειπωθεί και για όλες τις άλλες ενδείξεις του συναισθήματος. Καμία δεν είναι τέλεια. Έχει αποδειχθεί έγκυρα ότι τα βλέμματα έχουν μια φυσική τάση να πηδάνε γρήγορα από το ένα σημείο στο άλλο σε περιπτώσεις μεγάλης διέγερσης. Οι γρήγορες κινήσεις του ματιού προσφέρονται σ' αυτή την κατάσταση, επειδή μας βοηθούν να αντιληφθούμε ξαφνικές αλλαγές σ' ολόκληρο το οπτικό μας πεδίο. Ακόμα κι αν τα μάτια υπόκεινται σε ενσυνείδητο έλεγχο, δεν παύουν να είναι ένα ακόμα στοιχείο στον κατάλογο των πραγμάτων τα οποία πρέπει να κάνουν τον επίδοξο απατεώνα να ανησυχεί.

Άλλα συμπτώματα υπερδιέγερσης

Πέρα από τις εκφράσεις του προσώπου, υπάρχουν και άλλα σωματικά συμπτώματα που είναι εξίσου χρήσιμα για την αποκάλυψη αλλαγών λόγω διέγερσης. Και πάλι, ως προς τα μάτια, η υπερδιέγερση έχει σαφώς αποδειχθεί ότι προκαλεί διαστολή της κόρης, κάτι που είναι εξαιρετικά δύσκολο να γίνει συνειδητά. Συνδέεται επίσης με τη συχνότητα που ανοιγοκλείνουν τα βλέφαρα, που κι αυτή υπόκειται σε ατελή έλεγχο.

Η υπερδιέγερση συνδέεται επίσης με το σύμπτωμα που είναι γνωστό ως «φωτεινότητα» των ματιών. Ο Δαρβίνος αναφέρει αυτό το σύμπτωμα ως μία ακόμα ένδειξη της ενοχής και περιγράφει ένα περιστατικό με κάποιο από τα παιδιά του:

> Κάποια φορά η έκφραση αυτή ήταν σαφέστατη σ' ένα παιδάκι δύο ετών και εφτά μηνών και οδήγησε στην αποκάλυψη του μικρού του αδικήματος. Αποκαλύφθηκε, όπως βλέπω στις σημειώσεις μου, από μια αφύσικη φωτεινότητα των ματιών και από έναν παράξενο, επιτηδευμένο τρόπο που είναι αδύνατον να περιγράψω.[16]

Ένα άλλο σημάδι ενοχής που αναφέρεται συχνά είναι το κοκκίνισμα του προσώπου. Φαίνεται ότι προκαλείται από μια αίσθηση εξαιρετικής συστολής και, κατά συνέπεια, είναι στενά συνδεδεμένο με την αμηχανία και την ντροπή. Γνωρίζουμε ότι το κοκκίνισμα προκαλείται όταν τα τριχοειδή αγγεία του προσώπου και του λαιμού ξαφνικά διαστέλλονται και ότι οι γυναίκες κοκκινίζουν πιο συχνά από τους άντρες. Εντούτοις ο πραγματικός μηχανισμός που πυροδοτεί αυτή την απόκριση δεν είναι πλήρως κατανοητός.

Η περιγραφή του Δαρβίνου για το κοκκίνισμα ξεκινά με την παρατήρηση ότι η προσοχή ενός συνεσταλμένου ανθρώπου είναι φυσικό να εστιάζεται στο πρόσωπό του. Μετά περιγράφει τη σχέση μεταξύ προσοχής και αίσθησης, αναφέροντας παραδείγματα όπου ένας οξύς νέος πόνος εξαλείφει έναν ήδη υπάρχοντα και μικρότερο, και εξηγώντας πώς οποιαδήποτε αίσθηση μπορεί να αμβλυνθεί από τη συγκέντρωση του μυαλού σε κάτι άλλο. Επειδή τα διάφορα νεύρα που ερεθίζουν κάποιο συγκεκριμένο σημείο του σώματος βρίσκονται δίπλα δίπλα στον εγκέφαλο, θεωρεί ότι η εστίαση της προσοχής σε κάποιο μέρος του σώματος μπορεί συμπαθητικά να διεγείρει τα νεύρα που ελέγχουν την αγγειοδιαστολή και άλλες αυτόνομες διαδικασίες στο ίδιο μέρος του σώματος.

Ο Δαρβίνος γνώριζε την αντίληψη ότι οι ενδείξεις ενοχής συγκρατούν τους ανθρώπους από την απάτη. Αναφέρει τον συνεργάτη του, τον δρ Burgess, «που πίστευε ότι το κοκκίνισμα δόθηκε από τον Δημιουργό "ώστε η ψυχή να έχει την απόλυτη εξουσία να εκθέτει στα μάγουλα τα διάφορα βαθύτερα συναισθήματα των ηθικών αισθημάτων" και να λειτουργεί ως χαλινός για εμάς και ως σήμα για τους άλλους όταν παραβιάζουμε νόμους που θα έπρεπε να είναι ιεροί».[17] Ο Δαρβίνος ήξερε επίσης ότι η ατομιστική έμφαση του μηχανισμού της φυσικής επιλογής έδειχνε να ευνοεί την απάτη και άλλες μορφές οπορτουνιστικής συμπεριφοράς. Ωστόσο η διάσταση μεταξύ των στόχων του Δημιουργού και των στόχων της φυσικής επιλογής ήταν ένα θέμα που δεν τον απασχόλησε καθόλου στο *Η έκφραση του συναισθήματος στον άνθρωπο και τα ζώα*.*

---

* Στην *Καταγωγή του ανθρώπου* (1871, Κεφάλαια 4 και 5), διατύπωσε μια πρώτη εκδοχή για το πώς η συνείδηση και τα άλλα ηθικά αισθήματα μπορεί να γεννήθηκαν από μια γενική έννοια της συμπόνιας. Υποστήριξε ότι η συμπόνια ήταν χρήσιμη επειδή έκανε τα άτομα πιο ικανά να λειτουργήσουν σε ομάδες. Στην αυτοβιογρα-

Όποια κι αν είναι η προέλευση συναισθημάτων όπως η ενοχή, και όποιος κι αν είναι ο μηχανισμός που κάνει τους ανθρώπους να κοκκινίζουν, ξέρουμε ότι το κοκκίνισμα είναι μία από τις πιο δύσκολα ελέγξιμες εκφράσεις του προσώπου. Μάλιστα οι συνειδητές προσπάθειες να το ελέγξουμε είναι πιθανότερο να το εντείνουν παρά να το ανακόψουν. Η αυξημένη εφίδρωση είναι ένα ακόμα σύμπτωμα υπερδιέγερσης που είναι δύσκολο να εμποδίσουμε. Η υπερβολική έκκριση ιδρώτα μειώνει τη γαλβανική αντίσταση του δέρματος, κι αυτό είναι ένα α- πό τα βασικά κριτήρια διέγερσης που καταγράφεται από τα μηχανήματα ελέγχου της αλήθειας. Εντούτοις δεν χρειάζονται πάντα τα ειδικά μηχανήματα ελέγχου. Όσοι παρακολούθησαν την τηλεοπτική ομιλία του προέδρου Νίξον λίγο πριν από την κορύφωση του σκανδάλου Γουότεργκεϊτ δεν θα ξεχάσουν ποτέ τη μεγάλη σταγόνα ιδρώτα που κρεμόταν εν είδει κατηγορίας από την άκρη της μύτης του πριν βυθιστεί στις σελίδες του έτοιμου λόγου του.

Οι καταστάσεις υπερδιέγερσης συνδέονται επίσης με ελάττωση της έκκρισης σιέλου. Συνεπώς το άτομο που καταπίνει συχνά και έχει πρόβλημα στην εκφορά έντονων συμφώνων προδίδει κάποια εσωτερική ταραχή. Γνωρίζουμε επίσης ότι κάποιος που έχει μειωμένη έκκριση σιέλου δυσκολεύεται να σφυρίξει. Κατά συνέπεια, ένα άτομο που σφυρίζει ελεύθερα δείχνει ότι δεν νιώθει υπερβολική νευρικότητα. Σε ένα πρόσφατο μυθιστόρημα του MacDonald,[18] ο γενναίος Τράβις ΜακΓκύ χρησιμοποίησε έξυπνα αυτό το στοιχείο. Μεταμφιεσμένος σε διανομέα κάποιου πολυκαταστήματος, είχε αναλάβει να πιάσει έναν επικίνδυνο δολοφόνο. Καθώς πλησίαζε το σπίτι όπου κρυβόταν ο φυγάς, ο ΜακΓκύ άρχισε να σφυρίζει για να τον κάνει να νιώσει ά- νετα. Ο ΜακΓκύ βεβαίως ήταν νευρικός, αλλά παρήγαγε το σάλιο που χρειαζόταν δαγκώνοντας το εσωτερικό του χείλους του.

Η ξηροστομία, σε κάποιες αρχαίες κοινωνίες, χρησιμοποιούνταν

φία του ωστόσο, ο Δαρβίνος δεν περιέγραψε τον ανθρωπισμό σαν κληρονομικό γνώ- ρισμα, αλλά σαν κάτι που μαθαίνεται: «Μπορώ να πω υπέρ μου ότι ήμουνα ένα εύ- σπλαχνο αγόρι, αλλά αυτό το χρωστούσα αποκλειστικά στις αδελφές μου, στην καθο- δήγηση και το παράδειγμά τους. Πράγματι, αμφιβάλλω εάν η ανθρωπιά είναι μία φυ- σική ή έμφυτη κλίση» (1882/1983, σελ. 11). Εάν αυτό το απόσπασμα εκπροσωπεί την τε- λευταία του θέση πάνω σ' αυτό το ζήτημα, μοιάζει να συμπέρανε ότι απαιτείται πολιτι- σμική διαπαιδαγώγηση για να υπερκερασθούν οι κληροδοτημένες εγωιστικές τάσεις.

σαν πρωτόγονη μορφή του τεστ αληθείας. Έβαζαν ρύζι στο στόμα του υπόπτου και, εάν, όταν το έφτυνε, ήταν στεγνό, συμπέραιναν ότι έλεγε ψέματα.

Η φωνή

Μια άλλη αξιόπιστη ένδειξη υπερδιέγερσης είναι ο υψηλός τόνος της φωνής. Σε σχεδόν 70% των ατόμων που πήραν μέρος σε πειράματα, ο τόνος ανέβαινε όταν το άτομο ήταν ταραγμένο.[19] Για παράδειγμα, ο τόνος της φωνής ανεβαίνει όταν κάποιος λέει ψέματα. Ωστόσο δεν είναι βέβαιο εάν αυτή η απόκριση είναι σύμπτωμα της ίδιας της ενοχής. Γενικά μοιάζει να σηματοδοτεί φόβο ή θυμό και, κατά συνέπεια, στον ψεύτη ίσως αντιστοιχεί στον φόβο της αποκάλυψης του ψέματος. Υπάρχουν επίσης αποδείξεις ότι η διακύμανση της φωνής μεγαλώνει με τον θυμό και τον φόβο, ενώ πέφτει με τη θλίψη, και ότι ο τόνος της φωνής επίσης κατεβαίνει με τη θλίψη. Οι πρόσφατες τεχνολογικές εξελίξεις στον ποσοτικό προσδιορισμό συγκεκριμένων στοιχείων της έντασης και της χροιάς της φωνής υπόσχονται να ρίξουν νέο φως στο εάν κάθε ξεχωριστό συναίσθημα έχει και το δικό του χαρακτηριστικό αποτύπωμα.[20]

Οι επίδοξοι απατεώνες ορισμένες φορές ξεσκεπάζονται από τις παύσεις και τα λάθη της ομιλίας τους. Αυτά φυσικά αποτελούν συστατικό μέρος της ομιλίας κάθε ανθρώπου, αλλά η διάρκειά τους και η χρονική στιγμή που εκδηλώνονται διαφέρουν στα έντρομα άτομα. Για να υπάρχει η δυνατότητα σωστής ερμηνείας τέτοιων ενδείξεων, ο παρατηρητής πρέπει να γνωρίζει ορισμένα στοιχεία για την κανονική ομιλία του συγκεκριμένου ατόμου. Παραδείγματος χάριν, ενώ ο τραυλισμός αποτελεί σαφές σημάδι της ανησυχίας κάποιου, μπορεί να είναι σταθερό χαρακτηριστικό της ομιλίας κάποιου άλλου.

Η γλώσσα του σώματος

Επειδή το πρόσωπο και η φωνή είναι τα αντικείμενα του μεγαλύτερου μέρους της εξονυχιστικής έρευνας, οι επίδοξοι απατεώνες οφείλουν να επικεντρώσουν τις προσπάθειές τους στον έλεγχο των ενδείξεων που προέρχονται από αυτές τις πηγές. Υπάρχουν όμως και άλλα σήματα του συναισθήματος, όπως οι χειρονομίες, η στάση και άλλες μορφές της γλώσσας του σώματος. Μερικοί ερευνητές ισχυρίζονται ότι, επειδή οι προσπάθειες ελέγχου επικεντρώνονται στη φωνή και το πρόσωπο, τα υπόλοιπα στοιχεία γίνονται εξαιρετικά πολύτιμα.[21]

Το αποκαλούμενο *έμβλημα* είναι μία από τις καθαρότερες ενδείξεις της σωματικής γλώσσας. Το έμβλημα είναι μια κίνηση που μεταδίδει ένα συγκεκριμένο νόημα – όπως το ανασήκωμα των ώμων για να δείξουμε άγνοια ή αδιαφορία, ή η ένωση του αντίχειρα και του δείκτη για να δείξουμε το OK ή την έγκριση. Τα εμβλήματα είναι διαφορετικά στους διάφορους πολιτισμούς. Μια χειρονομία που για τον Δυτικό άνθρωπο συνήθως σημαίνει αποχαιρετισμό, για παράδειγμα, στην Ινδία σημαίνει «Έλα εδώ».

Πολλά εμβλήματα είναι ξεκάθαρες εκφράσεις συναισθήματος, όπως αυτές του θυμού ή της περιφρόνησης. Για παράδειγμα, οι Γάλλοι εκφράζουν την περιφρόνησή τους τεντώνοντας τη γροθιά τους στον αέρα, ενώ με το άλλο χέρι πιέζουν τον βραχίονα. Αντιθέτως, οι Αμερικανοί κάνουν μια χειρονομία περιφρόνησης υψώνοντας το μεσαίο δάκτυλο. Μέσα σε κάθε συγκεκριμένη κουλτούρα, η σημασία αυτών των χειρονομιών είναι γνωστή σχεδόν στους πάντες.

Οι άνθρωποι που προσπαθούν να παρεμποδίσουν την έκφραση κάποιου συναισθήματος σπανίως εμφανίζουν το έμβλημά του με τον συνηθισμένο τρόπο. Ωστόσο μερικές φορές κάνουν μεν την εμβληματική χειρονομία του συναισθήματος που επιθυμούν να παρεμποδίσουν, αλλά την κάνουν μισή και αμέσως την αλλάζουν. Ή πάλι μπορεί να την κάνουν με ασυνήθιστο τρόπο.

Σε ένα εξαιρετικά προκλητικό πείραμα, ο Ekman κινηματογράφησε έναν καθηγητή στη διαδικασία της διεξαγωγής μιας εχθρικής εξέτασης τελειοφοίτων, που η επαγγελματική τους αποκατάσταση ήταν άμεσα εξαρτημένη από την ικανότητά τους να παραμείνουν υπό το καθεστώς της εύνοιάς του.[22] Ο σκοπός του πειράματος ήταν να προκαλέσει θυμό και περιφρόνηση για τον καθηγητή, συναισθήματα που οι φοιτητές θα ήθελαν φυσικά να κρατήσουν υπό έλεγχο. Όταν ο Ekman είπε σε μια φοιτήτρια ότι είχε τεντώσει το μεσαίο της δάκτυλο και το είχε ακουμπήσει πάνω στο γόνατό της με κατεύθυνση το σημείο όπου βρισκόταν ο καθηγητής, και η ίδια και ο καθηγητής δεν πίστευαν στ' αυτιά τους. Ωστόσο η ύπαρξη τέτοιων ημιεμβλημάτων (και τα λέμε εδώ ημιεμβλήματα διότι δεν εμφανίστηκαν με τη συνήθη πασιφανή μορφή) ήταν οφθαλμοφανής στην κινηματογράφηση των συνεντεύξεων.

Υπάρχουν κι άλλες ιδιομορφίες που μας παρέχουν χρήσιμες ενδείξεις για το συναίσθημα. Συχνά, για παράδειγμα, η κανονική ροή του λόγου συνοδεύεται από διάφορες κινήσεις των χεριών και εκφράσεις του προσώπου. Η χρήση αυτών των χειρονομιών ποικίλλει ευρέως μεταξύ των διαφόρων πολιτισμών, αλλά διαφέρει και μεταξύ των ανθρώπων του ίδιου πολιτισμικού περιβάλλοντος. Εάν όμως είναι γνωστές οι συνήθεις κινήσεις του συγκεκριμένου ανθρώπου, ορισμένες φορές οι αποκλίσεις από αυτές αποτελούν μια σοβαρή ένδειξη υπερδιέγερσης. Πιο συγκεκριμένα, η ομιλία των απατεώνων έχει την τάση να συνοδεύεται από λιγότερες τέτοιες χειρονομίες. Επειδή επικεντρώνουν την προσοχή τους στη διεκπεραίωση της απάτης τους, προφανώς υπολείπονται σε ικανότητα να συντονίσουν και τις συνήθεις τους χειρονομίες.

Αυταπάτη

Εάν οι ψεύτες πιστεύουν ότι κάνουν το σωστό, οι παρατηρητές δεν θα μπορέσουν να διακρίνουν τα συμπτώματα ενοχής επειδή δεν θα υπάρχουν. Έχοντας κατά νου αυτή την περίπτωση, ο Robert Trivers υποστηρίζει ότι συχνά το πρώτο βήμα για την αποτελεσματική απάτη είναι η αυταπάτη, η απόκρυψη «της αλήθειας από τη συνείδηση, ώστε να κρυφτεί από τους άλλους».[23] Και αναφέρει την εξέλιξη του ανταγωνισμού των εξοπλισμών, όπου η ικανότητα της αυταπάτης συναγωνίζεται την ικανότητα αποκάλυψης της απάτης.

Εκτεταμένες έρευνες αποδεικνύουν ότι η αυταπάτη είναι πράγματι διαδεδομένη και πολύ αποτελεσματική. Οι άνθρωποι τείνουν να ερμηνεύουν τις ίδιες τους τις πράξεις όσο πιο ευνοϊκά γίνεται, κτίζοντας πολύπλοκα συστήματα αξιών που βρίθουν από συμφεροντολογική προκατάληψη.[24]

Μερικοί παρατηρητές θεωρούν ότι η προφανής ικανότητά μας

για αυταπάτη σημαίνει ότι είμαστε ελεύθεροι να παραπληροφορούμε κατά βούληση. Σύμφωνα με αυτή την άποψη, δεν μπορούν να υπάρξουν αξιόπιστες ενδείξεις της απάτης και η απάτη μπορεί να είναι καθολική. Αυτή η ερμηνεία στηρίζεται κατά βάθος στην παραδοσιακή πεποίθηση ότι η ενοχή, αν και είναι κοινωνικά χρήσιμη, ενέχει μειονεκτήματα για το άτομο (βλέπε Κεφάλαιο Δύο). Επικεντρώνεται αποκλειστικά στις ζημιές των ανθρώπων που προδίδουν τα εσώτερα αισθήματά τους και, κατά συνέπεια, αγνοεί τον ισχυρισμό του μοντέλου της δέσμευσης ότι η ενοχή ωφελεί κατά κάποιον τρόπο το άτομο. Είδαμε, για παράδειγμα, ότι, εάν είναι γνωστό ότι έχουμε την ικανότητα να αισθανθούμε ενοχή, γινόμαστε περιζήτητοι εταίροι για τις δουλειές που απαιτούν εμπιστοσύνη (Κεφάλαιο Τρία)· και ότι αυτή μας η ικανότητα μπορεί να μας βοηθήσει στα θέματα ελέγχου της παρόρμησης που συνδέονται με τον ψυχολογικό μηχανισμό ανταμοιβής (Κεφάλαιο Τέσσερα).

Δεν μπορούμε να τα έχουμε όλα. Εάν είμαστε ο τέλειος απατεώνας, τότε μειώνονται οι πιθανότητες να αποκαλυφθεί η απάτη. Σύμφωνα όμως με την αρχή της πλήρους αποκάλυψης που αναπτύξαμε στο Κεφάλαιο Πέντε, χάνουμε και όλα τα πλεονεκτήματα που θα είχαμε αν ήταν γνωστό πως έχουμε την ικανότητα να νιώσουμε ενοχή. Ας θυμηθούμε ότι, αν δεν αποδείξουμε ότι ανήκουμε σε μια ανώτερη κατηγορία, δημιουργείται η πεποίθηση ότι ανήκουμε σε κάποια κατώτερη.

Είδαμε στο Κεφάλαιο Τρία ότι το σχετικό πλεονέκτημα που προκύπτει από την ικανότητα επιτυχούς συνεργασίας φθίνει ανάλογα με τη μερίδα του πληθυσμού που μοιράζεται αυτή την ικανότητα. Εάν σχεδόν όλοι είχαν την ικανότητα της πλήρους αυταπάτης, ελάχιστοι άνθρωποι θα ήταν ικανοί για επιτυχή συνεργασία, και το πλεονέκτημα της ατελούς ικανότητας για αυταπάτη θα ήταν σ' αυτή την περίπτωση καθοριστικό. Η φυσική επιλογή θα άρχιζε να ευνοεί τα άτομα με μειωμένες ικανότητες αυταπάτης.

Αυτές οι παρατηρήσεις μάς δείχνουν ότι το πλεονέκτημα της αυταπάτης έχει κάποια όρια. Εφόσον διαδοθεί σε μεγάλη μερίδα του πληθυσμού, γίνεται αυτοκαταστροφικό. Το μόνο σταθερό αποτέλεσμα είναι εκείνο όπου ορισμένοι άνθρωποι τουλάχιστον έχουν μειωμένη ικανότητα αυταπάτης.

Η εκτεταμένη έρευνα έχει αναγνωρίσει μια πλειάδα από στατιστικά αξιόπιστες ενδείξεις των συναισθημάτων που νιώθουν οι άνθρωποι. Είδαμε ότι αυτές οι ενδείξεις είναι απίθανο να έχουν εμφανιστεί λόγω της ικανότητάς τους να μεταβιβάζουν πληροφορίες. *Σύμφωνα με την άποψη του Δαρβίνου, εμφανίστηκαν για εντελώς άλλους λόγους.* Με δεδομένη ωστόσο την ύπαρξή τους, για οποιονδήποτε λόγο, είναι προφανές ότι εντάσσονται στις πιέσεις της επιλογής *επειδή παίζουν ρόλο σηματοδότησης.* Άλλωστε γνωρίζουμε ότι οι ατομικές διαφορές στη συναισθηματική απόκριση είναι *τουλάχιστον εν μέρει κληρονομικές.*[25] Εάν, για παράδειγμα, η αξιοπιστία και η τάση για κοκκίνισμα πάνε μαζί, και εάν η φήμη του αξιόπιστου ανθρώπου είναι πλεονεκτική, οι πιέσεις της επιλογής είναι σαφές ότι θα επηρεάσουν τόσο την τάση για κοκκίνισμα, όσο και το συναίσθημα που το πυροδοτεί.

Ένα σημείο που ενισχύει το μοντέλο της δέσμευσης είναι ότι αυτό το μοντέλο συμφωνεί με πολλούς από τους σημαντικούς περιορισμούς που θέτει η θεωρία της φυσικής επιλογής. Δεν αποτελεί όμως συντριπτική απόδειξη υπέρ της φυσικής επιλογής, μια και το μοντέλο της δέσμευσης επινοήθηκε προφανώς λαμβάνοντας υπόψη τα αξιώματά της. Υπάρχει πάντα η δυνατότητα συμμόρφωσης με όλους τους γνωστούς θεωρητικούς περιορισμούς αν κατασκευαστεί μια αρκετά περίπλοκη ιστορία. Και εντούτοις το μοντέλο της δέσμευσης είναι πολύ απλό, μπορεί να το καταλάβει κάθε ευφυής μαθητής γυμνασίου. Δεν εξαγοράζει τη συνέπεια εις βάρος της λακωνικότητας.

Το γεγονός πως έχει την ικανότητα να ερμηνεύσει μια ποικιλία σημαντικών περιορισμών με έναν σχετικά απλό τρόπο σημαίνει πως το μοντέλο της δέσμευσης αξίζει περισσότερη σημασία. Προσπάθησα να δοκιμάσω την αντοχή του με όσο το δυνατόν περισσότερα στοιχεία από διαφορετικούς χώρους, κάποια από αυτά πρωτότυπα, τα περισσότερα από εργασίες άλλων ερευνητών. Το αποτέλεσμα αυτής της προσπάθειας, παρότι δεν είναι κατά κανέναν τρόπο οριστικό, έχει αυξήσει την πίστη μου στο μοντέλο. Στα επόμενα κεφάλαια θα ασχοληθούμε με την επισκόπηση αυτών των στοιχείων.

Η ΠΡΟΒΛΕΨΗ ΤΗΣ ΣΥΝΕΡΓΑΣΙΑΣ

ΤΑ ΒΑΣΙΚΟΤΕΡΑ στοιχεία της ερμηνείας που δίνει το μοντέλο της δέσμευσης για τον στρατηγικό ρόλο των συναισθημάτων είναι πλέον ξεκάθαρα. Στον πυρήνα της βρίσκεται το μοντέλο της δέσμευσης, ό-πως παρουσιάζεται στο δίλημμα του φυλακισμένου και σ' άλλες συνήθεις στρατηγικές αλληλοεπιδράσεις (όπως η απάτη, η αποτροπή, η διαπραγμάτευση και ο γάμος, που παρουσιάσαμε στο Κεφάλαιο Τρία). Αυτά τα θέματα είναι πολύ συνηθισμένα και όσοι τα επιλύουν αποκομίζουν σημαντικά υλικά οφέλη. Οι λύσεις απαιτούν δεσμεύσεις ότι θα συμπεριφερθούμε με τρόπους που είναι αντίθετοι προς το ατομικό συμφέρον, και ένας από τους παράγοντες που μας ωθούν σ' αυτές τις δεσμεύσεις είναι τα συναισθήματα. Δεν αρκούν όμως από μόνα τους. Πρέπει να υπάρχουν και κάποιοι τρόποι που να δηλώνουν στους άλλους την παρουσία τους.

Είδαμε δυο διαφορετικούς τρόπους που μπορούν να δηλώσουν κάτι τέτοιο. Ο πρώτος είναι η φήμη. Σύμφωνα με το μοντέλο του ατομικού συμφέροντος, η φήμη δεν πρέπει να λαμβάνεται σχεδόν καθόλου υπόψη, επειδή πολύ σπάνια γινόμαστε μάρτυρες των όσων κάνουν οι άνθρωποι σε καταστάσεις που θέτουν σε δοκιμασία τον χαρακτήρα τους. Οι καιροσκόποι ενδιαφέρονται σαφώς *να δείχνουν* έντιμοι (ή εκδικητικοί ή τρυφεροί), και αυτό περιορίζει κατά πολύ τα όσα μπορούμε να μάθουμε από την ορατή συμπεριφορά τους. Στο Κεφάλαιο Τέσσερα ωστόσο είδαμε ότι αυτή η άποψη για τη φήμη παραγνωρίζει τις γνωστές ιδιότητες του ανθρώπινου ψυχολογικού μηχανισμού ανταμοιβής. Ο καιροσκόπος μπορεί *να θέλει* να φαίνεται κάπως, αλλά το πρόβλημα της υλοποίησης αυτού του σκοπού παραμένει. Ας θυμηθούμε ότι το πρόβλημα είναι πως η υλική ανταμοιβή της καιροσκοπικής συμπεριφοράς είναι σημερινή, ενώ το κόστος της μελλοντικό. Εξαιτίας της τάσης του μηχανισμού ανταμοιβής να υποτιμά τόσο το μέλλον, κάποιος που ενδιαφέρεται μόνο για υλικές αμοιβές θα θεωρήσει ότι ακόμα και η προσπάθεια να φανεί ανιδιοτελής είναι εξαιρετικά επίπονη.

Ο δεύτερος τρόπος διάκρισης των συναισθηματικών προδιαθέσεων είναι μέσω των σωματικών και συμπεριφορικών ενδείξεων. Είναι προφανές ότι, εάν ελέγχαμε απολύτως αυτά τα σήματα, δεν θα αποκάλυπταν κάτι χρήσιμο. Για να είναι αξιόπιστο ένα σήμα, πρέπει να είναι δύσκολο να χαλκευτεί. Όπως είδαμε στο Κεφάλαιο Έξι, φαίνεται ότι υπάρχουν πολλά τέτοια σήματα της συναισθηματικής προδιάθεσης. Οι εκφράσεις του προσώπου, η φωνή, η στάση και τα συναφή μπορεί να μην είναι τα τέλεια κριτήρια για την ύπαρξη αυτών των αισθημάτων, η αλήθεια όμως είναι ότι αποκαλύπτουν στατιστικά αξιόπιστες πληροφορίες. Ωστόσο το ερώτημα αν και κατά πόσο λειτουργούν στις περιπτώσεις που απασχολούν το μοντέλο της δέσμευσης παραμένει.

Η αξιοπιστία των ενδείξεων του συναισθήματος

Πόσο αξιόπιστες είναι οι διάφορες ενδείξεις για το συναίσθημα; Και πόσο ικανό είναι το μέσο άτομο να τις ερμηνεύει; Γνωρίζουμε ότι, ακόμα και κάτω από τις καλύτερες συνθήκες, η ικανότητά μας να αναγνωρίζουμε συγκεκριμένα συναισθήματα είναι ατελής. Ακόμα και ο έμπειρος ερευνητής των τεστ της αλήθειας, που έχει πρόσβαση σε κάθε είδους λεπτομερείς πληροφορίες, στις οποίες δεν έχουμε πρόσβαση εμείς οι υπόλοιποι, συχνά κάνει λάθη.[1]

Δύο πρόσφατα άρθρα ερευνούν τα αποτελέσματα δεκαέξι δημοσιευμένων μελετών που αξιολογούν την επιτυχία των παρατηρητών να διακρίνουν την απάτη.[2] Σε όλες, εκτός από δύο, η επιτυχία ήταν πολύ μεγαλύτερη από την τυχαία πρόβλεψη.[3] Κανένα από τα άτομα που υποβλήθηκαν σ' αυτό το πείραμα δεν είχε πρόσβαση σε τεχνολογικές συσκευές. Στηρίχτηκαν αποκλειστικά στο μυαλό τους και χρησιμοποίησαν τα είδη των ενδείξεων που περιέγραψα στο Κεφάλαιο Έξι. Είχαν «την τάση να θεωρούν ψεύτικα τα μηνύματα που χαρακτηρίζονται από λιγότερα βλέμματα, λιγότερα χαμόγελα, περισσότερες αλλαγές στάσης, πιο καθυστερημένες απαντήσεις, πιο αργή ομιλία, πιο πολλά λάθη στην ομιλία, περισσότερα κομπιάσματα και υψηλότερο τόνο φωνής».[4] Οι ερευνητές παρατηρούν ότι «αν και υπάρχουν περισσότερες ενδείξεις για την αναγνώριση της απάτης εκ μέρους των παρατηρητών παρά για την ίδια την απάτη, η αντιστοιχία μεταξύ των σινιάλων της πραγματικής απάτης και των σινιάλων που χρησιμοποιούν οι παρατηρητές για να κρίνουν είναι σημαντική».[5]

Υπάρχουν χαρακτηρολογικά γνωρίσματα που συμβαδίζουν με τη δεξιότητα στον εντοπισμό των ψεμάτων.[6] Τα εξωστρεφή άτομα, εκείνα που θεωρούν την ανθρώπινη φύση πολύπλοκη, εκείνα που αισθάνονται κοινωνική ανασφάλεια και ιδιαίτερα «οι εξαιρετικά αυτοελεγχόμενοι άνθρωποι» –οι άνθρωποι που έχουν διαρκώς συναίσθηση της εικόνας που παρουσιάζουν τόσο οι ίδιοι, όσο και οι άλλοι στις κοινωνικές συναλλαγές–, όλοι αυτοί τα πηγαίνουν πολύ καλύτερα από τον μέσο όρο. Ο αποκαλούμενος μακιαβελικός τύπος προσωπικότητας είναι πολύ επιδέξιος στα ψέματα, αλλά, περιέργως, δεν έχει ιδιαίτερη ικανότητα να αναγνωρίζει τα ψέματα των άλλων.

Ενώ, στις περισσότερες μελέτες, η επιτυχής διάκριση μεταξύ αλήθειας και ψέματος είναι στατιστικά υψηλότερη από την τυχαία πρόβλεψη, και ενώ κάποια άτομα είναι εξαιρετικά ικανά σ' αυτό τον τομέα, το μέσο επίπεδο ακρίβειας δεν είναι πολύ υψηλό σε απόλυτους αριθμούς. Για να δούμε τη σημασία αυτής της διαπίστωσης για το μοντέλο της δέσμευσης, πρέπει να θυμόμαστε ότι αυτές οι μελέτες είχαν ως αντικείμενο να ερευνήσουν κατά πόσο η απάτη μπορεί να αποκαλυφθεί σε κάποια φευγαλέα συνάντηση μ' έναν άγνωστο. Πολλές δεν περιείχαν καν αλληλοεπίδραση πρόσωπο με πρόσωπο, αλλά ζητούσαν από τους παρατηρητές να βασιστούν μόνο σε βιντεοσκοπημένες καταστάσεις με πιθανούς ψεύτες.

Αδιαμφισβήτητα αυτές οι συνθήκες δεν είναι οι ιδανικές για να ελέγξουμε τις ικανότητες των ανθρώπων να διακρίνουν τα συμπτώματα του συναισθήματος. Όπως είδαμε, πολλές από τις σχετικές ενδείξεις είναι ανεπαίσθητες, και αυτό που σε κάποιον είναι αξιόπιστο σημάδι σε κάποιον άλλο δεν είναι. Για να μάθουμε την κανονική ομιλία, τις χειρονομίες και άλλες ιδιομορφίες ενός ατόμου, χρειαζόμαστε χρόνο, και οι πειραματικές μελέτες δεν παρέχουν αυτή τη δυνατότητα. Οι έρευνες αυτές μας δείχνουν ότι υπάρχουν αξιόπιστες ενδείξεις για τις συναισθηματικές καταστάσεις, αλλά ότι ο μέσος άνθρωπος δεν είναι ιδιαίτερα ικανός να τις ερμηνεύσει με μια πρώτη ματιά.

Το μοντέλο της δέσμευσης δεν ισχυρίζεται ότι οι σημαντικές αποφάσεις για το ποιον μπορούμε να εμπιστευτούμε πρέπει να παίρνονται βάσει των εντυπώσεων που αποκτούμε από μία και μοναδική σύντομη επαφή.* Για να μπορέσουν τα ηθικά αισθήματα να επιλύσουν θέματα δέσμευσης, πρέπει οι απ' έξω να μπορούν να διακρίνουν την παρουσία αυτών των αισθημάτων με κάποιο λογικό κόστος. Εάν αυτό μπορεί να επιτευχθεί με μία και μοναδική επαφή, όπως υποθέτουν κάποια από τα πειράματα, τόσο το καλύτερο. Ο μηχανισμός ωστόσο μπορεί να λειτουργήσει ακόμα κι αν απαιτείται περισσότερος χρόνος.

Ένα πειραματικό τεστ

Είναι πράγματι οι συνεργάτες αισθητά διαφορετικοί; Ή μήπως δείχνουν λίγο ως πολύ ίδιοι με τους προδότες; Δύο ψυχολόγοι συνάδελφοί μου στο Πανεπιστήμιο του Κορνέλ, οι Tom Gilovich και Dennis Regan, κι εγώ διεξαγάγαμε μια σειρά πειραμάτων που αποσκοπούσαν στην απάντηση αυτών των ερωτημάτων.** Τα πειράματά μας έγιναν με εθελοντές που έπαιζαν μεταξύ τους μια παρτίδα του απλού διλήμματος του φυλακισμένου. Πολλοί από αυτούς ήταν φοιτητές από τμήματα σπουδών που η διδακτέα τους ύλη περιλαμβάνει το δίλημμα του φυλακισμένου. Στους άλλους κάναμε μια προκαταρκτική ενημέρωση για το παιγνίδι, ανάλογη με αυτήν που παρουσίασα στο Κεφάλαιο Δύο.

---

* Όπως τόνισα στο Κεφάλαιο Ένα, ένα άτομο που έχει ένα δεδομένο ηθικό αίσθημα επηρεάζεται από αυτό ακόμα και σε φευγαλέες επαφές. Το ζήτημα σ' αυτό το σημείο δεν είναι κατά πόσο η ύπαρξη του ηθικού αισθήματος θα επηρεάσει τη συμπεριφορά σε τέτοιες φευγαλέες επαφές, αλλά κατά πόσο οι άλλοι θα έχουν αρκετές ευκαιρίες για να το διακρίνουν.

** Εδώ παρουσιάζονται τα αρχικά ευρήματα της έρευνάς μας. Οι Gilovich, Regan και εγώ θα αναλύσουμε τις λεπτομέρειες αυτής της εργασίας σε μια προσεχή τεχνική μελέτη.

Μετά την ενημέρωση, είπαμε στους εθελοντές ότι θα έπαιζαν το παιγνίδι με δύο άλλους παίκτες, έναν την κάθε φορά. Το σύστημα των απολαβών, που παρουσιάζουμε στον Πίνακα 7.1, ήταν το ίδιο για κάθε παρτίδα του παιγνιδιού. Είπαμε στους εθελοντές ότι το παιγνίδι θα παιζόταν με πραγματικά χρήματα και ότι κανείς από τους άλλους παίκτες δεν θα μάθαινε πώς συμπεριφέρθηκαν οι συμπαίκτες του στην κάθε παρτίδα του παιχνιδιού. (Λίγο πιο κάτω θα δούμε πώς τηρήθηκε η μυστικότητα.)

ΠΙΝΑΚΑΣ 7.1 *Οι απολαβές του πειράματος*
του διλήμματος του φυλακισμένου

| | | ΠΑΙΚΤΗΣ Χ | |
		ΣΥΝΕΡΓΑΣΙΑ	ΠΡΟΔΟΣΙΑ
ΕΣΥ	ΣΥΝΕΡΓΑΣΙΑ	2 $ για σένα 2 $ για τον Χ	0 $ για σένα 3 $ για τον Χ
	ΠΡΟΔΟΣΙΑ	3 $ για σένα 0 $ για τον Χ	1 $ για σένα 1 $ για τον Χ

Είπαμε στους εθελοντές ότι σκοπός του πειράματος ήταν να καθορίσει κατά πόσο οι άνθρωποι μπορούν να προβλέψουν εάν οι συμπαίκτες τους θα συνεργαστούν ή θα προδώσουν. Πριν αρχίσουν να παίζουν, δώσαμε σε κάθε τριμελή ομάδα περί τα τριάντα λεπτά για να γνωριστούν. Σ' αυτό το διάστημα είχαν την ελευθερία να συζητήσουν όποιο θέμα ήθελαν, ακόμα και να κάνουν συμφωνίες σε σχέση με την παρτίδα του παιγνιδιού.

Μετά από αυτό το διάστημα της μισής ώρας, βάλαμε τον κάθε παίκτη σε ένα ξεχωριστό δωμάτιο και του ζητήσαμε να συμπληρώσει μια φόρμα που να δείχνει την ανταπόκρισή του (συνεργασία ή προδοσία) απέναντι στον καθένα από τους άλλους δύο παίκτες. Επιπλέον ζητήσαμε από τους παίκτες να προβλέψουν πώς θα ανταποκρινόταν ο καθένας από τους συμπαίκτες τους. Τους ζητήσαμε επίσης να βαθμολογήσουν, από το 50 μέχρι το 100, τη βεβαιότητά τους για καθεμιά από τις προβλέψεις τους. Ο βαθμός 50 σήμαινε ότι η πρόβλεψη ήταν λίγο ως πολύ τυχαία, ο βαθμός 100 σήμαινε απόλυτη βεβαιότητα.

Μπορούσαν να χρησιμοποιήσουν και ενδιάμεσους βαθμούς για να καταδείξουν κάποιον ενδιάμεσο βαθμό σιγουριάς.

Μόλις συμπλήρωσαν τα ερωτηματολόγια, καταμετρήσαμε τα αποτελέσματα και καταβάλαμε τις αμοιβές. Ο κάθε παίκτης έλαβε μια αμοιβή που ήταν το άθροισμα τριών διαφορετικών ποσών: (1) η αμοιβή από την παρτίδα με τον πρώτο συμπαίκτη, (2) η αμοιβή από την παρτίδα με τον δεύτερο συμπαίκτη, και (3) ένα ποσό που επιλέχθηκε τυχαία από έναν μακρύ κατάλογο θετικών και αρνητικών τιμών. Οι παίκτες δεν ήξεραν κανένα από αυτά τα τρία στοιχεία, μόνο το συνολικό ποσό. Ο σκοπός του τυχαίου ποσού ήταν να εμποδίσει τον παίκτη να συμπεράνει από τη δική του αμοιβή τον τρόπο που έπαιξαν οι άλλοι. Με τον τρόπο αυτό, δεν ήταν δυνατό να συναχθούν οι ατομικές επιλογές ούτε και τα ομαδικά πρότυπα επιλογής. Κι έτσι, αντίθετα με προηγούμενα πειράματα με το δίλημμα του φυλακισμένου, το δικό μας δεν επέτρεπε στον παίκτη να ξέρει πότε ο ένας (ή κανένας) από τους συμπαίκτες του πρόδιδε. (Στο Κεφάλαιο Έντεκα εξετάζονται αναλυτικότερα οι παλαιότερες μελέτες.) Εξηγήσαμε στους παίκτες ότι, παρότι ήταν ελεύθεροι να υποσχεθούν ότι δεν θα προδώσουν, η ανωνυμία των αποκρίσεών τους καθιστούσε αυτές τις υποσχέσεις μη δεσμευτικές.

Ο τύπος του πειράματός μας υπερέχει κατά πολύ από τις παλαιότερες μελέτες. Ας θυμηθούμε ότι, στις μελέτες για το ψέμα που παρουσιάσαμε προηγουμένως, τα άτομα αλληλοεπιδρούσαν μεταξύ τους μόνο φευγαλέα και σε πολλές περιπτώσεις έπρεπε να κρίνουν με μόνη βάση την παρακολούθηση βιντεοταινιών. Αντιθέτως, στο δικό μας πείραμα τα άτομα αλληλοεπιδρούσαν ενώπιος ενωπίω, σε μικρές ομάδες, για μια περίοδο τριάντα λεπτών. Αυτό το στοιχείο του δικού μας πειράματος αποσκοπούσε σε δύο πράγματα: Πρώτον, έδινε στα υποκείμενα την ευκαιρία να αναπτύξουν ψυχοσυναισθηματική επαφή μεταξύ τους. Αυτό είναι σημαντικό, διότι το μοντέλο της δέσμευσης τονίζει ότι η συνεργασία βασίζεται στο συναίσθημα και όχι στη λογική. Σημαντική επίσης είναι η εκτεταμένη αλληλοεπίδραση, διότι δίνει στα άτομα μεγαλύτερες ευκαιρίες να ζυγιάσουν ο ένας τον άλλο. Αν υπάρχουν όντως στατιστικά αξιόπιστες ενδείξεις που προβλέπουν τη συμπεριφορά σε τέτοιες περιπτώσεις, είναι πολύ ευκολότερο να τις διακρίνουμε σε πιο μεγάλα διαστήματα αλληλοεπίδρασης. Τα τριάντα λεπτά βέβαια δεν είναι πολλά, αλλά είναι πολύ περισσότερος χρόνος από αυτόν που είχαν στη διάθεσή τους τα άτομα που έλαβαν μέρος στα περισσότερα από τα πειράματα των προηγούμενων μελετών.

Το άλλο μεγάλο πλεονέκτημα του πειραματικού μας προτύπου ήταν ότι το τυχαίο ποσό των αμοιβών εξάλειψε τον φόβο του προδότη μήπως οι συμπαίκτες του τον εκδικηθούν. Στις παλαιότερες μελέτες, όπου δεν υπάρχει αυτό το στοιχείο, οι παίκτες δεν μπορούσαν να είναι σίγουροι ότι η κυρίαρχη στρατηγική ήταν η προδοσία. Για να το θέσουμε αλλιώς: Οι παλαιότερες μελέτες δεν έφερναν τους παίκτες αντιμέτωπους με το πραγματικό δίλημμα του φυλακισμένου.

Αρχικά ευρήματα

Μέχρι στιγμής έχουμε διεξαγάγει πειράματα που περιλαμβάνουν 61 αλληλοεπιδράσεις ανά ζεύγη.* Και επειδή το κάθε άτομο προέβλεπε την επιλογή που θα έκανε ο συμπαίκτης του, έχουμε ένα σύνολο 122 προβλέψεων. Με την άδεια των παικτών, βιντεοσκοπήσαμε πολλές από τις συνομιλίες τους, στις οποίες όλοι απαράλλακτα υποσχέθηκαν να συνεργαστούν. (Και ποιος ο λόγος να πει κάποιος: «Εγώ θα προδώσω»;) Εάν προεκτείνουμε αυτό το δεδομένο και στις ομάδες που δεν βιντεοσκοπήσαμε, θα έχουμε συνολικά 122 υποσχέσεις για συνεργασία. Από αυτές οι 83 τηρήθηκαν, οι υπόλοιπες 39 παραβιάστηκαν. Συνεπώς, παρά το γεγονός ότι το τυχαίο ποσό της αμοιβής εξασφάλιζε τη μυστικότητα, περισσότερα από τα δύο τρίτα των παικτών μας δεν ακολούθησαν την κυρίαρχη στρατηγική. Αυτό το ποσοστό είναι συνεπές με τα ποσοστά που προέκυψαν σε προηγούμενες έρευνες. Το επιπλέον μέτρο που πήραμε εμείς για να εξασφαλίσουμε την ανωνυμία μάς παρέχει ακόμα ισχυρότερη απόδειξη της ανεπάρκειας του μοντέλου του ατομικού συμφέροντος.

Οι παίκτες μας προέβλεψαν ποσοστά συνεργασίας και προδοσίας 79,5% και 20,5% αντίστοιχα, ενώ τα πραγματικά ποσοστά ήταν

---

* Ο περιττός αριθμός προέκυψε διότι δύο από τις αρχικές ομάδες μας αποτελούνταν από τέσσερα άτομα, και μία ομάδα αποτελούνταν μόνο από δύο άτομα.

68% και 32%. Επειδή αυτό που μας ενδιαφέρει περισσότερο εδώ εί-
ναι κατά πόσο η προδιάθεση για συνεργασία μπορεί να αποφέρει υ-
λικές απολαβές, τα στοιχεία που παρουσιάζουν το μεγαλύτερο ενδια-
φέρον είναι εκείνα που έχουν σχέση με την ακρίβεια των προβλέψεων
που αφορούν σε συγκεκριμένους παίκτες (βλέπε Πίνακα 7.2). Από
τους 97 που είχε προβλεφθεί ότι θα παίξουν με πνεύμα συνεργασίας,
συνεργάστηκαν οι 73, δηλαδή 75,2%. Παρότι οι παίκτες μας ήταν υ-
περβολικά διστακτικοί στην πρόβλεψη προδοσίας, οι προβλέψεις που
έκαναν ήταν εξαιρετικά ακριβείς: Από τους 25 ανθρώπους που προέ-
βλεψαν ότι θα τους προδώσουν, οι 15, δηλαδή 60%, τους πρόδωσαν
στ' αλήθεια. Δεδομένου ότι το γενικό ποσοστό της προδοσίας ήταν μι-
κρότερο του ενός τρίτου, αυτή η επίδοση είναι εξαιρετικά καλή. Η πι-
θανότητα ότι ένα τόσο μεγάλο ποσοστό ακριβείας μπορεί να επιτευ-
χθεί τυχαία είναι μικρότερη από 1%.

ΠΙΝΑΚΑΣ 7.2 *Η προβλεπόμενη έναντι της πραγματικής συμπεριφοράς*
σ' ένα δίλημμα του φυλακισμένου

| | | ΠΡΑΓΜΑΤΙΚΗ ΑΝΤΙΔΡΑΣΗ | | |
		ΣΥΝΕΡΓΑΣΙΑ	ΠΡΟΔΟΣΙΑ	ΣΥΝΟΛΙΚΗ ΠΡΟΒΛΕΨΗ
ΠΡΟΒΛΕΠΟΜΕΝΗ ΑΝΤΙΔΡΑΣΗ	ΣΥΝΕΡΓΑΣΙΑ	73	24	97
	ΠΡΟΔΟΣΙΑ	10	15	25
	ΣΥΝΟΛΙΚΟ ΑΠΟΤΕΛΕΣΜΑ	83	39	122

    Τα αποτελέσματα του βαθμού βεβαιότητας που έδωσαν οι παί-
κτες για τις προβλέψεις τους υποστηρίζουν κι αυτά το μοντέλο της δέ-
σμευσης. Ας θυμηθούμε ότι υπήρχε μια βαθμολογία, μεταξύ του 50
και του 100, που αντανακλούσε το επίπεδο της βεβαιότητας του παί-
κτη για κάθε του πρόβλεψη. Οι παίκτες ήταν συνήθως πολύ σίγουροι
για τις εκτιμήσεις τους, αλλά αυτή η σιγουριά δεν δικαιώθηκε πλήρως
από το πείραμα που ακολούθησε. Παρ' όλα αυτά, τα αποτελέσματα

που βρήκαμε ήταν σε γενικές γραμμές συνεπή με την άποψη ότι οι άνθρωποι κάνουν σημαντικές κρίσεις για τον χαρακτήρα, ακόμα και όταν βασίζονται μόνο σε σύντομες προσωπικές αλληλοεπιδράσεις. Ακολουθώντας τη βαθύτερη πεποίθησή τους για τα υψηλά επίπεδα της συνεργασίας, οι παίκτες ήταν πιο βέβαιοι για τις προβλέψεις τους περί συνεργασίας (μέσο επίπεδο βεβαιότητας = 87), παρά για τις προβλέψεις τους περί προδοσίας (78,4). Και το πιο σημαντικό είναι ότι είχαν βαθμολογήσει περισσότερο τις προβλέψεις που στη συνέχεια αποδείχθηκαν σωστές (88,6), παρά εκείνες που αποδείχθηκαν λανθασμένες (76,5).

Οι μέσες τιμές βεβαιότητας για τον καθένα από τους τέσσερις τύπους αποτελεσμάτων αναφέρονται στον Πίνακα 7.3. Για παράδειγμα, οι αριθμοί στο άνω αριστερά και στο κάτω δεξιά τετραγωνάκι είναι οι μέσες τιμές βεβαιότητας για τους δύο τύπους σωστών προβλέψεων. Οι αριθμοί στο άνω δεξιά τετραγωνάκι και στο κάτω αριστερά τετραγωνάκι είναι οι αντίστοιχες τιμές δύο τύπων εσφαλμένων προβλέψεων. Η πιθανότητα να προκύψει απολύτως τυχαία ένα τόσο ευνοϊκό αποτέλεσμα είναι μικρότερη του 5%.

ΠΙΝΑΚΑΣ 7.3 *Μέσες τιμές βεβαιότητας για ακριβείς και ανακριβείς προβλέψεις*

		ΠΡΑΓΜΑΤΙΚΗ ΑΠΟΚΡΙΣΗ ΤΟΥ ΠΑΙΚΤΗ Χ		
		ΣΥΝΕΡΓΑΣΙΑ	ΠΡΟΔΟΣΙΑ	ΜΕΣΟΣ ΟΡΟΣ
ΑΝΤΑΠΟΚΡΙΣΗ	ΣΥΝΕΡΓΑΣΙΑ	90	78	87,0
	ΠΡΟΔΟΣΙΑ	73	82	78,4

Ενώ αυτές οι αρχικές διαπιστώσεις υποστηρίζουν το μοντέλο της δέσμευσης, δεν πρέπει να ερμηνευτούν ως ένδειξη δύο σταθερών τύπων προσωπικότητας που αποκαλούνται συνεργάτες ή προδότες. Αντιθέτως, ανακαλύψαμε ότι τουλάχιστον κάποιοι από τους παίκτες μας δεν ακολούθησαν συστηματικά καμία από τις δύο στρατηγικές:

13 εξ αυτών (21%) συνεργάστηκαν με τον έναν από τους συμπαίκτες τους, αλλά πρόδωσαν τον άλλο. Οι υπόλοιποι 48 ακολούθησαν μία και μοναδική στρατηγική και στις δύο παρτίδες, αλλά αυτό προφανώς δεν σημαίνει ότι θα έκαναν το ίδιο σε όλες τις περιστάσεις.

Και πράγματι, σε δύο πολύ συναφή πειράματα, ανακαλύψαμε ότι η τάση για συνεργασία εξαρτάται κατά πολύ από τον τρόπο που δομούνται οι αλληλοεπιδράσεις μεταξύ των παικτών. Σε μια παραλλαγή τούς αφήσαμε να μιλήσουν μόνο δέκα λεπτά αντί για τριάντα και δεν τους επιτρεπόταν να δώσουν υπόσχεση συνεργασίας. Σε μια δεύτερη παραλλαγή τούς αφήσαμε να μιλήσουν τριάντα λεπτά, αλλά και πάλι δεν τους επιτρεπόταν να κάνουν συμφωνίες για το παιχνίδι. Τα συνολικά ποσοστά της συνεργασίας ήταν χαμηλότερα στην πρώτη παραλλαγή (37%) απ' όσο στη δεύτερη (61%), αλλά και τα δύο ήταν χαμηλότερα απ' ό,τι στη βασική εκδοχή του πειράματός μας (68%). Επίσης, όπως ήταν αναμενόμενο, η ακρίβεια των προβλέψεων ήταν και στις δύο παραλλαγές σημαντικά χαμηλότερη απ' ό,τι στο βασικό πείραμα.

Ένα μοτίβο που παρατηρήθηκε και στις τρεις παραλλαγές του πειράματος, αλλά πολύ πιο έντονα στη βασική εκδοχή, ήταν ότι οι παίκτες συμπεριφέρονταν με τον ίδιο τρόπο που προέβλεπαν ότι θα φερθούν οι συμπαίκτες τους. Στη βασική εκδοχή, για παράδειγμα, 83% των παικτών που προέβλεψαν ότι οι συμπαίκτες τους θα συνεργάζονταν, συνεργάστηκαν και οι ίδιοι. Αντίστοιχα, το 85% των παικτών που προέβλεψαν προδοσία πρόδωσαν και οι ίδιοι.

Μια πιθανή ερμηνεία των διαπιστώσεών μας είναι ότι οι άνθρωποι αποφασίζουν να συνεργαστούν ή να προδώσουν στηριζόμενοι, τουλάχιστον εν μέρει, στο είδος της αλληλοεπίδρασής τους με συγκεκριμένα άτομα. Εάν, φέρ' ειπείν, ένα ζεύγος παικτών έχει μια ήπια, φιλική συναλλαγή, είναι πιθανότερο να αισθάνονται προσωπικό ενδιαφέρον για τον άλλο και αυτό το αίσθημα να τους ωθεί στη συνεργασία. Ενώ, αντίθετα, εκείνοι που για οποιονδήποτε λόγο αποτυγχάνουν να έρθουν σε ψυχοσυναισθηματική επαφή τείνουν να φοβούνται ότι οι συμπαίκτες τους θα τους προδώσουν και, συνεπώς, είναι πολύ πιο πιθανό να προδώσουν οι ίδιοι. Στα προσεχή μας πειράματα θα διερευνήσουμε αυτές τις πιθανότητες, βάζοντας τους παίκτες, μετά το πείραμα, να συμπληρώσουν ερωτηματολόγια όπου θα αναφέρουν την αιτία της στάσης τους.

Η αντίληψη ότι οι ευχάριστες συναλλαγές ίσως ωθούν στη συνεργασία είναι συνεπής με το βασικό μήνυμα του μοντέλου της δέσμευσης, στο οποίο η κατανόηση παίζει ιδιαίτερα σημαντικό ρόλο. Αντιθέτως, το μοντέλο του ατομικού συμφέροντος διατείνεται ότι η συμπεριφορά στα διλήμματα του φυλακισμένου πρέπει να είναι ανεξάρτητη από το είδος της αλληλοεπίδρασης. Δεν έχει σημασία εάν η συνάντηση ήταν ανώμαλη ή ομαλή, η βασική στρατηγική, με καθαρά υλικούς όρους, είναι η προδοσία.

Για να προλάβω την πιθανή σύγχυση, πρέπει να τονίσω ότι, στα δικά μας πειράματα, το ζητούμενο δεν ήταν να δούμε κατά πόσο οι συνεργάτες τα πάνε καλύτερα σε παιγνίδια με το δίλημμα του φυλακισμένου. Η δομή του παιγνιδιού είναι τέτοια, που αναγκαστικά τα πάνε άσχημα. Το όφελος του συνεργάτη, εάν υπάρχει, βρίσκεται στην ικανότητα της αναγνώρισης άλλων συνεργατών και της επιλεκτικής συναλλαγής μαζί τους. Στο πείραμά μας βέβαια, δεν υπήρχε δυνατότητα για επιλεκτική συναλλαγή. Ο κάθε παίκτης έπρεπε να παίξει μια παρτίδα με τον καθένα από τους άλλους δύο παίκτες που είχαν οριστεί στην ομάδα του. Αλλά, εφόσον οι παίκτες μας προέβλεψαν τη συμπεριφορά των συμπαικτών τους με μεγαλύτερη ακρίβεια απ' ό,τι κάποια τυχαία πρόβλεψη, γνωρίζουμε ότι πολλοί από αυτούς θα είχαν αποφύγει την εκμετάλλευση αν τους είχε δοθεί η ευκαιρία να την αποφύγουν.

Πολύ αυστηρό τεστ;

Παρότι αυτά τα αρχικά συμπεράσματα είναι ενδεικτικά, απέχουν πολύ από το να είναι απόλυτα. Ενώ στον πραγματικό κόσμο βλέπουμε πώς συμπεριφέρονται οι άνθρωποι σε ποικίλες και αγχώδεις καταστάσεις, το πείραμά μας δεν επιτρέπει κάτι τέτοιο. Ακόμα και εάν το επέτρεπε, η δυσκολία της ερμηνείας των προσωπικών εκφράσεων, ιδιοσυστασιών και χειρονομιών θα παρέμενε. Η δυσκολία αυτή, όπως είδαμε και στο Κεφάλαιο Έξι, είναι ότι μία ένδειξη που σε κάποιο άτομο σηματοδοτεί την απάτη είναι τελείως αθώα σε κάποιο άλλο.

Λαμβάνοντας υπόψη αυτές τις δυσκολίες, μπορούμε να πούμε

ότι το πείραμά μας με το δίλημμα του φυλακισμένου συνιστά ένα αυστηρό τεστ του μοντέλου της δέσμευσης. (Το αυστηρό τεστ μιας υπόθεσης είναι εκείνο που, αν επιτύχει, στηρίζει την υπόθεση, αλλά, εάν αποτύχει, δεν την απορρίπτει. Για παράδειγμα: Μπορούμε να δοκιμάσουμε τον ισχυρισμό ότι ο Σμιθ έχει μια ασυνήθιστα καλή μνήμη ζητώντας του πρώτα να διαβάσει τις σελίδες από 1 έως 5 του τηλεφωνικού καταλόγου, να κλείσουμε τον κατάλογο και μετά να του ζητήσουμε να μας πει το 5630 όνομα και αριθμό τηλεφώνου. Εάν απαντήσει σωστά, γνωρίζουμε ότι έχει καλή μνήμη, αλλά, εάν δεν απαντήσει σωστά, δεν μπορούμε να πούμε ότι δεν έχει καλή μνήμη.) Είναι εύλογο ότι τα αυστηρά τεστ συγκαταλέγονται στις μόνιμες προτιμήσεις των ερευνητών: Μια προσφιλής υπόθεση έχει την ευκαιρία να επιβεβαιωθεί, αλλά, στην περίπτωση που δεν θα επιβεβαιωθεί, δεν ζημιώνεται.

Ας θυμηθούμε ότι, για να λειτουργήσει ο μηχανισμός της δέσμευσης, το μόνο που χρειάζεται είναι οι άνθρωποι να έχουν την ικανότητα να εξάγουν, με λογικό κόστος, στατιστικά αξιόπιστα συμπεράσματα για τον χαρακτήρα κάποιου. Παρότι προφανώς θα βοηθούσε εάν κάτι τέτοιο συνέβαινε γρήγορα, οι άμεσες εκτιμήσεις δεν είναι αναγκαίες. Η ανικανότητα να κάνουμε άμεσες εκτιμήσεις δεν δηλώνει υποχρεωτικά ότι θα αποτύχουμε και στην περίπτωση που υπάρχουν περισσότερες πληροφορίες. Κατά συνέπεια, ακόμα και εάν, αντίθετα με τα προκαταρκτικά μας συμπεράσματα, οι άνθρωποι δεν ήταν εξαιρετικά ικανοί στην αναγνώριση των προδοτών σε σύντομες επαφές, θα έπρεπε και πάλι να μάθουμε αν θα βοηθούσε μια πιο μακρόχρονη επαφή.

Πίσω στο φανταστικό μας πείραμα

Το πραγματικό ερώτημα λοιπόν είναι το ακόλουθο: Είναι δυνατό (έστω και μετά από μια πιο μακρόχρονη γνωριμία) να μάθουμε κάτι για τις πιθανότητες που υπάρχουν να φερθεί κάποιος καιροσκοπικά; Εάν ναι, τότε οι προδιαθέσεις για παραμερισμό του ατομικού συμφέροντος θα αναδειχθούν και θα ευημερήσουν, σύμφωνα με το μοντέλο της δέσμευσης. Σε διαφορετική περίπτωση, το μοντέλο αποτυγχάνει.

Το βασικό ερώτημα είναι πολύ παρόμοιο με αυτό που παρουσιάσαμε στο απλό φανταστικό πείραμα στο Κεφάλαιο Ένα: Ξέρετε κάποιον που θεωρείτε ότι δεν υπάρχει πιθανότητα να σας εξαπατήσει, ακόμα και στην περίπτωση που μπορεί να το κάνει χωρίς να αποκαλυφθεί; Εάν υποθέσουμε ότι ξέρετε ένα τέτοιο άτομο, παρατηρήστε και πάλι πόσο δύσκολο είναι να παρουσιάσετε τεκμηριωμένες αποδείξεις για να υποστηρίξετε την πεποίθησή σας. Λογικά δεν γίνεται να έχετε βγάλει αυτό το συμπέρασμα από την πείρα σας, διότι, εάν αυτό το άτομο σας είχε εξαπατήσει παλαιότερα σε κάποια παρόμοια περίσταση, δεν θα το ξέρατε. Για μια ακόμα φορά η απάντηση «ναι» σ' αυτό το φανταστικό πείραμα σημαίνει ότι πιστεύετε ότι μπορείτε να διακρίνετε τα εσώτερα κίνητρα τουλάχιστον ορισμένων ανθρώπων.

Το πείραμα με το δίλημμα του φυλακισμένου υποστηρίζει τη διαίσθησή μας ότι μπορούμε να αναγνωρίσουμε τους μη καιροσκόπους. Το ότι μπορούμε, στ' αλήθεια, να αναγνωρίσουμε αυτούς τους ανθρώπους είναι η βασική πρόταση πάνω στην οποία στηρίζεται το μοντέλο της δέσμευσης. Το λογικό συμπέρασμα αυτής της πρότασης είναι ότι η μη καιροσκοπική συμπεριφορά γεννιέται και επιβιώνει ακόμα και σ' έναν άγρια ανταγωνιστικό υλικό κόσμο. Συνεπώς μπορούμε να παραδεχτούμε ότι, τελικά, αυτό που διέπει τη συμπεριφορά είναι οι υλικές δυνάμεις, κι ωστόσο την ίδια στιγμή να απορρίψουμε την άποψη ότι οι άνθρωποι κάνουν τα πάντα με γνώμονα το ατομικό τους υλικό συμφέρον. Και όπως θα δούμε στα επόμενα κεφάλαια, αυτή η οπτική μπορεί να εξηγήσει διάφορα στοιχεία που το μοντέλο του ατομικού συμφέροντος αφήνει ανερμήνευτα.

ΚΕΦΑΛΑΙΟ ΟΚΤΩ

Η Ηθικη Διαπλαση

Το μηνυμα του μοντέλου της δέσμευσης εναρμονίζεται με όσα έλεγαν οι ηθικοί φιλόσοφοι του δεκάτου ογδόου αιώνα περί των κινήτρων των ηθικών πράξεων. Για παράδειγμα, ο Ντέιβιντ Χιουμ πίστευε ότι η ηθική στηρίζεται στο συναίσθημα και όχι στη λογική, και ότι το πιο σημαντικό συναίσθημα είναι η συμπόνια. Η συμπόνια έπαιξε επίσης σημαντικό ρόλο στο πιο περίπλοκο πρότυπο του Άνταμ Σμιθ, σύμφωνα με το οποίο η κεντρική κινητήρια δύναμη είναι η επιθυμία κάθε ανθρώπου να αρέσει σε έναν «ουδέτερο παρατηρητή».

Όμως ο ρόλος του συναισθήματος υποβιβάστηκε σημαντικά από τους μεγάλους υλιστές φιλοσόφους του δεκάτου ενάτου και του εικοστού αιώνα. Ακόμα και η ανθρωπιστική ηθική φιλοσοφία του John Rawls, που είχε μεγάλη επίδραση στην εποχή μας, προέρχεται από ένα κατ' ουσία ορθολογικό πείραμα σκέψης, σύμφωνα με το οποίο το ατομικό συμφέρον είναι το πρωταρχικό ανθρώπινο κίνητρο. Στο μνημειώδες έργο του *Μια θεωρία της δικαιοσύνης*, οι άνθρωποι πρέπει να αποφασίσουν για τους κανόνες της κοινωνικής δικαιοσύνης, αφού φανταστούν ότι βρίσκονται οι ίδιοι σε μια *πρωτότυπη θέση*, στην οποία δεν γνωρίζουν τα δικά τους ιδιαίτερα ταλέντα και ικανότητες. Ο Rawls δεν δίνει σημαντικό ρόλο σε συναισθήματα όπως η συμπόνια, η φιλανθρωπία ή η ζήλια στις επιλογές που κάνουν οι υποθετικοί κοινωνικοί εταίροι του.

Η παρακμή του ρόλου του συναισθήματος επηρεάστηκε επίσης από την κυριαρχική επιρροή του συμπεριφορισμού στην ψυχολογία. Η βασική κριτική που ασκήθηκε κατά των συμπεριφοριστών είναι ότι θεωρούν το μυαλό του παιδιού σαν μια tabula rasa, έναν άγραφο πίνακα στον οποίο η εμπειρία έχει το ελεύθερο να χαράξει όποια μηνύματα θέλει.* Έβλεπαν από την αρχή το σωστό και το λάθος όχι ως εγγενείς, διαισθητικές έννοιες, αλλά ως έννοιες που διδάσκονταν από την προσεκτική περιβαλλοντική ενίσχυση.

Σήμερα οι συμπεριφοριστές κατανοούν ότι η βιολογία περιορίζει το πεδίο δράσης της εμπειρίας ή και του προσδιορισμού. Σήμερα, φέρ' ειπείν, πιστεύουμε ότι η βασική δομή της γλώσσας είναι ένα αναπόσπαστο, κληρονομικό μέρος του νευρικού συστήματος του κάθε ανθρώπου.[1] Αρχίζουμε να συνειδητοποιούμε κάτι που πολλοί από τους συνθέτες του εικοστού αιώνα δεν συνειδητοποίησαν, ότι δεν μπορεί οποιαδήποτε μουσική δομή να παράγει ευχάριστη αίσθηση στο ανθρώπινο νευρικό σύστημα.

Τα θέλγητρα του στενού ορθολογισμού έχουν κι αυτά αρχίσει να φθίνουν. Κάποιοι φιλόσοφοι, όπως ο Derek Parfit, τονίζουν ότι οι άνθρωποι διαθέτουν πολύ ευρύτερα ενδιαφέροντα από αυτά που τους αναγνωρίζουν οι συμβατικές συμφεροντολογικές θεωρίες της λογικής συμπεριφοράς, και ότι αυτό είναι προς όφελός τους.[2] Επιστρέφουμε στη θεωρία ότι οι άνθρωποι έχουν τη συναισθηματική προδιάθεση να σχηματίζουν κοινότητες και να αναζητούν την προκοπή και την ολοκλήρωσή τους στις συνεργατικές σχέσεις με άλλους ανθρώπους.[3]

Το 1984 λοιπόν η κατάσταση είχε ωριμάσει για το προκλητικό βιβλίο του ψυχολόγου Jerome Kagan Η φύση του παιδιού. Στο βιβλίο αυτό, ο Kagan ισχυρίζεται ότι το συναίσθημα, σε μεγαλύτερο βαθμό από τη λογική, είναι εκείνο που βρίσκεται πίσω από τις ηθικές επιλογές. Αυτό φυσικά είναι το ίδιο συμπέρασμα που βγαίνει και από το μοντέλο της δέσμευσης. Όμως ο Kagan έφτασε σ' αυτό από διαφορετικό δρόμο: την άμεση παρατήρηση της συμπεριφοράς των παιδιών. Τα στοιχεία που μας παρέχει είναι μια σημαντική πηγή έμμεσης υποστήριξης του μοντέλου της δέσμευσης και γι' αυτό αξίζει να τα εξετάσουμε προσεκτικά.

---

* Αυτή ίσως είναι μια άδικη σκιαγράφηση του θέματος, επειδή ακόμα και οι αμιγώς περιβαλλοντικές θεωρίες συμπεριελάμβαναν «μια αρχή ώθησης ή παρακίνησης που συγκεκριμενοποίησε την τελική μορφή που πήρε το δόγμα του ενστίκτου, παρότι στη νέα ορολογία εμφανίζεται συγκαλυμμένα» (Herrnstein, 1972, σελ. 24).

Η αμφισβήτηση του αυστηρά συμπεριφορικού προτύπου

Προτού όμως εξετάσουμε αυτά τα στοιχεία, είναι χρήσιμο να δούμε εν συντομία τις δυνάμεις που οδήγησαν στην εγκατάλειψη του αυστηρά συμπεριφορικού προτύπου. Μέγα μέρος από τη διανοητική δύναμη των συμπεριφοριστών προήλθε από πειράματα που έγιναν στο εργαστήριο του πλέον γνωστού συμπεριφοριστή, του Μπ. Φ. Σκίνερ. Ο Σκίνερ και οι συνάδελφοί του απέδειξαν ότι τα ποντίκια και άλλα πειραματόζωα μπορούν να διδαχτούν μια εξαιρετικά μεγάλη ποικιλία σύνθετων συμπεριφορών με τη χρήση απλών ποινών και ανταμοιβών. Από αυτά τα πειράματα έβγαλαν το γενικό συμπέρασμα ότι σχεδόν όλη η συμπεριφορά του κάθε ζωικού είδους ήταν αποτέλεσμα ενός παρόμοιου περιβαλλοντικού προσδιορισμού.

Ωστόσο, στη δεκαετία του '60, μια σειρά πειραμάτων που πραγματοποίησαν ο ψυχολόγος John Garcia και ο συνεργάτης του Robert Koelling έδειξε κάτι που κατέληξε σε μια συντριπτική διάψευση του σχήματος του Σκίνερ. Τα πειράματα του Garcia υπέβαλαν τέσσερις ομάδες γενετικά όμοιων ποντικιών σε μια τυπική δοκιμασία αρνητικού προσδιορισμού (εθισμού δηλαδή σε διαβήματα αποφυγής της ταλαιπωρίας) κατά Σκίνερ. Στα ποντίκια της πρώτης ομάδας έδωσαν να πιουν νερό και, ενώ το έπιναν, τιμωρούνταν με ένα ήπιο ηλεκτροσόκ. Πριν από την ποινή αυτή, δινόταν ένα σήμα με τη μορφή θορύβου και φωτός που αναβόσβηνε. Ακριβώς όπως προέβλεπε το μοντέλο των συμπεριφοριστών, τα ποντίκια έμαθαν γρήγορα να αποφεύγουν την ποινή σταματώντας να πίνουν μόλις δινόταν το σήμα. Απέκτησαν την κλασική *αντίδραση αποφυγής* (της ταλαιπωρίας).

Στη δεύτερη ομάδα ποντικιών το σήμα ήταν η προσθήκη κάποιας χαρακτηριστικής γεύσης στο νερό και η ποινή ήταν ο βομβαρδισμός τους με ακτίνες Χ, που προκαλούσαν ναυτία. Όπως και η πρώτη ομάδα, ανέπτυξε κι αυτή γρήγορα την αναμενόμενη αντίδραση αποφυγής.

Στην τρίτη και την τέταρτη ομάδα τα ζεύγη σήματος και ποινής είχαν εναλλαγεί: στην τρίτη ομάδα το σήμα του θορύβου και φωτός ακολουθούνταν από την τεχνητά προκαλούμενη ναυτία, ενώ στην τέταρτη η χαρακτηριστική γεύση ακολουθούνταν από ηλεκτροσόκ. Το αιφνίδιο αποτέλεσμα ήταν ότι κανένα από τα ποντίκια αυτών των δύο ομάδων δεν ανέπτυξε αντίδραση αποφυγής.

Τα ποντίκια προφανώς δεν έχουν δυσκολία να μάθουν να συνδυάζουν έναν θόρυβο και ένα φως με το ηλεκτροσόκ, ή μια χαρακτηριστική γεύση με τη ναυτία. Οι Garcia και Koelling υποστήριξαν ότι ο εγκέφαλος του ποντικιού εξελίχθηκε έτσι ώστε να είναι ιδιαίτερα δεκτικός σ' αυτούς τους συνδυασμούς. Μια σχέση αιτίας και αποτελέσματος μεταξύ της ναυτίας και μιας πρόσφατης νέας γεύσης είναι, σε τελευταία ανάλυση, εγγενώς πιθανή. Παρομοίως, ο σωματικός πόνος συνδέεται συχνά και με ήχους και με αλλαγές στο οπτικό πεδίο. Αντιθέτως, η αιτιώδης σχέση μεταξύ μιας νέας γεύσης και ενός μη κοιλιακού πόνου είναι εγγενώς απίθανη. Ούτε είναι πιθανό να έχουν υπάρξει στη φύση πολλές περιστάσεις όπου ένα μη εδεσματικό ερέθισμα πυροδότησε το αίσθημα της ναυτίας. Επειδή κάποιοι τύποι συνειρμών είναι τόσο απίθανοι, ο εγκέφαλος των ποντικιών, για να εξοικονομήσει χωρητικότητα, δεν τους υπολογίζει καθόλου. Κάθε ποντικός που θα αφιέρωνε τις πεπερασμένες γνωστικές δεξιότητες του στη διερεύνηση τέτοιων σχέσεων προφανώς δεν θα είχε επιζήσει επί μακρόν.

Τα πειράματα του Garcia αντέκρουσαν την παραδοσιακή συμπεριφοριστική γνώση σε ένα άλλο σημαντικό πεδίο, δείχνοντας ότι η ικανότητα για την παραγωγή θεμιτών συνειρμών παραμένει σχεδόν ανεπηρέαστη από το χρονικό διάστημα που μεσολαβεί ανάμεσα στο ερέθισμα και στο προκαλούμενο αποτέλεσμα. Τα ποντίκια έκαναν τον συνειρμό μεταξύ γεύσης και ναυτίας, για παράδειγμα, ακόμα κι όταν το χρονικό διάστημα που μεσολαβούσε έφτανε τα 75 λεπτά. Για την επικρατούσα θεωρία των συμπεριφοριστών, η οποία εκτιμούσε ότι τα μεγάλα χρονικά διαστήματα μεταξύ του αρχικού ερεθίσματος και της ενισχυτικής εθιστικής αγωγής θα είχαν ως αποτέλεσμα τη συνειρμική αδράνεια, η σαφώς περιορισμένη επιρροή των μακρών αυτών διαλειμμάτων επί της συνδυαστικής ικανότητας ήταν ανεξήγητη.

Τα νέα αυτά στοιχεία δεν ήταν διόλου ευπρόσδεκτα στους συμπεριφοριστές. Κανένα από τα κορυφαία περιοδικά ψυχολογίας δεν δέχτηκε να δημοσιεύσει άρθρα για τα πειράματα του Garcia. Πολύ αργότερα δημοσιεύτηκαν τελικά σε μη γνωστά, την εποχή εκείνη, περιοδικά.[4] Ένας γνωστός παιδαγωγός της εποχής αποκάλεσε τα αποτελέσματα του Garcia «το ίδιο πιθανά με το να κουτσουλά ένας κούκος-ρολόι».

Παρ' όλη αυτή τη σκληρή και συχνά υβριστική αντίσταση, τα πειράματα του Garcia οδήγησαν προοδευτικά σε μια επανάσταση στους κύκλους των θεωρητικών της παιδαγωγικής. Σύντομα έγινε φανερό ότι η ανακάλυψή του δεν ίσχυε μόνο για τα ποντίκια, αλλά και για τους ανθρώπους. Ο Martin Seligman επινόησε τον όρο *φαινόμενο της σάλτσας μπεαρνέζ* για να περιγράψει την *προκατασκευασμένη* ή *κατευθυνόμενη μάθηση*, τη γενική μας τάση να μαθαίνουμε κάποιους συνειρμούς πολύ πιο εύκολα απ' ό,τι κάποιους άλλους.[6] Αρκετές ώρες αφότου έφαγε ένα φιλέ μινιόν με την αγαπημένη του σάλτσα, ο Seligman αρρώστησε βαριά. Παρ' όλο το χρονικό διάστημα που μεσολάβησε μεταξύ του φαγητού και της αρρώστιας, παρ' όλο τον μεγάλο αριθμό άλλων ερεθισμάτων που παρενέβησαν κατά το ίδιο χρονικό διάστημα, και παρόλο που ανακάλυψε αργότερα ότι τα συμπτώματά του ήταν στην πραγματικότητα το αποτέλεσμα στομαχικής γρίπης, ο Seligman αναφέρει ότι δεν κατάφερε ποτέ να ξαναδοκιμάσει σάλτσα μπεαρνέζ. Την ίδια εβδομάδα που αρρώστησε ο Seligman, δημοσιεύτηκε και η πρώτη εργασία του Garcia.

Ανάπτυξη της προσωπικότητας και ειδικές εγκεφαλικές ικανότητες

Ο εγκέφαλος έχει ορισμένες ειδικές ικανότητες που αναπτύσσονται σε συγκεκριμένες περιόδους. Οπλισμένοι μ' αυτή τη γνώση, οι «μετασυμπεριφοριστές» έχουν κάνει μεγάλη πρόοδο προς την κατανόηση της διαδικασίας ανάπτυξης της προσωπικότητας των παιδιών. Η χρησιμότητα του νέου προσανατολισμού εμφανίζεται ολοκάθαρα στον τρόπο με τον οποίο στοιχειοθετεί ο Kagan τον πανικό του *αποχωρισμού*, την αγωνιώδη αντίδραση του παιδιού που οι γονείς του έχουν μόλις φύγει από το δωμάτιο. Το άγχος του αποχωρισμού σπανίως εκδηλώνεται πριν από την ηλικία των 7 μηνών. Τα περισσότερα μωρά, πριν από αυτή την ηλικία, συνεχίζουν να παίζουν κανονικά όταν ο γονιός βγαίνει από το δωμάτιο. Ορισμένες φορές όμως, μεταξύ 7 και 15 μηνών, επέρχεται μια απότομη αλλαγή: Η ξαφνική απουσία του γονιού προκαλεί το κλάμα του μωρού.

Η συνηθέστερη εξήγηση της αλλαγής αυτής στη συμπεριφορά ήταν ότι το παιδί κλαίει επειδή κάποτε μαθαίνει ότι είναι σε μεγαλύτερο κίνδυνο όταν ο γονιός του λείπει. Μια άλλη εξήγηση ήταν ότι το μωρό χρειάζεται τουλάχιστον 7 μήνες για να συνδεθεί στενά με το άτομο που το φροντίζει και να αρχίσει να νιώθει ανησυχία για την εξαφάνισή του. Από αυτές όμως τις εξηγήσεις φαίνεται ότι λείπει ένα σημαντικό στοιχείο:

[Καμιά] ... δεν εξηγεί το γεγονός πως τόσο η χρονική στιγμή, όσο και η μορφή με την οποία εμφανίζεται ο πανικός του αποχωρισμού ισχύουν το ίδιο σχεδόν για όλα τα παιδιά, τα εκ γενετής τυφλά, τα παιδιά που μεγαλώνουν σε αμερικάνικες πυρηνικές οικογένειες, τα παιδιά των κιμπούτς του Ισραήλ, των μπάριος της Γουατεμάλας, των ινδιάνικων χωριών της Κεντρικής Αμερικής, των ορφανοτροφείων, των αμερικάνικων βρεφικών σταθμών. Γιατί όλα αυτά τα βρέφη, που μεγαλώνουν σε τόσο διαφορετικές συνθήκες, μαθαίνουν να εκδηλώνουν την αντίδραση πανικού εμπρός στην παροδική έστω εξαφάνιση του αγαπημένου προσώπου στην ίδια ακριβώς ηλικία; Διόλου δεν μοιάζει εξάλλου αξιόπιστη η υπόθεση ότι, ενώ το χρονικό διάστημα που τα βρέφη βρίσκονται κοντά στις μητέρες τους σαφέστατα ποικίλλει στα διάφορα αυτά περιβάλλοντα, η αναπτυξιακή λειτουργία, σε ό,τι αφορά στη συναισθηματική σχέση με τον άμεσο κηδεμόνα, είναι ίδια κι απαράλλακτη.[7]

Μπορούμε επίσης να αναρωτηθούμε γιατί η μεταβολή της συμπεριφοράς είναι τόσο απότομη. Διαισθητικά έστω, γνωρίζουμε ότι η συναισθηματική σχέση εδραιώνεται σταδιακά. Βαθμηδόν θα πρέπει επίσης να θεωρήσουμε ότι αποκτάται και η γνώση για τον πόνο και τον κίνδυνο. Εάν τα βρέφη αναπτύσσουν σταδιακά τον συναισθηματικό σύνδεσμο, εάν σταδιακά μαθαίνουν ότι η απουσία του ατόμου που τα περιποιείται σημαίνει μεγαλύτερο κίνδυνο, τότε γιατί και η αντίδρασή τους στην αποχώρηση του ατόμου που τα προσέχει δεν εμφανίζεται κι αυτή σταδιακά; Γιατί δηλαδή τα βρέφη δεν ξεκινούν να είναι ελαφρώς δυστυχισμένα όταν αυτός που τα φροντίζει εξαφανίζεται;

Ο Kagan πιστεύει ότι ο πανικός του αποχωρισμού εγκαθίσταται όταν ωριμάζει η ικανότητά μας να ανασύρουμε εικόνες από τη μνήμη και να τις συγκρίνουμε με το παρόν. Αυτή η ικανότητα ωριμάζει απότομα γύρω στους 8 μήνες. Πριν αναδειχθεί η ικανότητα αυτή, το παιδί δεν είναι σε θέση να ξαναβρεί ένα παιχνίδι του, ας πούμε, που εμπρός στα μάτια του ωστόσο κάποιος μόλις το 'χει κρύψει κάτω από ένα κάλυμμα. Όταν το παιχνίδι παύει να φαίνεται, είναι σαν να παύει να υπάρχει. Με την ωρίμανση της ανάκλησης της μνήμης ωστόσο, το παιδί μπορεί ξαφνικά να βρει το παιχνίδι χωρίς δυσκολία.

Χωρίς την ικανότητα να ανακαλέσει αποθηκευμένες νοητικές εικόνες και να τις συγκρίνει με το παρόν, το παιδί είναι ανίκανο να συλλάβει την ανακολουθία μεταξύ της παρουσίας και της απουσίας της τροφού και συνεπώς δεν υπάρχει λόγος να στενοχωρηθεί όταν η τροφός φεύγει από το δωμάτιο. Από τη στιγμή που αναπτύσσει αυτή την ικανότητα ωστόσο, αντιλαμβάνεται ότι έχει συμβεί μια αλλαγή. Εξαιτίας της υπαρκτής σύνδεσης με την τροφό, η αλλαγή αυτή είναι σημαντική. Η αδυναμία του να δώσει λύση στην οδυνηρή ανακολουθία οδηγεί στον πανικό.

Συναισθηματική ικανότητα και ηθική συμπεριφορά

Η αναθεωρητική αυτή προσέγγιση του πανικού του αποχωρισμού, δίνοντας έμφαση στην ανάδειξη έμφυτων ικανοτήτων στο κεντρικό νευρικό σύστημα, απαντά σε πολλά από τα ερωτήματα που οι συμπεριφορικές θεωρήσεις δεν απαντούν. Ο Kagan χρησιμοποιεί μια παρόμοια στρατηγική για να διερευνήσει τον ρόλο των συναισθημάτων στην ηθική συμπεριφορά. Η συστηματική παρατήρηση της συμπεριφοράς των παιδιών σε ποικίλα, σαφώς ιδιάζοντα, περιβάλλοντα γίνεται σε συνδυασμό με τις πρόσφατα αποκτημένες γνώσεις μας για τα πρότυπα ανάπτυξης των ειδικών γνωστικών και συναισθηματικών δεξιοτήτων μας.

Οι ηθικοί φιλόσοφοι έχουν από καιρό επισημάνει τις μεγάλες διαφορές των ειδικών ηθικών προτύπων, είτε ανάμεσα σε ξεχωριστούς πολιτισμούς είτε και μέσα στον χρόνο, λογαριάζοντας τις διαφορετικές φάσεις που διανύει ένας πολιτισμός. Για παράδειγμα, στους περισσότερους δυτικούς πολιτισμούς το κατά πόσο είναι επιλήψιμο ένα ψέμα εξαρτάται, σε γενικές γραμμές, πολύ λιγότερο, απ' ό,τι σε πολλούς ανατολικούς πολιτισμούς, από τις συνθήκες μέσα στις οποίες λέγεται. Στην Ιαπωνία, για παράδειγμα, όπου η διατήρηση της κοινωνικής αρμονίας είναι συχνά πιο σημαντικός ηθικός στόχος απ' την αλήθεια, το άτομο έχει το ηθικόν καθήκον να πει ψέματα σε πολλές κοινωνικές καταστάσεις. Στα αρχαία ελληνικά κράτη-πόλεις, η αφοσίωση στον τόπο παραμονής κάποιου ήταν πολύ πιο σημαντική απ' ό,τι στις σύγχρονες αστικές κοινωνίες. Και το δικαίωμα του κάθε πολίτη να επιδιώκει τη βελτίωση της ζωής του, που το θεωρούμε τόσο δεδομένο στις φιλελεύθερες δημοκρατίες του εικοστού αιώνα, δεν υπήρχε καν στις περισσότερες αρχαίες κοινωνίες, οι οποίες συχνά δεν έβλεπαν τίποτα ηθικά μεμπτό στην υποδούλωση των «βαρβάρων».

Οι χρονικές και οι τοπικές συνθήκες έχουν μια ολοφάνερη και α-ποφασιστική συμμετοχή στον καθορισμό των αρετών του χαρακτήρα που κάθε συγκεκριμένη κοινωνία αναλαμβάνει να τιμήσει δεόντως εν συνεχεία. Μια κοινωνία που υφίσταται συνεχείς στρατιωτικές απειλές δίνει έμφαση στη σωματική ρώμη. Μια κοινωνία που ευημερεί δίνει έμφαση στη φιλανθρωπία προς τους αναξιοπαθούντες. Μια λιμοκτονούσα και λοιμοκτονούσα κοινωνία ενθαρρύνει την αδιαφορία και ούτω καθεξής. Η συμπεριφορά που επιτάσσουν οι διακηρυγμένες αρετές μιας κοινωνίας απαιτεί προσπάθεια, ισχυρίζεται ο Kagan, αλλά γενικά είναι στο πλαίσιο των δυνατοτήτων των περισσότερων πολιτών της.

Ο κύριος ισχυρισμός του είναι ότι, ενώ τα ειδικά ηθικά πρότυπα είναι πάρα πολύ διαφορετικά και πολύπλοκα, υποστηρίζονται ωστόσο από ορισμένες απλές και εντυπωσιακά ομοιόμορφες συναισθηματικές ικανότητες. Υπογραμμίζοντας το ότι οι κατηγοριοποιήσεις του είναι λιγότερο σημαντικές από τις υποκείμενες έννοιες, απαριθμεί τις ακόλουθες πέντε βασικές κατηγορίες συναισθηματικής δυσφορίας:
  – το άγχος (όπως, για παράδειγμα, εμπρός στον σωματικό κίνδυνο, την κοινωνική αποδοκιμασία και την αποτυχία στο έργο που είχαμε αναλάβει),
  – τη μέθεξη* (συμμετοχή στον «συναισθηματικό κόσμο» των άλλων, εκείνων ιδίως που βρίσκονται σε κατάσταση ανάγκης ή μεγάλου κινδύνου),

---

*Σ.τ.Ε.: Αποδίδουμε με τον όρο *μέθεξη* το empathy του πρωτοτύπου. Εδώ, ό-πως και αλλού, η απόδοση αυτή μας βγάζει από το αδιέξοδο ενός όρου που οι Αγγλοσάξονες προφανώς άντλησαν από τη δεξαμενή της γλώσσας μας, αλλά τον οποίο είναι αδύνατον να επαναφέρουμε αυτούσιο στα καθ' ημάς.

- την ευθύνη (ιδίως για τυχόν βλάβες που προξενούνται στους άλλους),
- την ανία/κόπωση (όταν επαναληπτικά και σε βαθμό κορεσμού ικανοποιείται μια επιθυμία μας),
- την αβεβαιότητα (ιδίως όταν δυσκολευόμαστε να κατανοήσουμε αντιφατικά δεδομένα ή να γεφυρώσουμε ασυμβίβαστες έννοιες και πεποιθήσεις).

Αυτές οι κατηγορίες αλληλοεπιδρούν, παράγοντας τα συγγενικά συναισθήματα της ενοχής και της ντροπής. Για παράδειγμα, όταν ένα άτομο γνωρίζει ότι είναι υπεύθυνο για μια πράξη που βλάπτει τους άλλους, αλλά δεν το γνωρίζει κανένας άλλος νιώθει ενοχές. Εάν το ξέρουν και άλλοι, νιώθει και ενοχή και ντροπή. Εάν οι άλλοι λανθασμένα πιστεύουν ότι έχει βλάψει κάποιον τρίτο, νιώθει μόνον ντροπή.

Η ομοιότητα των βασικών αυτών συναισθηματικών καταστάσεων –η διαχρονικότητα δηλαδή, καθώς και η παγκοσμιότητά τους– απεικονίζεται εύγλωττα αν παραβάλουμε τις ακόλουθες δυο περιγραφές του συναισθήματος της ενοχής. Η πρώτη προέρχεται από έναν ενήλικο που ζει στη σύγχρονη δυτικότροπη Κένυα:

Παραμένεις δυστυχής διότι κάτι έχεις μετά στην καρδιά σου που σε τραβάει στο σκοτεινό εκείνο μέρος που το σκιάζει ο φόβος για τις συνέπειες των πράξεών σου στους άλλους. Διότι ξέρεις ότι, ακολουθώντας την καρδιά σου, θα κατηγορήσεις τον εαυτό σου για απρεπή στάση εκείνη τη φορά.[8]

Στην ουσία η περιγραφή του Κενυάτη είναι η ίδια με αυτήν που μας έδωσε ο Ντέιβιντ Χιουμ, ζώντας σε μιαν άλλη ήπειρο και πριν από διακόσια τόσα χρόνια:

Όταν αποκαλείς μια πράξη ή έναν χαρακτήρα κακοήθη, δεν έχεις τίποτε άλλο στον νου σου παρά μόνον ότι από φυσικού σου νιώθεις μέσα σου μιαν αίσθηση ή ένα αίσθημα ντροπής γι' αυτό που αντικρίζεις.[9]

Κατά τον Kagan, η επιθυμία να αποφύγουμε τις ποικίλες στενόχωρες συναισθηματικές καταστάσεις είναι η κεντρική κινητήρια δύναμη πίσω από την ηθική συμπεριφορά. Οι άνθρωποι προσπαθούν να αποφύγουν πράξεις, κίνητρα και καταστάσεις που τους κάνουν να

νιώθουν φόβο, λύπη για τους λιγότερο προνομιούχους, άγχος, βαρε-
μάρα, κούραση ή σύγχυση. Οι συγκεκριμένες πράξεις ή περιστάσεις
που πυροδοτούν αυτά τα συναισθήματα εξαρτώνται κατά πολύ από
το πολιτισμικό πλαίσιο. Αλλά τα κινητήρια συναισθήματα είναι πα-
ντού και πάντα τα ίδια.

Ο ρόλος των προτύπων

Η προσεκτική εξέταση των σταδίων που διέρχονται τα παιδιά μέχρι ν'
αρχίσουν να συμπεριφέρονται ηθικά προσφέρει εντυπωσιακή κάλυψη
στο επιχείρημα ότι η ηθική συμπεριφορά στηρίζεται και ωθείται από έ-
να μικρό σύνολο υποκείμενων συναισθημάτων. Το πρώτο σημαντικό
βήμα είναι η ανάδειξη των πρωτύπων, λίγο μετά τα μέσα του δεύτερου
χρόνου. Σε ένα πείραμα επιτράπηκε σε παιδιά δεκατεσσάρων και δε-
καεννέα μηνών να παίξουν σε ένα δωμάτιο που περιείχε πολυάριθμα
παιχνίδια, κάποια από τα οποία ήταν εμφανώς χαλασμένα ή ελαττω-
ματικά. Κανένα από τα δεκατετράμηνα παιδιά δεν έδωσε ιδιαίτερη
σημασία στα χαλασμένα παιχνίδια. Ωστόσο πάνω από τα μισά μεγα-
λύτερα παιδάκια ήταν φανερό ότι ασχολήθηκαν μαζί τους. Αυτά τα
παιδιά «έφερναν ένα ελαττωματικό παιχνίδι στη μαμά τους, έδειχναν
το χαλασμένο μέρος, έβαζαν το δάχτυλό τους στο σημείο από όπου εί-
χε βγει το κεφάλι από το ζωάκι ή, εάν μπορούσαν να μιλήσουν, έδει-
χναν ότι κάτι πήγαινε στραβά λέγοντας "φτιάξ' το" ή "Μπλιαχ"».[10]
    Τα μεγαλύτερα παιδιά δεν αντιδρούν με τον ίδιο τρόπο σε μια ο-
ποιαδήποτε απόκλιση από την κανονικότητα. Εάν, παραδείγματος χά-
ριν, ένα πουκάμισο έχει ένα επιπλέον κουμπί, ίσως το κοιτάξουν λίγο πε-
ρισσότερο, αλλά δεν εμφανίζεται καμία ιδιαίτερη συναισθηματική από-
χρωση, όπως συμβαίνει όταν φορούν ένα πουκάμισο που του λείπει ένα
κουμπί. Η πηγή της ανησυχίας του παιδιού φαίνεται να είναι η αναγνώ-
ριση ότι, για να χαθεί το κουμπί, θα πρέπει να έγινε κάτι ανάρμοστο.
    Δεν υπάρχει λόγος να αρνηθούμε ότι μία πηγή για τις αλλαγές
στα πρότυπα του παιδιού είναι η ανάδραση από την πλευρά των γο-
νέων, όπως ισχυρίζονται οι συμπεριφοριστές. Εν τέλει πολλά απ' αυ-
τά τα παιδιά έχουν επανειλημμένα εκτεθεί στη γονεϊκή αποδοκιμασία
σε περιπτώσεις που χάλασαν τα παιγνίδια ή τα ρούχα τους.

Ωστόσο ταυτοχρόνως υπάρχουν ξεκάθαρες αποδείξεις ότι η συμπεριφορική ενίσχυση δεν μπορεί να είναι η *μοναδική* πηγή. Και η αλήθεια είναι ότι υπάρχουν πολλές οικείες περιστάσεις στις οποίες το παιδί επιμένει στα δικά του καμώματα, παρά τις αποφασιστικές προσπάθειες να αποθαρρυνθεί. Για παράδειγμα, σχεδόν *κάθε* παιδί αντιδρά με ολοφάνερο ενδιαφέρον και συχνά και με έντονη ανησυχία όταν συναντά κάποιον που το πρόσωπό του είναι πολύ παραμορφωμένο. Για να προφυλάξουν τα συναισθήματα του παραμορφωμένου ατόμου, οι περισσότεροι γονείς κάνουν ό,τι μπορούν για να αποθαρρύνουν αυτή τη συμπεριφορά, συνήθως χωρίς αποτέλεσμα.

Μια άλλη πηγή προτύπων είναι η αναδεικνυόμενη ικανότητα του παιδιού να μετέχει και να συμμερίζεται τα αισθήματα των άλλων. Τα παιδιά, από πολύ μικρή ηλικία, επιδεικνύουν τη γνωστή τάση να ταυτίζουν τα αισθήματα κάποιου άλλου με τα δικά τους.[11] Ένα παιδί δύο ετών που έχει το ίδιο βιώσει κατ' επανάληψη σωματικό πόνο μπορεί να συναγάγει ότι άλλα παιδιά ταλαιπωρούνται από κάτι ανάλογο κάτω από τις ίδιες σχεδόν συνθήκες. Αυτή η εκτίμηση επιπλέον δεν είναι συναισθηματικά ουδέτερη. Κατά κανόνα συνοδεύεται από μια ζωηρή αίσθηση ανησυχίας για το άλλο παιδί.

Μια άλλη πηγή προτύπων είναι τα παραδείγματα που θέτουν οι συνομήλικοι και οι μεγαλύτεροι. Το παιδί, χωρίς βέβαια να είναι διόλου δασκαλεμένο εδώ, μοιάζει να κυριεύεται από το άγχος όταν είναι ανίκανο να κάνει κάτι που οι άλλοι μπορούν να κάνουν: «Όταν μια γυναίκα πλησιάζει κάποιο απ' τα παιδιά, διαλέγει μερικά απ' τα παιχνίδια του κι επιχειρεί μια σειρά από σύντομες επιδείξεις (για τον τρόπο λειτουργίας και χρήσης τους), όχι και τόσο εύκολες ώστε να τις θυμηθεί κανείς και να τις αντιγράψει, τότε όλα μαζί τα παιδιά, προερχόμενα από διαφορετικά πολιτισμικά περιβάλλοντα, πριν καν ξανακαθίσει στη θέση της η υπεύθυνη, ξεσπούσαν σε κλάματα ή διαμαρτυρίες».[12]

Επισημαίνοντας πόσο απίθανο είναι όλα αυτά τα παιδιά, μεγαλωμένα με τόσο διαφορετικούς τρόπους, να έχουν ήδη τιμωρηθεί για τις αποτυχίες τους στις προσπάθειες να μιμηθούν τους άλλους, ο Kagan απορρίπτει τον συμπεριφορικό προσδιορισμό ως αιτία της δυστυχίας τους. Αντ' αυτού, προτείνει ότι το παιδί απλώς «εφευρίσκει την υποχρέωση να αναπαραγάγει τις πράξεις του μεγαλύτερου».[13] Και πράγματι, είναι εύκολο να δούμε πώς μια συναισθηματική προδιάθεση για μίμηση της συμπεριφοράς των ανθρώπων σε ανώτερες θέσεις μπορεί να είναι προσαρμοστική, ακόμα και εάν είναι σίγουρο ότι οδηγεί σε περιστασιακή αποτυχία.

Ότι η συμπεριφορά των άλλων είναι μια δυνατή και εγγενής πηγή προτύπων μοιάζει να είναι σαφές. Βρέφη μόλις μερικών ωρών, για παράδειγμα, αναπαράγουν τις εκφράσεις του προσώπου της μητέρας τους, μέχρι και λεπτομέρειες, όπως τις κινήσεις της γλώσσας και το ανοιγοκλείσιμο των ματιών.[14] Ακόμα και στους φαινομενικά ώριμους ενήλικες, η συμπεριφορά των συνομηλίκων τους παραμένει μια σημαντική πηγή προτύπων. Η αποτυχία συμμόρφωσης στα πρότυπα έχει την ιδιότητα να γεννά δυσάρεστα συναισθήματα ακόμα και όταν η δραστηριότητα είναι τέτοια που αντίκειται σε όλη την προηγούμενη αγωγή και τους λογής λογής προσδιορισμούς μας. Σε μία ταινία του 1970, για παράδειγμα:

... [ο] δόκιμος ερευνητής της ανθρώπινης φύσης Allen Funt ... βάζει το νούμερο του τηλεφώνου του σε μια αγγελία αναζήτησης υπαλλήλου, μετά κανονίζει προσωπικές συνεντεύξεις με αυτούς που ανταποκρίθηκαν. Η ταινία μάς δείχνει τον υποψήφιο να οδηγείται σε ένα μικρό γραφείο, στο οποίο κάθονται αρκετά άλλα άτομα που κι αυτά περιμένουν. Για το υποκείμενο του πειράματος, οι άλλοι μοιάζουν να είναι κι αυτοί υποψήφιοι για τη θέση εργασίας, αλλά εμείς γνωρίζουμε ότι στην πραγματικότητα είναι συνεργάτες του κυρίου Funt. Ανταποκρινόμενοι σε κάποιο μη εμφανές σήμα, σηκώνονται απότομα όλοι μαζί από τις θέσεις τους και αρχίζουν να βγάζουν τα ρούχα τους. Ο φακός εστιάζει στο υποκείμενο του πειράματος. Στο πρόσωπό του είναι ζωγραφισμένος ο φόβος και η ανησυχία, καθώς προσπαθεί να καταλάβει τι γίνεται. Περνούν μερικά λεπτά και μετά κι αυτός επίσης σηκώνεται από την καρέκλα του κι αρχίζει να γδύνεται. Σε κανένα σημείο αυτής της διαδικασίας δεν ρωτά κανέναν από τους άλλους γιατί βγάζουν τα ρούχα τους. Καθώς η σκηνή τελειώνει, τον βλέπουμε να στέκεται εκεί, ολόγυμνος δίπλα στους άλλους, περιμένοντας για κάποια ένδειξη του τι πρόκειται να συμβεί στη συνέχεια.[15]

Υπάρχει όμως και η άλλη όψη του νομίσματος. Από τη μια πλευρά έχουμε πράγματι την αγωνία του παιδιού για το αν θα επιτύχει σ' αυτό που προσπαθεί να κάνει, αλλά από την άλλη είναι και η χαρά που νιώθει το παιδί όταν ελέγχει πλήρως την κατάσταση. Είναι γνωστό το «χαμόγελο του θριάμβου» των παιδιών όλου του κόσμου, το απροσδιόριστο εκείνο χαμόγελο σε πάμπολλες περιπτώσεις όπου καμιά ανάμειξη δεν μπορεί να έχει η αγωγή με ανταμοιβές και τιμωρίες. Ένα χαμόγελο που το φέρνει απλούστατα στα χείλη το αίσθημα της εσωτερικής ικανοποίησης, το οποίο αποτελεί βασικό στοιχείο του εσωτερικού συναισθηματικού ρεπερτορίου κάθε παιδιού.

Από τις διάφορες πηγές των παιδικών προτύπων, μία μόνο –οι αμοιβές/τιμωρίες των ενηλίκων– καλύπτεται από το παραδοσιακό συμπεριφορικό σχήμα περί ηθικής αγωγής. Κι όπως θα δούμε, ακόμα κι αυτή ενδέχεται να εξαρτάται κατά ένα μεγάλο μέρος από την παρουσία μιας έμφυτης συναισθηματικής ικανότητας. Οι υπόλοιπες πηγές προτύπων ελάχιστα σχετίζονται με τον απλοϊκό μηχανισμό του «μαστίγιου και του καρότου» των συμπεριφοριστών.

Το παιδί των δύο χρόνων έχει όλο τον γνωστικό και συναισθηματικό εξοπλισμό που του χρειάζεται για την ανάπτυξη των προτύπων, κι όμως είναι ξεκάθαρο ότι δεν είναι ηθικά ώριμο άτομο. Υπάρχει πράγματι μεγάλη απόσταση από την ευχέρεια που έχει το παιδί να αναγνωρίζει ότι μια συγκεκριμένη ενέργεια ή πράξη παραβιάζει το άλφα ή βήτα πρότυπο, μέχρι την ικανότητα να αισθάνεται εξ ολοκλήρου υπεύθυνο για τη συμπεριφορά του. Για να φτάσουμε στην ηθική ωριμότητα, απαιτούνται ορισμένες πρόσθετες δεξιότητες. Μερικές από αυτές είναι γνωστικές, μερικές άλλες συναισθηματικές.

Στο συναισθηματικό πεδίο το παιδί πρέπει να είναι ικανό να κάνει τη σύνδεση μεταξύ των πράξεών του και της αυτοεκτίμησης. Αυτή η δεξιότητα εμφανίζεται μεταξύ τρίτου και τετάρτου έτους. Από τη στιγμή που το παιδί εξισώνει τις λανθασμένες ενέργειες με μιαν αρνητική εκτίμηση του εαυτού του, και τις επιτυχείς ενέργειες με υψηλή/θετική αυτοεκτίμηση, έχει ένα ισχυρό κίνητρο για την τέλεση καλών πράξεων.

Εκτός από τη συναισθηματική ετοιμότητα, που μας επιτρέπει, σε ορισμένες τουλάχιστον, περιπτώσεις να μεμφθούμε τους εαυτούς μας, η ώριμη ηθική συμπεριφορά απαιτεί πρόσθετες γνωστικές ικανότητες, που τα περισσότερα δίχρονα παιδιά δεν διαθέτουν. Για να βιώσει το αίσθημα ενοχής, για παράδειγμα, είναι απαραίτητο το παιδί να είναι ικανό να συμπεράνει ότι είναι υπεύθυνο για την παραβίαση ενός κανόνα. Η ικανότητα να βγάλει αυτό το συμπέρασμα εξαρτάται, κι αυτή με τη σειρά της, από την ικανότητά του να συλλάβει ότι είχε την επιλογή να συμπεριφερθεί διαφορετικά. Από τον τέταρτο χρόνο σχεδόν όλα τα παιδιά είναι ικανά να εκτιμήσουν την προσωπική υπευθυνότητα για μερικές τουλάχιστον από τις πράξεις τους. Αλλά επειδή η σύνδεση αιτίου και αιτιατού είναι συχνά υπερβολικά περίπλοκη, η διαδικασία της ηθικής ωρίμανσης συνεχίζεται φυσιολογικά σε όλη την ενήλικη ζωή.

Πρότυπα και συναίσθημα

Το σημαντικότερο στοιχείο στην επιχειρηματολογία του Kagan, σε ό,τι αφορά στην υποστήριξη που προσφέρει στο μοντέλο της δέσμευσης, είναι ότι τα πρότυπα περιλαμβάνουν και τη συναισθηματική ανταπόκρισή μας σ' αυτά. Τονίζει, κατά συνέπεια, ότι ένα πρότυπο είναι διαφορετικό από μια σύμβαση του τύπου: «Στην Αγγλία οδηγούμε πάντα από την αριστερή πλευρά του δρόμου». Τόσο τα πρότυπα, όσο και οι συμβάσεις είναι τύποι, αλλά οι συμβάσεις δεν έχουν συναισθηματική φόρτιση. Είναι συνετό να οδηγούμε όλοι στην αριστερή πλευρά του δρόμου, αλλά κανείς δεν νιώθει κάποιο έντονο συναίσθημα γι' αυτό τον λόγο. Όποια πλευρά κι αν επιλέξουμε είναι κατά βάση αυθαίρετη. Με τα πρότυπα ωστόσο υπάρχει συναισθηματική πεποίθηση ότι η επιλογή μας «μετράει».

Το γεγονός ότι τα πρότυπα εξ ορισμού παραπέμπουν σε μια συναισθηματική αντίδραση ασφαλώς εξηγεί και την ιδιαίτερη σημασία που έχουν στη ζωή μας ως κίνητρα. Οι άνθρωποι διακινδυνεύουν τις ζωές τους και την περιουσία τους για να υπεραμυνθούν ενός προτύπου, αλλά θα πράξουν ελάχιστα πράγματα για να υπεραμυνθούν μιας σύμβασης. Είναι, κατά συνέπεια, εύκολο, λέει ο Kagan, να καταλάβουμε για ποιο λόγο πολλοί γονείς ενδιαφέρονται τόσο για το τι βλέπουν τα παιδιά τους στον κινηματογράφο ή στην τηλεόραση.

Παρότι πολλοί γονείς μπορεί να μην είναι ικανοί να εξηγήσουν για ποιο λόγο πιστεύουν στην ορθότητα συγκεκριμένων προτύπων, θέλω

να ελπίζω ότι μια διεισδυτικότερη έρευνα επί του θέματος θα αποκά-
λυπτε τη συνάφεια [με τον προβληματισμό μας]: Καθώς το παιδί γίνε-
ται μάρτυρας υπερβολικής επιθετικότητας, ανεντιμότητας, σεξουαλι-
κότητας και καταστροφικότητας, κινδυνεύει να σταματήσει να βιώνει
τα συναισθήματα του φόβου, της αγωνίας και της αποστροφής που
συντηρούν την ύπαρξη προτύπων τα οποία εναντιώνονται σ' αυτές τις
πράξεις. Οι περισσότεροι ενήλικες φοβούνται –και σωστά, θα έπρεπε
να προσθέσω– ότι, όταν σταματούν οι συναισθηματικές αντιδράσεις
σε κοινωνικά ανεπιθύμητα ανακλαστικά, το πρότυπο καταντά αυθαί-
ρετο και συνεπώς λιγότερο δεσμευτικό.[16]

Το πρόβλημα δεν είναι ότι η λογική ανάλυση είναι άχρηστη για
την ηθική συμπεριφορά, αλλά ότι οι ορθολογιστές δίνουν ελάχιστη ση-
μασία στις άλλες πηγές κινήτρων. Η θέση που δικαιούται η ορθολο-
γική ανάλυση στο σχήμα του Kagan είναι ανάλογη με τη θέση που, δι-
καιωματικά επίσης, κατέχει η ανάλυση αυτή στο διαιτολογικό μας δί-
λημμα για το αν θα πρέπει να φάμε το γλύκισμα ή όχι (βλέπε Κεφά-
λαιο Τέσσερα). Και στις δύο περιπτώσεις δεν είναι παρά ένα από τα
πολλά και ποικίλα εισαγόμενα δεδομένα που αξιοποιούνται για την
παραγωγή των συναισθηματικών καταστάσεων, οι οποίες άμεσα κι-
νητοποιούν τη συμπεριφορά μας.

Μια έμμεση δοκιμασία για τον ρόλο του συναισθήματος

Για να υποστηρίξει τη θέση ότι η ηθική συμπεριφορά παρακινείται α-
πό τα συναισθήματα, ο Kagan εξέτασε την ανάδειξη αυτής της συ-
μπεριφοράς στα παιδιά. Κεφαλαιώδης σ' αυτή τη διαδικασία είναι η
απόκτηση των προτύπων. Ο Kagan μας έδειξε ότι, στις περισσότερες
περιπτώσεις, η διαδικασία με την οποία τα παιδιά αποκτούν πρότυ-
πα –όταν αναδεικνύεται, λόγου χάριν, η ικανότητα της μέθεξης ή η
ανησυχία για τις υποδειγματικές επιδόσεις των μεγαλυτέρων– σχετί-
ζεται απόλυτα με την ανάπτυξη ειδικών συναισθηματικών δεξιοτή-
των. Σημειώσαμε ήδη εξάλλου ότι μόνο σε μία περίπτωση –με τις α-
μοιβές και τιμωρίες των μεγάλων– η διαδικασία σχηματισμού προτύ-
πων μπορεί να αποδοθεί με ακρίβεια από το σχήμα των συμπεριφο-
ριστών.

Η θέση του Kagan ασφαλώς υποστηρίζεται από το γεγονός ότι συγκεκριμένες συναισθηματικές δεξιότητες αναδεικνύονται ταυτόχρονα με τα συγκεκριμένα κρίσιμα βήματα που μας οδηγούν στην ηθική συμπεριφορά. Με καθαρά ορθολογικά κριτήρια, τούτο ωστόσο δεν αποδεικνύει ότι οι συναισθηματικές ικανότητες έχουν γενεσιουργό ρόλο σε θέματα ηθικής. Θα ήμασταν περισσότερο διατεθειμένοι να αποδεχθούμε αυτή τη θέση εάν έδειχνε επίσης ότι η *αποτυχία ανάπτυξης των συναφών συναισθηματικών ικανοτήτων εμποδίζει* την εμφάνιση της ηθικής συμπεριφοράς.

Μια και οι ικανότητες στις οποίες αναφερόμαστε είναι σχεδόν παγκόσμιες, το εγχείρημα της πρακτικής δοκιμασίας του τελευταίου αυτού επιχειρήματος παρουσιάζει εγγενείς δυσκολίες. Υπάρχει ωστόσο ένας ενεργητικός τομέας που, έμμεσα έστω, μπορεί να αξιοποιηθεί για την αποδεικτική δοκιμασία μας. Ασχολείται με τη μελέτη της αποκαλούμενης *ψυχοπαθητικής προσωπικότητας*, ένα σύνδρομο συμπεριφοράς που ο κοινωνιολόγος Lee Robins περιγράφει ως εξής:

> Αναφερόμαστε σε αυτόν που δεν είναι σε θέση να διατηρήσει στενές προσωπικές σχέσεις με κανέναν σχεδόν γύρω του, που δεν μπορεί να αποδώσει ικανοποιητικά στη δουλειά του, που εμπλέκεται σε παράνομες συμπεριφορές (είτε το αντιλαμβάνεται είτε όχι), που δεν είναι σε θέση να υποστηρίξει είτε τον εαυτό του είτε τους δικούς του χωρίς εξωτερική βοήθεια, και ο οποίος είναι επιρρεπής σε αιφνίδιες μεταστροφές της ψυχικής διάθεσης και του προσανατολισμού του, με αφορμή ακόμα και την πιο ασήμαντη ταλαιπωρία – σύμφωνα τουλάχιστον με τις εκτιμήσεις των άλλων. Μιλάμε βέβαια για χρόνια προβλήματα συμπεριφοράς και για χαρακτηριστικά που προσιδιάζουν σε ολόκληρο το ιστορικό του πάσχοντος μέχρι τη στιγμή της διάγνωσης.[17]

Οι πληθυσμοί των φυλακισμένων και των ψυχοπαθών δεν είναι ταυτόσημοι. Πολλοί από τους φυλακισμένους δεν ταιριάζουν στους τυπικούς ορισμούς της ψυχοπάθειας και πολλοί ψυχοπαθείς δεν βρίσκονται αυτή τη στιγμή στη φυλακή. Ακόμα κι έτσι, μια διάγνωση ψυχοπάθειας είναι η σημαντικότερη πρόβλεψη που διαθέτουμε για την πιθανότητα να καταδικαστεί κάποιος για εγκληματική συμπεριφορά. Επιπλέον ακόμα και οι εγκληματίες που δεν ανήκουν στην κατηγορία των ψυχοπαθών τείνουν να παρεκτρέπονται προς την κατεύθυνση της ψυχοπάθειας σε κάθε μετρήσιμη διάσταση της προσωπικότητας. Μπορούμε πάντως τώρα με αρκετή βεβαιότητα να δεχτούμε ότι οι ψυχοπαθείς ή οι σχεδόν ψυχοπαθείς αποτελούν ένα δείγμα που δεν ε- πιδεικνύει το κανονικό πρότυπο της ηθικής συμπεριφοράς που διε- ρευνά ο Kagan.

Υπάρχει άραγε κάποια ένδειξη ότι οι ψυχοπαθείς έχουν σε μειωμένο επίσης βαθμό τις συναισθηματικές δεξιότητες που ενδιαφέ- ρουν τον Kagan; Η προσέγγιση του Harvey Cleckley για την ψυχο- παθητική προσωπικότητα στρέφεται ακριβώς σ' αυτή την κατεύθυν- ση.[18] Τονίζει τη συχνότητα με την οποία λείπουν από τους ψυχοπα- θείς τα συναισθήματα ενοχής ή μέθεξης, δύο πολύ βασικά συναισθή- ματα για τη θέση του Kagan. Η δυσκολία που παρουσιάζεται σ' αυτό το σημείο είναι ότι δεν έχουμε τη δυνατότητα να ελέγξουμε με πραγ- ματικά τεστ την παρουσία ή όχι αυτών των αισθημάτων. Καταλογί- ζουν στους ψυχοπαθείς έλλειψη αισθημάτων ενοχής και ελαττωματι- κή ικανότητα μέθεξης μόνο και μόνο επειδή δεν τους θεωρούν ικα- νούς να συμπεριφερθούν ηθικά. Εάν συμβαίνει αυτό, οι εκθέσεις τους δεν προσφέρουν κανένα νέο στοιχείο που να ενισχύει το επιχείρημα ότι τα συναισθήματα είναι η κινητήρια δύναμη πίσω από την ηθική συμπεριφορά.

Ωστόσο υπάρχει μια σειρά από πειράματα που εντοπίζει μια α- ντικειμενικά μετρήσιμη ανεπάρκεια στη συναισθηματική ικανότητα των ψυχοπαθών. Χρησιμοποιώντας τους τυπικούς ορισμούς της κλινικής ψυχολογίας, οι Robert Hare και Michael Quinn διαίρεσαν ένα δείγμα Καναδών φυλακισμένων σε τρεις κατηγορίες: (1) σαφώς ψυχοπαθείς, (2) οριακά ψυχοπαθείς και (3) σαφώς μη ψυχοπαθείς.[19] Μετά υπέβα- λαν εθελοντές και από τις τρεις κατηγορίες στο ακόλουθο απλό πεί- ραμα εθιστικού προσδιορισμού: Στην αρχή σύνδεσαν τους εθελοντές με ένα μηχάνημα σαν πολύγραφο, το οποίο μετρούσε τους χτύπους της καρδιάς, την περίσφιγξη αιμοφόρων αγγείων και τη γαλβανική δερματική αντίδραση. Οι εθελοντές φορούσαν ακουστικά, μέσα από τα οποία οι υπεύθυνοι του πειράματος διοχέτευαν επανειλημμένα, α- νά 10 δευτερόλεπτα, ηχητικά σήματα χαμηλής, μέσης και υψηλής έ- ντασης. Μετά τον τόνο χαμηλής έντασης, τίποτε απολύτως δεν συνέ- βαινε. Ο μεσαίος ακολουθούνταν από την προβολή στην αντικριστή οθόνη μιας διαφάνειας με μια γυμνή γυναίκα. Ενώ, μετά από τον τόνο υψηλής έντασης, οι εθελοντές που συμμετείχαν στο πείραμα υφίσταντο (και) ένα ελαφρύ ηλεκτροσόκ.

Και στις τρεις κατηγορίες της καταμετρούμενης ψυχικής διέγερσης, τα μη ψυχοπαθή μέλη του πειράματος συμπεριφέρθηκαν με τον αναμενόμενο τρόπο. Δηλαδή οι ηχητικοί τόνοι που προηγούνταν του ηλεκτροσόκ και της γυμνής φωτογραφίας –υψηλής και μεσαίας έντασης, αντιστοίχως– παρήγαγαν αλλαγές στον καρδιακό παλμό, στη σύσπαση των αιμοφόρων αγγείων και στη γαλβανική αντίδραση του δέρματος, πριν από την εμφάνιση του κυρίως ερεθίσματος. Αλλαγές στον καρδιακό παλμό και στη σύσπαση των αγγείων, ως συνέπειες του εθιστικού προσδιορισμού, παρατηρήθηκαν επίσης και στις δύο ομάδες ψυχοπαθών.

Αλλά ως προς τη γαλβανική αντίδραση του δέρματος, τη σαφώς πιο ευαίσθητη από τις τρεις μετρήσεις της συναισθηματικής διέγερσης, κανένας απολύτως επηρεασμός δεν παρατηρήθηκε στις ομάδες των ψυχοπαθών. Επιτάθηκε μεν στιγμιαία κατά τη διάρκεια της ηλεκτρικής κένωσης και της προβολής της διαφάνειας στην οθόνη, αλλά έμεινε εντελώς ανεπηρέαστη από τα ηχητικά σήματα που προηγούνταν των δύο αυτών ερεθισμάτων. Παρόμοιες διαπιστώσεις έχουν γίνει και σε αρκετές άλλες μελέτες.[20] Μπορούμε λοιπόν να πούμε ότι τα πειράματα αυτά, δοκιμαστικά έστω, τεκμηριώνουν την άποψη ότι η μειωμένη συναισθηματική ικανότητα συνδυάζεται με τη μακροχρόνια ανικανότητα συμμόρφωσης με τους συμβατικούς κανόνες της ηθικής συμπεριφοράς.

Πώς γνωρίζουμε όμως ότι πρόκειται για μειωμένη συναισθηματική ικανότητα και όχι για μια γενικότερη ανικανότητα στη μάθηση, που θα σήμαινε απλούστατα ότι οι ποινές και οι αμοιβές είναι αναποτελεσματικές πηγές προτύπων για τους ψυχοπαθείς; Στη σχετική βιβλιογραφία υπάρχουν εξαιρετικά πολυπληθείς αναφορές ότι οι ψυχοπαθείς τα πηγαίνουν τουλάχιστον εξίσου καλά με τους υπόλοιπους ανθρώπους στα παραδοσιακά τεστ νοημοσύνης.[21] Όπως όμως τονίζει ο Hare, οι ψυχοπαθείς σ' αυτές τις μελέτες είναι συνήθως εκείνοι που πιάστηκαν και φυλακίστηκαν για την αντικοινωνική συμπεριφορά τους.[22] Υποθέτοντας με αρκετή ασφάλεια ότι οι ψυχοπαθείς που δεν συλλαμβάνονται (ή που συλλαμβάνονται σπανιότερα) είναι πιο έξυπνοι από εκείνους που πιάνονται στα πράσα, προκύπτει αβίαστα το

συμπέρασμα ότι οι ψυχοπαθείς είναι, κατά μέσο όρο, πιο έξυπνοι α-
πό τους μη ψυχοπαθείς. Οι μελέτες για την ευφυΐα, εν πάση περιπτώ-
σει, διευκρινίζουν ότι η ακοινώνητη συμπεριφορά των ψυχοπαθών
δεν είναι το αποτέλεσμα μιας γενικής ανικανότητας για μάθηση.

Όταν λείπει εντελώς ο (εσωτερικός) συναισθηματικός προσδιο-
ρισμός, όσες τιμωρίες κι όσα καλοπιάσματα κι αν σκαρφιστούν οι με-
γαλύτεροι, ηθική συμπεριφορά δεν γίνεται να στεριώσει. Ακόμα και η
ενίσχυσή της (εκ των υστέρων) με μέτρα για τα οποία φροντίζουν οι
ενήλικες –βρισκόμαστε εδώ, ακολουθώντας τη συμπεριφορική λογι-
κή, στην κατεξοχήν πηγή σχηματισμού των προτύπων– προαπαιτεί
την ύπαρξη και έγκαιρη ανάδειξη έμφυτων συναισθηματικών δεξιο-
τήτων.

Παρορμητικότητα και εγκληματικότητα

Ας θυμηθούμε ότι, στο Κεφάλαιο Τέσσερα, η άποψη ότι τα συναι-
σθήματα βοηθούν στην ανακοπή της τάσης για παρορμητικές αντι-
δράσεις συνδέεται με τον νόμο της ισοτιμίας. Σχεδόν όλοι όσοι ασχο-
λούνται με το θέμα της εγκληματικής συμπεριφοράς έχουν παρατη-
ρήσει ότι η παρορμητικότητα είναι ένα κοινό χαρακτηριστικό των πα-
ρανόμων, είτε πρόκειται για ψυχοπαθείς είτε όχι.[23] Η σύνδεση μετα-
ξύ παρορμητικότητας και εγκληματικής συμπεριφοράς υποστηρίζε-
ται επίσης από πολυάριθμες ποσοτικές μελέτες.[24] Μια μελέτη σε μα-
θητές της πρώτης γυμνασίου έχει αποδείξει ότι τα τεστ της παρορμη-
τικότητας, βασιζόμενα σε απλές ψυχοκινητικές ασκήσεις, μπορούν να
προβλέψουν τη μελλοντική εφηβική εγκληματικότητα.[25]

Στο Κεφάλαιο Τέσσερα είδαμε ότι συγκεκριμένα συναισθήμα-
τα βοηθούν στη χαλιναγώγηση της παρορμητικότητας, με τη μεταφο-
ρά του μελλοντικού κόστους και οφέλους στις παρούσες συνθήκες. Α-
πό αυτή την άποψη, η ευρέως διαδεδομένη και χρόνια παρορμητικό-
τητα των εγκληματιών μπορεί επίσης να θεωρηθεί ότι στηρίζει τον ι-
σχυρισμό ότι οι συναισθηματικές ικανότητες τονώνουν την ηθική συ-
μπεριφορά. Ο ισχυρισμός αυτός, εάν είναι σωστός, παρέχει μιαν ακό-
μα υποστήριξη στην ερμηνευτική πρόταση του μοντέλου της δέσμευ-
σης, που απαντά στο ερώτημα γιατί αποτυγχάνουν τόσο συχνά οι συ-

νεχείς προσπάθειες των ανθρώπων να προωθήσουν το υλικό ατομικό τους συμφέρον.

Οι άνθρωποι είναι οι κατεξοχήν ευπροσάρμοστοι κάτοικοι του πλανήτη μας. Η δύναμη της εμπειρίας και του εθισμού είναι πολύ σημαντικότερη για μας απ' ό,τι για οποιοδήποτε άλλο είδος. Ωστόσο πρέπει να απαρνηθούμε την άποψη ότι δεν υπάρχουν όρια στη διαδικασία του εθιστικού προσδιορισμού μας. Η προσαρμοστικότητά μας περιορίζεται εν μέρει από απλούς σχεδιαστικούς καταναγκασμούς. Ένας τρόπος για να διαφυλάξουμε τη σπάνια και γι' αυτό πολύτιμη νευρολογική κατασκευή μας είναι να προτιμήσουμε να εμπιστευτούμε κι εμείς, αντί τις απεριόριστες δήθεν δυνατότητες ελαστικής προσαρμογής μας, απλούς πρακτικούς κανόνες, όπως συμβαίνει με τα ποντίκια που αρνούνται να κάνουν αιτιακούς συνειρμούς μεταξύ ηλεκτροσόκ και νέων γεύσεων. Δεν χωράει πια καμιά αμφιβολία ότι και η ανθρώπινη συμπεριφορά δέχεται ανάλογες επιρροές. Το *ηθικό αίσθημα* για το οποίο μίλησαν οι φιλόσοφοι του δεκάτου ογδόου και του δεκάτου ενάτου αιώνα είναι προφανές ότι δεν είναι ένα απλό *σχήμα λόγου.*

Αλλά οι καταναγκασμοί που επιβάλλουν οι εξελικτικές προδιαγραφές δεν είναι ο μόνος ικανός λόγος που συνηγορεί υπέρ του μετριασμού της ελαστικότητας. Διότι, ακόμα κι αν είχαμε στη διάθεσή μας πρόσθετη νευρολογική ικανότητα χωρίς κόστος, δεν θα τα καταφέρναμε υποχρεωτικά καλύτερα. Πιο συγκεκριμένα, είδαμε ότι η αίσθηση της απόλυτης ελαστικότητας πολύ συχνά θα καθιστούσε αδύνατη την επίλυση του προβλήματος της δέσμευσης. Στις συγκεκριμένες ηθικές συμπεριφορές με τις οποίες ασχολείται ο Kagan, πιθανόν να πλεονεκτούν πράγματι εκείνοι που βρίσκονται με τα χέρια δεμένα – δέσμιοι καθώς είναι των συναισθηματικών προδιαθέσεών τους. Και αυτό ίσως βοηθά στην επεξήγηση του γιατί «το συναίσθημα και όχι η λογική συντηρεί το υπερεγώ»,[26] με τα λόγια του ίδιου του Kagan.

ΚΕΦΑΛΑΙΟ ΕΝΝΕΑ

Το Αισθημα του Δικαιου

Η ΑΥΤΟΕΚΤΙΜΗΣΗ των οικονομολόγων πηγάζει σε αρκετά σημαντικό βαθμό από την πεποίθησή τους ότι είναι οι πιο άτεγκτοι από όλους τους κοινωνικούς επιστήμονες. Στις αναλύσεις τους για την ανθρώπινη συμπεριφορά, συναντάμε μόνο συμφεροντολογικά κίνητρα. Μια χαρακτηριστική περίπτωση είναι ο Richard A. Posner, που παλαιότερα ανήκε στο δυναμικό της Νομικής Σχολής του Πανεπιστημίου του Σικάγο και σήμερα είναι δικαστής στο Εφετείο του 7ου Διαμερίσματος των ΗΠΑ. Ο Posner απέκτησε δίκαια τη φήμη του πρωτοπόρου στα νομικο-οικονομικά, ένα καινούριο πεδίο στο οποίο η οικονομική ανάλυση βοηθά να ξεκαθαριστούν σημαντικές έννοιες της νομολογίας. Το βιβλίο του *Economic Analysis of Law* έχει γίνει βιβλίο αναφοράς.

Το υλικό κόστος και όφελος είναι το άπαν στον κόσμο του Posner. Δεν υπάρχει αμφιβολία πως οι άνθρωποι νοιάζονται ιδιαίτερα για τις υλικές απολαβές, και η προσέγγιση του Posner συνέβαλε σημαντικά στην κατανόηση της συμπεριφοράς. Με αφετηρία την επιτυχία του γνωστού πλαισίου «κόστος-όφελος», οι οπαδοί του Posner γίνονται όλο και πιο σκεπτικιστές όσον αφορά στα μη υλικά κίνητρα. Όσοι αντιμάχονται την επιδίωξη του υλικού οφέλους αντιμετωπίζονται με μεγάλη δυσπιστία. Ο Posner μιλά με περιφρόνηση για τις συγκεχυμένες νομικές έννοιες όπως «σωστό» και «δίκαιο», τις οποίες αποκαλεί «όρους άνευ περιεχομένου».[1]

Οι οπαδοί του Posner είναι πράγματι άτεγκτοι, αλλά όχι με την έννοια που νομίζουν οι ίδιοι. Σε ζητήματα όπως «το σωστό και το δίκαιο», θεωρούν ότι είναι σκληροί, ενώ στην πραγματικότητα είναι απλώς ξεροκέφαλοι, διότι αρνούνται να παραδεχτούν τις συντριπτικές αποδείξεις ότι το αίσθημα του δικαίου είναι εξαιρετικά σημαντική πηγή ανθρώπινων κινήτρων.

Οι ορθολογιστές παραπονούνται ότι η έννοια του δικαίου είναι απελπιστικά ασαφής. Κι ωστόσο, όπως θα δούμε, υπάρχει ένας αρκετά απλός ορισμός που καλύπτει, σε μεγάλο βαθμό, αυτό που οι άνθρωποι εννοούν με τη λέξη «δίκαιο». Και, το πιο σημαντικό, θα δούμε ότι το αίσθημα του δικαίου ωθεί συχνά σε ενέργειες που έχουν μεγάλο κόστος. Το παραδοσιακό μοντέλο του ατομικού συμφέροντος, που αγνοεί αυτό το αίσθημα, κάνει ακριβέστερες προβλέψεις ως προς το τι κάνουν πράγματι οι άνθρωποι.

Ορίζοντας το δίκαιο

Η έννοια του δικαίου αναφέρεται σχεδόν πάντα στους όρους κάποιας συναλλαγής (όχι υποχρεωτικά οικονομικής) που γίνεται μεταξύ ανθρώπων. Για να δώσουμε στην έννοια αυτή έναν ορισμό εργασίας, καλό θα ήταν να εξηγήσουμε πρώτα κάποια απλή ορολογία σχετικά με τις συναλλαγές.

Μια συναλλαγή γίνεται όταν οι δύο συμβαλλόμενοι ανταλλάσσουν κάτι. Ο Α δίνει στον Β ένα δολάριο, ο Β δίνει στον Α έναν ανανά. Όταν η συναλλαγή γίνεται εκούσια, μπορούμε να συμπεράνουμε πως αποφέρει όφελος και στους δύο συμβαλλομένους. Στο συγκεκριμένο παράδειγμα συμπεραίνουμε ότι ο ανανάς αξίζει για τον Α περισσότερο από ένα δολάριο (διαφορετικά δεν θα τον είχε αγοράσει) και για τον Β λιγότερο από ένα δολάριο (διαφορετικά δεν θα τον είχε πουλήσει).

Σε κάθε συναλλαγή υπάρχει μια τιμή *επιφύλαξης* τόσο για τον αγοραστή, όσο και για τον πωλητή. Για τον αγοραστή αυτή η τιμή είναι το μεγαλύτερο ποσό που είναι διατεθειμένος να πληρώσει. Εάν τον χρέωναν περισσότερο, θα απέρριπτε τη συναλλαγή. Η τιμή επιφύλαξης του πωλητή είναι το μικρότερο ποσό που θα αποδεχόταν.

Το *πλεόνασμα* από κάθε συναλλαγή είναι η διαφορά μεταξύ των τιμών επιφύλαξης του αγοραστή και του πωλητή. Στο παράδειγμα με τον ανανά, εάν αυτές οι τιμές είναι, ας πούμε, 1,20 και 0,80 δολάριο αντιστοίχως, το πλεόνασμα αυτό είναι 40 σεντς.

Το παραδοσιακό οικονομικό μοντέλο διατείνεται ότι η ανταλλαγή θα γίνει μόνο στην περίπτωση που θα υπάρχει θετικό πλεόνασμα – δηλαδή όταν και μόνον όταν η τιμή επιφύλαξης του αγοραστή υπερβαίνει την τιμή επιφύλαξης του πωλητή. Κάθε φορά που γίνεται μια α-νταλλαγή, το συνολικό πλεόνασμα μοιράζεται μεταξύ του αγοραστή και του πωλητή. Για τις συγκεκριμένες τιμές που δίνονται στο παράδειγμα του ανανά, το πλεόνασμα επιμερίζεται ισότιμα και οι δύο συμβαλλόμενοι λαμβάνουν από 20 σεντς, ήτοι από 50% του συνόλου.

Στο μοντέλο του ατομικού συμφέροντος, η τιμή επιφύλαξης για τον κάθε συμβαλλόμενο ορίζεται ανεξάρτητα από τι ισχύει για τον άλλο. Στο παραδοσιακό μοντέλο δεν παίζει κανένα ρόλο εάν ο αγοραστής είναι πλούσιος ή φτωχός· επίσης θεωρείται δεδομένο ότι ο αγοραστής δεν ενδιαφέρεται καθόλου για την τιμή που ο πωλητής είχε πληρώσει για το εμπόρευμα που τώρα προσπαθεί να πουλήσει. Είναι σαν να φανταζόμαστε ανθρώπους που διεξάγουν όλες τους τις συναλλαγές με μηχανές αγοράς και πώλησης. Το μοντέλο αυτό αντιλαμβάνεται τον κάθε συναλλασσόμενο μεμονωμένα, σαν έναν άνθρωπο που πρέπει να πει ναι ή όχι, κρίνοντας μόνο από την αξία που έχει το προϊόν για τον ίδιο.

Χρησιμοποιώντας τις έννοιες τιμή επιφύλαξης και πλεόνασμα, μπορούμε να διατυπώσουμε τον ακόλουθο προσωρινό ορισμό για τη δίκαιη συναλλαγή: *Δίκαιη συναλλαγή είναι εκείνη στην οποία το πλεόνασμα επιμερίζεται (σχεδόν) ισότιμα. Η συναλλαγή γίνεται πιο άδικη ανάλογα με το πόσο ο επιμερισμός παρεκκλίνει από την ισοτιμία.* Παρότι αυτός ο ορισμός φαίνεται απλός, δεν είναι πάντα εύκολο να εφαρμοστεί. Το πιο άμεσο πρόβλημα είναι ότι, στην πράξη, οι τιμές ε-πιφύλαξης είναι συχνά δυσδιάκριτες. Η τέχνη του παζαριού, όπως συν τω χρόνω μαθαίνουμε οι περισσότεροι, είναι κατά μεγάλο μέρος η τέχνη της παραπλάνησης αναφορικά με τις τιμές επιφύλαξης.

Τις περισσότερες φορές ωστόσο έχουμε τουλάχιστον μια χο-ντρική ιδέα για το ποιες είναι οι τιμές επιφύλαξης. Ακόμα όμως κι αν είμαστε σε θέση να τις γνωρίζουμε επακριβώς, δεν είναι βέβαιο ότι θα θεωρήσουμε δίκαιες όλες τις συναλλαγές που το πλεόνασμά τους επι-μερίζεται ισότιμα. Ο ψυχολόγος Daniel Kahneman και οι οικονομο-λόγοι Jack Knetsch και Richard Thaler έχουν ερευνήσει τις απόψεις των ανθρώπων για το τι είναι δίκαιο σε ένα πλήθος συγκεκριμένων οικονομικών συναλλαγών και, σε μία τουλάχιστον περίπτωση, τα αποτελέσματά τους δείχνουν να μη συμφωνούν με τον απλό ορισμό που πρότεινα λίγο πιο πάνω. Συγκεκριμένα ρώτησαν έναν μεγάλο αριθμό ατόμων αν ο ιδιοκτήτης είχε συμπεριφερθεί δίκαια στην ακόλουθη περίπτωση:

> Ένας ιδιοκτήτης νοικιάζει ένα μικρό σπίτι. Όταν έρχεται η στιγμή της ανανέωσης του συμβολαίου, ο ιδιοκτήτης μαθαίνει ότι ο ενοικιαστής έχει πιάσει δουλειά πολύ κοντά στο σπίτι και, κατά συνέπεια, μάλλον δεν πρόκειται να μετακομίσει. Ο ιδιοκτήτης ζητάει τότε ενοίκιο κατά 40 δολάρια μεγαλύτερο απ' όσο σκόπευε να ζητήσει.[2]

Σ' αυτό το υποθετικό παράδειγμα, η τιμή επιφύλαξης του ενοικιαστή για το διαμέρισμα έχει αυξηθεί εξαιτίας της ξαφνικής αύξησης της αξίας της τοποθεσίας του διαμερίσματος. Μια αύξηση της τάξης των 40 δολαρίων τον μήνα θα ήταν συνεπώς δίκαιη, σύμφωνα με τον ορισμό μου, εάν η αύξηση της αξίας της τοποθεσίας δεν υπερέβαινε τα 80 δολάρια τον μήνα. Και ωστόσο πάνω από το 90% των ατόμων που συμμετείχαν σ' αυτή την έρευνα απάντησαν ότι η ενέργεια του ιδιοκτήτη ήταν άδικη.[3] Μια πληρέστερη θεωρία για την έννοια του δικαίου θα έπρεπε να λαμβάνει υπόψη και τον ρόλο του κάθε συμβαλλόμενου στη δημιουργία του συνολικού πλεονάσματος. Οι άνθρωποι στην έρευνα μπορεί να έκριναν, για παράδειγμα, ότι ο ιδιοκτήτης δεν είχε το δικαίωμα να κάνει αύξηση ενοικίου επειδή δεν είχε συνεισφέρει καθόλου στη δημιουργία του μεγαλύτερου πλεονάσματος. Έτσι κι αλλιώς, οι συνήθεις απόψεις για την έννοια του δικαίου είναι προφανές ότι δεν απαιτούν την ισότιμη κατανομή του κάθε πλεονάσματος.

Κάποιοι ίσως να διαφωνήσουν με τον ορισμό που προτείνω, λέγοντας ότι η τιμή επιφύλαξης του πωλητή μπορεί να είναι υψηλή για άδικους, κατά τη γνώμη τους, λόγους. Για παράδειγμα, μπορεί να είναι υψηλή απλώς και μόνον επειδή ο πωλητής γνωρίζει ότι οι άλλοι είναι διατεθειμένοι να πληρώσουν πολλά για το προϊόν του, παρότι ο ίδιος δεν το χρειάζεται ή δεν τον ενδιαφέρει ιδιαίτερα. Αυτή η αντίρρηση ωστόσο μοιάζει να έχει μεγαλύτερη σχέση με το καθεστώς των δικαιωμάτων ιδιοκτησίας κάτω από το οποίο αποκτήθηκε το αντικείμενο, παρά με το δίκαιο ή μη της τιμής πώλησης. Οι άνθρωποι που αποδέχονται ότι ο πωλητής δικαιούται εν πρώτοις να πουλήσει το αντικείμενο δέχονται γενικά ότι είναι δίκαιο να βάλει μια τιμή που πολλοί αγοραστές θα πληρώσουν ευχαρίστως (διαφορετικά, ένας τρίτος που δεν ενδιαφέρεται για το προϊόν μπορεί να το αγοράσει και να το ξαναπουλήσει αμέσως με κέρδος). Συνεπώς αν, για παράδειγμα, ένας καινούριος σταθμός του μετρό ανέβαζε γενικά την αξία του διαμερίσματος, οι περισσότεροι άνθρωποι θα θεωρούσαν δίκαιη μια κάποια αύξηση του ενοικίου.

Σε σχέση με αυτή την απλή εκδοχή που παρουσιάζω εδώ, οι Kahneman, Knetsch και Thaler αναπτύσσουν μια πολύ πληρέστερη θεωρία για την έννοια του δικαίου, μια θεωρία που περιλαμβάνει πολλές από τις λεπτές αποχρώσεις που παρουσιάζουν οι απόψεις των ανθρώπων για το τι είναι δίκαιο. Σκοπός μου εδώ δεν είναι να συμπεριλάβω όλες αυτές τις αποχρώσεις, αλλά να διερευνήσω τους λόγους που μπορεί να καθιστούν αποδοτικό το ενδιαφέρον για το δίκαιο. Ακόμα όμως και ο απλός ορισμός που έδωσα δείχνει να συμφωνεί, σε μεγάλο βαθμό, με πολλές από τις γνωστές απόψεις για το τι είναι δίκαιο. Ούτως ή άλλως, δεν ισχυρίζομαι ότι πρόκειται για έναν τελικό ορισμό, αλλά ότι, παρ' όλα τα εμφανή προβλήματά του, συμβάλλει σε μια θεωρία της συμπεριφοράς που είναι σαφές ότι ξεπερνά το μοντέλο του ατομικού συμφέροντος.

Ας υποθέσουμε ότι δεχόμαστε πως οι αγοραστές ενδιαφέρονται πάρα πολύ για το δίκαιο όπως το ορίσαμε. Πιο συγκεκριμένα ας υποθέσουμε ότι οι αγοραστές επιδεικνύουν έντονη δυσφορία στο να αποδεχθούν λιγότερο από το 50% του πλεονάσματος. (Πολλοί άνθρωποι βεβαίως δεν θα έχουν καμιά δυσκολία να αποδεχθούν περισσότερα από τα μισά. Όπως θα δούμε όμως, ένας εξαιρετικά μεγάλος αριθμός προτιμά την κατανομή μισά μισά από κάποια άλλη που τους δίνει μεγαλύτερο μερίδιο.) Ο απλός ορισμός μου για την έννοια του δικαίου και τη συνεπαγόμενη δυσφορία για το άδικο δίνει ένα μοντέλο της έννοιας του δικαίου που κάνει την εξής συγκεκριμένη πρόβλεψη: Οι άνθρωποι ορισμένες φορές αρνούνται συναλλαγές στις οποίες ο άλλος συμβαλλόμενος λαμβάνει τη μερίδα του λέοντος από το πλεόνασμα, παρότι η τιμή πώλησης του προϊόντος μπορεί να υπερβαίνει τη δική τους τιμή επιφύλαξης.

Στο μοντέλο του ατομικού συμφέροντος βεβαίως αυτό δεν μπορεί να γίνει ποτέ. Εκεί ο επιμερισμός του πλεονάσματος δεν παίζει κανένα ρόλο στο αν θα γίνει ή όχι η συναλλαγή. Η συναλλαγή θα γίνει, αρκεί ο κάθε συμβαλλόμενος να πάρει θετικό μερίδιο του πλεονάσματος, ασχέτως αν θα είναι μικρό ή μεγάλο. Όταν ο Posner ισχυρίζεται ότι το δίκαιο «δεν έχει περιεχόμενο», πρέπει, εν μέρει τουλάχιστον, να σκέφτεται αυτό τον ισχυρισμό του παραδοσιακού μοντέλου. Κι ωστόσο, όπως θα δούμε σε λίγο, το ενδιαφέρον για το δίκαιο είναι πολύ συχνά η αιτία που οι άνθρωποι απορρίπτουν συναλλαγές με θετικό πλεόνασμα.

Το μοντέλο της δέσμευσης και το αίσθημα του δικαίου

Βεβαίως ο Posner και πολλοί άλλοι ορθολογιστές δεν αρνούνται ότι οι άνθρωποι *ισχυρίζονται* πως νοιάζονται για το δίκαιο. Όμως οι άτεγκτοι οικονομολόγοι θεωρούν αυτές τις δηλώσεις κούφια λόγια, χωρίς καμιά ισχύ στην πρόβλεψη της συμπεριφοράς. Έχουν συνταχθεί με την άποψη ότι οι πεποιθήσεις δεν υποκινούν πολυδάπανες ενέργειες. Άλλο πράγμα, λένε, να επιδοκιμάζουμε το δίκαιο και άλλο να υποβαλλόμαστε σε πραγματικές δαπάνες εξαιτίας του.

Αυτή η άποψη είναι ιδιαίτερα ελκυστική. Τελικά δεν είναι λογικό να αρνούμαστε να αγοράσουμε κάτι απλώς και μόνο επειδή οι όροι της συναλλαγής είναι άδικοι. Εάν πουλιέται σε τιμή μικρότερη από την αξία του, είναι προτιμότερο να παραμερίσουμε την όποια δυσφορία μας για το άδικο και να αγοράσουμε το προϊόν.

Όμως η ορθολογική άποψη ξεχνά κάτι πολύ σημαντικό. Συγκεκριμένα το μοντέλο της δέσμευσης προτείνει ότι ένα άτομο που ενδιαφέρεται για το ατομικό του συμφέρον θα τα πάει καλύτερα, εάν όντως ενδιαφέρεται για το δίκαιο. Και ο λόγος είναι ότι οι άνθρωποι που δεν ενδιαφέρονται για το δίκαιο είναι πιθανόν να είναι αναποτελεσματικοί διαπραγματευτές. (Το βασικό επιχείρημα αυτής της θέσης το παρουσίασα στο Κεφάλαιο Τρία.) Για να ανακεφαλαιώσουμε, ας υποθέσουμε ότι ένα άτομο λαμβάνει το ακόλουθο τελεσίγραφο: Είτε θα αποδεχθεί μια συναλλαγή όπου παίρνει μόνον το 1% του πλεονάσματος είτε θα την απορρίψει συνολικά. Εάν δεν ενδιαφέρεται για το δίκαιο, προφανώς θα την αποδεχθεί. Αυτός ο άνθρωπος θεωρεί ότι κάθε θετικό μερίδιο του εκάστοτε πλεονάσματος είναι καλύτερο από το τίποτα. Το πρόβλημα βεβαίως είναι ότι, εφόσον είναι γνωστό ότι ανήκει σ' αυτή την κατηγορία ανθρώπων, είναι πιθανόν να επηρεάζει τους όρους που βάζουν οι άλλοι στις διαπραγματεύσεις που κάνουν μαζί του.

Ας φανταστούμε ένα συμβούλιο διευθυντών που γνωρίζει ότι έχει να κάνει με ένα συνδικάτο που τα μέλη του δεν ενδιαφέρονται για το δίκαιο. Σ' αυτή την περίπτωση μπορεί να χρησιμοποιήσει την ακόλουθη στρατηγική: Καταρχήν υιοθετεί έναν επιχειρηματικό κανονισμό σύμφωνα με τον οποίο μόνον η ολομέλεια του συμβουλίου έχει το δικαίωμα να αποφασίσει αύξηση μισθών. Στη συνέχεια συνεδριάζει και ψηφίζει έναν μισθό ίσο με τον μισθό *επιφύλαξης* του συνδικάτου, συν κάποιο μικρό, συμβολικό, ποσό. (Η εργασιακή συναλλαγή είναι, σ' αυτό το σημείο, όπως όλες οι άλλες – και ο αγοραστής και ο πωλητής έχουν μισθούς επιφύλαξης. Η διαφορά τους είναι το συνολικό πλεόνασμα που διανέμεται. Η προσφορά του συμβουλίου διεκδικεί, κατά συνέπεια, όλο σχεδόν το πλεόνασμα για τους ιδιοκτήτες της επιχείρησης.) Στη συνέχεια τα μέλη του συμβουλίου φεύγουν για διακοπές διαρκείας, καθιστώντας αδύνατη τη σύγκληση της ολομέλειας. Μ' αυτό τον τρόπο καθιστούν αδύνατη την περαιτέρω διαπραγμάτευση. Τα μέλη του συνδικάτου πρέπει είτε να αποδεχθούν την προσφορά είτε να την αρνηθούν. Εάν ενδιαφέρονται αποκλειστικά και μόνο για το κέρδος και όχι για το δίκαιο, θα την αποδεχθούν.

Αντιθέτως, οι άνθρωποι που είναι γνωστό ότι έχουν ανεπτυγμένο αίσθημα του δικαίου δεν ενδίδουν σε τέτοιου είδους τακτικές. Αρνούνται κάθε επικερδή συναλλαγή όταν οι όροι της τους αδικούν κατάφωρα. Εάν το συμβούλιο των διευθυντών γνωρίζει ότι έχει να κάνει με εργαζόμενους που σκέφτονται μ' αυτό τον τρόπο, καταλαβαίνει ότι δεν έχει τίποτα να κερδίσει δεσμευόμενο σε μονόπλευρες προσφορές για αύξηση των μισθών.

Ο ορθολογιστής μπορεί να φέρει την αντίρρηση ότι αυτό το παράδειγμα είναι απλοϊκό – πως αγνοεί το γεγονός ότι ακόμα και κάποιος που δεν νοιάζεται για το δίκαιο ίσως αρνηθεί επικερδείς αλλά άδικες προσφορές για λόγους διαπραγματευτικής τακτικής. Ένα πραγματικά ορθολογικό άτομο θα ήταν διατεθειμένο να αποδεχθεί τις σημερινές απώλειες, για να αποκτήσει τη φήμη σκληρού διαπραγματευτή, που μελλοντικά θα αποτελέσει τη βάση για την επίτευξη πιο ευνοϊκών όρων.

Η σοβαρότητα αυτής της αντίρρησης είναι προφανής. Ωστόσο έρχεται αντιμέτωπη με δυο σοβαρές δυσκολίες. Πρώτα απ' όλα, α-γνοεί τα προβλήματα υλοποίησης που είναι εγγενή στις στρατηγικές που ανταλλάσσουν τις τρέχουσες ζημίες με τις μελλοντικές απολαβές. Ας θυμηθούμε ότι, στο Κεφάλαιο Τέσσερα, ο ψυχολογικός μηχανι-σμός ανταμοιβής επηρεάζεται έντονα από τις ποινές και τις αμοιβές της παρούσας στιγμής. Οι άνθρωποι μπορεί να εκτιμούν ότι είναι λο-γικό να κάνουν θυσίες σήμερα ώστε να διασφαλίσουν μελλοντικά κέρδη, αλλά τους λείπει το κίνητρο για να πραγματοποιήσουν αυτή τη στρατηγική. Γι' αυτό τον λόγο, το άτομο που αποδίδει *απόλυτη* αξία στη σημερινή θυσία είναι σε πλεονεκτική θέση. Ένας εργαζόμενος που δυσφορεί όταν δουλεύει με άδικους όρους, ακόμα κι όταν η ε-ναλλακτική του λύση είναι υλικά ασύμφορη, διαθέτει ισχυρότερο κί-νητρο να υπομείνει τις συνέπειες μιας απεργίας ή ενός λοκάουτ. Έτσι υπάρχει και η επιπλέον αμοιβή ότι, εφόσον είναι γνωστός ο τρόπος που σκέφτεται, έχει πολύ λιγότερες πιθανότητες να αναγκαστεί να υ-πομείνει παρόμοιες συνέπειες.

Ένα δεύτερο πρόσκομμα της ορθολογιστικής αντίρρησης είναι ότι υπάρχουν πολλές περιπτώσεις όπου οι μακροπρόθεσμες στρατη-γικές αμοιβές δεν παίζουν κανέναν απολύτως ρόλο. Πολλές συναλ-λαγές συμβαίνουν μόνο μία φορά και τα εμπλεκόμενα μέρη δεν μπο-ρούν να γνωρίζουν πώς συμπεριφέρθηκαν στο παρελθόν οι εταίροι τους. Σ' αυτές τις περιπτώσεις το θέμα της φήμης είναι άσχετο.

Ευτυχώς η φήμη ίσως να μην είναι ο μοναδικός τρόπος για την επίλυση του θέματος της δέσμευσης. Όπως είδαμε στο Κεφάλαιο Έξι, οι συμπεριφορικές ενδείξεις συχνά αποκαλύπτουν εσωτερικές συναι-σθηματικές καταστάσεις. Ίσως οι άνθρωποι που διέπονται από το αί-σθημα του δικαίου είναι αισθητά διαφορετικοί από τους υπόλοιπους. Εάν όντως συμβαίνει αυτό, το αίσθημα του δικαίου και η προθυμία για την παράλογη συμπεριφορά που πηγάζει απ' αυτό μπορεί να α-ποφέρει υλικές απολαβές ακόμα και σε διαπραγματεύσεις που γίνο-νται μία και μοναδική φορά.

Συνεπώς υπάρχουν κάποιες λογικές εξηγήσεις βάσει των οποίων ο ορθολογιστής για τον οποίο μιλάει ο Posner μπορεί να τα πάει χειρό-τερα από τους ανθρώπους που είναι πρόθυμοι να υποστούν κάποιο κό-στος στο όνομα του δικαίου. Ωστόσο παραμένει ανοικτό το ερώτημα κατά πόσο οι άνθρωποι είναι πρόθυμοι να υποστούν αυτό το κόστος. Τα στοιχεία που έχουμε ως προς αυτό δεν είναι διόλου αμφίρροπα.

Πειράματα τελεσιγραφικών διαπραγματεύσεων

Παρότι συχνά είναι δύσκολο να καθορίσουμε πρακτικά τις τιμές επιφύλαξης, έχουμε τη δυνατότητα να σχεδιάσουμε πειράματα που αποκλείουν κάθε αβεβαιότητα γι' αυτές. Οι Γερμανοί οικονομολόγοι Werner Guth, Rolf Schmittberger και Bernd Schwarze ακολούθησαν αυτή την τακτική σε μια σειρά από άκρως προκλητικές μελέτες.[4] Ένα από τα πειράματά τους, το αποκαλούμενο *παιγνίδι της τελεσιγραφικής διαπραγμάτευσης*, υποβάλλει σε ένα έξυπνο τεστ το μοντέλο του ατομικού συμφέροντος.

Το παιγνίδι παίζεται μία και μοναδική φορά από ζεύγη παικτών που δεν γνωρίζονται. Δίνουμε στον παίκτη 1 του κάθε ζεύγους ένα χρηματικό ποσό και του ζητάμε να το μοιραστεί με τον παίκτη 2. Ο παίκτης 1 οφείλει να προτείνει κάποιον καταμερισμό που ο παίκτης 2 πρέπει να αποδεχθεί ή να απορρίψει. Εάν τον αποδεχθεί, το ποσό μοιράζεται σύμφωνα μ' αυτόν. Εάν όμως τον απορρίψει, κανένας παίκτης δεν παίρνει χρήματα. Ας πούμε ότι το ποσό που πρέπει να μοιραστεί είναι 10 δολάρια και ο παίκτης 1 προτείνει να πάρει 3 ο παίκτης 2 και 7 ο ίδιος. Ο παίκτης 2 μπορεί είτε να το δεχτεί, και τότε ο παίκτης 1 παίρνει 7 και ο 2 παίρνει 3, είτε μπορεί να αρνηθεί, οπότε δεν παίρνει τίποτα. Η πρόταση του παίκτη 1 αποτελεί τελεσίγραφο, απ' όπου και παίρνει το όνομά του το παιγνίδι.

Όλες οι τιμές επιφύλαξης και τα πλεονάσματα είναι απολύτως ξεκάθαρα στο παιγνίδι της τελεσιγραφικής διαπραγμάτευσης. Το συνολικό πλεόνασμα είναι απλώς το χρηματικό ποσό που οι δύο παίκτες πρέπει να μοιραστούν. Σύμφωνα με το παραδοσιακό μοντέλο του ατομικού συμφέροντος, η τιμή επιφύλαξης του παίκτη 2 είναι το μικρότερο δυνατό θετικό ποσό, δηλαδή το ένα σεντς. Μια και αυτό είναι ξεκάθαρο και στους δύο παίκτες, η «λογική» στρατηγική του παίκτη 1 είναι επίσης ξεκάθαρη: Θα πρέπει να προσφέρει στον παίκτη 2 πενταροδεκάρες και να κρατήσει τα υπόλοιπα για τον εαυτό του. Είναι επίσης λογικό για τον παίκτη 2 να αποδεχθεί την προσφορά – γνωρίζει ότι δεν θα παίξουν κατ' επανάληψη αυτό το παιγνίδι, κι έτσι δεν υπάρχει κανένας λόγος να αρνηθεί την προσφορά με την ελπίδα ότι θα αποκτήσει τη φήμη σκληρού διαπραγματευτή. Οι εμπνευστές του πειράματος έχουν πολύ εύσχημα επινοήσει ένα καθαρά «μια κι έξω» διαπραγματευτικό πρόβλημα, για να ελέγξουν την ορθότητα της ορθολογικής θεωρίας των διαπραγματεύσεων.

Τα αποτελέσματα μίας παραλλαγής του πειράματός τους αναπαριστάνονται στον Πίνακα 9.1. Όπως βλέπουμε εκεί, ο παίκτης 1 σπανίως θέτει σε εφαρμογή τη λογική στρατηγική. Με άλλα λόγια, σχεδόν σε καμία περίπτωση δεν προτείνει μια κατάφωρα άδικη κατανομή. Ο πιο συχνός επιμερισμός που προτάθηκε είναι το 50-50, και μόνο σε 6 από τις 51 περιπτώσεις ο παίκτης 1 ζήτησε περισσότερα από το 90% του συνολικού ποσού. Στις περιπτώσεις που ο παίκτης 1 ζήτησε ένα σκανδαλωδώς μεγάλο μερίδιο για τον εαυτό του, ο παίκτης 2 συνήθως δεν ανταποκρίθηκε σαν τον ορθολογιστή του Posner, αλλά με τον τρόπο που προβλέπει το μοντέλο της έννοιας δικαίου. Σε πέντε από τις έξι περιπτώσεις που ο παίκτης 1 απαίτησε περισσότερο από το 90%, ο παίκτης 2 επέλεξε να μην πάρει τίποτα.

ΠΙΝΑΚΑΣ 9.1 *Το παιχνίδι της τελεσιγραφικής διαπραγμάτευσης*

	ΠΡΑΓΜΑΤΙΚΟΤΗΤΑ	ΠΡΟΒΛΕΨΗ ΤΟΥ ΜΟΝΤΕΛΟΥ ΤΗΣ ΛΟΓΙΚΗΣ ΕΠΙΛΟΓΗΣ
Μέσο ποσοστό επί του συνολικού ποσού που απαίτησε ο παίκτης 1 (No = 51)	67,1	99+
Ποσοστό προτεινόμενης κατανομής 50-50 (No = 13)	25,5	0
Ποσοστό του συνολικού αριθμού προτάσεων που απορρίφθηκαν από τον παίκτη 2 (No = 11)	21,5	0
Μέσο ποσοστό που απαιτήθηκε από τον παίκτη 1 στις προτάσεις που απορρίφθηκαν (No = 11)	85,3	100
Μέσο ποσοστό που απαιτήθηκε από τον παίκτη 1 στις προτάσεις που έγιναν αποδεκτές (No = 40)	61,0	99+
Ποσοστό των απαιτήσεων του παίκτη 1 που ήταν μεγαλύτερες από 90 % (No = 6)	11,8	100

Πηγή: Guth κ.ά., 1982, Πίνακες 3-5

Τα πειράματα του Guth αφήνουν αρκετά ζητήματα εκκρεμή. Ένα από τα προβλήματα είναι ότι ο παίκτης 2 ποτέ δεν μπαίνει σε σοβαρή δοκιμασία: Τις περισσότερες φορές ο παίκτης 1 έκανε μια αρκετά δίκαιη πρόταση, που στη συνέχεια αποδέχθηκε ο παίκτης 2. Θα ήταν καλό να ξέραμε περισσότερα για τον τρόπο συμπεριφοράς των ανθρώπων όταν τους προτείνουν ένα άδικο τελεσίγραφο. Ένα άλλο πρόβλημα αφορά στις πιθανές επιπτώσεις σε μελλοντικές συναλλαγές. Παρότι το παιγνίδι παίχτηκε μία και μοναδική φορά ανάμεσα σε άτομα που δεν γνωρίζονταν μεταξύ τους, δεν αποκλείεται μερικά άτομα να επέδειξαν αυτοσυγκράτηση διότι ανησυχούσαν για το μελλοντικό κόστος. Ορισμένες φορές, παραδείγματος χάριν, ο παίκτης 2 ίσως ήταν κάποιο άτομο που ο παίκτης 1 ήλπιζε να γνωρίσει καλύτερα στο μέλλον. Ή ίσως ο παίκτης 1 φοβόταν ότι ο παίκτης 2 θα έβρισκε κάποιον τρόπο εκδίκησης για την άδικη πρόταση. Η δίκαιη μοιρασιά του παίκτη 1 μπορεί να ήταν καθαρά εγωιστική και να έγινε απλώς και μόνο για να προλάβει την απόρριψη του παίκτη 2· ή μπορεί απλώς να σκεφτόταν ότι είναι «σωστό» να φανεί εγκρατής.

Όλα αυτά τα ζητήματα ξεκαθαρίζονται από μια σειρά πειραμάτων που έκαναν οι Kahneman, Knetsch και Thaler.[5] Για να μάθουμε περισσότερα για το πώς οι άνθρωποι ανταποκρίνονται σε άδικες προτάσεις, ο Kahneman και οι άλλοι ξεκίνησαν το πείραμά τους ζητώντας από τους παίκτες να μοιράσουν 10 δολάρια σε ένα πολύ παρόμοιο παιχνίδι τελεσιγραφικής διαπραγμάτευσης. Το δικό τους πείραμα διέφερε από εκείνο των Guth κ.ά. κατά το ότι ζήτησαν από τον παίκτη 1 να περιορίσει τις επιλογές του σε κάποιο από τα ζεύγη της ακόλουθης λίστας:

9,50 $ για τον παίκτη 1	0,50 $ για τον παίκτη 2
9,00 $ για τον παίκτη 1	1,00 $ για τον παίκτη 2
8,50 $ για τον παίκτη 1	1,50 $ για τον παίκτη 2
. . .	
5,00 $ για τον παίκτη 1	5,00 $ για τον παίκτη 2

Χρησιμοποιώντας την ίδια λίστα, ζήτησαν από τον παίκτη 2 να επισημάνει το μικρότερο μερίδιο που θα αποδεχόταν. Οπότε, ακόμα και στην πλειοψηφία των περιπτώσεων που ο παίκτης 1 κάνει μια δίκαιη πρόταση, είναι και πάλι δυνατό να καθοριστούν τα όρια ανοχής του παίκτη 2. Τα αποτελέσματα ενός εκ των πειραμάτων τους παρουσιάζεται συνοπτικά στον Πίνακα 9.2. Όπως δείχνουν, ο παίκτης 2 προτιμούσε να χάσει ένα ποσό της τάξης του 26% του συνολικού πλεονάσματος, παρά να δεχτεί να είναι ο χαμένος σε μια άδικη διαπραγμάτευση.

ΠΙΝΑΚΑΣ 9.2 *Οι ελάχιστες αποδεκτές προσφορές*
σε τελεσιγραφικές διαπραγματεύσεις

Συνολικό ποσό επιμερισμού (No = 43)	10,00 $
Μέσο ποσό που προσφέρεται από τον παίκτη 1	4,76 $
Προσφορές 50-50	81%
Μέση ελάχιστη αποδεκτή προσφορά για τον παίκτη 2	2,59 $

Πηγή: Kahneman κ.ά., 1986a, Πίνακας 1

Η ομάδα του Kahneman χρησιμοποίησε ένα άλλο απλό πείραμα για να διερευνήσει τα κίνητρα των δίκαιων προσφορών. Ζήτησαν από τον παίκτη 1 να μοιράσει 20 δολάρια μεταξύ του εαυτού του και ενός ανώνυμου παίκτη 2. Οι επιλογές του ήταν μόνο δύο: (1) 10 δολάρια για τον καθένα ή (2) 18 για τον ίδιο, 2 για τον άλλο παίκτη. Αυτή τη φορά ο παίκτης 2 δεν είχε τη δυνατότητα να αρνηθεί την προσφορά του παίκτη 1. Ο παίκτης 2 έπαιρνε είτε 2 είτε 10 δολάρια, πράγμα που εξαρτιόταν αποκλειστικά από την επιλογή του παίκτη 1. Διαβεβαιώσανε όλους τους παίκτες 1 ότι οι παίκτες 2 δεν θα μάθαιναν την ταυτότητά τους.

Από τα 161 άτομα, τα 122, ή ποσοστό 76%, πρότειναν την ίση κατανομή. Εφόσον ο σχεδιασμός αυτού του πειράματος απέκλειε παντελώς τον φόβο της απόρριψης και το οποιοδήποτε ενδεχόμενο εκδίκησης, η ομάδα του Kahneman συμπέρανε ότι το αυθεντικό αίσθημα του δικαίου ήταν το πρωταρχικό κίνητρο σ' αυτές τις κατανομές.

Παρόμοια αβεβαιότητα υπήρχε και ως προς τα κίνητρα του παίκτη 2, που απορρίπτει την άδικη προσφορά. Μια προφανής πιθανότητα είναι ότι επιθυμεί να τιμωρήσει τον παίκτη 1 επειδή είναι άπληστος. Ή ίσως δεν θέλει να συμμετάσχει σε μια ανέντιμη συναλλαγή. Αποσκοπώντας στην αποκάλυψη των κινήτρων του παίκτη 2, η ομάδα του Kahneman πρόσθεσε κι ένα δεύτερο στάδιο στο πείραμα που προαναφέραμε. Στο επόμενο στάδιο επιλέχθηκαν άτομα από το πρώτο στάδιο και τοποθετήθηκαν σε ομάδες των τριών. Η κάθε ομάδα συμπεριελάμβανε τουλάχιστον ένα άτομο κάθε τύπου από το πρώτο στάδιο, δηλαδή έναν που επέλεξε το ίσο μερίδιο (Ε) και έναν που επέλεξε το άνισο μερίδιο (U).

Στο τρίτο μέλος της κάθε ομάδας δόθηκε στη συνέχεια η ακόλουθη επιλογή: Είτε θα μοιραζόταν στα δύο 12 δολάρια με τον U είτε θα μοιραζόταν στα δύο 10 δολάρια με τον Ε. Οι περισσότεροι (74%) επέλεξαν να μοιραστούν 10 δολάρια με τον Ε. Με άλλα λόγια, οι περισσότεροι άνθρωποι ήταν διατεθειμένοι να υποστούν την απώλεια του 1 δολαρίου για να τιμωρήσουν τον U και να ανταμείψουν τον Ε. Από τα άτομα που είχαν επιλέξει την ίση μοιρασιά στο πρώτο στάδιο, ένα ακόμα μεγαλύτερο ποσοστό (88%) επέλεξε αυτή την πιο δαπανηρή επιλογή στο δεύτερο στάδιο. Η ομάδα του Kahneman συμπέρανε ότι το κίνητρο για την απόρριψη των άδικων προσφορών πρέπει, τουλάχιστον εν μέρει, να είναι η τιμωρία εκείνων που τις κάνουν.

Υπάρχουν αρκετές πρόσφατες έρευνες που οδήγησαν σε ανάλογα συμπεράσματα με αυτά που εκθέσαμε εδώ.[6] Είναι περιττό να πούμε ότι κανένα από τα συμπεράσματα αυτά δεν συμφωνεί με την άποψη του Posner για την έννοια του δίκαιου.

Δίκαιες τιμές στην αγορά

Η δύναμη του αισθήματος του δικαίου δεν περιορίζεται στα επινοημένα παιγνίδια συναλλαγής. Ισχύει επίσης στην περίπτωση των συνηθισμένων προϊόντων που ανταλλάσσονται στην αγορά. Για να διερευνήσει τις διαθέσεις των ανθρώπων σε σχέση με τις δίκαιες τιμές, ο Thaler έδωσε το ακόλουθο ζεύγος ερωτημάτων σε δυο ομάδες που συμμετείχαν σε ένα πρόγραμμα εκπαίδευσης στελεχών.[7] Στην πρώτη ομάδα δόθηκε η εκδοχή που είναι σε παρένθεση, και στη δεύτερη εκείνη που είναι σε αγκύλες.

Μια πολύ ζεστή μέρα έχετε αράξει στην παραλία ... Επί μία ώρα σκέφτεστε πόσο θα σας ευχαριστούσε ένα πολύ παγωμένο μπουκάλι της αγαπημένης σας μπίρας. Κάποιος από την παρέα σας σηκώνεται για να κάνει ένα τηλεφώνημα και προσφέρεται να σας φέρει μια μπίρα από το μόνο κοντινό σημείο πώλησης, (ένα πολυτελές ξενοδοχείο) [ένα άθλιο μπακάλικο]. Ο φίλος σας λέει ότι η μπίρα ίσως να είναι ακριβή και ρωτά για το ποσό που είστε διατεθειμένος να πληρώσετε. Λέει ότι θα αγοράσει την μπίρα εφόσον η τιμή της είναι αντίστοιχη ή μικρότερη της τιμής που του είπατε, αλλά, εάν στοιχίζει περισσότερο από την τιμή που του είπατε, δεν θα την αγοράσει. Έχετε εμπιστοσύνη στον φίλο σας και δεν υπάρχει περίπτωση να παζαρέψετε με τον (υπεύθυνο του μπαρ) [μαγαζάτορα]. Ποια είναι η τιμή που του λέτε;[8]

Θα πρέπει να λάβουμε υπόψη μας ότι η τιμή που ζητάμε σ' αυτές τις περιπτώσεις είναι η πιθανή τιμή επιφύλαξης που δίνει ο αγοραστής για την μπίρα. Το μοντέλο του ατομικού συμφέροντος δηλώνει απερίφραστα ότι αυτή η τιμή δεν πρέπει να εξαρτάται από το ποιος πουλάει την μπίρα. Κι ωστόσο η μέση απάντηση της ομάδας με το παραθεριστικό ξενοδοχείο (2,65 δολάρια) ήταν μεγαλύτερη κατά ένα δολάριο και κάτι από αυτήν της ομάδας του μπακάλικου (1,50). Και οι δυο μπίρες θα καταναλωθούν στην ίδια παραλία, την ίδια ζεστή μέρα, από τους ίδιους διψασμένους ανθρώπους. Η μόνη διαφορά βρίσκεται στο σημείο πώλησης της μπίρας. Η απόκτηση της μπίρας αξίζει 2,65 δολάρια για τον μέσο ερωτώμενο της ομάδας του παραθεριστικού ξενοδοχείου, ενώ ο μέσος ερωτηθείς της ομάδας του μπακάλικου αρνείται να πληρώσει έστω και 2 δολάρια για την μπίρα.

Ο Thaler σημειώνει ότι το αίσθημα του δικαίου δείχνει να είναι η κινητήρια δύναμη σ' αυτή την περίπτωση. Και το απλό μοντέλο της έννοιας περί του αισθήματος του δικαίου ερμηνεύει αυτά τα αποτελέσματα χωρίς καμιά δυσκολία. Το παραθεριστικό ξενοδοχείο, μια και έχει μεγαλύτερα λειτουργικά έξοδα από το μπακάλικο, έχει και υψηλότερη τιμή επιφύλαξης για την μπίρα του. Παρότι χρεώνει την μπίρα περισσότερο, δεν το κάνει για να πάρει μεγαλύτερο μερίδιο πλεονάσματος. Με τους όρους του απλού μας ορισμού, η δίκαιη τιμή στο παραθεριστικό ξενοδοχείο είναι υψηλότερη απ' ό,τι το μπακάλικο. Αντίθετα με τη θεωρία του ατομικού συμφέροντος, η ταυτότητα του πωλητή είναι προφανές ότι ενδιαφέρει τον αγοραστή.

Έχει αποδειχθεί ότι οι διαθέσεις που αντικατοπτρίζονται σε αυτές τις απαντήσεις λαμβάνονται υπόψη από τις εταιρείες όταν διαμορφώνουν τις τιμές τους. Τα πιο εμφανή παραδείγματα είναι αυτά που αφορούν στις εποχιακές και άλλες δουλειές, όπου οι τιμές αλλάζουν με τη ζήτηση. Για να εκτιμήσουμε τη δύναμη αυτών των παραδειγμάτων, πρέπει πρώτα να δούμε τι λέει το μοντέλο του ατομικού συμφέροντος σε σχέση με τα έξοδα και τις τιμές σε περιόδους μεγάλης ζήτησης.

Τα χιονοδρομικά κέντρα, όπου οι μεταπτώσεις στη ζήτηση είναι μεγάλες, μας παρέχουν το κατάλληλο πλαίσιο γι' αυτό το θέμα. Όπως ξέρει ο καθένας που κάνει σκι, κάθε φορά που υπάρχει κάποιο εορταστικό τριήμερο ο κόσμος κατακλύζει τα χιονοδρομικά κέντρα. Αυτό ασφαλώς είναι γνωστό και στους επιχειρηματίες, οι οποίοι καθορίζουν την έκταση και τη δυναμικότητα των επιχειρήσεών τους με βάση τις περιόδους αιχμής. Το αποτέλεσμα είναι ότι, σε χαμηλές περιόδους, υπάρχει πολύ μεγαλύτερη δυναμικότητα από όση χρειάζεται. Οι πλαγιές είναι σχεδόν άδειες και δεν παρατηρείται η παραμικρή κίνηση στις γραμμές των τελεφερίκ.

Με βάση αυτές τις παρατηρήσεις, οι οικονομολόγοι λένε ότι οι επισκέπτες των περιόδων υψηλής ζήτησης είναι υπεύθυνοι για όλες σχεδόν τις δαπάνες που σχετίζονται με τη δυναμικότητα των χιονοδρομικών κέντρων. Διότι, εάν δεν υπήρχαν οι πελάτες των εορτών, τα κέντρα αυτά θα παρείχαν ικανοποιητικές υπηρεσίες χωρίς να χρειάζεται να είναι τόσο μεγάλα. Αντιθέτως, εάν κάποιοι επισκέπτες της χαμηλής περιόδου δεν πήγαιναν για σκι, το χιονοδρομικό κέντρο δεν θα έβγαζε τα λειτουργικά του έξοδα, τα οποία βεβαίως δεν εξαρτώνται από τον αριθμό των ατόμων που το επισκέπτονται σε εποχές χαμηλής ζήτησης.

Η οικονομική θεωρία ισχυρίζεται επίσης ότι οι πελάτες που ευθύνονται για ένα συγκεκριμένο κόστος πρέπει να το πληρώνουν οι ίδιοι. Αυτό σημαίνει κατ' ουσία ότι όλα τα έξοδα λειτουργίας της μονάδας πρέπει να καλύπτονται από τους επισκέπτες των εορτών. Βεβαίως τα χιονοδρομικά κέντρα συνήθως αυξάνουν τις τιμές τους στις περιόδους των διακοπών. Οι διαφοροποιήσεις των τιμών όμως είναι συνήθως μικρές, σίγουρα πολύ πιο μικρές από αυτές που προβλέπει η παραδοσιακή οικονομική θεωρία για την κατανομή των εξόδων. Επίσης, αντίθετα με την παραδοσιακή θεωρία, οι μεγάλες ουρές στα τελεφερίκ και οι γεμάτες πλαγιές δεν είναι καθολικό φαινόμενο στις περιόδους των διακοπών.

Η διστακτικότητα των τουριστικών επιχειρήσεων να φουσκώσουν υπερβολικά τις τιμές στις περιόδους διακοπών έχει προφανώς σχέση με τον τρόπο που αντιλαμβάνονται οι πελάτες το δίκαιο. Δυστυχώς ο μέσος σκιέρ δεν γνωρίζει την οικονομική θεωρία για το πώς πρέπει να κατανέμονται τα έξοδα σε περιόδους μικρής ή μεγάλης ζήτησης. Είναι φυσικό ότι οι περισσότεροι άνθρωποι σκέφτονται απλώς το γεγονός ότι η λειτουργία των τελεφερίκ στοιχίζει το ίδιο οποιαδήποτε ημέρα του χειμώνα. Ακόμα λιγότερο προφανές είναι το θέμα τού ποιος ευθύνεται για τη χωρητικότητα του χιονοδρομικού κέντρου. Αυτή η αντίληψη για τα έξοδα κάνει τον μέσο σκιέρ να πιστεύει ότι είναι άδικο από πλευράς του επιχειρηματία να ανεβάζει δραματικά τις τιμές στις γιορτές.

Εάν όμως η επιπλέον ζήτηση είναι τόσο μεγάλη σ' αυτά τα τριήμερα, γιατί οι τουριστικές επιχειρήσεις *νοιάζονται* για το τι θεωρούν δίκαιο οι σκιέρ; Για ποιο λόγο δεν αυξάνουν, ούτως ή άλλως, τις τιμές και δεν κερδίζουν από τα επιπλέον έσοδα; Επειδή τους ενδιαφέρει περισσότερο οι υψηλές τιμές να μη λειτουργήσουν απαγορευτικά για την πελατεία τους, όχι μόνο στις γιορτές, αλλά και στις χαμηλές περιόδους. Σύμφωνα με κάποιο σύμβουλο επιχειρήσεων σκι: «Εάν φουσκώσεις τα έξοδα στην περίοδο των Χριστουγέννων, δεν θα σου ξανάρθουν τον Μάρτιο».[9]

Η «ανεπαρκής» αύξηση τιμών δεν αφορά μόνο στις τουριστικές επιχειρήσεις. Παρόμοια οικονομική λογική επιτάσσει την αύξηση της τιμής του κουρέματος τα πρωινά του Σαββάτου, κι ωστόσο τα περισσότερα κουρεία χρεώνουν το ίδιο ποσό όλες τις ώρες της εβδομάδας. Πάντα παρουσιάζεται έλλειψη εισιτηρίων για τον τελικό του αμερικάνικου ποδοσφαίρου, τους τελικούς του μπέιζμπολ, τους τελικούς του πρωταθλήματος της πυγμαχίας, τα τουρνουά τένις, τις συναυλίες των Rolling Stones και για μια σειρά από άλλες αθλητικές και ψυχαγωγικές εκδηλώσεις. Στα πιο γνωστά εστιατόρια των μεγαλουπόλεων, για να κλείσεις τραπέζι για το σαββατόβραδο, χρειάζεται να κάνεις την κράτηση πολλές εβδομάδες πριν. Στις μεγάλες θεατρικές επιτυχίες, τα εισιτήρια έχουν προπωληθεί από νωρίς. Και οι ταινίες που σπάνε ταμεία μαζεύουν ουρές που σαρώνουν ολόκληρα τετράγωνα. Η λογική της κοστολόγησης σε όλες αυτές τις περιπτώσεις αποκλίνει σημαντικά από τα όσα προβλέπει το μοντέλο του ατομικού συμφέροντος. Και σε κάθε περίπτωση το ενδιαφέρον για το αίσθημα του δικαίου μοιάζει να εξηγεί σημαντικό ποσοστό αυτής της απόκλισης. Ο ορθολογιστής που περιφρονεί την έννοια του δίκαιου δεν έχει καμία ικανοποιητική εξήγηση γι' αυτή την ευρύτατα διαδεδομένη λογική κοστολόγησης.

Μισθοί και κέρδη

Το αίσθημα του δικαίου δεν επηρεάζει μόνον τις τιμές που πληρώνουμε, αλλά και τους μισθούς που παίρνουμε. Ο μέσος όρος των επιχειρήσεων που έχουν μεγαλύτερα ποσοστά κέρδους πληρώνει και μεγαλύτερους μισθούς. Οι οικονομολόγοι το γνωρίζουν αυτό εδώ και αρκετές δεκαετίες.[10] Το πρόβλημα με το μοντέλο του ατομικού συμφέροντος είναι πως δηλώνει απερίφραστα ότι τα ποσοστά κέρδους δεν πρέπει να επηρεάζουν τους μισθούς. Οι εργαζόμενοι, σύμφωνα με το μοντέλο του ατομικού συμφέροντος, πρέπει να πληρώνονται ανάλογα με το πόσο παράγουν. Αυτοί που παράγουν πολλά πρέπει να παίρνουν υψηλούς μισθούς και το αντίστροφο. Αυτό πρέπει να ισχύει ανεξάρτητα από το εάν τα κέρδη των εργοδοτών τους είναι υψηλότερα ή χαμηλότερα του μέσου όρου.

Η λογική πίσω από την πρόβλεψη του μοντέλου του ατομικού συμφέροντος μοιάζει ακαταμάχητη. Εάν κάποια εταιρεία πλήρωνε τον εργαζόμενο λιγότερο από την αξία που παράγει, αυτός θα πήγαινε σε κάποιον ανταγωνιστή. Και εάν τον πλήρωνε περισσότερο, θα κέρδιζε λιγότερο απ' ό,τι θα κέρδιζε εάν δεν τον είχε προσλάβει εξαρχής. Το μοντέλο του ατομικού συμφέροντος προβλέπει ότι, εάν οι ιδιαίτερα κερδοφόρες εταιρείες πληρώνουν καλύτερα, οι εργαζόμενοι των λιγότερο κερδοφόρων εταιρειών θα κάνουν μαζικά αιτήσεις πρόσληψης σ' αυτές. Στη συνέχεια οι κινήσεις που θα γίνουν ως αποτέλεσμα αυτής της πρακτικής θα τείνουν στην εξισορρόπηση των μισθών και, κατά συνέπεια, στην εξάλειψη κάθε συσχετισμού μεταξύ μισθών και κέρδους. Επειδή το μοντέλο του ατομικού συμφέροντος διατρανώνει ότι τα ποσοστά των κερδών δεν πρέπει να έχουν σημασία, πολλοί οικονομολόγοι που μελετούν τις διακυμάνσεις των μισθών παραλείπουν κάθε αναφορά στα κέρδη. Το πρόβλημα, που παραμένει ωστόσο, είναι ότι τα κέρδη έχουν σημασία.

Κι εδώ επίσης η ασυμβατότητα μεταξύ θεωρίας και παρατήρησης φαίνεται ότι έχει να κάνει με την έννοια του δικαίου. Ας θυμηθούμε ότι οι εργασιακές σχέσεις μοιάζουν με τις υπόλοιπες κατά το ότι και τα δύο μέρη έχουν το καθένα τη δική του τιμή επιφύλαξης. Για τον εργαζόμενο, αυτή η τιμή είναι ο κατώτερος μισθός που θα δεχόταν για να μην ψάξει αλλού για δουλειά. Για την εταιρεία, είναι ο υψηλότερος μισθός που μπορεί να πληρώσει για να μη γίνει προβληματική. Όλοι παραδέχονται ότι η εξαιρετικά κερδοφόρα επιχείρηση έχει τη δυνατότητα να πληρώσει μεγαλύτερους μισθούς. Η διαφορά μεταξύ των δύο τιμών επιφύλαξης, η οποία είναι το συνολικό πλεόνασμα που διατίθεται για επιμερισμό μεταξύ της εταιρείας και των εργαζομένων της, αυξάνεται συνεπώς μαζί με τα κέρδη της εταιρείας.

Παρότι η πιο κερδοφόρα επιχείρηση έχει τη δυνατότητα να πληρώσει μεγαλύτερους μισθούς, το μοντέλο του ατομικού συμφέροντος δεν παραδέχεται ότι έχει κανένα κίνητρο για να το κάνει. Ωστόσο το μοντέλο της έννοιας του δικαίου αναγνωρίζει ένα κίνητρο. Σημειώστε ότι, εάν μια εταιρεία με ισχυρή θέση στην αγορά πληρώνει μόνο όσα πληρώνουν και οι υπόλοιπες εταιρείες, θα συγκεντρώσει ένα δυσανάλογο μερίδιο του συνολικού πλεονάσματος – ένα «άδικο» μερίδιο, σύμφωνα με τον απλό ορισμό που πρότεινα νωρίτερα. Κατά συνέπεια, εάν οι εργαζόμενοι νοιάζονται σοβαρά για δίκαιους όρους στις συμβάσεις εργασίας, όπως μας διαβεβαιώνουν άλλα στοιχεία, θα απαιτήσουν μία επιπρόσθετη αμοιβή επειδή εργάζονται σε πολύ κερδοφόρα εταιρεία. Η άλλη πλευρά του νομίσματος είναι ότι συχνά οι εργαζόμενοι μένουν ικανοποιημένοι όταν δουλεύουν με μικρότερο μισθό, εφόσον ο εργοδότης έχει κέρδη χαμηλότερα του μέσου όρου. Το μοντέλο της έννοιας του δικαίου λέει ότι οι εργάτες είναι διατεθειμένοι να περικόψουν εισόδημα στο όνομα της δίκαιης μεταχείρισης και ότι αυτή τους η προθυμία εξαναγκάζει την πιο κερδοφόρα επιχείρηση να πληρώσει υψηλότερους μισθούς.

Ο συσχετισμός μεταξύ μισθών και ποσοστών κέρδους φαίνεται ότι θα συνεχιστεί. Θα εξακολουθήσει να φέρνει σε δύσκολη θέση τους οικονομολόγους που επιμένουν ότι το αίσθημα του δικαίου δεν μεταφράζεται ποτέ σε δαπανηρές ενέργειες.

Δίκαιο και στάτους

Το αίσθημα του δικαίου αντανακλάται επίσης και στις θυσίες που κά
νουν οι εργαζόμενοι για να καταλάβουν υψηλόβαθμες θέσεις μεταξύ
των συναδέλφων τους.[11] Το επιχείρημα που εδραιώνει αυτό τον ισχυ
ρισμό στηρίζεται στις εξής δύο απλές παραδοχές: (1) οι περισσότεροι
άνθρωποι στον εργασιακό χώρο προτιμούν να κατέχουν τις υψηλό
βαθμες θέσεις· (2) κανείς δεν είναι υποχρεωμένος να μείνει σε μια ε
ταιρεία εφόσον δεν το επιθυμεί.

Με τους νόμους της απλής αριθμητικής, είναι αδύνατο να ικα
νοποιηθεί η προτίμηση όλων για ανώτερες θέσεις. Μόνο 50% από τα
μέλη μιας ομάδας μπορεί να ανήκει στο ανώτερο μισό της. Εάν όμως
οι άνθρωποι είναι ελεύθεροι να συνεργάζονται με όποιον τους ευχα
ριστεί, τότε γιατί τα μέλη των ομάδων που κατέχουν τις κατώτερες θέ
σεις δέχονται να παραμένουν σ' αυτές; Γιατί δεν φεύγουν για να σχη
ματίσουν νέες, δικές τους, ομάδες, στις οποίες δεν θα είναι πλέον «κλη
τήρες»; Υπάρχουν βέβαια πολλοί εργαζόμενοι που φεύγουν και πάνε
σε άλλες εταιρείες. Υπάρχουν όμως και πολλές ανομοιογενείς ομάδες
που παραμένουν σταθερές. Όλοι οι λογιστές της General Motors δεν
διαθέτουν το ίδιο ταλέντο· και σε κάθε νομική εταιρεία κάποιοι από
τους συνεταίρους προσελκύουν πολύ περισσότερους πελάτες από άλ
λους. Εάν όλοι προτιμούν να είναι κοντά στην κορυφή της δικής τους
ομάδας, τι είναι αυτό που κρατά σταθερές αυτές τις ανομοιογενείς ο
μάδες;

Η προφανής απάντηση είναι ότι τα χαμηλόβαθμα μέλη αυτής
της ομάδας παίρνουν κάποια αποζημίωση. Εάν έφευγαν, θα κέρδιζαν
διότι δεν θα χρειαζόταν πλέον να υφίστανται το κατώτερο στάτους. Ω
στόσο, σ' αυτή την περίπτωση, οι υψηλόβαθμοι θα έχαναν. Δεν θα α
πολάμβαναν πλέον ανώτερο στάτους. Εάν τα κέρδη τους από την κα
τοχή της υψηλής θέσης είναι μεγαλύτερα από το κόστος που συνεπά
γεται η χαμηλή θέση, δεν υπάρχει λόγος για τη διάλυση της ομάδας.
Όλοι μπορούν να τα πάνε καλύτερα εάν οι υψηλόβαθμοι πείσουν
τους χαμηλόβαθμους συναδέλφους τους να παραμείνουν, παραχωρώ
ντας τους ένα μέρος της αμοιβής τους.

Δεν δίνουν όλοι οι άνθρωποι την ίδια αξία στην υψηλόβαθμη
θέση. Όσοι δεν ενδιαφέρονται ιδιαίτερα για κάτι τέτοιο θα ήταν προ

τιμότερο να πάνε σε εταιρείες στις οποίες οι περισσότεροι εργαζόμενοι είναι πιο παραγωγικοί από τους ίδιους.* Ως χαμηλόβαθμοι υπάλληλοι αυτών των εταιρειών, θα πάρουν επιπρόσθετη αποζημίωση. Αντιθέτως, οι άνθρωποι που ενδιαφέρονται περισσότερο για την ιεραρχία θα θελήσουν να πάνε σε εταιρείες στις οποίες οι άλλοι εργαζόμενοι θα είναι λιγότερο παραγωγικοί από τους ίδιους. Για να αποκτήσουν το πλεονέκτημα μιας υψηλόβαθμης θέσης σ' εκείνες τις εταιρείες, θα αναγκαστούν να δουλέψουν για λιγότερα χρήματα από την αξία αυτών που παράγουν.

Οι εργαζόμενοι μπορούν, κατά συνέπεια, να μοιραστούν σε μια κλίμακα εταιρειών, ανάλογα με τις απαιτήσεις τους για το στάτους που επιθυμούν να έχουν μέσα στην εταιρεία. Ο Πίνακας 9.1 απεικονίζει τον κατάλογο των επιλογών που έχουν οι εργαζόμενοι των οποίων η παραγωγικότητα έχει τιμή Μ. Οι έντονες γραμμές απεικονίζουν τον προγραμματισμό μισθοδοσίας που δίνουν τρεις διαφορετικές εταιρείες. Δείχνουν το ποσό που θα πληρωθεί ο εργαζόμενος με τη συγκεκριμένη παραγωγικότητα από την κάθε εταιρεία. Το μέσο επίπεδο παραγωγικότητας είναι υψηλότερο στην εταιρεία 3, το αμέσως επόμενο είναι στην εταιρεία 2 και το χαμηλότερο στην εταιρεία 1. Το πρόβλημα που αντιμετωπίζουν οι άνθρωποι με επίπεδο παραγωγικότητας Μ είναι η επιλογή μεταξύ των τριών εταιρειών.

Οι εργαζόμενοι που ενδιαφέρονται περισσότερο για το στάτους θα θελήσουν να «αγοράσουν» υψηλόβαθμες θέσεις, σαν αυτήν που χαρακτηρίζεται Α στην εταιρεία 1. Σε τέτοιες θέσεις δουλεύουν για λιγότερα χρήματα από την αξία την οποία παράγουν. Αντιθέτως, εκείνοι οι οποίοι ενδιαφέρονται λιγότερο για το στάτους θα προτιμήσουν να πάρουν επιπρόσθετες αμοιβές δουλεύοντας στις χαμηλόβαθμες θέσεις, όπως αυτή που χαρακτηρίζεται Γ στην εταιρεία 3. Οι εργαζόμενοι με μέτριο ενδιαφέρον για την υπηρεσιακή ιεραρχία προτιμούν τις ενδιάμεσες θέσεις, όπως αυτή που χαρακτηρίζεται Β στην εταιρεία 2, για την οποία ούτε πληρώνουν ούτε λαμβάνουν αποζημίωση για τη θέση τους.

---

* Ο όρος *βαθμός* χρησιμοποιείται εδώ με την έννοια της βαθμολογικής σειράς στην παραγωγικότητα μιας επιχείρησης. Έτσι, για παράδειγμα, «υψηλόβαθμος» εργαζόμενος είναι ο πιο παραγωγικός από τους περισσότερους άλλους εργαζόμενους στην επιχείρηση.

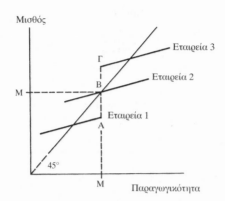

ΣΧΗΜΑ 9.1 *Η διάρθρωση των μισθών όταν παίζει ρόλο το στάτους στην επιχείρηση*

Παρατηρήστε επίσης στο Σχήμα 9.1 ότι, ενώ ο κάθε εργαζόμενος της κάθε εταιρείας δεν πληρώνεται την αξία αυτού που παράγει, οι εργαζόμενοι ως ομάδα λαμβάνουν την αξία αυτού που παράγουν. Η επιπλέον αποζημίωση που λαμβάνει ο καθένας από τους χαμηλόβαθμους εργαζόμενους αναπληρώνεται επακριβώς από την ελαφρά μείωση του μισθού των υψηλόβαθμων εργαζόμενων.

Το μοντέλο του ατομικού συμφέροντος, αντιθέτως, ισχυρίζεται ότι κάθε εργαζόμενος πληρώνεται την αξία αυτού που παράγει. Κι ωστόσο σε κάθε εταιρεία και επαγγελματικό χώρο για τον οποίο διαθέτουμε τα σχετικά στοιχεία, οι υψηλόβαθμοι πληρώνονται λιγότερο από την αξία αυτών που παράγουν, ενώ οι άλλοι εργαζόμενοι πληρώνονται περισσότερο. Η διαφορά αντιπροσωπεύει εν πολλοίς την τιμή που ένας υψηλά (χαμηλά) ιστάμενος εργαζόμενος πληρώνει (λαμβάνει) για τη θέση που κατέχει στην εσωτερική ιεραρχία της εταιρείας.

Αυτό το ισονομικό μισθολογικό πρότυπο εξηγείται συνήθως από τους μη οικονομολόγους με την έννοια του δικαίου. Και η έννοια αυτή έχει εδώ κάποιο περιεχόμενο που πρέπει να γίνεται αντιληπτό ακόμα και από τους σκληροπυρηνικούς αναλυτές, όπως ο Richard Posner. Ας υποθέσουμε, αντίθετα με τα δεδομένα αλλά σύμφωνα με τις προβλέψεις του μοντέλου του ατομικού συμφέροντος, ότι όλοι οι εργαζόμενοι πληρώνονται την αξία αυτού που παράγουν. Οι εργαζόμε-

216   ΤΑ ΠΑΘΗ ΤΗΣ ΛΟΓΙΚΗΣ

νοι που βρίσκονται στην κορυφή της κλίμακας κάθε εταιρείας θα α-
πολαμβάνουν χωρίς κόστος τις υψηλόβαθμες θέσεις τους και οι εργα-
ζόμενοι που βρίσκονται στην κατώτερη βαθμίδα της κλίμακας θα υ-
πομένουν την κατώτερη θέση τους χωρίς αποζημίωση. Η υψηλή θέση
στην εταιρεία είναι κάτι που αξίζει και η ύπαρξή της επιτυγχάνεται
μόνο και μόνο εξαιτίας της προθυμίας των άλλων να ανεχτούν την
κατώτερη θέση στην εταιρεία. Με όποια έννοια και αν πάρουμε τον
όρο δίκαιο, οπωσδήποτε δεν είναι δίκαιο να κερδίζει ο ένας, χωρίς
κάποιο τίμημα από τη δαπάνη που υφίσταται κάποιος άλλος. Ο κάθε
ορθολογιστής που αποδέχεται τα παραπάνω πρέπει, κατά συνέπεια,
να παραδεχτεί ότι η διάρθρωση των μισθών που υποστηρίζει το μο-
ντέλο του ατομικού συμφέροντος δεν είναι δίκαιη. Η διάρθρωση αυ-
τή είναι τέτοια, που όλο το πλεόνασμα πηγαίνει στους υψηλόβαθμους.

Πόσο μεγάλες είναι οι αποκλίσεις των μισθών που γίνονται στο
όνομα του αισθήματος του δικαίου; Η απάντηση διαφέρει ανάλογα με
το επάγγελμα. Σε επαγγέλματα όπου οι εργαζόμενοι δεν συνεργάζο-
νται στενά, οι άνθρωποι δεν είναι διατεθειμένοι να πληρώσουν πολλά
για μια υψηλή θέση. Εν τέλει οι συγκρίσεις που έχουν σημασία είναι
μεταξύ εργαζομένων που έχουν αρκετές επαφές. Το τίμημα που πλη-
ρώνεται για τις υψηλές θέσεις (και που καρπώνονται οι χαμηλές) εί-
ναι μεγαλύτερο σε επαγγέλματα όπου οι συνάδελφοι έχουν στενή ε-
παφή για μεγάλα χρονικά διαστήματα.

Το μοντέλο του ατομικού συμφέροντος ισχυρίζεται ότι ο μισθός
κάποιου εργαζόμενου πρέπει να ανεβαίνει κατά ένα δολάριο κάθε
φορά που ο εργαζόμενος αυξάνει κατά ένα δολάριο την αξία της πα-
ραγωγής της επιχείρησης. Το μοντέλο της έννοιας του δικαίου, αντι-
θέτως, προβλέπει ότι ο μισθός θα αυξηθεί κατά λιγότερο από ένα δο-
λάριο για κάθε επιπλέον δολάριο παραγόμενης αξίας. Επιπλέον ι-
σχυρίζεται ότι η διαφορά μεταξύ παραγωγικότητας και αμοιβής αυ-
ξάνεται ανάλογα με το εύρος της συνεργασίας μεταξύ εργαζομένων.

Ο Πίνακας 9.3 απεικονίζει τα ποσοστά αύξησης των μισθών σε
σχέση με την αύξηση της παραγωγικότητας σε τρεις επαγγελματικούς
χώρους. Οι επαγγελματικοί χώροι έχουν καταχωριστεί σε αυξητική
διάταξη, ανάλογα με το πόσο στενή είναι η συνεργασία. Οι κτηματο-
μεσίτες, που έχουν τη λιγότερο στενή επαφή, πληρώνουν τα μικρότερα
ποσά για υψηλές θέσεις. Στην ακριβώς αντίθετη πλευρά του φάσματος,

οι ερευνητές χημικοί, που δουλεύουν μαζί σε ομάδες που συνεργάζονται στενά για μεγάλο διάστημα, πληρώνουν όντως πολύ μεγάλα ποσά. Στο δείγμα που μελετήσαμε, οι πιο παραγωγικοί χημικοί παρήγαγαν κάθε χρόνο έργο αξίας 200.000 δολαρίων περισσότερο απ' ό,τι οι λιγότερο παραγωγικοί συνάδελφοί τους, και παρ' όλα αυτά πήραν ε-λάχιστα πιο υψηλούς μισθούς.[12] Οι πωλητές αυτοκινήτων δεν έχουν τις στενές σχέσεις των χημικών, αλλά, αντίθετα από τους κτηματομεσίτες, περνούν όλες τις εργάσιμες ώρες τους στον ίδιο χώρο. Όπως είχε προβλεφθεί, η τιμή των ανώτερων θέσεων στους πωλητές αυτοκινήτων κινείται μεταξύ των τιμών των δύο άλλων επαγγελμάτων.

ΠΙΝΑΚΑΣ 9.3 *Πληρωμές έναντι της παραγωγικότητας σε τρία επαγγέλματα*

ΕΠΑΓΓΕΛΜΑ	ΕΠΙΠΡΟΣΘΕΤΗ ΑΜΟΙΒΗ ΓΙΑ ΚΑΘΕ ΕΠΙΠΛΕΟΝ ΔΟΛΑΡΙΟ ΠΑΡΑΓΩΓΗΣ	
	ΠΡΑΓΜΑΤΙΚΗ	ΠΡΟΒΛΕΠΟΜΕΝΗ ΑΠΟ ΤΟ ΜΟΝΤΕΛΟ ΤΟΥ ΑΤΟΜΙΚΟΥ ΣΥΜΦΕΡΟΝΤΟΣ
Κτηματομεσίτες	0,70 $	1,00 $
Πωλητές αυτοκινήτων	0,24 $	1,00 $
Ερευνητές χημικοί	< 0,09 $	1,00 $

Πηγή: Frank, 1985, Κεφάλαιο 4

Κι εδώ πάλι το μοντέλο του ατομικού συμφέροντος αποτυγχάνει, και μάλιστα παταγωδώς. Για μία ακόμα φορά το αίσθημα του δικαίου φαίνεται να παίζει σημαντικό ρόλο.

Κανένα από τα στοιχεία που εξετάστηκαν σ' αυτό το κεφάλαιο δεν λέει ότι το υλικό κόστος και τα οφέλη είναι πράγματα ασήμαντα. Αντιθέτως, το κεντρικό σημείο που επισημαίνει το μοντέλο της δέσμευσης είναι ότι δεν υπερισχύει πάντοτε η λογική συμπεριφορά, επειδή πολύ συχνά στέκεται εμπόδιο στις υλικές απολαβές. Το αίσθημα του δικαίου κάνει μερικές φορές τους ανθρώπους να συμπεριφέρονται παράλογα. Αλλά μ' αυτό τον τρόπο οδηγούνται συχνά σε καταστάσεις που τους αποφέρουν υλικά οφέλη.

Οι πράξεις που κάνουν οι άνθρωποι στο όνομα του αισθήματος του δικαίου δεν έχουν πάντα αυτό το ευεργετικό αποτέλεσμα. Και δεν μπορούν να το έχουν επειδή οι κοινές αντιλήψεις για την έννοια του δικαίου είναι συχνά λανθασμένες. Για παράδειγμα, εάν οι άνθρωποι είχαν μεγαλύτερες οικονομικές γνώσεις ως προς το ποιος ευθύνεται, ας πούμε, για τα λειτουργικά έξοδα που συνεπάγεται το μέγεθος ενός χιονοδρομικού κέντρου, πιστεύω ότι οι αντιλήψεις τους θα άλλαζαν πάραυτα. Οι επιχειρήσεις θα είχαν τη δυνατότητα να μεταφέρουν ένα μεγαλύτερο ποσοστό των εξόδων τους στους πελάτες των περιόδων αιχμής, πράγμα που θα περιόριζε τον αριθμό των πελατών σε τέτοιες περιόδους και θα μείωνε τις απαιτήσεις για τη δυναμικότητα των μονάδων. Στο τέλος οι σκιέρ, στο σύνολό τους, θα κέρδιζαν. Παρόμοια οφέλη θα μπορούσαν να υπάρξουν και σε πολλές άλλες επιχειρήσεις, εάν οι λανθασμένες αντιλήψεις για το τι είναι δίκαιο δεν εμπόδιζαν την αυξομείωση των τιμών ανάλογα με το ύψος της ζήτησης.

Σε πολλές περιπτώσεις ωστόσο, οι κοινές αντιλήψεις για την έννοια του δικαίου και η ουσία των πραγμάτων μοιάζουν να είναι ένα και το αυτό. Μπορεί να νιώθουμε σίγουροι, παραδείγματος χάριν, ότι καμιά οικονομική παιδεία δεν θα αλλάξει το γεγονός πως οι υψηλόβαθμοι εργαζόμενοι πρέπει να μοιράζονται μέρος αυτού που παράγουν με τους χαμηλόβαθμους συναδέλφους τους. Όπως και καμιά γνώση των οικονομικών δεν θα εμποδίσει έναν εργαζόμενο να προτιμήσει χαμηλότερο μισθό παρά να πάει σε κάποια άλλη εταιρεία, όπου ο εργοδότης θα καρπώνεται όλο σχεδόν το πλεόνασμα της δουλειάς του.

Ανεξαρτήτως από το εάν οι αντιλήψεις είναι σωστές ή όχι, τα αποδεικτικά στοιχεία καθιστούν σαφές ότι το αίσθημα του δικαίου επηρεάζει σοβαρά τη συμπεριφορά των ατόμων. Οι οπαδοί του Posner και όσοι άλλοι επιμένουν ότι η λέξη δίκαιο στερείται περιεχομένου μιλάνε για έναν κόσμο που δεν είναι υπαρκτός.

ΚΕΦΑΛΑΙΟ ΔΕΚΑ

ΑΓΑΠΗ

ΠΟΛΛΟΙ ΑΝΘΡΩΠΟΙ πιστεύουν ότι η ανιδιοτελής αγάπη είναι η κινητήρια δύναμη που κρύβεται πίσω από τις διαπροσωπικές σχέσεις. Είναι εύκολο να αντιληφθούμε ότι ο υλιστής οικονομολόγος έχει μια λιγότερο συναισθηματική άποψη. Ο οικονομολόγος Gary Becker του Πανεπιστημίου του Σικάγο, στο σημαντικό έργο του *A Treatise on the Family*, αναφέρει: «Μια επιτυχημένη αγορά γάμων αναπτύσσει *σκιώδεις τιμές*, για να οδηγήσει τους συμβαλλόμενους σε γάμους οι οποίοι θα μεγιστοποιήσουν την προσδοκώμενη ευημερία τους».[1] Στο σύστημα του Becker, οι άνθρωποι έχουν σταθερές, ξεκάθαρες προτιμήσεις και δρουν με σκοπό την επιλογή συντρόφων που προωθούν καλύτερα τα υλικά τους συμφέροντα.

Οι οικονομολόγοι δεν είναι οι μόνοι που έχουν υλιστική άποψη για τις ανθρώπινες σχέσεις. Αντιθέτως, την έχουν μεταδώσει και σε άλλες κοινωνικές επιστήμες. Όλο και περισσότεροι ψυχολόγοι, κοινωνιολόγοι, πολιτικοί επιστήμονες, ανθρωπολόγοι και οι άλλοι επιστήμονες της συμπεριφοράς έχουν αρχίσει να θεωρούν τις προσωπικές σχέσεις σαν ανταλλαγές στις οποίες ο κάθε συμβαλλόμενος απολαμβάνει κάποιο υλικό όφελος.

Για παράδειγμα, ο κοινωνιολόγος Michael Hannan διαπιστώνει ότι «η άκαμπτη οικονομική θεώρηση του Becker διαπερνά τα ρομαντικά πέπλα ομίχλης που τόσο συχνά τυφλώνουν τους κοινωνικούς επιστήμονες όταν έρχονται αντιμέτωποι με τις δύσκολες επιλογές των οικογενειών και των μεμονωμένων μελών τους».[2] Οι κοινωνιολόγοι George Homans[3] και Peter Blau[4] είχαν διαπεράσει αυτά τα πέπλα ομίχλης μερικές δεκαετίες νωρίτερα και οι μελέτες τους για τις *σχέσεις ανταλλαγής* εξακολουθούν να συναντούν ευρεία αποδοχή μεταξύ των κοινωνιολόγων και των κοινωνικών ψυχολόγων. Ο ψυχολόγος Harold Kelley, ένας από τους πρωτοπόρους της σχολής κόστους-οφέλους,[5] αναφέρει ότι ένα «άτομο παραμένει σε [μία] σχέση όσο καιρό τα θετικά υπερτερούν των αρνητικών».[6] H Ellen Berscheid, διακεκριμένη ψυχολόγος στον τομέα των διαπροσωπικών σχέσεων, γράφει ότι ο βαθμός του συναισθηματικού δεσίματος σε μια σχέση είναι μια συνάρτηση «επικουρικών διασυνδέσεων» και «διαπλεκόμενων αλυσιδωτών φάσεων».[7] Επίσης ένα απόσπασμα από ένα σημαντικό βιβλίο για την έννοια του δικαίου στις προσωπικές σχέσεις, που κάλλιστα θα μπορούσε να βρίσκεται και σε κάποιο από τα βιβλία του Άνταμ Σμιθ, ξεκινά με τη φράση: «Ο άνθρωπος είναι εγωιστής. Τα άτομα προσπαθούν να μεγιστοποιήσουν τις απολαβές τους».[8] Ο ψυχολόγος Daniel Goleman συνοψίζει εξαιρετικά την ανερχόμενη αυτή τάση: «Προσφάτως η κυρίαρχη τάση της ψυχολογικής έρευνας εξετάζει την αγάπη σχεδόν σαν να επρόκειτο για μια εμπορική συναλλαγή, για ένα ζήτημα κέρδους και ζημιών».[9]

Η άποψη ότι οι προσωπικές σχέσεις είναι όπως όλα τα άλλα αγαθά και υπηρεσίες έχει προκαλέσει έντονες επικρίσεις.[10] Οι περισσότεροι επικριτές δεν κάνουν τίποτε άλλο παρά να απορρίπτουν τον υλιστικό προσανατολισμό που κινείται στο πλαίσιο της ορθολογικής επιλογής. Εντούτοις το δικό μου επιχείρημα είναι ότι το μοντέλο της ανταλλαγής αμφισβητείται πολύ πιο αποτελεσματικά εκ των έσω. Μπορούμε να απορρίψουμε τα πιο προβληματικά σημεία του, χωρίς να αρνηθούμε την παραδοχή ότι οι υλικές απολαβές παίζουν σημαντικό ρόλο στη διαμόρφωση της συμπεριφοράς. Προτού όμως παραθέσουμε τις λεπτομέρειες αυτού του επιχειρήματος και τα αποδεικτικά στοιχεία, είναι χρήσιμο να εξετάσουμε κάποιες από τις απόψεις που ενθαρρύνουν την οικονομική προσέγγιση των προσωπικών σχέσεων.

Η αγορά των σχέσεων

Η υλιστική άποψη για τις σχέσεις δεν είναι καινούρια. Την αναγνωρίζουμε, για παράδειγμα, στη γνωστή συνήθεια των ανθρώπων να μετρούν την ελκυστικότητα εκπροσώπων του αντίθετου φύλου βαθμολογώντας τους από το 1 έως το 10. Αυτή η βαθμολογία της ελκυστικότητας, ή κάποια ανάλογη, αντιστοιχεί στις σκιώδεις τιμές της επιτυχημένης αγοράς γάμων του Becker. Εάν αυτοί που συμμετέχουν ακολουθήσουν τον γενικό κανόνα «Παντρευτείτε το πιο ελκυστικό άτομο που θα θέλει να σας παντρευτεί», το αποτέλεσμα θα είναι ένα ταιριαστό ζευγάρωμα. Τα δεκάρια θα ζευγαρώνουν με δεκάρια, τα εννιάρια με εννιάρια και ούτω καθεξής.

Σε κάποιο επίπεδο πολλοί από εμάς ισχυρίζονται ότι τους προσβάλλει ακόμα και η απλή υπόθεση ότι οι αναρίθμητες και πλούσιες παράμετροι ενός ατόμου είναι δυνατόν να περιοριστούν σε μία και μοναδική αριθμητική κλίμακα, ή πάλι ότι μια τέτοια βαθμολογία αντικατοπτρίζει τα όσα διαδραματίζονται μεταξύ των ερωτευμένων. Πολλοί από εμάς θρηνούν επίσης για τον υπερβολικό ρόλο που παίζει η εμφάνιση, ειδικά σε συνθήκες όπου οι άνθρωποι δεν γνωρίζονται καλά. Κι ωστόσο κανείς δεν αρνείται ότι κάποιοι είναι πιο επιθυμητοί ως σύζυγοι και ότι θα παρέμεναν εξίσου επιθυμητοί ακόμα και σε συνθήκες που θα μας επέτρεπαν να τους γνωρίσουμε πολύ καλύτερα.

Οι περισσότεροι άνθρωποι θέλουν συντρόφους που να είναι ευγενικοί, τρυφεροί, υγιείς, έξυπνοι, εμφανίσιμοι και ούτω καθεξής. Ο καθένας μετρά με τα δικά του σταθμά καθεμία από αυτές τις ιδιότητες. Εφόσον όμως υπάρχουν σταθμά, σίγουρα υπάρχει και μια γενικότερη έννοια που μας δίνει το δικαίωμα να μιλάμε για τη συνολική γοητεία ενός ατόμου. Η έννοια ενός συνολικού βαθμού γοητείας σημαίνει ότι γίνεται κάποιο ζύγιασμα μεταξύ των διαφόρων χαρακτηριστικών που οι άνθρωποι εκτιμούν. Για παράδειγμα, δύο άνθρωποι μπορεί να θεωρούνται εξίσου ελκυστικοί ακόμα και αν ο ένας είναι λιγότερο εμφανίσιμος, είναι όμως πιο έξυπνος από τον άλλο.

Το τρέχον νόμισμα στην αγορά των σχέσεων είναι η συνολική βαθμολογία της γοητείας του ατόμου. Αυτά είναι τα «προσόντα» με τα οποία ψωνίζει σύντροφο. Κάποια στοιχεία από αυτά τα προσόντα είναι επίκτητα, κάποια άλλα είναι κληρονομικά. Είναι δυνατόν, για παράδειγμα, να γίνουμε πιο ελκυστικοί εάν είμαστε πιο καλλιεργημένοι ή εάν αναπτύξουμε μια πιο τρυφερή και ευχάριστη στάση απέναντι στους άλλους. Την ίδια στιγμή ωστόσο, υπάρχουν σαφή όρια πέραν των οποίων κάποια χαρακτηριστικά, όπως η εξυπνάδα και η εξωτερική εμφάνιση, δεν μπορούν να μεταβληθούν. Τα ψηλοτάκουνα παπούτσια και οι βάτες βοηθούν σε κάποιες περιστάσεις, αλλά στην παραλία δεν παίζουν κανέναν απολύτως ρόλο. Μοιραία η κατανομή των προσόντων στην αγορά των σχέσεων παρουσιάζει επώδυνες ανισότητες.

Το ίδιο βεβαίως ισχύει και στην κατανομή των διαθέσιμων χρηματικών ποσών που ισχύουν στην αγορά των συνηθισμένων αγαθών και υπηρεσιών. Οι περισσότεροι οικονομολόγοι δεν λαμβάνουν υπόψη τους την έννοια του δικαίου ως προς την κατανομή των προσόντων στις αγορές που μελετούν. Αντ' αυτού, οι απόψεις τους επικεντρώνονται σε ζητήματα αποδοτικότητας και συνοψίζονται περίπου στο εξής: *Σε μια δεδομένη κατανομή προσόντων, η ελεύθερη αγορά μεταξύ ατόμων που κινούνται με γνώμονα το ατομικό συμφέρον θα μεγιστοποιήσει την ευημερία.* Όταν λένε «μεγιστοποίηση της ευημερίας», οι οικονομολόγοι εννοούν ότι δεν υπάρχει τρόπος να βελτιωθεί η τύχη κάποιων, χωρίς ταυτόχρονα να ζημιωθούν κάποιοι άλλοι.

Η αγορά γάμων του Becker φιλοδοξεί να είναι επιτυχημένη με αυτή τη συγκεκριμένη έννοια. Δεν ισχυρίζεται ότι είναι δίκαιη. Εάν όμως παραμερίσουμε το ενδιαφέρον μας για την κατανομή των προσόντων, ανακαλύπτουμε, παρ' όλα αυτά, ότι απονέμει μια κάποια δικαιοσύνη. Ένα δεδομένο προσόν στη γαμήλια αγορά μπορεί εν τέλει να αγοράσει μόνον ένα συγκεκριμένο αντάλλαγμα: Εάν θέλουμε να παντρευτούμε με βάση την εμφάνιση, πρέπει να είμαστε διατεθειμένοι να συμβιβαστούμε και να παραβλέψουμε κάποια από τα άλλα επιθυμητά χαρακτηριστικά. Συνεπώς ο άνθρωπος που ενδιαφέρεται περισσότερο για τα εσωτερικά χαρίσματα του άλλου και όχι για την ωραία μυτούλα και την απαλή επιδερμίδα έχει ένα ουσιαστικό πλεονέκτημα. Διότι, με τα προσόντα που διαθέτει, μπορεί να «αγοράσει» έναν σύντροφο που είναι πιο βαθυστόχαστος, έξυπνος και τρυφερός. Αντιθέτως, κάποιος που ενδιαφέρεται περισσότερο μόνο για την εξωτερική εμφάνιση πρέπει να συμβιβαστεί με λιγότερες από αυτές τις ιδιότητες.*

---

* Αυτό το συμπέρασμα στηρίζεται στην παραδοσιακή αντίληψη ότι η προτίμηση για την απαλή επιδερμίδα είναι κατά κάποιον τρόπο λιγότερο σοβαρή από μια προτίμηση στη στοχαστικότητα. Από την άποψη όμως ότι όλες οι προτιμήσεις για τα διάφορα γνωρίσματα είναι εξίσου σοβαρές, είναι προφανές ότι δεν συνάγεται το ίδιο συμπέρασμα. Θα μπορούσαμε μάλιστα να πούμε με την ίδια ευκολία ότι είναι πλεονεκτικό να μην ψάχνουμε για εξυπνάδα, διότι έτσι βρίσκουμε πιο όμορφο σύντροφο.

Οι οικονομικές λεπτομέρειες της αναζήτησης πιθανών συζύγων έχουν οπωσδήποτε ενδιαφέρον και συχνά εμπεριέχουν ζητήματα σηματοδότησης όπως αυτά που παρουσιάσαμε στο Κεφάλαιο Πέντε. Όπως ο βάτραχος έπρεπε να εκτιμήσει το μέγεθος των αντιπάλων του στο σκοτάδι, έτσι κι εδώ το πρόβλημα είναι ότι πολλά βασικά χαρακτηριστικά δεν είναι ευδιάκριτα. Στην αγορά σχέσεων ο πονηρός αγοραστής θα αναζητήσει συμπεριφορικά σήματα που αποκαλύπτουν αυτά τα χαρακτηριστικά. Στο Κεφάλαιο Πέντε είδαμε ότι, για να είναι αποτελεσματικό κάποιο σήμα, πρέπει η προσποίησή του να είναι δαπανηρή. Κάποιος που ψάχνει, φέρ' ειπείν, για έναν ιδιαίτερα πειθαρχημένο σύντροφο μπορεί, κατά συνέπεια, να τον αναζητήσει στα άτομα που τρέχουν τον μαραθώνιο σε λιγότερο από δυόμισι ώρες.

Ακόμα και ο βαθμός του ενδιαφέροντος που ένα άτομο δείχνει σε έναν δυνητικό σύντροφο ορισμένες φορές αποκαλύπτει πολλά. Ο Γκρούτσο Μαρξ είπε κάποτε ότι δεν πρόκειται να γίνει μέλος ενός συλλόγου που τον θέλει για μέλος του. Εάν ακολουθήσουμε μια παρόμοια τακτική στην αναζήτηση σχέσης, προφανώς θα τη ματαιώσουμε. Κι ωστόσο ο Γκρούτσο Μαρξ κάτι ήξερε. Υπάρχουν πολλοί λόγοι αποφυγής ενός φαινομενικά ελκυστικού κυνηγού που δείχνει μεγάλη προθυμία. Εάν αυτό το άτομο είναι τόσο ελκυστικό όσο φαίνεται, τότε γιατί τόση βιασύνη; Μια τέτοια στάση συχνά δηλώνει δυσάρεστες προοπτικές για χαρακτηριστικά που δεν είναι αμέσως ευδιάκριτα. Οι ιδιότητες των αποτελεσματικών σημάτων μάς εξηγούν λοιπόν τον λόγο που η επιφυλακτικότητα, ως έναν βαθμό, μοιάζει να ενδείκνυται περισσότερο στην αγορά των σχέσεων.

Οι ίδιες ιδιότητες μας αποκαλύπτουν κάτι για τις θεσμικές ρυθμίσεις κάτω από τις οποίες οι άνθρωποι ψάχνουν για συντρόφους. Ένα πολυσυζητημένο πρόβλημα της σύγχρονης ζωής στις μεγαλουπόλεις είναι ότι το εντατικό πρόγραμμα εργασίας δυσκολεύει τις γνωριμίες των ανθρώπων. Οι υπηρεσίες συνοικεσίων ανταποκρίνονται σε αυτό το πρόβλημα και προσφέρονται να ταιριάξουν ανθρώπους με παρόμοια ενδιαφέροντα και γούστα. Αυτοί που απευθύνονται σε τέτοιες υπηρεσίες δεν χρειάζεται πια να χάνουν χρόνο και χρήμα για να γνωρίσουν άτομα με τα οποία έχουν ελάχιστα κοινά σημεία. Επίσης αποφεύγουν την αβεβαιότητα για το κατά πόσο ο υποψήφιος σύντροφος ενδιαφέρεται να γνωρίσει κάποιον. Κι ωστόσο, παρόλο που πολλοί άνθρωποι παντρεύονται μέσω τέτοιων υπηρεσιών, οι περισσότεροι τις θεωρούν κακή επένδυση. Ο προφανής λόγος είναι ότι, χωρίς να το θέλουν, οι υπηρεσίες συνοικεσίων λειτουργούν σαν μηχανισμός εντοπισμού των ανθρώπων που αντιμετωπίζουν δυσκολίες στο ξεκίνημα μιας σχέσης. Σίγουρα κάποιες φορές ο λόγος που κάποιος πάει σε υπηρεσία συνοικεσίων είναι απλώς ότι είναι πολύ απασχολημένος για να ψάξει μόνος του. Συχνά όμως είναι συνέπεια προβλημάτων προσωπικότητας ή άλλων, πιο ανησυχητικών, εμποδίων. Όπως λένε και οι διαφημίσεις, είναι πιο εύκολο να γνωρίσεις κάποιον μέσω ενός γραφείου συνοικεσίων. Όμως η θεωρία της σηματοδότησης ισχυρίζεται ότι εν γένει δεν αξίζει και πολύ να συναντήσεις ένα τέτοιο άτομο.

Ο έρωτας ως παραλογισμός

Το μοντέλο της ανταλλαγής στο πλαίσιο των διαπροσωπικών σχέσεων κάνει πολλούς μη ειδικούς να απορούν. Υπάρχει περίπτωση οι θεωρητικοί της ανταλλαγής να είναι σοβαροί; Οι απόψεις τους σίγουρα έρχονται σε διαμετρική αντίθεση με τις παραδοσιακές απόψεις περί έρωτος. Για παράδειγμα, στο μυθιστόρημα *Clea*, ο Λόρενς Ντάρελ παρουσιάζει την ακόλουθη εικόνα:

> Μπορεί να οριστεί σαν κακοήθης όγκος αγνώστου προελεύσεως, που χτυπάει κάπου χωρίς ο ασθενής να το γνωρίζει ή να το θέλει. Πόσες φορές δεν προσπάθησες μάταια να ερωτευτείς το «κατάλληλο» άτομο, ακόμα κι όταν η καρδιά σου λέει ότι το βρήκες μετά από πολύ ψάξιμο; Μα όχι, ένα ματόκλαδο, ένα άρωμα, το ελκυστικό βάδισμα, μια ελιά στον λαιμό, η ευωδιά του αμύγδαλου στην ανάσα – αυτοί είναι οι συνένοχοι που αναζητά το πνεύμα για να σε καταστρέψει.[11]

Παρομοίως, ο Douglas Yates μας λέει ότι «Οι άνθρωποι που είναι λογικοί στον έρωτα δεν μπορούν να ερωτευτούν». Και ο Πασκάλ επίσης διαφωνούσε πλήρως με τους ορθολογιστές όταν έγραφε: «Η καρδιά έχει τους λόγους της, που η λογική δεν τους ξέρει καθόλου».

Οι παραδοσιακές μας ιδέες περί έρωτος είναι τελείως ασυμβίβαστες με την ψυχρή εικόνα σκοπιμότητας που μας παρουσιάζει το

μοντέλο του ατομικού συμφέροντος. Ωστόσο, παρ' όλες τις έντονες εν-
στάσεις των οπαδών της παράδοσης, η προσέγγιση των οικονομολό-
γων συνεχίζει να ακμάζει.

Η ικανότητα πρόβλεψης του μοντέλου
του ατομικού συμφέροντος

Πώς μπορούμε να συμβιβάσουμε τις παραδοσιακές απόψεις περί έ-
ρωτος με τη συνεχή άνοδο του μοντέλου της ανταλλαγής; Παρ' όλη
την ανησυχία που προκαλεί, η προσέγγιση κόστους-οφέλους κερδίζει
συνεχώς έδαφος λόγω της ικανότητάς της να προβλέπει και να εξηγεί
τη συμπεριφορά. Μία από τις προβλέψεις της είναι ότι οι οικογένειες
με σταθερό εισόδημα θα κάνουν λιγότερα παιδιά όσο θα μεγαλώνει η
αξία που έχει ο χρόνος της μητέρας στην αγορά. Αυτή η σχέση έχει α-
ποδειχθεί σωστή σε αναρίθμητες μελέτες.[12] Προβλέπει επίσης με επι-
τυχία ότι οι γυναίκες που έχουν υψηλό εισοδηματικό δυναμικό είναι
πιο πιθανό να πάρουν διαζύγιο, όπως επίσης και οι γυναίκες που ζού-
νε σε κράτη με γενναιόδωρα επιδόματα.[13] Προβλέπει, επίσης σωστά,
ότι οι άνδρες με υψηλότερα εισοδήματα έχουν την τάση να παντρεύο-
νται σε νεότερη ηλικία.[14] Από την άλλη, οι οπαδοί της παράδοσης α-
πλώς αντιτείνουν ότι οι άνθρωποι παντρεύονται και κάνουν παιδιά α-
πό έρωτα. Με το δίκιο τους οι θεωρητικοί της ανταλλαγής βρίσκουν
αυτές τις διακηρύξεις τρομερά ασαφείς.

Το μοντέλο της αγοράς δεν κάνει απλώς λεπτομερείς προβλέ-
ψεις για τη συμπεριφορά, αλλά παρέχει ακόμα και πρακτικές συμ-
βουλές στους ερωτοχτυπημένους. Μία συνάδελφος μου είπε κάποτε
για μια στενή της φίλη που παραπονιόταν ότι η ερωτική της ζωή ήταν
ανεξήγητα ανάποδη. «Για ποιο λόγο», ρωτούσε, «οι άνθρωποι που ε-
ρωτεύομαι δεν ενδιαφέρονται για μένα, ενώ αυτούς που με ερωτεύο-
νται δεν τους αγαπώ εγώ;» Η συνάδελφός μου την ήξερε καλά και κα-
τάλαβε ότι μπορούσε να χαριτολογήσει: «Είσαι ένα οχτάρι που κυνη-
γάει συνέχεια τα δεκάρια», της εξήγησε, «και σε κυνηγάνε συνέχεια ε-
ξάρια». Σύμφωνα με τα λεγόμενα της συγκεκριμένης γυναίκας, αυτή
η συμπυκνωμένη σε μια πρόταση «ανάλυση» τη βοήθησε περισσότε-
ρο απ' όσο μερικά χρόνια ψυχοθεραπείας.

Εάν, όπως πιστεύει η παραδοσιακή θεώρηση, το στοιχείο του παρα-
λογισμού αποτελεί βασικό συστατικό του συναισθήματος της αγάπης,
τότε γιατί το μοντέλο του ατομικού συμφέροντος μας λέει τόσα για το
πώς ενεργούν οι άνθρωποι στις ερωτικές τους σχέσεις; Το μοντέλο της
δέσμευσης δεν ισχυρίζεται ότι το μοντέλο του ατομικού συμφέροντος
σφάλλει, αλλά ότι δεν λαμβάνει υπόψη του ένα σημαντικό στοιχείο. Η
άκριτη εφαρμογή του συνεπάγεται σημαντικούς περιορισμούς στην ι-
κανότητα των ανθρώπων που δρουν με συμφεροντολογικά κριτήρια
να αποκομίσουν υλικά οφέλη από τις ερωτικές τους σχέσεις. Όπως
και στα προηγούμενα κεφάλαια, η δυσκολία σχετίζεται και πάλι με το
θέμα της δέσμευσης: Από τη στιγμή που θεωρείται δεδομένο ότι κά-
ποιος επιδιώκει πάντοτε το ατομικό του συμφέρον, συχνά χάνει αξιό-
λογες ευκαιρίες, τις οποίες θα μπορούσε να εκμεταλλευτεί αν δεσμευό-
ταν να παρακάμψει το μέγιστο κέρδος.

Ένα παρόμοιο πρόβλημα στην αγορά της ενοικίασης ακινήτων

Η φύση της δυσκολίας φαίνεται καθαρά σε ένα αντίστοιχο πρόβλημα
που συναντάμε στην αγορά της ενοικίασης ακινήτων. Αυτή η αγορά
έχει πολλά από τα σημαντικά χαρακτηριστικά που συναντά κανείς
στην ανεπίσημη αγορά ευρέσεως συντρόφου. Και οι δύο αγορές χα-
ρακτηρίζονται από την ελλιπή πληροφόρηση και στις δυο πλευρές
των συναλλασσομένων. Όπως ακριβώς απαιτείται χρόνος και προ-
σπάθεια για να συναντήσουμε ανθρώπους και να τους γνωρίσουμε,
κατά τον ίδιο τρόπο απαιτείται χρόνος και προσπάθεια για να ανα-
καλύψουμε ποια σπίτια είναι διαθέσιμα και σε τι κατάσταση βρίσκο-
νται. Ο ιδιοκτήτης, πάλι, χρειάζεται χρόνο για να δει τους υποψήφιους
ενοικιαστές και να καταλάβει εάν πρόκειται για υπεύθυνα άτομα και
πόσο νοίκι είναι διατεθειμένοι να πληρώσουν.

Επειδή ο χρόνος και ο κόπος δεν είναι συνήθως διαθέσιμοι, δεν
γίνεται να επισκεφθούμε όλα τα κενά διαμερίσματα ή να συναντή-
σουμε όλους τους υποψήφιους ενοικιαστές. Αυτοί που ψάχνουν για
διαμέρισμα επισκέπτονται έναν πολύ μικρό αριθμό διαμερισμάτων
και παίρνουν μια ιδέα για τον τύπο των διαμερισμάτων που διατίθε-
νται και το ύψος των τιμών τους. Οι ιδιοκτήτες επίσης παίρνουν μια

ιδέα για τους υποψήφιους ενοικιαστές που προσφέρει η αγορά χωρίς να τους συναντήσουν όλους.

Στηριζόμενοι στις εκτιμήσεις τους σχετικά με το τι προσφέρεται, ιδιοκτήτες και ενοικιαστές μπορούν λογικά να θέσουν κάποιο όριο στο οποίο θα σταματήσουν να ψάχνουν. Όταν βρούμε αρκετά ικανοποιητικό ενοικιαστή ή διαμέρισμα, δεν συμφέρει να ψάχνουμε περισσότερο. Το όριο που ορίζεται ως «ικανοποιητικό» εξαρτάται φυσικά από τις περιστάσεις. Για παράδειγμα, αυτοί που ψάχνουν διαμέρισμα και διαθέτουν ελεύθερο χρόνο θα ψάξουν περισσότερο από τους υπόλοιπους. Παρομοίως, οι ιδιοκτήτες που ενοικιάζουν επιπλωμένα διαμερίσματα με πολλά εύθραυστα αντικείμενα θα χρειαστεί να ξοδέψουν περισσότερο χρόνο σε συναντήσεις με υποψήφιους ενοικιαστές.

Όποιες κι αν είναι οι συνθήκες του κάθε συγκεκριμένου υποψήφιου, από τη στιγμή που θα βρει την κατοικία που ανταποκρίνεται στο δικό του όριο, είναι λογικό να σταματήσει να ψάχνει. Αυτό, στην περίπτωση του ενοικιαστή, ισχύει ακόμα κι όταν είναι *βέβαιο* ότι θα υπάρχει κάπου και καλύτερο διαμέρισμα με χαμηλότερο μίσθωμα, ή, στην περίπτωση του ιδιοκτήτη, όταν είναι σίγουρο ότι θα υπάρξει κάποιος άλλος ενοικιαστής ο οποίος θα είναι πιο υπεύθυνος και θα προτίθεται να του προσφέρει μεγαλύτερο μίσθωμα.

Η συμφωνία ενοικιαστή και ιδιοκτήτη δεν σταματά στην εύρεση αλλήλων. Η συνήθης πρακτική περιλαμβάνει το επιπρόσθετο βήμα της υπογραφής ενός μισθωτηρίου, ενός επίσημου συμβολαίου που ορίζει το ενοίκιο και κάποιους άλλους όρους για μια συγκεκριμένη περίοδο. Γιατί αυτή η δέσμευση; Εάν και οι δύο συμβαλλόμενοι ήταν σίγουροι ότι είχαν βρει την καλύτερη δυνατή σχέση, δεν θα χρειαζόταν το μισθωτήριο συμβόλαιο. Ο ενοικιαστής δεν θα είχε κίνητρο για να φύγει ούτε ο ιδιοκτήτης θα ήθελε να του φύγει. Το πρόβλημα είναι ότι κανένας από τους δύο δεν έχει τέτοια εξασφάλιση. Παρότι ο ενοικιαστής συμφώνησε ότι θα πιάσει το σπίτι, μπορεί να βρει μια πολύ καλύτερη περίπτωση, η αποδοχή της οποίας θα εξανάγκαζε τον ιδιοκτήτη να ξεκινήσει και πάλι την πολυέξοδη έρευνα. Ο ενοικιαστής αντιμετωπίζει έναν παρόμοιο κίνδυνο. Από πλευράς του ενοικιαστή, αυτό που διακυβεύεται δεν είναι μόνον το κόστος της έρευνας. Συχνά επιθυμεί να κάνει κάποιες μετατροπές σύμφωνα με το γούστο του. Τα έξοδα για την μπογιά, τις κουρτίνες και τα άλλα οικιακά σκεύη αξίζει να γίνουν μόνον εφόσον πρόκειται να μείνει σ' αυτό το σπίτι για μεγάλο διάστημα. Εάν όμως δεν καλύπτεται από την προστασία που του παρέχει το μισθωτήριο, δεν θα θελήσει να κάνει μια τέτοια επένδυση.

Και ο ιδιοκτήτης και ο ενοικιαστής αντιλαμβάνονται ότι θα είχαν πολύ λιγότερα οφέλη εάν ο καθένας επεδίωκε το συμφέρον του χωρίς καμία δέσμευση. Ο ενοικιαστής δεν θα ήθελε να πληρώσει τόσο πολλά χωρίς την εξασφάλιση ενός μισθωτηρίου, ούτε ο ιδιοκτήτης θα προθυμοποιούνταν να αποδεχθεί τόσο λίγα. Ο καθένας τους έχει ένα σαφές υλικό κίνητρο που περιορίζει τις επιλογές του. Πρόκειται για έ-να θέμα δέσμευσης του γνωστού είδους. Ο ιδιοκτήτης δεν θέλει να έ-χει τη δυνατότητα να βγάλει τον ενοικιαστή του τη στιγμή που θα παρουσιαστεί κάποιος καλύτερος. Ο ενοικιαστής, παρομοίως, δεν θέλει να έχει τη δυνατότητα να φύγει εάν βρεθεί κάποιο καλύτερο διαμέρισμα. Η απεριόριστη λογική επιλογή θα είχε ως αποτέλεσμα μια χειρότερη έκβαση και για τους δύο. Το μισθωτήριο δεν είναι ο τέλειος τρόπος για την επίλυση του θέματος δέσμευσης, αλλά δουλεύει αρκετά καλά.

Το θέμα της δέσμευσης στην αγορά σχέσεων

Οι αναλογίες μεταξύ της αγοράς των ενοικιαζόμενων σπιτιών και της αγοράς των προσωπικών σχέσεων είναι σαφείς. Το μοντέλο της α-νταλλαγής θεωρεί ότι ο καθένας που παίρνει μέρος στην αγορά σχέ-σεων ψάχνει για τον καλύτερο σύντροφο που μπορεί να αποκτήσει μέσω των προσόντων του. Οι πληροφορίες για τους υποψήφιους συ-ντρόφους είναι πολύ περιορισμένες, και μάλιστα πολύ περισσότερο απ' όσο συμβαίνει στην αγορά ενοικίασης. Ακόμα κι αν κάποιος ξέ-ρει τι ακριβώς ψάχνει, πολλά από τα σχετικά χαρακτηριστικά είναι ε-ξαιρετικά δύσκολο να διαπιστωθούν.

Η επίπτωση όλων αυτών είναι ότι η εξαντλητική έρευνα, ακό-μα κι αν ήταν εφικτή, θα ήταν αντιοικονομική. Όπως συμβαίνει και στην αγορά ενοικιαζόμενων, όσοι ψάχνουν στην αγορά σχέσεων χρη-σιμοποιούν περιορισμένο δείγμα για να πάρουν μια ιδέα για την προ-σφορά διαθέσιμων συντρόφων. Ενδείξεις σαν κι αυτές που συζητήσαμε νωρίτερα μπορούν να παίξουν σημαντικό ρόλο. Με βάση τις εκτιμήσεις τους για το τι προσφέρεται, όσοι ψάχνουν θέτουν κάποιο οριακό επίπεδο στις απαιτήσεις τους. Η σχέση επιτυγχάνεται τελικά με το ζευγάρωμα δύο ανθρώπων οι οποίοι ανταποκρίνονται ή υπερβαίνουν το οριακό επίπεδο αλλήλων. Όπως και στην περίπτωση των ενοικιαζόμενων κατοικιών, η κάθε πλευρά νιώθει ότι θα υπάρχει οπωσδήποτε κάπου κάποιος καλύτερος σύντροφος. Είναι όμως σαφές ότι η περαιτέρω αναζήτηση είναι ασύμφορη.

Σ' αυτό το σημείο η κάθε πλευρά έχει ένα ισχυρό κίνητρο για να δεσμευτεί σε μια μακροχρόνια σχέση. Διότι, σ' αυτή την περίπτωση, πιο πολύ και από την περίπτωση της ενοικίασης, η κάθε πλευρά έχει κάθε συμφέρον να κάνει επενδύσεις που η επιτυχία τους εξαρτάται από την επιβίωση της σχέσης. Η πιο προφανής είναι η ανατροφή των παιδιών, αλλά υπάρχουν και πολλές άλλες επίσης. Θα θελήσουν, επί παραδείγματι, να αποκτήσουν κοινή ιδιοκτησία, μεγάλο μέρος της οποίας θα είναι δύσκολο, εάν όχι αδύνατο, να μοιράσουν σε περίπτωση χωρισμού. Είναι σχετικά εύκολο να αντικαταστήσουμε τους μισούς δίσκους που μας λείπουν από τη συλλογή μας, αλλά με τι αντικαθίσταται ένας πίνακας που κι οι δυο λατρεύουμε;

Όπως στις περισσότερες κοινωνίες υπάρχουν μισθωτήρια, στις περισσότερες υπάρχουν και επίσημα γαμήλια συμβόλαια. Οι όροι αυτών των συμβολαίων διαφέρουν από χώρα σε χώρα. Κάποια συμβόλαια, όπως της Ιρλανδίας, καθιστούν σχεδόν αδύνατο το διαζύγιο. Τα περισσότερα από τα άλλα συμβόλαια είναι πολύ πιο φιλελεύθερα, αλλά σχεδόν όλα προβλέπουν σημαντικές κυρώσεις. Λαμβάνοντας υπόψη μας τους σαφείς λόγους που έχουν οι σύζυγοι για να θέλουν να περιορίσουν τις δικές τους μελλοντικές δυνατότητες, καταλαβαίνουμε εύκολα γιατί τόσο πολλές κοινωνίες έχουν υιοθετήσει αυτό τον θεσμό.

Παρ' όλα αυτά, υπάρχουν δύο σημαντικοί παράγοντες που περιορίζουν τα επιτεύγματα των επίσημων γαμήλιων συμβολαίων. Ο πρώτος παράγοντας είναι η εύλογη επιθυμία να υπάρχει η δυνατότητα λύσης των ανεπανόρθωτα διαλυμένων γάμων. Το αμοιβαίο μας συμφέρον όταν κάνουμε μακροπρόθεσμες επενδύσεις δεν επιτάσσει την παρεμπόδιση όλων των μορφών διάλυσης ενός γάμου, παρά μόνον αυτών που αφορούν στην καιροσκοπική αλλαγή συντρόφου. Το πρόβλημα είναι ότι κάθε συμβόλαιο που είναι αρκετά ελαστικό ώστε να επιτρέπει τη λήξη των ανέλπιδων γάμων δεν μπορεί να είναι ταυτόχρονα αρκετά αυστηρό έτσι ώστε να εμποδίζει την όποια καιροσκοπική αλλαγή συντρόφου. Μετριάζοντας την αυστηρότητα του συμβολαίου, εξυπηρετούμε έναν στόχο εις βάρος κάποιου άλλου.

Ο δεύτερος περιορισμός έχει σχέση με την τήρηση του συμβολαίου. Η πολιτεία έχει τη δυνατότητα να πάρει κάποια συγκεκριμένα μέτρα για να αλλάξει τη συμπεριφορά των ανθρώπων που δεν επιθυμούν να παραμείνουν παντρεμένοι. Έχει τη δυνατότητα να τους υποχρεώσει να καταβάλουν χρηματικά ποσά, να τους αναγκάσει να υποστούν τη γραφειοκρατία, ακόμα και να κηρύξει παράνομο το διαζύγιο. Δεν μπορεί ωστόσο να τους εξαναγκάσει να ζήσουν κάτω από την ίδια στέγη, από τη στιγμή που δεν υπάρχουν αμοιβαία αισθήματα και αλληλοϋποστήριξη.

Ουσιαστικά πρόκειται για τον ίδιο περιορισμό που συναντάμε και στην αγορά εργασίας. Συνήθως είναι αποδοτικό για τις επιχειρήσεις να επενδύσουν σημαντικά κονδύλια για την εκπαίδευση των εργαζομένων, εφόσον είναι απολύτως σίγουρες ότι οι εργαζόμενοι θα μείνουν στη δουλειά για μεγάλο διάστημα. Παρ' όλα αυτά, δεν επιτρέπουμε μακροχρόνιες δεσμευτικές συμβάσεις εργασίας. Επιτρέπεται η μίσθωση αποθήκης για 99 χρόνια, αλλά δεν επιτρέπεται η μίσθωση του εργαζόμενου για 99 δευτερόλεπτα. Εάν τυχόν αλλάξουν οι συνθήκες που οδήγησαν τους συμβαλλόμενους να υπογράψουν το μισθωτήριο της αποθήκης, το μόνο που θίγεται είναι η ιδιοκτησία. Εμείς θα ήμασταν διατεθειμένοι να τηρήσουμε το αρχικό συμβόλαιο, ακόμα και εάν οι όροι του ξαφνικά ενοχλούσαν κάποιον από τους δύο συμβαλλόμενους. Δεν είμαστε ωστόσο διατεθειμένοι να επιμείνουμε ότι κάποιος πρέπει να παραμείνει σε μια δουλειά που τη βρίσκει απωθητική εξαιτίας της αλλαγής συνθηκών. Ούτε υπάρχουν τα νομικά μέσα για να κάνουμε κάτι τέτοιο. Σχεδόν όλοι οι εργαζόμενοι απολαμβάνουν τόση ελευθερία κινήσεων στο εργασιακό περιβάλλον, που τους επιτρέπει να δημιουργούν προβλήματα χωρίς να παραβούν κανέναν κανόνα. Εξαιτίας αυτής της κατάστασης, οι εργοδότες δεν έχουν κανένα υλικό κίνητρο για να υποχρεώσουν τους εργαζόμενους να μείνουν στη δουλειά παρά τη θέλησή τους. Το ίδιο ακριβώς συμβαίνει και με τις γαμήλιες συμβάσεις.

Η δυσκολία που αντιμετωπίζει το μοντέλο της ανταλλαγής στις διαπροσωπικές σχέσεις μπορεί λοιπόν να συνοψιστεί ως εξής: Επειδή η έρευνα έχει μεγάλο κόστος, είναι λογικό να κατασταλάξουμε σ' έναν σύντροφο προτού εξετάσουμε όλους τους δυνητικούς υποψήφιους. Από τη στιγμή όμως που έχει επιλεγεί κάποιος σύντροφος, συχνά αλλάζουν οι σχετικές περιστάσεις (μπορεί να βρεθεί κάποιος πιο ελκυστικός σύζυγος, ο ένας σύντροφος μπορεί να αποκτήσει κάποια αναπηρία και τα λοιπά). Η συνακόλουθη αβεβαιότητα κάνει παρακινδυνευμένη την απόκτηση κοινών επενδύσεων, που αλλιώς θα ήταν επιθυμητές για τα συμφέροντα και των δύο. Για να διευκολυνθούν αυτές οι επενδύσεις, το κάθε μέλος θέλει να προβεί στη δέσμευση ότι θα παραμείνει στη σχέση. Αλλά διάφορες πρακτικές δυσκολίες τούς εμποδίζουν να προβούν σ' αυτή τη δέσμευση μέσω του νομικού συστήματος.

Ο έρωτας ως λύση του θέματος της δέσμευσης

Ευτυχώς το πρόβλημα μπορεί να αντιμετωπιστεί με έναν άλλο τρόπο. Η εναλλακτική λύση είναι συναισθηματική και όχι νομικίστικη. Συνοψίζεται θαυμάσια στα λόγια ενός αζτέκικου τραγουδιού: «Θα υπάρχει πάντα ένα πιο γρήγορο πιστόλι, αλλά δεν υπάρχει άλλο πιστόλι σαν κι εσένα». Η ανησυχία ότι ένας από τους συντρόφους θα διακόψει τη σχέση, επειδή κάποια στιγμή μπορεί αυτό να του φανεί λογικό, απαλείφεται σε μεγάλο βαθμό εφόσον από την αρχή ο δεσμός των δύο συντρόφων δεν στηρίζεται σε λογικούς υπολογισμούς. Τα γεγονότα συνηγορούν στο ότι τα εξωτερικά χαρακτηριστικά μπορεί να συνεχίσουν να παίζουν κάποιο ρόλο στο ποιοι άνθρωποι αλληλοελκύονται στην πρώτη φάση. Ωστόσο οι ποιητές σίγουρα έχουν δίκιο όταν λένε ότι ο δεσμός που ονομάζουμε έρωτα δεν έχει να κάνει με λογικές σκέψεις γι' αυτά τα χαρακτηριστικά. Αντίθετα, είναι ένας ουσιαστικός δεσμός, ένας δεσμός όπου εκτιμάμε τον άλλο γι' αυτό που είναι. Και σ' αυτό ακριβώς το σημείο βρίσκεται και η αξία του στην επίλυση θεμάτων δέσμευσης.

Εάν η γυναίκα σας σας παντρεύτηκε απλά και μόνο επειδή της προσφέρατε τις πιο δελεαστικές δυνατότητες ανταλλαγής, θα σας άφηνε αμέσως εάν ο Tom Selleck αγόραζε το διπλανό σπίτι και δήλωνε ότι είναι διαθέσιμος. (Ακόμα και εάν την εγκατέλειπε ο Selleck, τουλάχιστον θα υπέγραφε κάποιο επικερδές συμβόλαιο για να διηγηθεί τη ζωή της μαζί του σε κάποιο βιβλίο.) Εάν όμως σας παντρεύτηκε ε-πειδή σας αγαπούσε, υπάρχει σοβαρή πιθανότητα να μείνει μαζί σας. Αυτή η εξασφάλιση δίνει στους ανθρώπους την ελευθερία να κάνουν τις κοινές επενδύσεις, που αποτελούν ένα τόσο σημαντικό μέρος των επιτυχημένων γαμήλιων σχέσεων.

Ο έρωτας δεν χρησιμεύει μόνο σαν δέλεαρ που κάνει τους αν-θρώπους να θέλουν να παραμείνουν σε μια σχέση, εκτελεί επίσης και χρέη τιμωρού για όποιον τη διαλύσει. Πιο συγκεκριμένα, οι δεσμοί της αγάπης έχουν αυτή την ικανότητα λόγω της συμπληρωματικής τους σχέσης με την ενοχή. Όπως σημειώσαμε, η αθέτηση μιας υπό-σχεσης που δώσαμε σε κάποιον ξένο γεννά στους περισσότερους αν-θρώπους ενοχές. Ωστόσο αναπτύσσονται πολύ δυνατότερα συναισθή-ματα ενοχής όταν δεν τηρούμε τις υποσχέσεις μας προς τους φίλους. Και η ενοχή γίνεται ακόμα μεγαλύτερη εφόσον προδίδουμε κάποιο α-γαπημένο μας πρόσωπο. Εάν λάβουμε υπόψη μας όλες αυτές τις πα-ραμέτρους, δεν πρέπει να μας παραξενεύει το γεγονός πως οι συναλ-λαγές που απαιτούν τη μεγαλύτερη εμπιστοσύνη γίνονται συνήθως μεταξύ ανθρώπων που αγαπιούνται.

Ο έρωτας και η τήρηση της υπόσχεσης

Οι σχέσεις που στηρίζονται στην ανιδιοτελή αγάπη έχουν ένα επι-πρόσθετο πλεονέκτημα έναντι αυτών που στηρίζονται στην ορθολο-γική ανταλλαγή, ένα πλεονέκτημα που πηγάζει από τη φύση των αν-θρώπινων κινήτρων. Ας θυμηθούμε, από το Κεφάλαιο Τρία, ότι η ορ-θολογική εκτίμηση είναι απλώς ένας από τους πολλούς συντελεστές του μηχανισμού ψυχολογικής ανταμοιβής. Οι λογικοί υπολογισμοί εί-ναι συχνά υποδεέστεροι από άλλους, πιο βασικούς, παράγοντες. Εί-δαμε, για παράδειγμα, στην περίπτωση του φαγητού, ότι τα κίνητρά μας οφείλονται εν πολλοίς σε βιοχημικές δυνάμεις, που δεν έχουν με-γάλη σχέση με τις υλικές απολαβές του φαγητού. Ο παχύσαρκος μπο-ρεί να ξέρει ότι είναι προς το συμφέρον του να φάει λιγότερο, αλλά, παρ' όλα αυτά, δεν μπορεί να απαλλαγεί από την όρεξή του.

Οι σεξουαλικές ορμές δεν διαφέρουν και πολύ. Η διέγερση τροποποιείται εν μέρει, αλλά μόνο εν μέρει, από λογικές δυνάμεις. Παρότι πολλά άτομα διστάζουν να το ομολογήσουν ρητά, όλα τα υπόλοιπα είναι θέμα αυτόματου μηχανισμού. Οι βιολόγοι John Krebs και Richard Dawkins μιλούν για την αυτάρεσκη υπεροχή που αισθάνονται πολλοί άνθρωποι όταν βλέπουν ένα ζώο να αντιδρά μηχανικά σε κάποιο περιβαλλοντικό ερέθισμα.[15] Διασκεδάζουμε, φέρ' ειπείν, με την αντίδραση που έχει το αρσενικό σταυρίδι όταν κάποιο κόκκινο ταχυδρομικό φορτηγάκι μπαίνει στο οπτικό του πεδίο. Ωστόσο είναι ξεκάθαρο ότι και οι άνθρωποι έχουν παρόμοιες αντιδράσεις:

> Οι άνθρωποι έχουν την τάση να αισθάνονται ανώτεροι από τα σταυρίδια, που αγριεύουν με τα ταχυδρομικά φορτηγάκια ή διεγείρονται σεξουαλικά από αχλαδόμορφες κούκλες. Τα θεωρούμε «ηλίθια» που «ξεγελιούνται» από τόσο χοντροκομμένα ερεθίσματα, επειδή υποθέτουμε ότι «νομίζουν» πως το ταχυδρομικό φορτηγάκι είναι αρσενικό σταυρίδι μόνο και μόνο επειδή είναι κόκκινο. Εάν σκεφτούμε όμως λίγο και το δικό μας είδος, θα νιώσουμε κάποια κατανόηση. Ένας άντρας διεγείρεται σεξουαλικά από τη φωτογραφία μιας γυμνής γυναίκας. Ένας Αρειανός εθνολόγος που θα ερευνούσε τη συμπεριφορά των ανθρώπων πιθανόν να θεωρήσει τη φωτογραφία ως «μίμηση» γυναίκας και να πιστέψει ότι ο άνθρωπος «ξεγελάστηκε» και «νόμισε» ότι πρόκειται περί αληθινής γυναίκας. Όμως κανένας από όσους διεγείρονται από μια τέτοια εικόνα δεν ξεγελιέται πραγματικά νομίζοντας ότι πρόκειται περί πραγματικής γυναίκας. Ξέρει πολύ καλά ότι πρόκειται για ένα σχέδιο με τυπογραφικό μελάνι πάνω σε χαρτί. Ίσως μάλιστα να είναι και μια μη ρεαλιστική καρικατούρα. Κι ωστόσο έχει αρκετά κοινά οπτικά ερεθίσματα με μια αληθινή γυναίκα, ώστε να έχει και παρόμοια επίδραση στη φυσιολογία του. Δεν πρέπει να ρωτάμε εάν το σταυρίδι «νομίζει» ότι το ταχυδρομικό φορτηγάκι είναι πραγματικά ένας αντίζηλός του ή εάν είναι τόσο «ηλίθιο» που δεν μπορεί να ξεχωρίσει ένα ταχυδρομικό φορτηγάκι από ένα σταυρίδι. Πιθανότατα μπορεί να τα ξεχωρίσει θαυμάσια, αλλά και τα δύο το κάνουν να αντιληφθεί το κόκκινο! Το νευρικό του σύστημα διεγείρεται λοιπόν κι από τα δύο με τον ίδιο τρόπο, παρότι είναι απολύτως ικανό να καταλάβει τη μεταξύ τους διαφορά.[16]

Ένα άτομο με τετράγωνη λογική, που παντρεύεται μόνο και μόνο για τις δυνατότητες ανταλλαγής, υπόσχεται πρόθυμα παντοτινή πίστη, διότι έχει πλήρη επίγνωση για όλα όσα θα χάσει εάν κάνει πίσω. Εξαιτίας όμως της φύσης του μηχανισμού ενίσχυσης, μπορεί να μπει σε μεγάλο πειρασμό. Ας θυμηθούμε από το Κεφάλαιο Τέσσερα ότι η ελκυστικότητα των υλικών απολαβών είναι αντιστρόφως ανάλογη της καθυστέρησής της, με αποτέλεσμα οι μικρές, άμεσες ανταμοιβές να προτιμώνται συχνά έναντι μεγαλύτερων αλλά πιο μακροπρόθεσμων. Στις εξωσυζυγικές σχέσεις η αμοιβή είναι άμεση. Αντιθέτως, το κόστος είναι αβέβαιο και μακροπρόθεσμο και, κατά συνέπεια, εκπίπτει πάρα πολύ, σύμφωνα με τον νόμο της ισοτιμίας (βλέπε Κεφάλαιο Τέσσερα). Το πρόβλημα της αποφυγής των απατηλών σεξουαλικών αμοιβών το αντιμετωπίζουν ακόμα και οι σύζυγοι που έχουν την πιο τετράγωνη λογική. Η συμπεριφορά που απαιτεί το υλικό ατομικό συμφέρον είναι απολύτως ξεκάθαρη. Η δυσκολία βρίσκεται στην εφαρμογή της.

Ο άνθρωπος του οποίου ο γάμος βασίζεται στην αγάπη έχει ένα εγγενές πλεονέκτημα στην επίλυση αυτού του προβλήματος. Η αγάπη για τον σύντροφο επιβάλλει ένα επιπλέον κόστος στην πρόσκαιρη σχέση, το οποίο βιώνεται εδώ και τώρα. Επειδή το συναισθηματικό κόστος αυτού που προδίδει ένα αγαπημένο πρόσωπο πληρώνεται αμέσως, υπάρχουν κάποιες πιθανότητες να υπερφαλαγγίσει τα άμεσα θέλγητρα της εφήμερης σχέσης. Ο απολύτως λογικός υλιστής, που δεν βιώνει αυτό το άμεσο κόστος, θα αντιμετωπίσει επιπρόσθετες δυσκολίες στην τήρηση των υποσχέσεών του.

Παρόμοια προβλήματα τήρησης της υπόσχεσης προκύπτουν και σε άλλες αντιξοότητες του έγγαμου βίου. Στον δυτικό κόσμο οι γαμήλιοι όρκοι συχνά περιλαμβάνουν την υπόσχεση να παραμείνεις στη σχέση τόσο στις καλές, όσο και στις δύσκολες στιγμές. Ο σύντροφός σου μπορεί να πάθει κάποια σοβαρή αρρώστια ή να υποφέρει από περιστασιακές κρίσεις κατάθλιψης. Ακόμα κι ένας αμιγής ορθολογιστής θα ήθελε να υπομείνει αυτές τις δύσκολες ώρες, για να δρέψει τους αναμενόμενους καρπούς των μακροχρόνιων επενδύσεων του γάμου. Ωστόσο και σ' αυτό το σημείο η συμπεριφορά που υπαγορεύεται από τη λογική μπορεί να μη συμπίπτει με τη συμπεριφορά που ευνοεί ο μηχανισμός ενίσχυσης. Στις δύσκολες ώρες, το κόστος πληρώνεται τώρα, οι αμοιβές αργότερα. Συνεπώς ο καθαρά υλιστής θα δυσκολευτεί να αντεπεξέλθει στις δυσκολίες του γάμου, ακόμα κι όταν γνωρίζει ότι τα μελλοντικά οφέλη θα δικαιώσουν τις πράξεις του.

Τόσο το θέμα της δέσμευσης, όσο και το θέμα της τήρησής της μπορούν να εξηγήσουν για ποιο λόγο οι σχέσεις που υποκινούνται καθαρά από το υλικό ατομικό συμφέρον μπορεί να είναι λιγότερο επιτυχημένες, ακόμα και από υλική άποψη, από εκείνες που υποκινούνται α- πό τον παράλογο έρωτα. Ίσως ο Σαίξπηρ να είχε προβλέψει αυτά τα θέματα όταν έγραφε:

> Αγάπη δεν είναι η αγάπη
> που ενδίδει μόλις κάτι άλλο βρει
> ή στρίβει μ' αυτόν που πάει να την ξεστρατίσει.
> Μα όχι! Είναι σημάδι αιώνιας προσήλωσης,
> που αντιμετωπίζει θύελλες και ακλόνητο
> θα μείνει.[17]

Το ερώτημα που παραμένει είναι αν οι άνθρωποι κινούνται πράγματι από συναισθήματα του είδους που περιέγραψε ο Σαίξπηρ. Άραγε οι άνθρωποι παραμερίζουν όντως το υλικό ατομικό συμφέρον στις σχέσεις αγάπης; Τα στοιχεία λένε ότι πολλοί το κάνουν.

Προσανατολισμός ανταλλαγής και ικανοποίηση

Σε μια μελέτη του 1977, οι ψυχολόγοι Bernard Murstein, Mary Cerreto και Marcia MacDonald εξέτασαν τη σχέση μεταξύ του προσανατολισμού προς την ανταλλαγή και της ικανοποίησης των ανθρώπων από τον γάμο τους. Το πρώτο τους βήμα ήταν να μετρήσουν τον προσανατολισμό ενός δείγματος παντρεμένων, καθώς και τα αισθήματά τους για τον γάμο τους. Στη συγκεκριμένη μελέτη ο προσανατολισμός ανταλλαγής αντανακλά την πεποίθηση ότι «η κάθε θετική ή αρνητική πράξη ενός ανθρώπου πρέπει να απαντηθεί με μια ανάλογη πράξη α- πό τον αποδέκτη της».[18] Στον έναν πόλο του προσανατολισμού, τον πόλο της ανταλλαγής, βρίσκεται το άτομο που αισθάνεται άσχημα ό- ταν κάνει μια χάρη στον σύντροφό του και δεν ανταμείβεται με κά- ποιο συγκεκριμένο τρόπο. Στον άλλο πόλο βρίσκεται εκείνος που δεν κρατάει λογιστικά βιβλία για όλες αυτές τις ανταλλαγές.

Οι Murstein κ.ά. μέτρησαν τον προσανατολισμό ανταλλαγής ζητώντας από τους ερωτηθέντες να αναφέρουν σε ποιο βαθμό συμφωνούν με δηλώσεις του τύπου «Εφόσον πλένω τα πιάτα τρεις φορές την εβδομάδα, περιμένω από τον σύζυγό μου να τα πλένει κι αυτός τρεις φορές την εβδομάδα» και «Δεν έχει σημασία αν οι άνθρωποι που αγαπώ κάνουν λιγότερα για μένα απ' όσα κάνω εγώ γι' αυτούς». Η έρευνά τους περιελάμβανε 44 ερωτήματα. Οι 44 απαντήσεις συναθροίστηκαν και έδωσαν έναν δείκτη προσανατολισμού για τον κάθε ε-ρωτηθέντα. Από τις απαντήσεις που δόθηκαν σε κάποιο άλλο ερωτηματολόγιο, βγήκε επίσης ένας δείκτης που αφορούσε στον βαθμό προσαρμογής στον έγγαμο βίο.

Όπως προβλέπει το μοντέλο της δέσμευσης, οι Murstein κ.ά. α-νακάλυψαν ότι ο προσανατολισμός ανταλλαγής είχε εμφανή αρνητική συσχέτιση με την ικανοποίηση ανδρών και γυναικών από τον γάμο τους.* Μια ανάλογη μελέτη διαπίστωσε ότι η άμεση ανταπόδοση μιας γενναιόδωρης πράξης του ενός συντρόφου όχι μόνο δεν αύξανε, αλλά, αντιθέτως, μείωνε την ικανοποίηση εκείνου που την έκανε.[19]

Τέτοιες διαπιστώσεις είναι οπωσδήποτε ενοχλητικές για το μοντέλο της ανταλλαγής, αφού αντικρούουν πασιφανώς έναν από τους πιο αγαπημένους κανόνες του για τον ευτυχισμένο γάμο:

> Η άποψη ότι η ανταλλαγή αποτελεί τη βάση των διαπροσωπικών σχέσεων μπορεί να φτάσει στο σημείο να διαλύσει μια σχέση αυτού του τύπου. Για παράδειγμα, αν ακολουθηθεί η συμβουλή, που αποκτά όλο και μεγαλύτερη δημοτικότητα, ότι πρέπει προ του γάμου να συνταχθεί κάποιο συμβόλαιο που να διευκρινίζει λεπτομερώς τι περιμένει ο ένας από τον άλλο, κατά πάσα πιθανότητα θα υπονομεύσει τη σχέση.[20]

Ωστόσο, όσο ενοχλητικές κι αν είναι αυτές οι διαπιστώσεις, δεν αποδεικνύουν ότι ο παράλογος έρωτας δημιουργεί τις προϋποθέσεις για έναν επιτυχημένο γάμο. Για παράδειγμα, κάποιος ορθολογιστής μπορεί να ισχυριστεί ότι οι άνθρωποι που δεν εμφανίζουν προσανατολισμό ανταλλαγής στην έρευνα των Murstein κ.ά. απλώς δεν είναι ιδιαίτερα εκλεκτικοί. Ίσως αυτοί οι ήπιοι άνθρωποι να ένιωθαν ευτυ-

---

* Ο συντελεστής συσχέτισης για άντρες και γυναίκες ήταν -0,63 και -0,27 αντιστοίχως.

χείς ανεξάρτητα από τις αντικειμενικές συνθήκες. Επίσης κάποιος ορθολογιστής θα μπορούσε να αντιτάξει ότι οι άνθρωποι *ισχυρίζονται* ότι είναι ευτυχισμένοι, ενώ στην πραγματικότητα δεν είναι. Εν τοιαύτη περιπτώσει, μένει να εξετάσουμε, με αντικειμενικά κριτήρια, αν τα ζευγάρια που έχουν προσανατολισμό ανταλλαγής τα πηγαίνουν όντως καλύτερα. Διαχειρίζονται καλύτερα τα σπιτικά τους; Έχουν καλύτερες δουλειές ή υψηλότερα εισοδήματα; Πώς τα πάνε τα παιδιά τους στο σχολείο;

Οι Murstein κ.ά. δεν διερεύνησαν αυτά τα ζητήματα, αλλά υπάρχει μια πληθώρα από άλλες έρευνες που μας βοηθούν να βρούμε την απάντηση. Αρκετές μελέτες, φέρ' ειπείν, λένε ότι οι μαρτυρίες προσωπικής ευτυχίας σχετίζονται σαφώς με τα αντικειμενικά προσμετρήσιμα κριτήρια της ευεξίας. Οι μαρτυρίες για έλλειψη ευτυχίας είναι άμεσα συνδεδεμένες με σωματικά συμπτώματα κατάπτωσης, όπως ζαλάδες, ταχυπαλμίες, πεπτικές ανωμαλίες και πονοκεφάλους,[21] καθώς και με κλινικά συμπτώματα άγχους, κατάθλιψης και εκνευρισμού.[22] Οι άνθρωποι που πιστεύουν ότι είναι ευτυχισμένοι έχουν μεγαλύτερη τάση να οργανώνουν συναντήσεις με φίλους, να γίνονται μέλη ομάδων και γενικά να συμπεριφέρονται με τρόπους που υποδηλώνουν ένα επίπεδο ποιότητας ζωής.[23] Κάτι ευχάριστο για τους οικονομολόγους είναι η σταθερή διαπίστωση ότι οι μαρτυρίες περί προσωπικής ευτυχίας συνδέονται στενά με την εισοδηματική θέση των ανθρώπων.[24] Όσο πιο ψηλά βρίσκονται οικονομικά, τόσο πιο ευτυχισμένοι λένε ότι είναι.

Με αφετηρία αυτές τις διαπιστώσεις, φαίνεται λογικό να συμπεράνουμε ότι υπάρχει πράγματι αρνητική συσχέτιση μεταξύ της ικανοποίησης από τον έγγαμο βίο και του προσανατολισμού ανταλλαγής. Ενώ το μοντέλο της ανταλλαγής, ή του ατομικού συμφέροντος, προβλέπει φυσικά ακριβώς το αντίθετο.

Στοιχεία από τεστ προσωπικότητας

Η σχέση μεταξύ των μαρτυριών και της αντικειμενικής αλήθειας, παρότι συχνά είναι έντονη, δεν είναι διόλου απόλυτη. Μεγάλο μέρος της έρευνας διαπιστώνει ότι η φαντασία των ανθρώπων μάς παρέχει συχνά μια πολύ πιο αξιόπιστη ένδειξη για το πώς αισθάνονται πραγματικά. Ορισμένες φορές, όταν οι άνθρωποι απαντούν σε ερωτήσεις, μοιάζει να ακολουθούν το μοντέλο της ανταλλαγής, ενώ, την ίδια στιγμή, η φαντασία τους δίνει μια τελείως διαφορετική εικόνα.

Η αντίθεση αυτή παρουσιάζεται έντονα όταν οι ερευνητές χρησιμοποιούν και τις δύο μεθόδους για να βρουν την απάντηση στο γιατί οι άνθρωποι ερωτεύονται. Όταν ο ψυχολόγος Zick Rubin, της σχολής της ανταλλαγής, ρώτησε ανθρώπους που είχαν αισθηματικό δεσμό για ποιο λόγο ήταν ερωτευμένοι, οι απαντήσεις τους συχνά συμφωνούσαν με την άποψη της ανταλλαγής.[25] Χρησιμοποιώντας τις απαντήσεις τους, έφτιαξε έναν δείκτη *αμοιβαίου οφέλους*, δηλαδή έναν συνοπτικό τρόπο μέτρησης των λόγων που συνδέονταν σαφώς με συγκεκριμένα οφέλη από τη σχέση. Ο δείκτης παρουσίασε πολύ θετική συσχέτιση με τη διάρκεια της διερευνητέας ερωτικής αφοσίωσης.*

Η εναλλακτική προσέγγιση είναι να μη δίνουμε σημασία στα όσα λένε οι άνθρωποι για τα κίνητρά τους, αλλά στα όσα αποκαλύπτουν οι φανταστικές ιστορίες που διηγούνται. Το βασικό εργαλείο του κοινωνικού ψυχολόγου για τη μελέτη της φαντασίας είναι το Τεστ Προσωπικότητας (TAT). Σ' αυτό το τεστ δίνουμε στον ερωτώμενο πολλά σχέδια ή φωτογραφίες, που συνήθως απεικονίζουν αλληλοεπιδράσεις μεταξύ ανθρώπων, και μετά του ζητάμε να γράψει μια ιστορία για το καθένα. Υπάρχουν σοβαρές αποδείξεις ότι τα TAT είναι πιο πρόσφορα για την αποτίμηση των κινήτρων απ' ό,τι οι άμεσες ερωτήσεις. Μία μελέτη, επί παραδείγματι, βρήκε ότι το ενδιαφέρον για την επιτυχία που αποκάλυπταν οι φανταστικές ιστορίες συνιστούσε έγκυρη πρόβλεψη για καλή επίδοση σε κάποιο ελαφρώς δύσκολο έργο.[26] Αντιθέτως, οι προσωπικές μαρτυρίες που δήλωναν ενδιαφέρον για την επιτυχία δεν παρουσίαζαν συσχέτιση ούτε με πραγματικές επιδόσεις ούτε με φαντασιακό ενδιαφέρον για την επιτυχία. Ανάλογες είναι οι διαπιστώσεις για τα αισθήματα και τη συμπεριφορά που σχετίζονται με την πείνα,[27] την εξουσία[28] και την κοινωνική ένταξη.[29] Αυτές οι διαπιστώσεις υποδεικνύουν ότι ο προσανατολισμός ανταλλα-

---

* Πιο συγκεκριμένα, ο Rubin διαπίστωσε έναν συντελεστή συσχέτισης της τάξεως του 0,5, ο οποίος, όπως θα έσπευδε να παρατηρήσει κάθε πολέμιος της άποψης της ανταλλαγής, αφήνει ανεξήγητο το 75% των αισθηματικών δεσμών.

γής μετριέται πολύ καλύτερα μέσω της φαντασίας των ανθρώπων παρά με άμεσες ερωτήσεις, όπως έκαναν οι Rubin, Murstein κ.ά.

Αυτήν ακριβώς την προσέγγιση χρησιμοποίησε ο ψυχολόγος Donald McAdams.[30] Έδωσε ΤΑΤ σε δείγματα ανθρώπων που βρίσκονταν σε διάφορες καταστάσεις αισθηματικού δεσμού. Η βασική σύγκριση ήταν μεταξύ μιας ομάδας «ερωτευμένων» ατόμων (ο χαρακτηρισμός τους οφείλεται στο γεγονός πως η βαθμολογία των απαντήσεών τους σε ένα ερωτηματολόγιο για τα αισθήματά τους προς το αγαπημένο πρόσωπο ήταν πάνω από κάποιο όριο) και μιας ομάδας ελέγχου, της οποίας τα μέλη δεν είχαν αισθηματικό δεσμό. Ο McAdams διαπίστωσε ότι οι φανταστικές ιστορίες των ερωτευμένων δεν παρουσίαζαν σχεδόν κανένα από τα χαρακτηριστικά του προσανατολισμού ανταλλαγής που είχαν οι απαντήσεις τους στις άμεσες ερωτήσεις του Rubin. Αντιθέτως, ήταν πολύ συναισθηματικές, όπως αυτές που περιγράφουν οι οπαδοί της παραδοσιακής άποψης. Οι ήρωες των ιστοριών παρουσίαζαν σταθερά ένα αίσθημα υποχρέωσης ή έγνοιας για τους άλλους. Υπήρχε έντονη αίσθηση υποταγής στη μοίρα και επιθυμία φυγής σε καταστάσεις βαθιάς προσωπικής επαφής. Η αρμονική σχέση ήταν επίσης σταθερό μοτίβο και οι ήρωες των ιστοριών έλεγαν συχνά πως είναι «στο ίδιο μήκος κύματος» με τον άλλο. Σε όλα αυτά τα σημεία τα άτομα της ομάδας ελέγχου ήταν εμφανώς διαφορετικά.

Ο McAdams έφτιαξε έναν δείκτη δέκα σημείων, ο οποίος προσδιορίζει τον *προσανατολισμό προσωπικής επαφής* συναθροίζοντας τη δύναμη των αισθημάτων προσωπικής επαφής που αποκαλύπτουν τα ΤΑΤ. Αυτός ο δείκτης είναι περίπου ο αντίποδας των δεικτών του αμοιβαίου συμφέροντος και του προσανατολισμού ανταλλαγής. Αντίθετα με τις προβλέψεις του μοντέλου της ανταλλαγής, ο McAdams ανακάλυψε ότι τα άτομα ενός μεγάλου, πανεθνικού, δείγματος που είχαν υψηλή βαθμολογία στον δικό του δείκτη είχαν δηλώσει υψηλότερα επίπεδα ευτυχίας και ασφάλειας.

Ο McAdams και ο συνεργάτης του George Vaillant έλαβαν υπόψη τους και διαχρονικά στοιχεία για τη σχέση μεταξύ προσανατολισμού προσωπικής επαφής και ποιότητας ζωής.[31] Ξεκίνησαν δίνοντας ΤΑΤ σε μια ομάδα 57 αποφοίτων του Χάρβαρντ το 1943 (όταν οι απόφοιτοι ήταν περίπου 30 ετών). Με βάση αυτές τις ιστορίες, βαθμολόγησαν την προσωπική επαφή, την εξουσία, την επιτυχία και το ενδιαφέρον για συμμετοχή. Και αργότερα συσχέτισαν αυτά τα αρχικά κίνητρα με έναν *δείκτη προσαρμογής στη ζωή*, όταν οι εξεταζόμενοι ήταν, κατά μέσο όρο, 47 ετών. Αυτός ο δείκτης έβγαινε από το βαθμολογικό άθροισμα εννέα κατηγοριών, πολλές από τις οποίες θα είχαν την απόλυτη έγκριση και του πιο άτεγκτου θεωρητικού της ορθολογικής επιλογής: εισόδημα, επαγγελματική πρόοδος, δραστηριότητες αναψυχής, διακοπές, ευχαρίστηση από την εργασία, επισκέψεις στον ψυχίατρο, κατάχρηση ναρκωτικών ή αλκοόλ, μέρες αναρρωτικής άδειας και ικανοποίηση από τον γάμο. Από τα τέσσερα κίνητρα που είχαν μετρήσει τα ΤΑΤ, μόνον η προσωπική επαφή φάνηκε να έχει ισχυρή θετική σχέση με τη μελλοντική επιτυχημένη προσαρμογή στη ζωή.

Δουλεύοντας σε παράλληλη κατεύθυνση, ο ψυχολόγος James McKay διαπίστωσε ότι οι άνθρωποι που οι φανταστικές ιστορίες τους εκφράζανε ανιδιοτελή αγάπη έχουν συνήθως καλύτερη υγεία από τους υπόλοιπους, τουλάχιστον όσον αφορά στη συχνότητα εμφάνισης μολυσματικών ασθενειών.[32] Φαίνεται ότι ένας λόγος είναι ότι αυτοί οι άνθρωποι έχουν υψηλή συγκέντρωση ανοσοποιών λεμφοκυττάρων Τ στο αίμα. Αρκετές παλαιότερες μελέτες αναφέρουν παρόμοιες σχέσεις μεταξύ του ενδιαφέροντος για τη φιλία και της συγκέντρωσης σιελικής ανοσοσφαιρίνης Α, η οποία βοηθά στην άμυνα του ανωτέρου αναπνευστικού συστήματος από τις μολύνσεις.[33]

Και πάλι, καμία από αυτές τις έρευνες δεν δείχνει ότι οι ερωτευμένοι άνθρωποι συμπεριφέρονται παράλογα. Πρέπει πάντως να πούμε ότι, στο σύνολό τους, οι έρευνες με ΤΑΤ στον τομέα των διαπροσωπικών σχέσεων συμφωνούν πολύ περισσότερο με το μοντέλο της δέσμευσης παρά με το μοντέλο του ατομικού συμφέροντος.

Η θεωρία των λειτουργικών μονάδων του εγκεφάλου

Γιατί αυτή η παράξενη ασυμφωνία μεταξύ των ενσυνείδητων κινήτρων των ανθρώπων και των κινήτρων που αποκαλύπτουν οι φανταστικές ιστορίες; Ο ψυχολόγος David McClelland ισχυρίζεται ότι η διαφορά αυτή έχει σχέση με την οργάνωση του εγκεφάλου κατά λειτουργικές μονάδες. Στο βιβλίο του *The Social Brain* (1985), ο ψυχολόγος Michael Gazzaniga περιγράφει μια εικοσαετή και πλέον έρευνα που έκανε μαζί με τους συναδέλφους του για τη διερεύνηση της λειτουργίας του εγκεφάλου. Σύμφωνα με τη δική τους ερμηνεία των στοιχείων που προέκυψαν, ο εγκέφαλος αποτελείται από ένα πλήθος λειτουργικών μονάδων, που η καθεμία έχει ξεχωριστή ικανότητα επεξεργασίας πληροφοριών και υποκίνησης της συμπεριφοράς. Οι περισσότερες από αυτές τις μονάδες δεν διαθέτουν γλωσσική ικανότητα, η οποία, στους περισσότερους ανθρώπους, βρίσκεται σε μια συγκεκριμένη περιοχή του αριστερού ημισφαιρίου. Οι μη γλωσσικές λειτουργικές μονάδες δεν είναι όλες πλήρως συνδεδεμένες με την κεντρική γλωσσική μονάδα, και σ' αυτή την παρατήρηση θεμελιώνεται η εξήγηση του McClelland για την ασυμφωνία μεταξύ των διαφόρων μεθόδων που αποτιμούν τα κίνητρα. Το επιχείρημα αυτό είναι ανατρεπτικό και αξίζει να το εξετάσουμε προσεκτικά.

Για να ξεκινήσουμε, πρέπει να επιστρέψουμε σε κάποιες λεπτομέρειες των πειραμάτων του Gazzaniga, τα οποία αφορούν σε ασθενείς που έχουν υποβληθεί σε μια σπάνια εγχείριση εγκεφάλου. Στα κανονικά άτομα τα δύο παράπλευρα ημισφαίρια του νεοχιτώνιου του εγκεφάλου συνδέονται με ένα πυκνό δίκτυο νευρικών ινών που ονομάζεται μεσολόβιο. Σε έναν μικρό αριθμό ασθενών που πάσχουν από βαριά επιληψία, η έσχατη λύση είναι η χειρουργική αποτομή αυτού του δικτύου. Για λόγους που δεν έχουν κατανοηθεί πλήρως, αυτή η επέμβαση σχεδόν πάντα εμποδίζει την επανεμφάνιση σοβαρών κρίσεων. Από μια τέτοια σειρά πειραμάτων που αφορούν στους ασθενείς με διαχωρισμένο εγκέφαλο, ο ψυχοβιολόγος Roger W. Sperry και αργότερα ο Gazzaniga (που ήταν μαθητής του Sperry) και οι συνάδελφοί του έμαθαν πολλά για την κατά μονάδες λειτουργία του εγκεφάλου. Πιο συγκεκριμένα, αυτές οι επεμβάσεις μάς έμαθαν ότι συγκεκριμένες περιοχές του εγκεφάλου μπορούν να επεξεργαστούν πληροφορίες, να ενεργοποιήσουν κάποια συναισθηματική αντίδραση σ' αυτές και να υποκινήσουν τη συμπεριφορά· όλα αυτά χωρίς καμία απολύτως συνειδητή γνώση της κεντρικής λειτουργικής μονάδας, που είναι η μονάδα της γλώσσας.

Το εντυπωσιακό είναι ότι η συμπεριφορά των ασθενών που έχουν διαχωρισμένο εγκέφαλο μοιάζει απολύτως φυσιολογική. Τους έχουν κόψει εκατομμύρια εγκεφαλικές νευρικές ίνες, κι ωστόσο ένας μη εκπαιδευμένος παρατηρητής δεν θα το καταλάβει ποτέ! Τα αποτελέσματα της χειρουργικής επέμβασης φαίνονται ξεκάθαρα μόνον κάτω από ελεγχόμενες εργαστηριακές συνθήκες, στις οποίες οι αισθητηριακές πληροφορίες μπορούν να μεταδοθούν μόνο στο ένα ημισφαίριο του εγκεφάλου. Για παράδειγμα, όταν τα μάτια εστιάζονται σε ένα και μοναδικό σημείο, μια εικόνα που εμφανίζεται αστραπιαία στα αριστερά αυτού του σημείου θα μεταδοθεί μόνο στο δεξί ημισφαίριο. Στα κανονικά άτομα, το δεξί ημισφαίριο θα μεταδώσει μετά την εικόνα στο αριστερό μέσω του μεσολόβιου. Ο ασθενής όμως με διαχωρισμένο εγκέφαλο δεν έχει πλέον αυτό τον δίαυλο μετάδοσης, με αποτέλεσμα η εικόνα να μην μπορεί να περάσει στην άλλη πλευρά.

Σ' ένα συνηθισμένο πείραμα, παρουσιάζουν αστραπιαία σε έναν ασθενή με διαχωρισμένο εγκέφαλο κάποιο οπτικό ερέθισμα –ας πούμε μια φωτογραφία μαχαιριού– στην αριστερή πλευρά του οπτικού του πεδίου και το ερέθισμα αυτό τα οπτικά νεύρα το μεταδίδουν απευθείας στο δεξί του ημισφαίριο. Επειδή η εικόνα δεν φτάνει ποτέ στη γλωσσική λειτουργική μονάδα του αριστερού ημισφαιρίου, ο ασθενής δεν μπορεί να πει τι ήταν αυτό που μόλις είδε. Ωστόσο, εάν του ζητήσουν να το δείξει επιλέγοντάς το από μια ομάδα αντικειμένων –ας πούμε ένα μαχαίρι, ένα πιρούνι κι ένα κουτάλι–, πάντοτε επιλέγει το σωστό. Και επειδή η συνείδησή του δεν μπορεί να εξηγήσει γιατί επέλεξε το συγκεκριμένο αντικείμενο, η συμπεριφορά του τον φέρνει σε πραγματική αμηχανία.

Εάν μια εικόνα που προκαλεί συναισθηματική αντίδραση εμφανιστεί αστραπιαία στο άγλωσσο δεξί ημισφαίριο, το αναμενόμενο συναίσθημα εκδηλώνεται με τους συνήθεις τρόπους. Ο ασθενής με τον διαχωρισμένο εγκέφαλο αντιλαμβάνεται το συναίσθημα, αλλά δεν μπορεί να εξηγήσει τι το πυροδότησε. Η καίρια διαπίστωση που μας ενδιαφέρει εδώ είναι ότι, όταν τα άτομα αυτά βιώνουν ένα συναίσθημα που η αιτία του δεν έχει καταγραφεί στη γλωσσική λειτουργική ομάδα, προσπαθούν εν γένει να εφεύρουν μια εξήγηση. Για παράδειγμα, όταν έδειξαν την εικόνα πυρκαγιάς στο γραφείο στο δεξί ημισφαίριο μιας γυναίκας, αυτή τρόμαξε και είπε στον ερευνητή: «Δεν ξέρω ακριβώς γιατί, αλλά φοβάμαι λιγάκι. Νιώθω ταραγμένη, νομίζω ότι ίσως δεν μου αρέσει αυτό το δωμάτιο, ή ίσως φταίτε κι εσείς. Με κάνετε νευρική».[34]

Εφόσον όμως το μεσολόβιό της είχε αποτομηθεί, πώς ήταν δυνατόν η γλωσσική της μονάδα –που βρίσκεται στο αριστερό ημισφαίριο– να *γνωρίζει* ότι φοβάται; Ο Gazzaniga δεν εξηγεί ποτέ, αλλά πιθανώς αυτό συμβαίνει επειδή η χειρουργική επέμβαση δεν καταστρέφει όλους τους διαύλους μεταξύ των δύο πλευρών του εγκεφάλου. Τα κομμένα νεύρα βρίσκονται όλα στο νεοχιτώνιο, ή πάνω μέρος του εγκεφάλου, που είναι το νεότερο εξελικτικά τμήμα του. Κατά συνέπεια, το δεξί ημισφαίριο του νεοχιτώνιου του ασθενούς μπορεί ακόμα να μεταδώσει πληροφορίες στο επιχείλιο τρίγωνο (μια πιο πρωτόγονη δομή *που περιβάλλει το εγκεφαλικό στέλεχος, πολύ πιο κάτω από το νεοχιτώνιο), όπου μπορεί να πυροδοτήσει μια συναισθηματική αντίδραση. Το επιχείλιο τρίγωνο, με τη σειρά του, συνδέεται με διάφορα άλλα μέρη του εγκεφάλου, συμπεριλαμβανομένης και της γλωσσικής λειτουργικής μονάδας του αριστερού νεοχιτώνιου, που σημαίνει ότι η εγχείριση αφήνει τουλάχιστον κάποιες έμμεσες διόδους μεταξύ των δύο ημισφαιρίων ανέπαφες.*

Όποιες κι αν είναι οι τεχνικές λεπτομέρειες της διαδικασίας της μετάδοσης, ξέρουμε ότι η γλωσσική λειτουργική μονάδα έχει πρόσβαση στο πώς *αισθάνεται* ο υπόλοιπος εγκέφαλος, ακόμα και όταν δεν διαθέτει πληροφορίες για τον λόγο που δημιουργήθηκε η συγκεκριμένη αίσθηση. Είναι επίσης ικανή να παρατηρεί τις συγκεκριμένες συμπεριφορές που υποκινούνται από αυτά τα αισθήματα. Όταν έρχεται αντιμέτωπη με αυτά τα αισθήματα και τις συμπεριφορές, η γλωσσική μονάδα αισθάνεται μια ακατανίκητη ανάγκη να τα ερμηνεύσει. Ο Gazzaniga θεωρεί ότι η γλωσσική λειτουργική μονάδα αποτελεί το κέντρο της ορθολογικής μας συνείδησης, που έχει τη μανία να εξηγεί αυτά που αισθανόμαστε και πράττουμε. Τονίζει ωστόσο ότι οι εξηγήσεις που επινοεί δεν είναι πάντοτε οι ορθές.

Οι πληροφορίες ρέουν σαφώς πολύ πιο ελεύθερα στους εγκεφάλους που δεν έχουν υποστεί χειρουργικές επεμβάσεις. Και ωστόσο, ακόμα και στα κανονικά άτομα, υπάρχει ένα πλήθος πληροφοριών που εισέρχεται στο κεντρικό νευρικό σύστημα χωρίς να φτάνουν στη γλωσσική λειτουργική μονάδα. Για παράδειγμα, ξέρουμε εδώ και πολλά χρόνια ότι τα ερεθίσματα πολύ μικρής διάρκειας μπορούν να επιδράσουν στη συμπεριφορά, ακόμα και όταν το άτομο δεν τα αντιλαμβάνεται. Σ' ένα πείραμα, ο ψυχολόγος Anthony Marcel αποδεικνύει την ύπαρξη της ασυνείδητης *προειδοποίησης*.[35] Ο όρος *προει-δοποίηση* αναφέρεται στο φαινόμενο κατά το οποίο οι άνθρωποι μπορούν να αντιληφθούν ένα ερέθισμα πιο άμεσα, εάν η προσοχή τους ήταν πρόσφατα επικεντρωμένη σε κάτι που είναι στενά συνδεδεμένο μαζί του. Π.χ., πολλοί πειραματιστές έδειξαν πρώτα στους ανθρώπους μια λέξη και μετά τους ρώτησαν αν μία επόμενη ομάδα γραμμάτων σχηματίζει ή όχι λέξη. Η γενική διαπίστωση ήταν ότι μπορούν να απαντήσουν πολύ πιο γρήγορα εάν η ομάδα των γραμμάτων είναι σχετική με τη λέξη που είδαν. Συνεπώς κάποιος που μόλις είδε τη λέξη «γάτα» έχει την ικανότητα να απαντήσει πιο γρήγορα ότι το «σκάλος» δεν είναι λέξη. Ο Marcel αποδεικνύει ότι η προειδοποίηση παρουσιάζεται επίσης όταν η πρώτη λέξη εμφανίζεται τόσο αστραπιαία ώστε τα άτομα δεν την αντιλαμβάνονται συνειδητά.

Ο Daniel Goleman,[36] που στηρίζεται στη δουλειά του ψυχολόγου Donald Norman,[37] υποστηρίζει πειστικά ότι ο εγκέφαλος διαθέτει ένα *νοήμον φίλτρο* που δεν αφήνει πολλά από τα εισαγόμενα αισθητηριακά δεδομένα να φτάσουν στην ενσυνείδητη κατάσταση. Το ότι το φίλτρο είναι νοήμον αποδεικνύεται σαφώς από αυτό που αποκαλεί *φαινόμενο του κοκτέιλ πάρτι*:

> Σ' ένα κοκτέιλ πάρτι ή σε κάποιο ασφυκτικά γεμάτο εστιατόριο, συνήθως υφιστάμεθα την οχλαγωγία των διάφορων συνομιλιών, που όλες γίνονται σε υψηλή ένταση και τις ακούνε ταυτόχρονα όλοι οι θαμώνες ... ακούμε [όλες τις ομιλίες και] όχι απλώς τη δυνατότερη φωνή. Για παράδειγμα, εάν είμαστε αναγκασμένοι να ακούσουμε έναν βαρετό τύπο να μας διηγείται τις συγκλονιστικές λεπτομέρειες των τελευταίων του διακοπών, της θυελλώδους σχέσης του, ή το παρ' ολίγον κλείσιμο μιας εμπορικής συμφωνίας, είναι εύκολο να αποσυντονιστούμε από τα λεγόμενά του και να συντονιστούμε με κάποια πιο ενδιαφέρουσα συνομιλία παραδίπλα – ειδικά εάν ακούσουμε το όνομά μας να αναφέρεται.[38]

Χωρίς την προστασία αυτού του νοήμονος φίλτρου, τα περιβαλλοντικά ερεθίσματα θα μας κατέκλυζαν ολοκληρωτικά. Το γεγονός όμως ότι το φίλτρο είναι νοήμον σημαίνει ότι, σε κάποιο επίπεδο, το μυαλό μας έχει πρόσβαση σε πολύ περισσότερες πληροφορίες απ' ό,τι νομίζουμε. Το γεγονός πως πολλές από αυτές βρίσκονται εκτός συνειδητής επίγνωσης δεν σημαίνει ότι δεν επηρεάζουν τα συναισθήματα και τη συμπεριφορά.

Πολλά από τα συναισθήματα που επηρεάζουν τη συμπεριφορά στις στενές προσωπικές σχέσεις μοιάζουν να βρίσκονται πέραν της συνειδητής επίγνωσης. Οι ψυχολόγοι ισχυρίζονται, για παράδειγμα, ότι οι λεπτές αποχρώσεις της γλώσσας του σώματος συχνά μεταδίδουν πολύ περισσότερα και από τα πιο λεπτομερή και σαφή λεκτικά μηνύματα. Το γεγονός ότι πολύ συχνά δεν έχουμε πλήρη συνείδηση της γλώσσας του σώματος προφανώς δεν έχει καμιά σημασία.

Και πράγματι, ποιος θα έλεγε ποτέ ότι καταλαβαίνει τον τρόπο που οι συμπεριφορικές ιδιομορφίες επηρεάζουν τα συναισθήματα και τη συμπεριφορά μας προς τους συντρόφους μας; Το πρόσωπο της γυναίκας μου παίρνει μια συγκεκριμένη έκφραση όταν νιώθει μια έντονη ευχάριστη έκπληξη. Αυτή την έκφραση την είδα για πρώτη φορά όταν συναντηθήκαμε τυχαία σε κάποιο πεζοδρόμιο, λίγο μετά την πρώτη γνωριμία μας. Από τότε έχουν περάσει πολλά χρόνια και τώρα, στις τυχαίες συναντήσεις μας, το πρόσωπό της εμφανίζει μόνο κάποιο υπόλειμμα εκείνης της έκφρασης. Η έκφραση αυτή όμως παρουσιάζεται με την ίδια ένταση σε άλλες περιπτώσεις, όπως όταν ο γιος μας, που τώρα πια είναι ολόκληρο αγοράκι, κλότσησε για πρώτη φορά στην κοιλιά της. Είναι μια έκφραση που δεν έχω ξαναδεί σε κανέναν άλλο και, απ' όσο ξέρω, δεν έχει καμία άμεση χρησιμότητα. Και ωστόσο, για λόγους που δεν μπορώ να εξηγήσω, μου είναι ιδιαίτερα προσφιλής. Κατά γενική ομολογία τέτοιου τύπου φαινόμενα είναι συνηθισμένα στις διαπροσωπικές σχέσεις. Απλώς θεωρούμε δεδομένο ότι δεν μπορούμε να τα εξηγήσουμε λογικά.

Ο McClelland λέει ότι, εάν άλλες δυνάμεις, πέραν της επίγνωσης, παίζουν πράγματι κάποιο σημαντικό ρόλο στον σύνδεσμο των συντρόφων, δεν πρέπει να μας ξαφνιάζει το γεγονός ότι οι εξηγήσεις των ανθρώπων για τους λόγους που τους ένωσαν με τους συντρόφους τους έχουν ελάχιστη συνάφεια με τα πραγματικά τους κίνητρα. Αυτό που ακούμε κατ' ουσία είναι η προσπάθεια της γλωσσικής λειτουργικής μονάδας να εξηγήσει τα συναισθήματα και τις συμπεριφορές που υποκινούνται από περιοχές του εγκεφάλου που δεν μπορούν να μιλήσουν από μόνες τους. Σ' έναν πολιτισμό που επιβραβεύει τον ορθολογισμό και την επιδίωξη του ατομικού συμφέροντος, δεν πρέπει να μας ξαφνιάζει αν οι εξηγήσεις που ακούμε μπαίνουν συχνά στο ορθολογικό καλούπι.*

Πώς όμως ξεπερνούν τα ΤΑΤ αυτό το εμπόδιο; Ένα από τα πλεονεκτήματά τους είναι ότι, όταν οι άνθρωποι διηγούνται φανταστικές ιστορίες, απλώς *αποκαλύπτουν* τα συναισθήματά τους, δεν προσπαθούν να τα εξηγήσουν. Ένα άλλο πλεονέκτημα προέρχεται από το γεγονός ότι τα συναισθήματα συνδέονται στενότερα με οπτικές εικόνες παρά με λεκτικές διατυπώσεις. Κατά συνέπεια, συμπεραίνει ο McClelland, οι εικόνες που προκαλούν τις φανταστικές ιστορίες που περιγράφονται στα ΤΑΤ είναι πολύ πιο πρόσφορες από τα λεκτικά ε- ρωτηματολόγια για την ανάκληση των πραγματικών συναισθημάτων.

Η θεωρία των λειτουργικών μονάδων του εγκεφάλου έχει ο- πωσδήποτε μεγάλη γοητεία. Μας βοηθά, επί παραδείγματι, να εξηγήσουμε την περίεργη συνήθεια ορισμένων ανθρώπων που βάζουν επίτηδες τα ρολόγια τους πέντε λεπτά μπροστά. Οι άνθρωποι που το κάνουν αυτό λένε συχνά ότι τους βοηθά να φτάνουν στα ραντεβού τους στην ώρα τους. *Γνωρίζουν* βέβαια ότι τα ρολόγια τους πάνε μπροστά. Κι ωστόσο δεν μπορούν να εμποδίσουν το βλέμμα τους να δει τι ώρα λέει το ρολόι. Η γλωσσική λειτουργική μονάδα έχει σαφώς τη δυνατότητα να απορρίψει αυτή την οπτική εικόνα, και οι ορθολογιστές ισχυρίζονται ότι οφείλει να το κάνει. Δεν μπορεί όμως να ελέγξει τον τρόπο που αντιδρούν σ' αυτήν άλλα μέρη του εγκεφάλου. Η γλωσσική μονάδα ίσως να διασκεδάζει με το πόσο εύκολα ο υπόλοιπος εγκέφαλος «νομίζει» από αυτή την εικόνα και «σκέφτεται» ότι είναι πιο αργά απ' ό,τι είναι στην πραγματικότητα. Λογική ή παράλογη ωστόσο, αυτή η πρακτική φαίνεται ότι πολύ συχνά εξυπηρετεί τον σκοπό της.

Η θεωρία των λειτουργικών μονάδων του εγκεφάλου μπορεί ε- πίσης να μας βοηθήσει να καταλάβουμε τον λόγο που τόσοι πολιτισμοί προσπαθούν να υποβαθμίσουν τη σημασία της φυσικής ομορφιάς, ενώ ταυτόχρονα ενθαρρύνουν την εκτίμηση των εσωτερικών γνω-

---

* Σε άλλες περιπτώσεις οι ίδιες παρατηρήσεις λένε ότι η ορθολογική θέση ίσως να είναι συχνά *ισχυρότερη* απ' όσο φαίνεται. Για παράδειγμα, επειδή οι άνθρωποι γνωρίζουν ότι η κοινωνία ενθαρρύνει την αλτρουιστική συμπεριφορά, οι γλωσσικές τους λειτουργικές μονάδες ίσως να επινοούν αλτρουιστικές εξηγήσεις για συμπεριφορές που κατ' ουσία υποκινούνται από το ατομικό συμφέρον.

ρισμάτων του χαρακτήρα. Η δυσκολία εντοπίζεται στο ότι, ενώ η εσωτερική ομορφιά είναι αυτό που μετράει περισσότερο μακροπρόθεσμα, η χαρισματική εξωτερική εμφάνιση συχνά υποβιβάζει την εσωτερική όσον αφορά στα συναισθήματα που υποκινούν τη συμπεριφορά. Χρειάζεται προσπάθεια για να προσπεράσουμε την εξωτερική εμφάνιση και να προσέξουμε το εσωτερικό του ανθρώπου, όπως ακριβώς χρειάζεται προσπάθεια για να αγνοήσουμε την εικόνα ενός ρολογιού.

Η θεωρία των λειτουργικών μονάδων του εγκεφάλου διαφωτίζει επίσης την περιγραφή των Krebs και Dawkins για την αντίδραση του σταυριδιού στο κόκκινο ταχυδρομικό φορτηγάκι και την αντίδραση του ανθρώπου στο ερωτικό σκίτσο. Με το ίδιο πνεύμα, μπορούμε να εξηγήσουμε γιατί ορισμένες φορές δυσκολευόμαστε να κοιμηθούμε μετά την παρακολούθηση μιας ταινίας όπως η ταινία *Aliens*, παρότι γνωρίζουμε ότι στην πραγματικότητα δεν υπάρχουν τέτοια πλάσματα. Η θεωρία των λειτουργικών μονάδων του εγκεφάλου μάς βοηθάει επίσης να καταλάβουμε την αυξανόμενη βιβλιογραφία για τον αυτοέλεγχο (βλέπε Κεφάλαιο Τέσσερα).

Όπως τονίζει ο Gazzaniga, η θεωρία των λειτουργικών μονάδων του εγκεφάλου αμφισβητεί «δύο χιλιάδες χρόνια δυτικής σκέψης», που υποστήριζαν την πεποίθηση «ότι οι πράξεις μας είναι προϊόν ενός ενιαίου συνειδητού συστήματος».[39] Η νέα ερμηνεία σημαίνει ότι, όταν οι οικονομολόγοι μιλούν για μεγιστοποίηση της ωφέλειας, αναφέρονται στη γλωσσική μονάδα του αριστερού ημισφαιρίου. Αυτή είναι η περιοχή του εγκεφάλου που σκέφτεται με τον τρόπο που μελέτησε το μοντέλο της ορθολογικής επιλογής. Όσο έξυπνη και εάν είναι ωστόσο, η γλωσσική μονάδα δεν είναι αποκλειστικά υπεύθυνη για τη συμπεριφορά μας. Επιπλέον οι εξηγήσεις που παρέχει είναι ακριβείς μόνο σε ορισμένες περιπτώσεις.

Η εξαιρετική επίδοση των ΤΑΤ είναι αποδεδειγμένη. Ο McClelland εξηγεί αυτή την επίδοση λέγοντας ότι η γλωσσική μονάδα δεν έχει πολύ καλή πρόσβαση σε πολλές από τις πληροφορίες που αφορούν στα κίνητρα. Εάν αυτή η εξήγηση είναι έστω και εν μέρει σωστή, συντελεί στο να πιστέψουμε ότι οι στενές σχέσεις βασίζονται περισσότερο στο συναίσθημα παρά στη λογική εκτίμηση. Η λογική, ωφελιμιστική γλωσσική μονάδα του εγκεφάλου ίσως δεν έχει τα εφόδια για να χειριστεί πολλά από τα πιο σημαντικά προβλήματα που αντιμετωπίζουμε.

Θα ήθελα και πάλι να τονίσω ότι ο κεντρικός μου ισχυρισμός δεν είναι ότι το μοντέλο της ανταλλαγής είναι λανθασμένο, αλλά ότι αποτυγχάνει να συλλάβει ένα βασικό στοιχείο της διαδικασίας. Όπως τονίζουν οι ορθολογιστές, ζούμε σε έναν υλικό κόσμο και, μακροπρόθεσμα, θα κυριαρχήσουν οι συμπεριφορές που συμβάλλουν περισσότερο στην υλική ευημερία. Επανειλημμένα ωστόσο είδαμε ότι οι πιο ευπροσάρμοστες συμπεριφορές δεν πηγάζουν άμεσα από την επιδίωξη των υλικών αγαθών. Επειδή υπάρχουν σοβαρά θέματα δέσμευσης και τήρησης της δέσμευσης, αυτή η επιδίωξη οδηγεί συχνά πυκνά στην αυτοαναίρεσή της. Για να τα πάμε καλά, κάποιες φορές χρειάζεται να σταματήσουμε να επιδιώκουμε το καλύτερο.

Συνεπώς, στο θέμα της αγάπης, το μοντέλο της δέσμευσης αποδέχεται τα βασικά στοιχεία τόσο της παραδοσιακής θεωρίας, όσο και της θεωρίας της ανταλλαγής. Αποδέχεται ανοικτά τις υλικές επιταγές που εμπεριέχονται στην προσέγγιση της ανταλλαγής. Και την ίδια στιγμή, μπορεί να εξηγήσει τον λόγο που «ένα ματόκλαδο, ένα άρωμα, ένα ελκυστικό βάδισμα» παίζουν σημαντικό ρόλο στη διαδικασία. Και μπορεί να εξηγήσει, μαζί με τον Yates, γιατί οι άνθρωποι που είναι λογικοί στο θέμα του έρωτα είναι ανίκανοι να ερωτευτούν.

ΚΕΦΑΛΑΙΟ ΕΝΤΕΚΑ

Η ΑΝΘΡΩΠΙΝΗ ΑΞΙΟΠΡΕΠΕΙΑ

ΤΗ ΝΥΧΤΑ της 10ης Οκτωβρίου 1975, ο δεκαοκτάχρονος Μπράντλεϋ Τ. Βαντάμ από το Φούλτον του Ιλινόις είχε ένα σοβαρό αυτοκινητικό δυστύχημα. Ενώ βρισκόταν αναίσθητος στο μπροστινό κάθισμα, το πίσω μέρος του αυτοκινήτου του πήρε φωτιά. Μέχρι να φτάσει ο περαστικός Μπίλυ Τζο ΜακΚάλαφ, η φωτιά είχε φτάσει στο μπροστινό μέρος των καθισμάτων του αυτοκινήτου. Ο ΜακΚάλαφ σύρθηκε με δυσκολία μέσα στο αυτοκίνητο και, με κίνδυνο της ζωής του, έβγαλε έξω τον Βαντάμ. Σε λίγα δευτερόλεπτα, ολόκληρο το αυτοκίνητο πήρε φωτιά. Παρότι ο Βαντάμ τραυματίστηκε βαριά και έπαθε σοβαρά εγκαύματα, τελικά έγινε καλά.

Στον ΜακΚάλλαφ, έναν εικοσιδυάχρονο εργάτη, απονεμήθηκε αργότερα το Μετάλλιο Κάρνετζι, ένα τιμητικό μετάλλιο που απονέμεται για «εξαιρετικές πράξεις ανιδιοτελούς ηρωισμού στις Ηνωμένες Πολιτείες και τον Καναδά».[1] Για να δοθεί το Μετάλλιο Κάρνετζι, πρέπει η πράξη να εκπληρώνει τους εξής τέσσερις όρους: (1) πρέπει να γίνει εθελοντικά, (2) ο εθελοντής πρέπει να διακινδυνεύσει τη ζωή του, (3) ο εθελοντής δεν πρέπει να έχει συγγενική σχέση με το θύμα και (4) ο εθελοντής δεν πρέπει να έχει επαγγελματική σχέση με τον ρόλο που κλήθηκε να παίξει στη συγκεκριμένη περίσταση (δηλαδή να μην είναι αστυνομικός, ναυαγοσώστης ή κάτι συναφές).

Το 1977 απονεμήθηκαν 56 μετάλλια, τα οκτώ εξ αυτών μεταθανάτια. Οι ηρωικές πράξεις περιλάμβαναν «είκοσι περιπτώσεις πνιγμού, έξι πυρκαγιάς σε αυτοκίνητα ή κτίρια, έξι ασφυξίας από καπνό ή αέρια, τέσσερις κατολισθήσεις, τρία περιστατικά ηλεκτροπληξίας, δύο διάσωσης από επερχόμενο τρένο, δύο από επιθέσεις ζώων, ένα από πυροβολισμούς, ένα από πτώση λαμαρίνας και μία πιθανή πτώση

από δέντρο».[2] Επειδή οι ευκαιρίες να κάνουμε τέτοιες πράξεις είναι ε-
ξαιρετικά σπάνιες, ο αριθμός των 56 μεταλλίων σε έναν χρόνο φαίνε-
ται υπερβολικά μεγάλος.

Τα 48 άτομα που επέζησαν της διάσωσης και έλαβαν τα σχετι-
κά μετάλλια το 1977 αναμφιβόλως θα χαίρουν ισόβιας εκτίμησης και
θαυμασμού στην κοινότητά τους. Παρ' όλα αυτά, τα κριτήρια των
βραβείων δείχνουν να αποκλείουν το κίνητρο του ατομικού συμφέρο-
ντος. Η επιλογή της συγγένειας δεν μπορεί να υπολογιστεί εδώ, αφού
το θύμα δεν πρέπει να είναι συγγενής. Επιπλέον ούτε ο ανταποδοτι-
κός αλτρουισμός ούτε το «μία σου και μία μου» (Βλέπε Κεφάλαιο Δύο)
αποτελούν σημαντικό κίνητρο, όταν οι πιθανότητες να πεθάνει κανείς
σε μια προσπάθεια διάσωσης είναι 1 προς 7. Οι πράξεις ηρωισμού συ-
νήθως γίνονται με τέτοιο κόστος, που ακόμα και οι μεγαλύτερες τιμές
της κοινωνίας δεν είναι ικανές να τις αντισταθμίσουν. Το Μετάλλιο Τι-
μής της Γερουσίας, η ανώτατη στρατιωτική διάκριση των ΗΠΑ, απο-
νεμήθηκε πολλές φορές μεταθανάτια σε στρατιώτες που έπεσαν με το
σώμα τους πάνω σε χειροβομβίδες για να σώσουν τους συντρόφους τους.
Σίγουρα ακόμα και οι πιο φανατικοί ορθολογιστές δεν μπορούν να ι-
σχυριστούν ότι αυτοί οι στρατιώτες θα περίμεναν να βγουν ζωντανοί.

Οι πράξεις ηρωισμού είναι πολύ συχνές. Κάνουν τους σκεπτι-
κιστές να αναρωτιούνται κατά πόσο οι άνθρωποι, σε κανονικές συν-
θήκες, δείχνουν συχνά παρόμοια περιφρόνηση για το υλικό ατομικό
συμφέρον. Στα Κεφάλαια Εννέα και Δέκα είδαμε ότι υπάρχουν κά-
ποιες καταστάσεις όπου το περιφρονούν. Συχνά υπομένουν κάποιο
κόστος στο όνομα του αισθήματος του δικαίου· συχνά επίσης κάνουν
μη εγωιστικές πράξεις όταν έχουν μια ερωτική σχέση. Σ' αυτό το κε-
φάλαιο θα επικαλεστώ αποδεικτικά στοιχεία που δείχνουν ότι η μη ε-
γωιστική συμπεριφορά είναι συνηθισμένη και σε πολλές άλλες περι-
στάσεις. Και πάλι, η εικόνα που συνάγεται είναι απολύτως ασυμβίβα-
στη με την κλασική απεικόνιση του οικονομικού ανθρώπου.

Πειραματική έρευνα πεδίου για την εντιμότητα

Οι υπάλληλοι των μεταφορικών μέσων της Νέας Υόρκης δεν είναι και
πολύ εξυπηρετικοί με το επιβατικό κοινό. Σύμφωνα με μια διήγηση,

κάποτε ένας οδηγός λεωφορείου στο Μανχάταν έκλεισε κατάμουτρα την πόρτα σε μια αδύνατη γριούλα που έκανε πολλή ώρα για να ανέβει στο λεωφορείο. Τα τελευταία λόγια που της είπε ήταν: «Κυρά μου, δεν χρειάζεσαι λεωφορείο, χρειάζεσαι ασθενοφόρο». Οι οπαδοί του μπέιζμπολ της πόλης αυτής έχουν επίσης πολύ άγριες διαθέσεις. Στις 4 Ιουλίου του 1985, μια αδέσποτη σφαίρα τρύπησε το δεξί χέρι της Τζόαν Μπάρετ, που, μαζί με τον σύζυγό της και τα δύο τους παιδιά, καθόταν στις κερκίδες και παρακολουθούσε ένα παιγνίδι των Yankees. Τον Αύγουστο του 1986, και πάλι στο στάδιο των Yankees, ο πρώτος baseman των Angels της Καλιφόρνιας, ο Γουόλυ Τζόινερ, χτυπήθηκε στο χέρι από ένα μαχαίρι 12 ιντσών που εκτοξεύτηκε από τις επάνω κερκίδες. Την ίδια εκείνη χρονιά ο μάνατζερ Ντέιβυ Τζόνσον των Mets είπε πως ήλπιζε ότι η ομάδα του θα έπαιρνε το πρωτάθλημα σε παιγνίδι εκτός έδρας, ώστε οι πανηγυρισμοί των φιλάθλων των Mets να μην καταστρέψουν το στάδιο Shea. Ωστόσο η ευχή του δεν έπιασε. Οι Mets άγγιξαν τον τίτλο στο Shea και οι φίλαθλοι της ομάδας, πολλοί από τους οποίους πήραν ολόκληρες χούφτες χλοοτάπητα για σουβενίρ, έκαναν τον αγωνιστικό χώρο να μοιάζει με σεληνιακό τοπίο. Για να μην τα πολυλογούμε, η Νέα Υόρκη είναι μια άγρια πόλη.

Είναι όμως και το πεδίο μιας πληθώρας πειραμάτων που αποκαλύπτουν πολύ πιο ευγενείς πτυχές του ανθρώπινου χαρακτήρα. Για παράδειγμα, στη Νέα Υόρκη, ο ψυχολόγος Harvey Hornstein και αρκετοί συνάδελφοί του διαπίστωσαν με ευχαρίστηση τι συμβαίνει με τους ανθρώπους όταν τους δίνουμε ευκαιρίες για καλές πράξεις.[3] Στο βασικό τους πείραμα έβαλαν στα πεζοδρόμια των πιο πολυσύχναστων σημείων της πόλης εκατοντάδες πορτοφόλια, που το καθένα περιείχε ένα μικρό χρηματικό ποσό (περίπου 5 δολάρια σε σημερινή αγοραστική αξία). Το κάθε πορτοφόλι περιείχε διάφορες κάρτες μέλους, προσωπικά χαρτιά και μια ταυτότητα που έγραφε το όνομα, τη διεύθυνση και τον αριθμό τηλεφώνου του δήθεν ιδιοκτήτη του, κάποιου Μάικλ Έργουιν (το συγκεκριμένο όνομα επιλέχθηκε «για να αποφευχθεί η οποία εθνική ή θρησκευτική κατηγοριοποίηση»).[4]

Για αρκετούς μήνες, την άνοιξη του 1968, ο Hornstein και οι συνάδελφοί του «έχαναν» αυτά τα πορτοφόλια με ρυθμό περίπου 40 ημερησίως. Από τις πολλές εκατοντάδες πορτοφόλια που χάθηκαν, ένα εκπληκτικά υψηλό ποσοστό, της τάξεως του 45%, επιστράφηκε απολύτως άθικτο! Δεν υπάρχει αμφιβολία πως είναι λιγάκι μπελάς να πακετάρουμε ένα πορτοφόλι και να το πάμε στο ταχυδρομείο. Μια και το πορτοφόλι περιείχε τόσο λίγα χρήματα, κανείς από αυτούς που το βρήκαν δεν είναι δυνατόν να περίμενε κάποια αμοιβή. (Και όντως, πολλοί από αυτούς επέστρεψαν το πορτοφόλι ανώνυμα.) Συνεπώς είναι δύσκολο να φανταστούμε ότι κάποιο ιδιοτελές κίνητρο ώθησε τόσους ανθρώπους να επιστρέψουν τα πορτοφόλια.

Οι Hornstein κ.ά. μπορούσαν και να επηρεάσουν το ποσοστό ε-πιστροφής, δίνοντας υποβολιμαίες πληροφορίες ως προς την καλο-σύνη άλλων ανθρώπων. Σε μια παραλλαγή αυτού του πειράματος, έ-βαλαν το κάθε πορτοφόλι στο πεζοδρόμιο, μέσα σ' έναν ανοικτό φά-κελο που είχε γραμμένη τη διεύθυνση του ιδιοκτήτη. Οι άνθρωποι που σήκωσαν τον φάκελο δεν βρήκαν μέσα μόνον το πορτοφόλι, αλ-λά και ένα γράμμα που υποτίθεται ότι απευθυνόταν στον ιδιοκτήτη και ότι ήταν γραμμένο από κάποιον που είχε βρει προηγουμένως το πορτοφόλι. Για να είμαστε πιο ακριβείς, κάθε υποκείμενο βρήκε μία από τις τρεις εκδοχές του γράμματος: τη «θετική», την «ουδέτερη» και την «αρνητική». Η ουδέτερη εκδοχή έλεγε απλώς:

Αγαπητέ κύριε Έργουιν,
Βρήκα το πορτοφόλι σας, το οποίο και σας επιστρέφω. Τα πάντα εί-ναι μέσα ακριβώς όπως τα βρήκα.

Τα θετικά και αρνητικά γράμματα συνέχιζαν περιγράφοντας τα αισθήματα του αποστολέα που βρήκε και έστελνε το πορτοφόλι. Το θετικό γράμμα πρόσθετε:

Θα ήθελα να σας πω ότι χαίρομαι ιδιαίτερα που μπορώ να βοηθήσω κά-ποιον στα μικρά πράγματα που ομορφαίνουν τη ζωή. Πραγματικά δεν μου έκανε καθόλου κόπο και χαίρομαι που μπόρεσα να σας βοηθήσω.

Αντιθέτως, η αρνητική εκδοχή τελείωνε μ' αυτή τη δήλωση:

Πρέπει να σας πω πως το να έχω την ευθύνη του πορτοφολιού σας και να κάνω τον κόπο να το επιστρέψω ήταν μεγάλος μπελάς. Δεν μου ήταν διόλου ευχάριστο να κάνω όλα όσα χρειάστηκαν για να σας το στείλω. Ελπίζω να εκτιμήσετε τον κόπο που έκανα.[5]

Από τα 105 πορτοφόλια που περιλάμβανε αυτή η φάση, το 40% επιστράφηκε ανέπαφο. Από εκείνα που συνοδεύονταν από το αρνητικό γράμμα, επιστράφηκε μόνο το 18%, ενώ τα ποσοστά για τα θετικά και ουδέτερα γράμματα ήταν 60% και 51% αντιστοίχως. Με λίγα λόγια, οι άνθρωποι που βρήκαν το αρνητικό γράμμα αποδείχθηκαν λιγότερο πρόθυμοι να επιστρέψουν τα πορτοφόλια. Οι Hornstein κ.ά. ισχυρίζονται ότι ο αποστολέας του γράμματος λειτουργεί ως πρότυπο για τα άτομα του πειράματος. Όταν το πρότυπο εκφράζει αρνητικά αισθήματα για την πράξη του, το υποκείμενο του πειράματος έχει λιγότερες πιθανότητες να επιστρέψει το πορτοφόλι, παρότι το γράμμα δεν του δίνει καμία αφορμή να αναπτύξει αρνητικά συναισθήματα για τον *ιδιοκτήτη* του πορτοφολιού.

Ο επιστολογράφος είναι πράγματι πρότυπο; Κάτι τέτοιο θα προσέδιδε έναν χαρακτήρα αποφασιστικότητας που μοιάζει να απουσιάζει παντελώς απ' αυτές τις πράξεις. Είναι δύσκολο να δεχτούμε ότι οι άνθρωποι παίρνουν πραγματικά τη στάση του επιστολογράφου ως μοντέλο για το ποια πρέπει να είναι η δική τους στάση. Η κατανομή στα ποσοστά επιδέχεται μια πολύ πιο απλή ερμηνεία επιστροφής, η οποία στηρίζεται στη θεωρία των λειτουργικών μονάδων του εγκεφάλου που συζητήσαμε στο Κεφάλαιο Δέκα. Οι άνθρωποι γνωρίζουν προφανώς τις αντίθετες τάσεις στην ανθρώπινη φύση: Όλοι ξέρουμε εκ πείρας ότι κάποιοι άνθρωποι είναι καλοσυνάτοι, ενώ κάποιοι άλλοι δεν είναι. Τα βιώματά μας με τους πρώτους είναι συνδεδεμένα με θετικά αισθήματα, τα βιώματα με τους δεύτερους με αρνητικά. Η έκθεσή μας στον έναν ή στον άλλο τύπο ανθρώπου είναι φυσιολογικό να προκαλέσει τα αισθήματα που είναι συνδεδεμένα μ' αυτόν. Αυτά τα αισθήματα, στη συνέχεια, μπορούν να επηρεάσουν τη συμπεριφορά, παρότι η γλωσσική λειτουργική μονάδα του εγκεφάλου μπορεί να μην ξέρει γιατί συμβαίνει αυτό. Όπως ακριβώς το θέαμα ενός τέρατος επιστημονικής φαντασίας γεννάει τρόμο, μολονότι δεν υπάρχει λογική βάση για να φοβηθούμε, η απλή έκθεση σε μια στάση που δεν έχει καλοσύνη θα ανακαλέσει αρνητικά αισθήματα από την παρελθούσα εμπειρία. Αυτά τα συναισθήματα θα είναι φυσικά κυριαρχικά τη στιγμή που αυτός που βρίσκει το πορτοφόλι αποφασίζει εάν θα το επιστρέψει ή όχι. Συνεπώς δεν πρέπει να μας προκαλεί έκπληξη το ότι οι συμπεριφορές επηρεάστηκαν με τον τρόπο που έδειξε το πείραμα.

Αυτή η ερμηνεία δίνει έμφαση στο ότι το συναίσθημα, και όχι η λογική, επηρεάζει την απόφαση για το πορτοφόλι, και κατά συνέπεια συμπλέει απολύτως με το μοντέλο της δέσμευσης. Ο ρόλος των αρνητικών συναισθημάτων υπογραμμίζεται ακόμα περισσότερο από την εκπληκτική διαπίστωση ότι κανένα από τα πορτοφόλια που τοποθετήθηκαν στις 4 Ιουνίου 1968, τη μέρα της δολοφονίας του Ρόμπερτ Φ. Κένεντυ, δεν επιστράφηκε.[6] Μπορεί ο Σιρχάν Σιρχάν να λειτούργησε ως αρνητικό πρότυπο –ερμηνεία του Hornstein– ή μπορεί η πράξη του να πυροδότησε αρνητικά συναισθήματα –η άποψη της θεωρίας των λειτουργικών μονάδων του εγκεφάλου–, αλλά ένα πράγμα παραμένει ξεκάθαρο: Δεν υπάρχει καμιά εκδοχή που να θεμελιώνει την άποψη ότι η συμπεριφορά κάποιου τρίτου μπορεί να επηρέασε *λογικά* την απόφαση για την επιστροφή ή μη του χαμένου πορτοφολιού.

Πειράματα με ανθρώπους που κινδυνεύουν

Η εικόνα της Νέας Υόρκης βελτιώνεται ακόμα περισσότερο από μια σειρά πειραμάτων που σχεδιάστηκαν για να διαπιστωθεί πώς αντιδρούν οι άνθρωποι απέναντι σε κάποιον που κινδυνεύει. Σε μία έρευνά τους, οι ψυχολόγοι Irving Piliavin, Judith Rodin και Jane Piliavin σκηνοθέτησαν μια ψεύτικη σκηνή κινδύνου για να ανακαλύψουν εάν οι επιβάτες του μετρό της Νέας Υόρκης θα βοηθούσαν κάποιο συνεπιβάτη τους που ξαφνικά καταρρέει.[7]

Επειδή οι μελετητές ήθελαν να μην έχει το κοινό τη δυνατότητα να φύγει, επέλεξαν την ταχεία γραμμή της 8ης Λεωφόρου, μεταξύ 59ης και 125ης Οδού, μια διαδρομή που διαρκεί σχεδόν οκτώ λεπτά. Ένας ερευνητής κρατούσε απαρατήρητος σημειώσεις στο πίσω μέρος ενός βαγονιού και ένας φοιτητής στεκόταν στο μπροστινό μέρος. Περίπου ένα λεπτό αφότου ξεκίνησε το τρένο, ο φοιτητής τρέκλισε και έπεσε ξερός. Οι οδηγίες που είχε έλεγαν ότι έπρεπε να παραμείνει σωριασμένος μέχρι να πάει κάποιος να τον βοηθήσει. Εάν κανείς δεν πήγαινε να τον βοηθήσει μέχρι τη στιγμή που το τρένο θα έφτανε στον σταθμό, ένας άλλος ερευνητής θα τον βοηθούσε να σηκωθεί. Στη συνέχεια οι ερευνητές κατέβαιναν και επαναλάμβαναν τη διαδικασία στο επόμενο τρένο που πήγαινε προς την αντίθετη κατεύθυνση.

Το πείραμα έγινε σε δύο παραλλαγές. Στην πρώτη, η οποία είχε σχεδιαστεί με σκοπό να δώσει στους επιβάτες την εντύπωση ότι ο άνθρωπος που χρειαζόταν βοήθεια ήταν άρρωστος, ο φοιτητής στηριζόταν σ' ένα μπαστούνι. Στη δεύτερη ο σκοπός ήταν να φαίνεται ότι είναι μεθυσμένος. Σ' αυτές τις περιπτώσεις, ο φοιτητής είχε καταβρεχτεί με κάποιο ποτό με δυνατή μυρωδιά και κουβαλούσε ένα μπουκάλι τυλιγμένο σε μια καφετιά χαρτοσακούλα.

Οι Piliavin κ.ά. ανακάλυψαν ότι ο «άρρωστος» με το μπαστούνι βοηθήθηκε από τουλάχιστον έναν επιβάτη στα 62 από τα 65 περιστατικά. Όπως αναμενόταν, ο μεθυσμένος βοηθήθηκε σε πολύ λιγότερες περιπτώσεις, αλλά ακόμα και αυτόν τον βοήθησαν σε 19 από τα 38 περιστατικά.

Οι ψυχολόγοι Bibb Latané και John Darley έχουν δημοσιεύσει τα αποτελέσματα μιας σειράς παρόμοιων πειραμάτων.[8] Η διαφορά των δικών τους πειραμάτων είναι ότι πολλά απ' αυτά σχεδιάστηκαν με τέτοιον τρόπο, ώστε μόνον ένα και μοναδικό άτομο ήταν σε θέση να βοηθήσει τον άνθρωπο που χρειαζόταν βοήθεια. Σ' ένα από αυτά μια ερευνήτρια έπαιρνε συνέντευξη από έναν εξεταζόμενο σε κάποιο δωμάτιο και μετά πήγε σε ένα διπλανό δωμάτιο, την ώρα που ο εξεταζόμενος συμπλήρωνε κάποια χαρτιά. Από το διπλανό δωμάτιο, που χωριζόταν από το πρώτο μόνο με μια υφασμάτινη κουρτίνα, η ερευνήτρια φώναξε με πονεμένη φωνή: «Ω Θεέ μου, το πόδι μου... Δεν... Δεν... μπορώ να το... κουνήσω. Οχ, ο αστράγαλός μου. Δεν... μπορώ... δεν... μπορώ... να... βγάλω... αυτό το πράγμα από... πάνω μου».[9] Σ' αυτό το συγκεκριμένο πείραμα, το οποίο είναι ανάλογο με πολλά άλλα, το 70% των εξεταζόμενων έσπευσαν να βοηθήσουν αμέσως.

Επανεκτίμηση της περίπτωσης «Κίτυ Τζενοβέζε»

Η πόλη της Νέας Υόρκης, ο χώρος που έγιναν τα πειράματα με τον άνθρωπο που χρειάζεται βοήθεια, είναι βεβαίως και ο τόπος όπου οι 38 γείτονες της Κίτυ Τζενοβέζε αγνόησαν τις κραυγές της για πάνω από μισή ώρα, τη στιγμή του βιασμού και της δολοφονίας της (βλέπε Κεφάλαιο Τρία). Γιατί αυτή η εξόφθαλμη διαφορά στη συμπεριφορά; Ερευνώντας αυτό το θέμα, οι Latané και Darley ανακάλυψαν ότι, εάν ένας απαθής παριστάμενος ήταν στο ίδιο δωμάτιο με το εξεταζόμενο άτομο, τότε υπήρχε πολύ μικρότερη πιθανότητα το άτομο αυτό να σπεύσει σε βοήθεια. Για παράδειγμα, στο πείραμα με τη γυναίκα με το τραυματισμένο πόδι, μόνον ένα 7% από τους εξετασθέντες που συνοδεύονταν από έναν απαθή εγκάθετο έσπευσε να βοηθήσει. Οι Latané και Darley θεωρούν ότι, όταν στη σκηνή παρευρίσκεται πάνω από ένα άτομο, η ευθύνη μοιράζεται:

> Όταν μονάχα ένας παριστάμενος είναι παρών σε κάποιο έκτακτο περιστατικό, ο μόνος που μπορεί να βοηθήσει είναι αυτός. Παρότι μπορεί να επιλέξει να το αγνοήσει (επειδή νοιάζεται για την προσωπική του ασφάλεια ή δεν θέλει «να ανακατευτεί»), όλες οι πιέσεις για επέμβαση συγκλίνουν αποκλειστικά σ' αυτόν. Όταν οι παριστάμενοι είναι πολλοί, οι πιέσεις για παρέμβαση δεν συγκλίνουν σε κανέναν και η ευθύνη μοιράζεται σε όλους. Κατά συνέπεια, ο καθένας είναι λιγότερο πιθανό να βοηθήσει.[10]

Οι Latané και Darley επισημαίνουν ότι οι γείτονες της Τζενοβέζε, παρόλο που ήταν μόνοι τους στα διαμερίσματά τους, ήταν όλοι απολύτως βέβαιοι ότι και πολλοί άλλοι άκουγαν σίγουρα τις κραυγές. Κι έτσι, νιώθοντας ότι ήταν μέλη μιας μεγαλύτερης ομάδας, κανένας τους δεν ένιωσε ότι είχε την αποκλειστική ευθύνη.

Αυτή η εξήγηση φαίνεται αρκετά λογική. Δείχνει όμως να μη συμφωνεί καθόλου με τις διαπιστώσεις των Piliavin κ.ά. στα πειράματα του μετρό. Σ' εκείνα τα πειράματα υπήρχαν, κατά μέσο όρο, περισσότεροι από οκτώ επιβάτες παρόντες στο τμήμα του βαγονιού όπου σωριάστηκε κάτω ένας άνθρωπος. Και παρ' όλα αυτά, σχεδόν σε όλες τις περιπτώσεις που αφορούσαν στον «άρρωστο» με το μπαστούνι, τουλάχιστον ένα άτομο προσέφερε αμέσως βοήθεια. Οι Piliavin κ.ά. διαπίστωσαν επίσης ότι η πιθανότητα βοήθειας δεν μειώθηκε όταν ο αριθμός των παρισταμένων αυξήθηκε. Η εξήγηση της διασποράς της υπευθυνότητας μοιάζει να μην αρμόζει σ' αυτή την περίπτωση.

Υπάρχει τουλάχιστον μία σημαντική διαφορά μεταξύ των καταστάσεων που αντιμετώπισαν τα εξεταζόμενα άτομα στα πειράματα των Piliavin κ.ά., και στα πειράματα των Latané και Darley. Στα πρώτα οι επιβάτες είχαν κάθε λόγο να πιστεύουν ότι οι υπόλοιποι άνθρωποι στο μετρό ήταν, όπως και οι ίδιοι, απολύτως άσχετοι με το «θύμα». Στο πείραμα των Latané και Darley ωστόσο, οι εξεταζόμενοι μπορεί να σκέφτηκαν ότι ο απαθής παριστάμενος ήταν κάποιος άνθρωπος του γραφείου, κάποιος που γνώριζε το θύμα και συνεπώς είχε τους λόγους του να μην κάνει κάποια ενέργεια.

Πώς μπορούν όμως οι διαπιστώσεις του Piliavin να συμβιβαστούν με τη συμπεριφορά των γειτόνων της Κίτυ Τζενοβέζε; Οι περισσότεροι, όπως παρατηρήσαμε, πρέπει να αντιλήφθηκαν ότι και πολλοί άλλοι άκουγαν επίσης τις κραυγές της. Αυτό που τους διαφοροποιεί από τους επιβάτες του μετρό είναι πως κανείς δεν μπορούσε να ξέρει ότι κανένας άλλος δεν είχε πάει για να βοηθήσει το θύμα. Μπορούμε να καταλάβουμε ότι ο καθένας μπορεί να επιθυμεί διακαώς να βοηθήσει κάποιος το «θύμα», κι ωστόσο, την ίδια στιγμή, να μη θέλει να είναι ο ίδιος αυτός που θα το βοηθήσει.* Εάν στο μετρό δεν είχε επέμβει κανένας από τους παρισταμένους, θα ήξεραν όλοι ότι ο άνθρωπος αυτός βρισκόταν ακόμα σε κίνδυνο. Αντιθέτως, οι γείτονες της Κίτυ Τζενοβέζε δεν είχαν τρόπο να ξέρουν ότι κανένας από τους υπόλοιπους γείτονες δεν είχε κάνει την απλή και εύλογη κίνηση να καλέσει την αστυνομία. Μπορούμε να ευελπιστούμε ότι, στην περίπτωση που το ήξεραν, σίγουρα κάποιος θα είχε κάνει κάτι.

Αντιδράσεις σε παράκληση για εξυπηρέτηση

Πέρα από τα πειράματά τους με τους ανθρώπους που κινδυνεύουν, οι Latané και Darley έστειλαν επίσης τους φοιτητές τους στους δρόμους της Νέας Υόρκης για να ζητήσουν από αγνώστους διάφορες εξυπηρετήσεις. Είπανε στους φοιτητές να μην κάνουν απολύτως καμιά επιλογή στο ποιον θα πλησιάζαν. Ζητούσαν από τους περαστικούς να τους πουν το όνομά τους, να τους δώσουν χρήματα ή να τους κάνουν τρεις διαφορετικές μικροεξυπηρετήσεις (να τους πουν την ώρα, να τους δείξουν κάποιο δρόμο ή να τους κάνουν ψιλά). Τα αποτελέσματα μίας εκδοχής του πειράματος συνοψίζονται στον Πίνακα 11.1.

---

* Περιπτώσεις σαν κι αυτήν αναφέρονται συχνά ως το *δίλημμα του εθελοντή*. Εκτενής ανάλυση αυτού του θέματος παρουσιάζεται στη μελέτη του Kliemt, 1986.

Όποιος έχει περπατήσει ή οδηγήσει στη Νέα Υόρκη έχει ο-
πωσδήποτε προσέξει πόσο απασχολημένοι ή βιαστικοί φαίνονται οι
περισσότεροι Νεοϋορκέζοι. Κι ωστόσο σχεδόν όλοι ήταν πρόθυμοι να
σταματήσουν και να δώσουν σε κάποιον άγνωστο οδηγίες για το πώς
θα πάει κάπου, ή να του πουν την ώρα. Πολύ λιγότεροι έδωσαν χρή-
ματα ή είπαν το όνομά τους, αλλά περισσότεροι από το ένα τρίτο α-
νταποκρίθηκαν θετικά ακόμα και σ' αυτά τα θέματα. Το ποσοστό των
θετικών απαντήσεων ήταν ακόμα μεγαλύτερο εάν ο ερευνητής έμπαι-
νε στον κόπο να εκφράσει την παράκλησή του με έναν πιο ευγενικό
τρόπο. Παραδείγματος χάριν, όταν το ίδιο αίτημα ετίθετο ως «Με
συγχωρείτε, το όνομά μου είναι ———. Μπορείτε να μου πείτε και ε-
σείς το όνομά σας;», το 64% των ανθρώπων είπαν το όνομά τους.
Όταν οι φοιτητές έλεγαν: «Με συγχωρείτε, μήπως μπορείτε να μου
δώσετε ένα κατοστάρικο; Μου κλέψανε το πορτοφόλι», το 72% τους
το έδωσε.

ΠΙΝΑΚΑΣ 11.1 *Αντιδράσεις σε εκκλήσεις βοήθειας στη Νέα Υόρκη*

Συγγνώμη, μήπως μπορείτε...	Αριθμός ερωτηθέντων	Ποσοστό βοήθειας
α. να μου πείτε τι ώρα είναι;	92	85
β. να μου πείτε πώς θα πάω στην Τάιμς Σκουέαρ;	90	84
γ. να μου χαλάσετε ένα κατοστάρικο;	90	73
δ. να μου πείτε το όνομά σας;	277	39
ε. να μου δώσετε ένα πενηντάρικο;	284	34

Πηγή: Latané και Darley, 1970, σελ. 10

Έρευνες αυτού του τύπου έχουν γίνει σχεδόν σε όλες τις πόλεις
που έχουν κάποιο γνωστό πανεπιστήμιο. Και όλες είχαν παρόμοια α-
ποτελέσματα μ' αυτά που είδαμε εδώ. Έδωσα ιδιαίτερη βαρύτητα
στα πειράματα που έγιναν στη Νέα Υόρκη, επειδή είναι δύσκολο να
σκεφτεί κανείς άλλο περιβάλλον που να ωθεί περισσότερο σε συμπε-
ριφορές ατομικού συμφέροντος. Οι συνθήκες που ευνοούν τη στρα-
τηγική «μία σου και μία μου» και άλλες μορφές ανταποδοτικού αλ-
τρουισμού απουσιάζουν σχεδόν εντελώς στις αλληλεπιδράσεις μετα-
ξύ αγνώστων σ' αυτή την πόλη. Η προφανής δυσκολία που συναντά
το μοντέλο του ατομικού συμφέροντος είναι ότι, σχεδόν σε όλες τις έ-

ρευνες, οι Νεοϋορκέζοι δεν συμπεριφέρονται με τον τρόπο που προβλέπει.

Το πρόβλημα του τζαμπατζή

Οι οικονομολόγοι και διάφοροι άλλοι ασχολούνται εδώ και πολύ καιρό με το αποκαλούμενο *πρόβλημα του τζαμπατζή*, το οποίο εμφανίζεται όταν οι ομάδες επιδιώκουν την εθελοντική παραγωγή δημόσιων ή συλλογικών αγαθών. Το πρόβλημα πηγάζει από δύο απλές ιδιότητες που χαρακτηρίζουν τα δημόσια αγαθά: (1) από τη στιγμή που παράγονται, είναι δύσκολο να εμποδίσεις τον κόσμο να τα καταναλώσει, και (2) η κατανάλωση που γίνεται από ένα άτομο δεν μειώνει την αξία της κατανάλωσής τους από άλλους. Τα προγράμματα της τηλεόρασης είναι ένα καλό παράδειγμα. Από τη στιγμή που προβάλλεται ένα επεισόδιο του *Masterpiece Theater*, είναι δύσκολο να εμποδίσεις τους τηλεθεατές να συντονίσουν τους δέκτες του σ' αυτό· και από τη στιγμή που κάποιοι τηλεθεατές συντονίζουν τους δέκτες τους, δεν μειώνεται η ισχύς του σήματος που πάει στους υπόλοιπους. Το πρόβλημα του τζαμπατζή είναι ότι, ενώ οι περισσότεροι άνθρωποι μπορεί να θέλουν πολύ ένα δημόσιο αγαθό, ο καθένας μπορεί να επαναπαύεται στο ότι θα πληρώσουν οι άλλοι γι' αυτό. Κατά συνέπεια, μοιάζει πολύ με το δίλημμα του φυλακισμένου: Η συμπεριφορά που εξυπηρετεί καλύτερα την ομάδα δεν εξυπηρετεί καλύτερα και το μεμονωμένο άτομο.

Ένας τρόπος επίλυσης του προβλήματος του τζαμπατζή είναι η χρήση της δύναμης επιβολής από πλευράς του κράτους. Επειδή η φορολογία είναι υποχρεωτική, κατ' ουσία αρνούμαστε στους εαυτούς μας τη δυνατότητα να μη συνεισφέρουμε στα δημόσια αγαθά, όπως η υπηρεσία καθαριότητας των δρόμων. Κατ' αυτό τον τρόπο, αποφεύγουμε τη δυσκολία που εμφανίζεται συχνά στη συγκατοίκηση, όπου ο ένοικος του κάθε δωματίου περιμένει ότι κάποιος άλλος θα σκουπίσει το χολ.

Το μοντέλο του ατομικού συμφέροντος προβλέπει ότι οι άνθρωποι δεν θα συνεισφέρουν εθελοντικά στην παραγωγή των δημόσιων αγαθών. Πιο συγκεκριμένα προβλέπει ότι, όσο ο αριθμός των πιθανών συμμετοχών αυξάνει, το ποσό της εθελοντικής συμβολής του κάθε ατόμου συρρικνώνεται στο μηδέν. Αυτή η πρόβλεψη αποκαλείται συνήθως *θεωρία του τζαμπατζή.* Όταν οι ψυχολόγοι Gerald Marwell και Ruth Ames ρώτησαν έναν αριθμό διακεκριμένων οικονομολόγων εάν πιστεύουν ότι η οικονομική θεωρία οδηγεί πράγματι σ' αυτή την πρόβλεψη, όλοι πλην ενός συμφώνησαν.[11] (Η μοναδική εξαίρεση υποστήριξε ότι η οικονομική θεωρία δεν κάνει προβλέψεις για τίποτα.) Για αυτούς που αποδέχονται τη θεωρία του τζαμπατζή, η έννοια του «εθελοντικού δημόσιου αγαθού» είναι σχήμα οξύμωρο.

Τα εμπειρικά στοιχεία που αντικρούουν το πρόβλημα του τζαμπατζή είναι εξίσου ισχυρά και συνεπή με την οικονομική λογική που το υποστηρίζει. Όπως επισημαίνει ο οικονομολόγος James Andreoni, για παράδειγμα, οι φιλανθρωπικές δραστηριότητες είναι κατ' ουσία ε-θελοντικά δημόσια αγαθά και ωστόσο τα ποσά που συγκεντρώνουν κάθε χρόνο δεν είναι διόλου ευτελή.[12] Πάνω από το 85% των αμερικάνικων νοικοκυριών κάνουν ιδιωτικές προσφορές σε φιλανθρωπικές οργανώσεις, και η μέση δωρεά τους είναι πάνω από 200 δολάρια σε τιμές του 1971. Το 1981 οι θρησκευτικές οργανώσεις συγκέντρωσαν περίπου 10 δισεκατομμύρια δολάρια, οι οργανώσεις υγείας και τα νοσοκομεία πάνω από 7 δισεκατομμύρια και οι δημοτικές ορχήστρες πάνω από 150 εκατομμύρια.[13] Όσο για τους δημόσιους τηλεοπτικούς και ραδιοφωνικούς σταθμούς, παρά τους ισχυρισμούς τους για το α-ντίθετο, συνήθως καταφέρνουν να μαζέψουν αρκετές προσφορές για να επιβιώσουν.

Οι πεπειραμένοι δικηγόροι έχουν συνήθως έναν άσο στο μανίκι για την περίπτωση που η υπόθεσή τους δεν προχωράει όπως θα ή-θελαν («Η πελάτης μου δεν πυροβόλησε τον κύριο Χίγκινς, εντιμό-τατε· εάν όμως το έκανε, θα 'ταν μια στιγμή τρέλας»). Οι οικονομολόγοι χρησιμοποιούν μια παρόμοια στρατηγική όταν οι άνθρωποι, για κάποιους λόγους, συμβάλλουν εθελοντικά στα δημόσια αγαθά. Σ' αυτές τις άβολες περιπτώσεις, η οικονομική θεωρία προβλέπει ότι η αύξηση της κρατικής επιχορήγησης των δημόσιων αγαθών πρέπει να «εκτοπίζει» τις ιδιωτικές συνεισφορές. Με λίγα λόγια, για κάθε επιπλέον δολάριο κρατικής επιχορήγησης κάποιου δημόσιου αγαθού, η ιδιωτική υποστήριξη πρέπει να μειώνεται κατά ένα δολάριο. Ωστόσο οι οικονομολόγοι Burtran Abrams και Mark Schmitz υπολόγισαν ότι ένα επιπλέον δολάριο κρατικής επιχορήγησης σε φιλανθρωπικές δραστηριότητες έχει ως αποτέλεσμα τη μείωση της ιδιωτικής συνεισφοράς μόνο κατά 28 σεντς.[14]

Υπάρχει επίσης ένα πλήθος πειραματικών ερευνών που οι διαπιστώσεις τους αντικρούουν το πρόβλημα του τζαμπατζή.[15] Ο ψυχολόγος Robyn Dawes, που έλαβε ενεργά μέρος σε πολλές από αυτές τις έρευνες, υπολόγισε ότι, στα τέλη της δεκαετίας του '70, υπήρχαν ήδη περισσότερες από χίλιες.[16]

Ένα πείραμα που έγινε από τους Dawes, Jeanne McTavish και Harriet Shaklee[17] συνοψίζει μεγάλο μέρος των ερευνών αυτής της απέραντης βιβλιογραφίας. Το πείραμα αυτό περιελάμβανε μια ομάδα οκτώ ατόμων που δεν γνωρίζονταν μεταξύ τους. Ζητήθηκε από τα άτομα αυτά να επιλέξουν μεταξύ συνεργασίας ή προδοσίας σε ένα παιχνίδι με αμοιβές, που ήταν ακριβώς σαν πολυμελές δίλημμα του φυλακισμένου: Η προδοσία είχε πάντα μεγαλύτερη αμοιβή από τη συνεργασία, αλλά, εάν όλοι προδίδανε, θα τα πήγαιναν όλοι χειρότερα απ' ό,τι εάν είχαν συνεργαστεί. Σε αυτού του τύπου τα πειράματα, «ο προδότης» είναι το αντίστοιχο του τζαμπατζή στην περίπτωση των κοινωνικών αγαθών. Εάν κάποιος προδώσει, αποκομίζει κέρδος εις βάρος των άλλων μελών.

Οι Dawes κ.ά. εφάρμοσαν τέσσερις εκδοχές αυτού του βασικού πειράματος. Στην πρώτη δεν επιτράπηκε στους παίκτες να μιλήσουν μεταξύ τους προτού διαλέξουν. Στη δεύτερη τους επιτράπηκε να μιλήσουν για οποιοδήποτε θέμα, εφόσον δεν είχε σχέση με το ίδιο το πείραμα. Η τρίτη εκδοχή τούς επέτρεπε να μιλήσουν για το πείραμα, αλλά δεν τους επέτρεπε να κάνουν ανοικτά κάποια δήλωση για την επιλογή τους. Στην τέταρτη εκδοχή δεν υπήρχε κανένας περιορισμός. Επιτρεπόταν στους παίκτες να δίνουν υποσχέσεις για τις επιλογές τους και, στις περισσότερες ομάδες, οι παίκτες το δήλωσαν και γραπτώς.

Και στις τέσσερις εκδοχές του πειράματος, ζητήθηκε από τους παίκτες να σημειώσουν κρυφά τις επιλογές τους. Τους δόθηκε επίσης η υπόσχεση ότι κανένας από τους άλλους παίκτες δεν θα μάθαινε την επιλογή των υπολοίπων. Σκοπός αυτής της υπόσχεσης ήταν να μη φοβάται ο τυχόν προδότης την εκδίκηση και συνεπώς να μην είναι υποχρεωμένος να τηρήσει την υπόσχεση συνεργασίας.

Κάτω από αυτές τις συνθήκες, η θεωρία του τζαμπατζή προβλέπει ότι όλοι θα προδώσουν. Επειδή η μυστικότητα περιόριζε τον δεσμευτικό χαρακτήρα των υποσχέσεων, η επικοινωνία δεν θα έπρεπε να παίζει κανένα ρόλο. Εντούτοις, αντίθετα με αυτή την πρόβλεψη, σε καμία από τις τέσσερις εκδοχές δεν παρουσιάστηκε καθολική προδοσία. Επιπλέον τα αποτελέσματα παρουσίασαν συστηματική διαφοροποίηση, ανάλογα με τον βαθμό της επικοινωνίας: Όσο πιο πολύ επιτράπηκε στους μετέχοντες να επικοινωνήσουν, τόσο λιγότερες ήταν οι περιπτώσεις προδοσίας. Οι συγκεκριμένες διαπιστώσεις συνοψίζονται στον Πίνακα 11.2.

Ευάριθμες άλλες έρευνες διαπίστωσαν επίσης ότι η συνεργασία αυξάνεται ανάλογα με τον βαθμό επικοινωνίας.[18] Αυτή η τάση δεν μπορεί να εξηγηθεί από το μοντέλο του ατομικού συμφέροντος. Άλλωστε ο μη συναισθηματικός ορθολογιστής θεωρεί ότι το να δώσουμε μια υπόσχεση δεν σημαίνει ότι είναι και απαραίτητο να την τηρήσουμε. Αντιθέτως, η διάρθρωση των αμοιβών σ' αυτά τα πειράματα καταφανώς επιβάλλει την αθέτηση της υπόσχεσης.

Απεναντίας, το μοντέλο της δέσμευσης υποστηρίζει ότι οι αποφάσεις περί συνεργασίας δεν στηρίζονται στη λογική αλλά στο συναίσθημα. Όπως είδαμε στο Κεφάλαιο Επτά, το μοντέλο της δέσμευσης προτείνει μια βάση για τη σύνδεση μεταξύ επικοινωνίας και συνεργασίας. Η εξαπάτηση ενός αγνώστου και η εξαπάτηση κάποιου που έχουμε γνωρίσει προσωπικά, εάν τη δούμε κάτω από ορθολογικά κριτήρια, είναι το ίδιο ακριβώς πράγμα. Ωστόσο, με συναισθηματικά κριτήρια, είναι δυο πολύ διαφορετικά πράγματα. Η συζήτηση ενώπιος ενωπίω, ακόμα και εάν δεν σχετίζεται άμεσα με το ίδιο το παιγνίδι, μετατρέπει τους άλλους παίκτες, από αγνώστους, σε πραγματικούς ανθρώπους. Η συζήτηση περί του τι είναι «σωστό» να κάνουμε σε περιπτώσεις του τύπου του διλήμματος του φυλακισμένου ενεργοποιεί ακόμα περισ-

ΠΙΝΑΚΑΣ 11.2 *Ποσοστό προδοσίας των παικτών*

ΕΚΔΟΧΗ 1 (καμία επικοινωνία)	ΕΚΔΟΧΗ 2 (επικοινωνία περί ανέμων και υδάτων)	ΕΚΔΟΧΗ 3 (ανοικτή επικοινωνία)	ΕΚΔΟΧΗ 4 (ανοικτή επικοινωνία + υποσχέσεις)
73%	65%	26%	16%

Πηγή: Dawes κ.ά., 1977, σελ. 5

σότερο τα σχετικά συναισθήματα. Και οι ανοικτές υποσχέσεις συνεργασίας γεννούν ακόμα πιο υψηλά επίπεδα συναισθηματικής εμπλοκής.

Ούτως ή άλλως, δεν υπάρχει αμφιβολία ότι τα συναισθήματα έπαιξαν σημαντικό ρόλο στις επιλογές των παικτών. Όπως αναφέρουν οι Dawes κ.ά.:

> Ωστόσο ένα από τα πιο σημαντικά στοιχεία αυτής της έρευνας δεν εμφανίστηκε στην ανάλυση των δεδομένων. Και αυτό είναι η εξαιρετική σοβαρότητα με την οποία αντιμετωπίζουν το πρόβλημα οι παίκτες. Σχόλια του τύπου «Εάν προδώσεις την ομάδα μας, θα το κουβαλάς αυτό για όλη σου τη ζωή» ήταν αρκετά συχνά. Επίσης ήταν αρκετά συχνό φαινόμενο κάποιοι να θέλουν να φύγουν από την πίσω πόρτα για να μη δουν τα «καθίκια» που τους πρόδωσαν, να θυμώνουν πολύ με άλλους παίκτες ή να βάζουν τα κλάματα...
>
> Το επίπεδο της συγκίνησης ήταν τόσο υψηλό, που δεν είμαστε διατεθειμένοι [να πειραματιστούμε με τις ίδιες ομάδες] εξαιτίας της επίδρασης που μπορεί να έχει το παιγνίδι στα αισθήματα που αναπτύσσουν ο ένας για τον άλλο.[19]

Συνεπώς τα συναισθήματα για την προδοσία ήταν πολύ έντονα, παρότι η εχεμύθεια εμπόδιζε τους πάντες να μάθουν ποιοι ήταν οι πραγματικοί προδότες. Και μόνο η γνώση ότι κάποιος πρόδωσε συχνά δηλητηρίαζε την ατμόσφαιρα ολόκληρης της ομάδας.

Σε μια προκαταρκτική εκδοχή του πειράματός τους, οι Dawes κ.ά. είπαν σε μια ομάδα ότι, μετά το παιχνίδι, θα αποκάλυπταν τις επιλογές τους. Παρ' όλα αυτά, τρία άτομα πρόδωσαν και, όπως ήταν αναμενόμενο, οι υπόλοιποι εξαγριώθηκαν. Σ' αυτή την περίπτωση, οι αντιδράσεις των ανθρώπων, όπως ήταν φυσικό, είχαν συγκεκριμένο αποδέκτη:

> Οι τρεις προδότες έγιναν στόχος πολύ μεγάλης εχθρότητας («Δεν μπορείς να φανταστείς πόσο μου τη δίνεις», φώναξε ένας συνεργάτης πριν φύγει τρέχοντας από το δωμάτιο). Οι προδότες παρέμειναν στο δωμάτιο μέχρι να σιγουρευτούν ότι όλοι οι συνεργάτες είχαν φύγει.[20]

Τα πειράματα για τους τζαμπατζήδες δεν περιορίζονται σε τεχνητά παιχνίδια που παίζονται σε συνθήκες εργαστηρίου. Σε μια σημαντική παλαιότερη μελέτη, ο οικονομολόγος Peter Bohm πλήρωσε κάποιες ομάδες ατόμων για να συμμετάσχουν σ' αυτό που τους παρουσίασε ως έρευνα τηλεθέασης για το Τμήμα Έρευνας της Σουηδικής Τηλεόρασης (το σουηδικό αντίστοιχο του BBC).[21] Οι ομάδες ήρθαν στο τηλεοπτικό στούντιο για να δούνε μια εκπομπή-πιλότο ενός προγράμματος που είχαν κάνει δύο γνωστοί Σουηδοί κωμικοί. Τους είπαν ότι η τηλεοπτική εταιρεία ήθελε να μάθει τη γνώμη του κόσμου για το σόου, για να μπορέσει να καθορίσει κατά πόσο τα έσοδα από το καλωδιακό κύκλωμα θα κάλυπταν το κόστος παραγωγής. Αφού οι ομάδες παρακολούθησαν την ταινία, τους ζητήθηκε να αναφέρουν το μέγιστο ποσό που θα διέθεταν για να έχουν λήψη του προγράμματος.

Οι δυο παραλλαγές που μας ενδιαφέρουν εδώ είναι: (1) μία ομάδα ατόμων που τους είπαν ότι η εταιρεία θα χρέωνε πράγματι το ποσό που θα της έλεγαν, και συνεπώς ήξεραν ότι αυτό θα πλήρωναν και οι ίδιοι στην περίπτωση που θα ήθελαν να βλέπουν το πρόγραμμα, και (2) μια άλλη ομάδα στην οποία είπαν ότι το συγκεκριμένο πρόγραμμα επιχορηγείται και ότι η τιμή για τη λήψη του δεν θα καθοριστεί από την τιμή που θα δώσουν οι ίδιοι. Σύμφωνα με αυτά τα δεδομένα, η πρόβλεψη της θεωρίας του τζαμπατζή είναι σαφής: Η πρώτη ομάδα θα πρέπει να αναφέρει πολύ χαμηλότερη τιμή και η δεύτερη πολύ υψηλότερη από εκείνην που πραγματικά θα ήταν πρόθυμες να πληρώσουν.

Κι ωστόσο ο Bohm δεν διαπίστωσε καμία σοβαρή απόκλιση μεταξύ των δύο ομάδων. Παρατήρησε ότι τα μέλη και των δύο ομάδων έδειχναν να έχουν πάρει πολύ σοβαρά τον ρόλο τους και μάλλον πίστευαν ότι «μια οικονομική εκτίμηση των τηλεοπτικών προγραμμάτων ήταν σημαντική πληροφορία για την απόφαση που θα έπαιρνε η εταιρεία».[22] Αντίθετα με τις προβλέψεις του μοντέλου του ατομικού συμφέροντος, οι ομάδες έκαναν καταφανώς μια έντιμη προσπάθεια να δώσουν αυτή την πληροφορία.

Στα πειράματα αυτά, τα συναισθήματα που οδηγούν τους ανθρώπους στη συνεργασία μειώνουν σαφώς τα υλικά τους οφέλη. Το μοντέλο της δέσμευσης ωστόσο προτείνει ότι οι άνθρωποι με τέτοια συναισθήματα μπορούν, παρ' όλα αυτά, να δημιουργήσουν μια δική τους ειδική εστία, ακόμα και σε έναν αυστηρά ανταγωνιστικό υλικό κόσμο.

Οι οικονομολόγοι ως τζαμπατζήδες

Αξίζει να σημειωθεί ότι σ' αυτή την απέραντη πειραματική βιβλιογραφία, η μοναδική ομάδα που επαληθεύει, έστω και ελάχιστα, τη θεωρία του τζαμπατζή είναι μια ομάδα αποφοίτων των οικονομικών σχολών. Οι Marwell και Ames, σε κάποια πειράματα που στη βασική τους δομή μοιάζουν με εκείνα που διεξήγαγαν οι Dawes κ.ά., ανακάλυψαν ότι οι φοιτητές των οικονομικών σχολών είχαν πολύ μεγαλύτερες πιθανότητες να προδώσουν απ' ό,τι κάθε άλλη ομάδα που μελέτησαν.[23] Αυτή η διαπίστωση συμφωνεί με το συμπέρασμα των Kahnemen κ.ά.[24] ότι οι φοιτητές των εμπορικών σχολών έχουν πολύ περισσότερες πιθανότητες από τους φοιτητές της ψυχολογίας να κάνουν άδικες προσφορές σε παιχνίδια τελεσιγραφικής διαπραγμάτευσης (Βλέπε Κεφάλαιο Εννέα).

Αυτοί οι συγγραφείς δεν είναι οι μόνοι που παρατήρησαν ότι οι οικονομολόγοι συμπεριφέρονται διαφορετικά. Προσέξτε αυτό το σύντομο παράθεμα από ένα πρόσφατο τεύχος του περιοδικού *The Chronicle of Higher Education*:

> Τα τελευταία 200 χρόνια, οι οικονομολόγοι έκαναν μεγάλες προόδους στην περιγραφή της λειτουργίας της οικονομίας, αλλά ο κόσμος δεν τους εμπιστεύεται περισσότερο απ' όσο τους εμπιστευόταν πριν από έναν αιώνα, είπε ο Robert M. Solow, καθηγητής της οικονομίας στο MIT, σε μια ομιλία του για τα εκατό χρόνια της Αμερικάνικης Ένωσης Οικονομολόγων.
>
> Το 1879, είπε ο κύριος Solow, ο Francis Amasa Walker, ένας οικονομολόγος που αργότερα εκλέχθηκε πρώτος πρόεδρος της Ένωσης, έγραψε ένα δοκίμιο με θέμα το «γιατί οι κανονικοί άνθρωποι δεν έχουν σε υπόληψη τους οικονομολόγους».
>
> Οι οικονομολόγοι, ισχυριζόταν ο Walker, παραγνωρίζουν τις σημαντικές εθνικές διαφορές στη νομοθεσία, τις παραδόσεις και τους θεσμούς, που επηρεάζουν τις οικονομικές υποθέσεις. Αγνοούν επίσης τα έθιμα και τις πεποιθήσεις που δένουν τους ανθρώπους με τη δουλειά και τον τόπο τους, και που τους οδηγούν σε συμπεριφορές που είναι αντίθετες με τις προβλέψεις της οικονομικής θεωρίας.
>
> Ο Walker, παρατήρησε εύστοχα ο κύριος Solow, θα μπορούσε να μιλάει για τους οικονομολόγους της δεκαετίας του 1980.[25]

Γιατί όμως οι οικονομολόγοι είναι τόσο διαφορετικοί; Δύο είναι οι πιθανές εξηγήσεις. Η μία είναι ότι οι φοιτητές των οικονομικών σχολών δεν διαφέρουν από τους υπόλοιπους φοιτητές, αλλά η οικονομική θεωρία τούς κάνει να σκέφτονται ότι πρέπει πάντα να προσπαθούν να επιτύχουν το μεγαλύτερο υλικό κέρδος. Οι υλιστικές θεωρίες εν τέλει έχουν μια ακαταμάχητη λογική και η παρατεταμένη έκθεση σ' αυτές τις κάνει πειστικές. Σύμφωνα με μία από τις πλέον επιεικείς ερμηνείες αυτής της άποψης, τα πειράματα με τους τζαμπατζήδες δεν είναι παρά μια διανοητική άσκηση –κάτι σαν τεστ νοημοσύνης– στην οποία ο φοιτητής των οικονομικών ψάχνει να βρει τη «σωστή» απάντηση. Όποια συναισθήματα κι αν έχουν εκ του φυσικού τους οι φοιτητές των οικονομικών, τα απενεργοποιούν σ' αυτές τις καταστάσεις. Από μια διαφορετική και λιγότερο γενναιόδωρη σκοπιά, ίσως αυτή η παρατεταμένη έκθεση στις υλιστικές θεωρίες να εξαλείφει την παρόρμηση για συνεργασία, όχι μόνο στα εργαστηριακά πειράματα, αλλά και στις υπόλοιπες περιστάσεις.

Μια άλλη πιθανότητα είναι οι οικονομολόγοι να ανήκουν εξαρχής σε έναν ειδικό τύπο ανθρώπων. Εάν κάποιοι άνθρωποι στον κόσμο είναι από τη φύση τους πολύ πιο υλιστές, πολύ πιο ψυχροί συναισθηματικά από τους υπόλοιπους, είναι εύκολο να σκεφτούμε ότι πολλοί από αυτούς έλκονται από τις θεωρίες των οικονομικών. (Κάποιος είπε κάποτε για έναν φίλο του οικονομολόγο: «Ήθελε να γίνει λογιστής, αλλά δεν είχε αρκετή ψυχή».) Η δική μου εντύπωση είναι ότι και οι δύο παράγοντες παίζουν ρόλο. Πολλοί από τους φοιτητές που ενθουσιάζονται με τα μαθήματα εισαγωγής στην οικονομία είναι πράγματι κάπως διαφορετικοί. Υπάρχουν επίσης πολλά αποδεικτικά στοιχεία ότι οι περισσότεροι άνθρωποι, οικονομολόγοι και μη, νιώθουν άσχημα όταν η συμπεριφορά τους δεν είναι συνεπής με τις πεποιθήσεις τους. Δεν είναι λοιπόν περίεργο αν αυτή η συνέπεια κάνει κάποιες φορές τους οικονομολόγους να αλλάξουν τις προδιαθέσεις τους. Τα οικονομικά, όπως και όλες οι άλλες επιστήμες, έχουν όλα τα διακριτικά μιας ξεχωριστής κουλτούρας· και όπως οι υπόλοιπες κουλτούρες, έχουν τη δυνατότητα να ενσταλάξουν και πεποιθήσεις. Η δυσκολία που αντιμετωπίζουν οι οικονομολόγοι είναι ότι οι δικές τους αξίες και πεποιθήσεις πολύ συχνά έρχονται σε σύγκρουση με εκείνες που ασπάζονται οι υπόλοιποι άνθρωποι.

Σκίτσο του Ed Arno: © 1974 The New Yorker Magazine, Inc.
«Να σου συστήσω τον Μάρτυ Θόρντεκερ. Μπορεί να είναι οικονομολόγος,
αλλά είναι πολύ καλό παιδί».

Το μοντέλο της δέσμευσης προσφέρει στους οικονομολόγους έ-
ναν εναλλακτικό δρόμο για τον περιορισμό της ασυνέπειας, έναν δρό-
μο που απαιτεί από αυτούς να αλλάξουν μόνον τα επιφανειακά στοι-
χεία της συγκρότησης των πιστεύω τους. Τους καθιστά σαφές ότι οι
πράξεις που βασίζονται στα συναισθήματα δεν είναι οπωσδήποτε ζη-
μιογόνες από υλική πλευρά, παρ' όλο το κόστος που συνεπάγονται σε
κάθε συγκεκριμένη περίπτωση. Όπως είδαμε στο Κεφάλαιο Τρία, έ-
να άτομο που είναι γνωστό ότι αποφεύγει το ατομικό συμφέρον έχει
κάποιες ευκαιρίες που ο αμιγής ορθολογιστής δεν έχει, παρότι σε κά-
θε ανταλλαγή δεν κερδίζει όσα θα κέρδιζε ο αμιγής ορθολογιστής. Το
πρόβλημα του ορθολογιστή, το οποίο υποτιμά συνεχώς το μοντέλο
του ατομικού συμφέροντος, είναι ότι συνήθως τον αποκλείουν από
πολλές επικερδείς ανταλλαγές.

Το ατομικό συμφέρον και η ψήφος

Το μοντέλο του ατομικού συμφέροντος δεν έχει διεισδύσει μόνο στην ψυχολογία και την κοινωνιολογία, αλλά και στις πολιτικές επιστήμες. Πολλοί μελετητές ισχυρίζονται ότι οι ψηφοφόροι υπολογίζουν κατά πόσο το κάθε κόμμα ή ο κάθε υποψήφιος θα επηρεάσει τα υλικά τους συμφέροντα και μετά ψηφίζουν αυτόν που τους συμφέρει περισσότερο.[26] Κάποιοι άλλοι θεωρούν πιθανή μια λιγότερο περίπλοκη διαδικασία, σύμφωνα με την οποία οι ψηφοφόροι αναλογίζονται τις επιπτώσεις που είχε πάνω τους η πολιτική των κρατούντων και ανάλογα τους επανεκλέγουν ή δεν τους επανεκλέγουν.[27] Και οι δύο απόψεις υποστηρίζουν ότι η ψήφος επηρεάζεται πιο πολύ όταν διακυβεύονται σημαντικά υλικά συμφέροντα.

Κάποιες από αυτές τις υποθέσεις είναι βάσιμες. Η πατροπαράδοτη πολιτική σύνεση, συνεπικουρούμενη και από εμπειρικές μελέτες,[28] μας λέει ότι οι κρατούντες υφίστανται πράγματι ζημιά μετά από σοβαρές οικονομικές κρίσεις. Πολλές όμως από τις υπόλοιπες προβλέψεις δεν είναι το ίδιο βάσιμες. Διαπιστώθηκε, φέρ' ειπείν, ότι το ατομικό συμφέρον επηρεάζει ελάχιστα τις απόψεις και την ψήφο σε θέματα όπως τα ίσα δικαιώματα, ο πόλεμος του Βιετνάμ και η ενεργειακή κρίση.[29] Στα συμπεράσματα μιας προσεκτικής ποσοτικής έρευνας των κινήτρων της ψήφου, οι πολιτικοί επιστήμονες David Sears, Richard Lau, Tom Tyler και Harris Allen αναφέρουν:

> Αυτό που μπορούμε να πούμε με βεβαιότητα είναι ότι οι συμβολικές αναφορές και οι πολιτικές επιλογές δεν επηρεάζονται από την τρέχουσα προσωπική κατάσταση του ατόμου, ακόμα και όταν συνεπάγονται εντυπωσιακά φαινόμενα, όπως η προσωπική ανεργία, η απειλή καταστροφικών ιατρικών εξόδων, η μεταφορά του παιδιού μας με σχολικό σε κάποιο μακρινό μειονοτικό σχολείο.[30]

Ίσως το σημαντικότερο πρόβλημα που έχει να αντιμετωπίσει το μοντέλο του ατομικού συμφέροντος στον τομέα της πολιτικής είναι η ίδια η πράξη της ψήφου. Είναι σχεδόν βέβαιο ότι η ψήφος ενός ατόμου δεν επηρεάζει ποτέ το αποτέλεσμα των εθνικών εκλογών. Το ατομικό συμφέρον μάς υπαγορεύει να περάσουμε τη μέρα «λουφάροντας» στο σπιτάκι μας. Η συνηθισμένη ένσταση που λέει «Αλλά τι θα συνέβαινε εάν όλοι όσοι προτιμούν τον υποψήφιο που υποστηρίζεις έκαναν το ίδιο πράγμα;» δεν λαμβάνει υπόψη της το ζήτημα του κινήτρου: Εάν όλοι οι υποστηρικτές του υποψηφίου που υποστηρίζω έμεναν σπιτάκι τους, η ψήφος μου δεν θα είχε νόημα ούτως ή άλλως. Το ότι πηγαίνω στην κάλπη δεν επηρεάζει τον αριθμό των άλλων ανθρώπων που ψηφίζουν. Και ωστόσο ο κόσμος πηγαίνει στα εκλογικά κέντρα κατά δεκάδες εκατομμύρια κάθε φορά που γίνονται εκλογές και συχνά ξεβολεύεται και χάνει πολύ χρόνο, συνήθως μάλιστα μέσα στην κακοκαιρία του Νοέμβρη.

Οι ορθολογιστές διατείνονται ότι η συμμετοχή στις εκλογές είναι πολύ πιο πιθανή όταν το αναμενόμενο αποτέλεσμα είναι αμφίρροπο.[31] Ο πολιτικός φιλόσοφος Brian Barry αναφέρει ωστόσο ότι αυτό που εξηγεί τις περισσότερες διαφορές στη συμπεριφορά των ψηφοφόρων είναι ένας δείκτης *εκλογικού καθήκοντος*, ενώ το αμφίρροπο αποτέλεσμα εξηγεί ελάχιστες.[32] Ακόμα κι εκείνοι που πραγματικά ψηφίζουν σε αμφίρροπες εκλογικές αναμετρήσεις δεν ενεργούν με ορθολογικά κριτήρια, αφού ακόμα και οι πιο αμφίρροπες εθνικές εκλογές είναι απολύτως βέβαιο ότι δεν θα κριθούν από μία ψήφο.

Ο πολιτικός επιστήμονας Anthony Downs, στο *σημαντικό έργο* του *An Economic Theory of Democracy*, αναγνωρίζει αυτό το πρόβλημα και θεωρεί ότι κάθε πολίτης «είναι πρόθυμος να επωμισθεί κάποιο βραχυπρόθεσμο κόστος για να συνεισφέρει στην επίτευξη μακροπρόθεσμου οφέλους».[33] *Να συνεισφέρει;* Όπως επισημαίνει ο Brian Barry, αυτό δεν είναι *ορθολογική* εξήγηση της αιτίας που οι άνθρωποι ψηφίζουν. Σύμφωνα με το ορθολογικό μοντέλο, τα μακροπρόθεσμα οφέλη προκύπτουν (ή δεν προκύπτουν) ανεξάρτητα από τις πράξεις κάποιου ατόμου. Ο Downs επιβεβαιώνει απλώς ότι ο ψηφοφόρος δεν είναι τζαμπατζής. Η πρόκληση που τίθεται στο μοντέλο του ατομικού συμφέροντος είναι να μας εξηγήσει το *γιατί*.

Οι περισσότερες δημοκρατικές κουλτούρες διδάσκουν ότι η ψήφος είναι καθήκον. Το μοντέλο της δέσμευσης υποστηρίζει ότι ίσως υπάρχουν πραγματικά υλικά οφέλη για όποιον έχει τη φήμη ότι είναι ο τύπος του ανθρώπου που εκπληρώνει τα καθήκοντά του. Επιπλέον υποστηρίζει ότι ο πιο σίγουρος τρόπος για να αποκτήσεις τη φήμη τέτοιου ανθρώπου είναι να *είσαι* τέτοιος άνθρωπος.

Όταν διακυβεύονται σοβαρά ζητήματα

Ίσως κάποιος σκληροπυρηνικός ορθολογιστής να παραδεχτεί με τα πολλά ότι μπορεί οι άνθρωποι να μην επιδιώκουν πάντα το ατομικό τους συμφέρον, αλλά μόνον όταν το κόστος είναι μηδαμινό. Η ψήφος, οι οδηγίες για κάποια οδό, η επιστροφή πορτοφολιών που περιέχουν μικρά χρηματικά ποσά, η συνεργασία σε παιγνίδια τζαμπατζή – όλα αυτά είναι βεβαίως αντίθετα προς το ατομικό συμφέρον, αλλά το κόστος που ενέχει η καθεμιά από αυτές τις περιπτώσεις είναι ελάχιστο.* Στην παρατήρηση ότι οι άνθρωποι ορισμένες φορές διακινδυνεύουν τη ζωή τους για να σώσουν αγνώστους, ο ορθολογιστής απαντά ότι αυτή η συμπεριφορά δεν είναι αντιπροσωπευτική: Υπάρχουν πράγματι περιπτώσεις ηρωισμού, αλλά αυτό δεν σημαίνει ότι οι περισσότεροι άνθρωποι θα ενεργούσαν ηρωικά σε παρόμοιες συνθήκες. Ο ορθολογιστής ισχυρίζεται ότι, όταν διακυβεύονται σοβαρά ζητήματα, οι άνθρωποι αντιδρούν με τους προβλεπόμενους εγωιστικούς τρόπους. Σύμφωνα μ' αυτή την άποψη, το μοντέλο του ατομικού συμφέροντος θεωρεί ότι οι περιπτώσεις μη ιδιοτελούς συμπεριφοράς είναι μια επουσιώδης παρέκκλιση και τίποτα περισσότερο.

Επειδή οι καταστάσεις που προκαλούν την ηρωική συμπεριφορά είναι από τη φύση τους πολύ σπάνιες, αυτή η εκδοχή της ορθολογικής θέσης είναι δύσκολο να υποβληθεί σε έλεγχο. Παρ' όλα αυτά, υπάρχει μια έρευνα που τις εξετάζει έστω και εμμέσως: ένα πείραμα στο οποίο ο κοινωνιολόγος Shalom Schwartz επιχείρησε να στρατολογήσει ανθρώπους για να γίνουν δότες μυελού των οστών.[35]

Ο Schwartz απευθύνθηκε σε αιμοδότες και η πρώτη προσέγγισή τους έγινε από κάποιαν ερευνήτρια τη στιγμή που ξεκουράζονταν στην αίθουσα του Ερυθρού Σταυρού, αφού είχαν δώσει ένα λίτρο αίματος. Η ερευνήτρια αυτοσυστήθηκε λέγοντας ότι ασχολείται με την κοινωνιολογία της ιατρικής στο Πανεπιστήμιο του Ουισκόνσιν και ότι απευθυνόταν σε όλους τους αιμοδότες εκείνης της μέρας. Περισσότεροι από το 80% των αιμοδοτών αποδέχθηκαν το αρ-

---

* Ο Γερμανός φιλόσοφος Hartmut Kliemt (1987) ανέπτυξε όντως μια θεωρία που προβλέπει συστηματικές παρεκκλίσεις από το ατομικό συμφέρον όταν οι ηθικοί κανόνες ικανοποιούνται με ελάχιστο κόστος.

χικό της αίτημα, που ήταν να διαθέσουν 15 έως 20 λεπτά μιλώντας μαζί της.

Στην αρχή της συζήτησης με κάθε αιμοδότη, η ερευνήτρια κατέγραφε πληροφορίες για το ιστορικό του και ζητούσε την άδειά του για να γίνουν κάποιες ειδικές εξετάσεις σ' ένα δείγμα του αίματος που μόλις είχε δώσει. Πριν όμως πάρει απάντηση σ' αυτή την παράκληση, άρχισε να δίνει την ακόλουθη εξήγηση:

Συνεργάζομαι με μια ομάδα στο νοσοκομείο UW που κάνει μεταμοσχεύσεις μυελού των οστών. Ο μυελός των οστών είναι η μαλακή ουσία που παράγει νέο αίμα. Σε ασθένειες του αίματος όπως η λευχαιμία, ο μυελός των οστών παράγει έναν εξαιρετικά μεγάλο αριθμό λευκών αιμοσφαιρίων. Ακόμα κι αν γίνει η καλύτερη φαρμακοθεραπεία, τελικά φτάνουμε στο σημείο που ο ασθενής δεν έχει πιθανότητα να ε- πιζήσει πάνω από μερικούς μήνες. Σήμερα, σ' αυτές τις περιπτώσεις, προσπαθούμε να αντικαταστήσουμε τον άρρωστο μυελό με μεταμόσχευση υγιούς μυελού. Αυτή η μέθοδος είναι κάπως πειραματική, είναι όμως πολύ σημαντική, μια και, διαφορετικά, οι ασθενείς δεν έχουν καμιά ελπίδα. Η μεταμόσχευση είναι σαν μια μετάγγιση αίματος. Ο μυελός εξάγεται από τα οστά της λεκάνης του δωρητή και αργότερα εισάγεται ενέσιμα στον λήπτη. Αυτή η διαδικασία προξενεί στον δω- ρητή κάποιον πόνο στη λεκάνη για μερικές μέρες, αλλά δεν υπάρχουν μόνιμες επιπτώσεις, επειδή το σώμα γρήγορα αναπληρώνει το απόθε- μα του μυελού των οστών. Τώρα πια έχουμε τελειοποιήσει τη διαδι- κασία, ώστε να μην υπάρχει σχεδόν κανένας κίνδυνος για τον δωρη- τή. Ο δότης μπαίνει στο νοσοκομείο το βράδυ· νωρίς το επόμενο πρωί, ο μυελός αφαιρείται με γενική αναισθησία και ο δότης μπορεί να βγει από το νοσοκομείο το ίδιο απόγευμα. Το μεγαλύτερο πρόβλημα είναι να ταιριάξει ο μυελός του δωρητή με τον μυελό του λήπτη, ώστε να μην αποβληθεί το μόσχευμα. Συνήθως οι δωρητές είναι μέλη της οικο- γένειας του ασθενούς, επειδή το αίμα τους και άλλα χαρακτηριστικά στοιχεία ταιριάζουν πιο πολύ με αυτά του λήπτη.[36]

Στη συνέχεια η ερευνήτρια τους έδινε μία από τις εξής τρεις πε- ριγραφές της κλινικής κατάστασης κάποιου ασθενούς: Η πρώτη περι- γραφή ανέφερε μόνον ότι στο νοσοκομείο νοσηλευόταν «μια τριαντά- χρονη γυναίκα που πιθανόν να βοηθηθεί από τη μεταμόσχευση, αλλά δεν υπάρχει κατάλληλος δότης στην οικογένειά της». Η δεύτερη ανέφερε ακριβώς τα ίδια, αντί όμως να αναφέρει «μια τριαντάχρονη γυναίκα που πιθανόν να βοηθηθεί», έλεγε «μια νεαρή μητέρα που χρειάζεται μεταμόσχευση». Η τρίτη περιγραφή άρχιζε όπως ακριβώς και η δεύτερη, αλλά είχε και την ακόλουθη συναισθηματική προσθήκη: «Εάν δεν βρεθεί το κατάλληλο μόσχευμα, δεν υπάρχει περίπτωση να σωθεί αυτή η γυναίκα. Και βεβαίως η απώλειά της μητέρας θα είναι τραγική για τα παιδιά της, που θα υποστούν το συναισθηματικό σοκ και θα αντιμετωπίσουν όλες τις δυσκολίες που υφίσταται κάθε παιδί που μεγαλώνει χωρίς τη μητέρα του».

Τα 144 άτομα που έλαβαν μέρος στο πείραμα του Schwartz ήταν κυρίως άντρες (76%) και ως επί το πλείστον παντρεμένοι (78%). Αφού τους έδωσαν όλες τις πληροφορίες για το ιστορικό τους, τους ρώτησαν εάν τους δίνουν την άδεια να κάνουν στο αίμα τους τις ειδικές εξετάσεις. Η ερευνήτρια τους εξήγησε ότι, εάν έδιναν την άδεια για εξέταση, αυτό δεν σήμαινε ότι θα είχαν καμία επιπλέον δέσμευση. Μόνον ένα 5% απάντησε αρνητικά σ' αυτό το στάδιο. Στο 95% που συμφώνησε, η ερευνήτρια συνέχισε την ενημέρωση λέγοντας ότι οι εξετάσεις αυτές ήταν πολύ πολύπλοκες και ακριβές, και ότι το νοσοκομείο δεν θα ήθελε να προχωρήσει σ' αυτή τη διαδικασία παρά μόνον εφόσον ο πιθανός δότης πίστευε ότι υπάρχει μια 50-50 πιθανότητα να δωρίσει τον μυελό του, εάν οι εξετάσεις έδειχναν ότι είναι συμβατός. Μόνον το 12% αρνήθηκε να αποδεχθεί αυτή τη δέσμευση. Σε κάθε στάδιο εκείνοι που αρνούνταν ήταν συνήθως εκείνοι που είχαν ακούσει τη λιγότερο λεπτομερειακή περιγραφή της ανάγκης της ασθενούς.

Είναι εύλογο να προσπαθήσουμε να εξηγήσουμε το υψηλό ποσοστό των εθελοντών με το επιχείρημα ότι οι αιμοδότες είναι πολύ διαφορετικοί από τους άλλους ανθρώπους. Η αλήθεια όμως είναι ότι πολλοί από μας, σε κάποια στιγμή, γινόμαστε αιμοδότες. Ο Schwartz αναφέρει ότι δεν υπήρχε σχέση ανάμεσα στο πόσο συχνά ένα άτομο είχε δώσει αίμα στο παρελθόν και την πιθανότητα να δεχτεί να γίνουν οι εξετάσεις. Επιπλέον υπάρχουν όλες οι ενδείξεις ότι οι πιθανοί δότες είχαν πάρει πολύ σοβαρά τη δέσμευσή τους. Συχνά «ζύγιαζαν τα υπέρ και τα κατά για 10-15 λεπτά, ενώ η ερευνήτρια περίμενε τις απαντήσεις τους· ανέφεραν στην ερευνήτρια διάφορα είδη κόστους και στις επόμενες εβδομάδες ζητούσαν κοινωνική επιβεβαίω-

ση για το αν είχαν υπολογίσει σωστά το κόστος όταν πήραν την α-
πόφασή τους».[37]

Σύμφωνα με κάθε λογική, το να υποστείς γενική αναισθησία, να
σου τρυπήσουν τα κόκαλα και να σου πάρουν μεδούλι δεν είναι διό-
λου ασήμαντη θυσία. Ο πιθανός λήπτης δεν είχε συγγενική σχέση μ'
αυτούς τους ανθρώπους, για την ακρίβεια ούτε καν τους γνώριζε.
Παρ' όλα αυτά, ένας σημαντικός αριθμός κοινών ανθρώπων προ-
σφέρθηκαν να γίνουν δότες.

Είναι δίκαιο να συμπεράνουμε ότι η μελέτη του Schwartz δεν
παρέχει καμία απολύτως στήριξη στην προσφιλή θέση των ορθολογι-
στών: Ακόμα και μεταξύ των κοινών, μη ηρωικών ανθρώπων, η αλ-
τρουιστική συμπεριφορά είναι προφανές ότι δεν περιορίζεται σε πε-
ριπτώσεις στις οποίες το κόστος είναι μηδαμινό. Για τον Schwartz, τα
υψηλά ποσοστά των εθελοντών «δεν ήταν αναμενόμενα». Για τον
σκληροπυρηνικό ορθολογιστή θα πρέπει να είναι μάλλον συνταρα-
κτικά.

Υπάρχει αλτρουιστική προσωπικότητα;

Το αν υπάρχουν σταθερά γνωρίσματα προσωπικότητας ήταν για πο-
λύ καιρό ένα επίμαχο θέμα στην ψυχολογία. Ο Walter Mischel[38] ι-
σχυριζόταν ότι δεν υπάρχουν τέτοια γνωρίσματα, ότι η συμπεριφορά
των ανθρώπων είναι ανάλογη με την περίσταση. Κανείς τώρα πια δεν
αμφισβητεί ότι οι περιστάσεις παίζουν ρόλο. Όπως είδαμε κατ' επα-
νάληψη, ακόμα και οι πιο απλοί πειραματικοί χειρισμοί μπορούν να
επηρεάσουν πολύ τη συμπεριφορά. Κι ωστόσο όλο και περισσότεροι
ψυχολόγοι συμφωνούν ότι υπάρχουν γενικά πρότυπα συμπεριφοράς
– ότι, σε ένα μεγάλο φάσμα περιπτώσεων, μερικοί άνθρωποι έχουν με-
γαλύτερη προδιάθεση από κάποιους άλλους να αντιδράσουν με συ-
γκεκριμένους τρόπους.

Είναι κάποιοι άνθρωποι πιο αλτρουιστές από άλλους; Ο κοι-
νωνιολόγος J. Philippe Rushton, στο βιβλίο του *Altruism, Socialization,
and Society* (1980), ισχυρίζεται ότι αυτό είναι απολύτως βέβαιο. Πα-
ρατηρεί καταρχάς ότι ανεξάρτητοι παρατηρητές συμφωνούν σε με-
γάλο βαθμό για το πόσο αλτρουιστής είναι κάποιος. Αυτές οι προσω-

πικές εκτιμήσεις είναι επίσης πολύ συνεπείς με τα αποτελέσματα ψυ-
χολογικών τεστ που έχουν σχεδιαστεί για να μετρήσουν τις αλτρουι-
στικές τάσεις. Και έχει αποδειχθεί ότι όλες αυτές οι εκτιμήσεις κάνουν
έγκυρες προβλέψεις: Μπορούν να αναγνωρίσουν τα παιδιά που έχουν
μεγαλύτερη πιθανότητα να μοιραστούν τις καραμέλες τους με άλλα
παιδιά, τους ενήλικες που είναι πιθανό να κάνουν δωρεές σε φιλαν-
θρωπικά ιδρύματα, να βοηθήσουν κάποιον που βρίσκεται σε δύσκο-
λη θέση και ούτω καθεξής.

Ο Rushton παρατηρεί ότι το άτομο που παίρνει μεγάλο βαθμό
στον δείκτη αλτρουισμού παρουσιάζει συνήθως και άλλες ειδικές δια-
φορές:

> ... δείχνει μεγαλύτερη κατανόηση για τα αισθήματα και τα βάσανα
> των άλλων και μπορεί να δει τον κόσμο μέσ' από τα δικά τους συναι-
> σθήματα και κίνητρα ... Οι αλτρουιστές συμπεριφέρονται επίσης συ-
> στηματικά πιο τίμια, πιο επίμονα και με μεγαλύτερο αυτοέλεγχο ...
> Επιπλέον ο συνεπής αλτρουιστής είναι πιθανόν να έχει μια συγκρο-
> τημένη προσωπικότητα, έντονο αίσθημα προσωπικής επάρκειας και
> ευεξίας, και αυτό που γενικά αποκαλούμε «συγκρότηση».[39]

Ο Rushton αναφέρει επίσης ότι, ενώ πολυάριθμες μελέτες προ-
σπάθησαν να βρουν κάποιο σύνδεσμο μεταξύ αλτρουισμού και νοη-
μοσύνης, δεν έχει βρεθεί σταθερή σχέση. Οι αλτρουιστές ωστόσο μοιά-
ζουν να τα πηγαίνουν καλύτερα από οικονομικής απόψεως: Οι πειρα-
ματικές έρευνες διαπιστώνουν σταθερά ότι η αλτρουιστική συμπερι-
φορά σχετίζεται θετικά με την κοινωνικοοικονομική θέση.[40] Βεβαίως
αυτό δεν σημαίνει ότι η αλτρουιστική συμπεριφορά είναι αναγκαστικά
η αιτία της οικονομικής επιτυχίας. Σημαίνει ωστόσο ότι μια αλτρουι-
στική στάση δεν είναι ιδιαίτερα επιβαρυντική στον υλικό τομέα.

Όλες αυτές οι διαπιστώσεις είναι, σε γενικές γραμμές, σύμφω-
νες με την ερμηνεία του αλτρουισμού που δίνει το μοντέλο της δέ-
σμευσης. Ας θυμηθούμε από το Κεφάλαιο Τρία ότι σ' έναν κόσμο ό-
που όλοι οι άνθρωποι θα ήταν εξίσου αλτρουιστές, δεν θα συνέφερε
το κόστος εξακρίβωσης της αξιοπιστίας του άλλου. Σ' έναν τέτοιο κό-
σμο, οι μη αλτρουιστές πολύ σύντομα θα κέρδιζαν έδαφος. Το μοντέ-
λο προβλέπει ότι το μόνο σταθερό αποτέλεσμα είναι ένα μείγμα από

περισσότερο και λιγότερο αλτρουιστές. Τα στοιχεία του Rushton επιβεβαιώνουν τη συνηθισμένη εντύπωση ότι έτσι ακριβώς είναι ο κόσμος μας.

Το μοντέλο της δέσμευσης προβλέπει επίσης ότι το πεδίο της αλτρουιστικής συμπεριφοράς είναι το συναισθηματικό και όχι το γνωστικό. Αυτό, ας θυμηθούμε, ήταν το καθοριστικό βήμα για την επίλυση του θέματος της δέσμευσης. Όλα τα στοιχεία που εξετάσαμε υποστηρίζουν αυτή την πρόβλεψη. Οι αλτρουιστές δεν είναι ούτε περισσότερο ούτε λιγότερο λογικοί από τους μη αλτρουιστές. Απλώς επιδιώκουν διαφορετικά πράγματα.

ΚΕΦΑΛΑΙΟ ΔΩΔΕΚΑ

ΣΤΟΧΑΣΜΟΙ

Οι ΑΠΟΨΕΙΣ περί της ανθρώπινης φύσεως έχουν σημαντικές πρακτικές συνέπειες. Επηρεάζουν την εξωτερική πολιτική, τον σχεδιασμό και το εύρος των νομοθετικών ρυθμίσεων και τη διάρθρωση της φορολογίας. Διαμορφώνουν τις στρατηγικές των εταιρειών για την αποφυγή απεργιών, για τις διαπραγματεύσεις με τα συνδικάτα και για τον καθορισμό των τιμών. Στην προσωπική μας ζωή, επηρεάζουν τον τρόπο επιλογής των συντρόφων και της εργασίας μας, ακόμα και τον τρόπο που ξοδεύουμε τα εισοδήματά μας.

Και κυρίως οι πεποιθήσεις μας για την ανθρώπινη φύση συμβάλλουν στη διαμόρφωση της ίδιας της ανθρώπινης φύσης. Όπως τονίζουν οι επικριτές των υλιστικών θεωριών, είμαστε τα πιο εύπλαστα πλάσματα της Γης. Έχουμε όμως και τα όριά μας. Οι ιδέες μας σχετικά με τα όρια των ανθρώπινων δυνατοτήτων καθορίζουν αυτό που φιλοδοξούμε να γίνουμε. Και καθορίζουν επίσης αυτά που διδάσκουμε στα παιδιά μας, τόσο στο σπίτι, όσο και στα σχολεία.

Τα μοντέλα της δέσμευσης και του ατομικού συμφέροντος δίνουν δύο τελείως διαφορετικές εικόνες για την ανθρώπινη φύση, καθώς και για τις συνέπειες που έχει στην υλική ευημερία. Είδαμε ότι οι άνθρωποι που αγαπούν, που αισθάνονται ενοχές όταν εξαπατούν, εκδικητικά αισθήματα όταν τους κάνουν κακό, ή φθόνο όταν παίρνουν λιγότερα απ' όσα δικαιούνται συχνά συμπεριφέρονται με τρόπους που μειώνουν τις υλικές τους απολαβές. Εντούτοις, για τον ίδιο ακριβώς λόγο, έχουν και ευκαιρίες που δεν παρουσιάζονται ποτέ σε κάποιον αμιγή καιροσκόπο. Σε πολλές περιπτώσεις, ένα άτομο ή μια κοινωνία που τα γνωρίζει όλα αυτά κάνει καλύτερες επιλογές από το άτομο ή την κοινωνία που ξέρει μόνον την παράδοση του ατομικού συμφέροντος.

Το εργασιακό λουφάρισμα

Στον εργασιακό χώρο, όπως και σε άλλους τομείς της ζωής, παρουσιάζονται συχνά ευκαιρίες εξαπάτησης και «λουφαρίσματος». Στις πρόσφατες δεκαετίες, οι οικονομολόγοι αναφέρονται εκτενώς σ' αυτό το ζήτημα, δίνοντάς του τον γενικό τίτλο *διευθυντής-διεκπεραιωτής.*[1] Η κεντρική ιδέα είναι ότι η εταιρεία, ή ο διευθυντής της, αναθέτει στον εργαζόμενο να διεκπεραιώσει κάποια εργασία. Το πρόβλημα είναι ότι η επιτήρηση της διεκπεραίωσης αυτής της εργασίας έχει κόστος.

Οι οικονομολόγοι προτείνουν τη σύνταξη συμβολαίων που θα δίνουν στους εργαζόμενους υλικά κίνητρα για να μη λουφάρουν. Μία ευφυής πρόταση στηρίζεται στην παρατήρηση ότι οι εταιρείες μπορούν συνήθως να βαθμολογήσουν την επίδοση του κάθε εργαζόμενου ακόμα και όταν δεν μπορούν να μετρήσουν επακριβώς την παραγωγικότητά του.[2] Υπό αυτές τις συνθήκες, οι εταιρείες μπορούν να επιτύχουν καλύτερη απόδοση συναρτώντας ένα μέρος της αμοιβής του κάθε εργαζόμενου με τη βαθμολογική σειρά που κατέχει στον πίνακα της παραγωγικότητας.

Ακόμα όμως και τα πιο καλομελετημένα από αυτά τα συμβόλαια σκοντάφτουν στο γεγονός ότι συχνά η συμπεριφορά είναι εξαιρετικά δύσκολο να ελεγχθεί. Για να χρησιμοποιήσουμε τη γλώσσα του Κεφαλαίου Τέσσερα, οι εργαζόμενοι έχουν χρυσές ευκαιρίες λουφαρίσματος, ευκαιρίες που δεν υπάρχει περίπτωση να προβλεφθούν από τα συμβόλαια με τα υλικά κίνητρα. Στη σύγχρονη εργοστασιακή επιχείρηση, οι άνθρωποι δουλεύουν ως επί το πλείστον ομαδικά. Το κλασικό πρόβλημα λοιπόν είναι ότι, ενώ η επιχείρηση μπορεί εύκολα να ελέγξει τη συνολική παραγωγικότητα της ομάδας, έχει πολύ περιορισμένες δυνατότητες να μάθει τη συνεισφορά του κάθε εργαζόμενου σ' αυτό το σύνολο. Το μοντέλο του ατομικού συμφέροντος λέει, κατά συνέπεια, ότι ο κάθε εργαζόμενος έχει το κίνητρο να γίνει ένας τζαμπατζής που καρπώνεται τη δουλειά των συναδέλφων του.

Το μοντέλο της δέσμευσης προτείνει δύο τρόπους επίλυσης αυτού του προβλήματος – η μία είναι μάλλον προφανής, η άλλη λιγότερο. Η πρώτη είναι η πρόσληψη εργαζομένων που αισθάνονται άσχημα όταν λουφάρουν. Και πώς μπορούν να το κάνουν αυτό οι επιχειρήσεις;

Στο Κεφάλαιο Τέσσερα, είδαμε πως, μολονότι δεν είναι δυνατόν να ξέρουμε τι κάνει ένας εργαζόμενος όταν του τυχαίνει μια χρυσή ευκαιρία, η φήμη του μας παρέχει κάποιες χρήσιμες ενδείξεις. Μερικές φορές ακόμα και η γνώση της κοινότητας στην οποία ανήκουν οι άνθρωποι μας παρέχει τις σχετικές πληροφορίες (ας θυμηθούμε από το Κεφάλαιο Πέντε τα ζευγάρια της Νέας Υόρκης που βάζουν αγγελίες για να βρουν γκουβερνάντα στις εφημερίδες του Σολτ Λέικ Σίτι). Το καλύτερο λοιπόν που έχουν να κάνουν οι εταιρείες που δεν έχουν δυνατότητα ελέγχου είναι να συγκεντρώνουν πληροφορίες για τη φήμη των υποψήφιων για πρόσληψη, κάτι που φυσικά οι περισσότερες το κάνουν ήδη.

Το μοντέλο της δέσμευσης προσφέρει μια καινούρια αντιμετώπιση, προτείνοντας τρόπους να αυξηθεί η τάση για συνεργασία κάποιου συγκεκριμένου εργαζόμενου. Οι περισσότεροι άνθρωποι διαθέτουν μια, στοιχειώδη έστω, ικανότητα να νιώσουν τα αισθήματα που ενθαρρύνουν τη συνεργασία. Το πόσο έντονα τα νιώθουν εξαρτάται σε μεγάλο βαθμό από τους περιβαλλοντικούς παράγοντες. Το πρακτικό πρόβλημα που αντιμετωπίζει η επιχείρηση είναι η διαμόρφωση ενός εργασιακού περιβάλλοντος που θα ενθαρρύνει αυτά τα συναισθήματα. Ένα χρήσιμο σημείο εκκίνησης είναι η παρατήρηση που συζητήσαμε στο Κεφάλαιο Δέκα, ότι το αίσθημα της ηθικής ευθύνης είναι πολύ ισχυρότερο όταν πρόκειται για ανθρώπους με τους οποίους έχουμε προσωπικές σχέσεις. Αυτό σημαίνει ότι το λουφάρισμα μπορεί να καταπολεμηθεί με τη δημιουργία ενός εργασιακού περιβάλλοντος που να ευνοεί τις στενότερες προσωπικές σχέσεις μεταξύ των εργαζομένων.

Ακριβώς αυτή τη στρατηγική ακολουθούν πολλές επιτυχημένες επιχειρήσεις της Ιαπωνίας. Στην τυπική ιαπωνική ανώνυμη εταιρεία, ο εργαζόμενος «είναι μέλος της εταιρείας με τρόπο ανάλογο μ' αυτόν που ένας Αμερικανός είναι μέλος μιας οικογένειας, μιας αδελφότητας και άλλων συνεκτικών κοινοτήτων».[3] Πολλές ιαπωνικές εταιρείες παρέχουν στους εργαζόμενους στέγη, αθλητικές εγκαταστάσεις, ιατρική περίθαλψη και σχολεία για τα παιδιά τους. Οι εργαζόμενοι κάνουν διακοπές μαζί, σε ορεινά ή παραθαλάσσια παραθεριστικά κέντρα που συντηρεί η εταιρεία. Σε αντίθεση με τον μέσο Αμερικανό εργαζόμενο, που αλλάζει πολλές εταιρείες στη ζωή του, το ιαπωνικό ιδεώδες είναι η ισόβια θητεία σ' έναν και μοναδικό εργοδότη.

Αυτό το πρότυπο δίνει στις ιαπωνικές εταιρείες τη δυνατότητα να επιλύουν τα προβλήματα ελέγχου με έναν τρόπο που είναι ανέφικτος για την τυπική αμερικάνικη εταιρεία. Χάρη στους στενούς δεσμούς που έχουν οι Ιάπωνες εργαζόμενοι, οι εργοδότες τους μπορούν να συνδέσουν την αμοιβή με την *απόδοση της ομάδας* και να αφήσουν την αλληλεγγύη των εργαζόμενων να ξεπεράσει το εγγενές πρόβλημα των λουφαδόρων.* Αντιθέτως, τα συστήματα αμοιβών που προτείνει το μοντέλο του ατομικού συμφέροντος, τα οποία επικεντρώνονται στην *ατομική απόδοση*, όχι μόνον δεν ενθαρρύνουν τη συνεργασία, αλλά, αντιθέτως, την υπονομεύουν.

Αυτό δεν σημαίνει ότι οι συγκεκριμένες λύσεις που υιοθετούν οι ιαπωνικές εταιρείες είναι πάντοτε κατάλληλες για τις Ηνωμένες Πολιτείες, όπου η ανεξαρτησία και η κινητικότητα αποτελούν πάγιες αξίες. Τουναντίον, οι εταιρείες που μιμούνται τυφλά τη συμπεριφορά των ιαπωνικών εταιρειών, όπως έχουν αρχίσει να κάνουν πολλές αμερικάνικες εταιρείες, δεν έχουν πολλές πιθανότητες να ευημερήσουν. Εάν το μοντέλο της δέσμευσης χρησιμεύει σε κάτι σ' αυτό τον τομέα, είναι επειδή επισημαίνει τον *συγκεκριμένο σκοπό* που εξυπηρετούν οι ιαπωνικές *πρακτικές*, δηλαδή την ενθάρρυνση των συναισθημάτων που προωθούν τη συνεργασία. Οι εταιρείες που θα επιτύχουν θα είναι εκείνες που θα βρουν τρόπους για την επίλυση αυτού του προβλήματος μέσα στο πλαίσιο του αμερικάνικου περιβάλλοντος. Το μοντέλο του ατομικού συμφέροντος, που επικεντρώνεται μόνο στα υλικά κίνητρα, στρέφει την προσοχή της επιχειρηματικής διεύθυνσης σε τελείως διαφορετικές κατευθύνσεις.

Ο καθορισμός μισθών και τιμών

Οι απόψεις περί της ανθρώπινης φύσεως δεν επηρεάζουν μόνον την πολιτική των εταιρειών για την αντιμετώπιση του λουφαρίσματος, αλλά και τον καθορισμό μισθών και τιμών. Για παράδειγμα, στις ιδιαίτερα κερδοφόρες επιχειρήσεις είναι συνηθισμένο τα μέλη του συνδι-

---

* Για μια λεπτομερειακή και διαφωτιστική ανάπτυξη του τρόπου που οι ιαπωνικές εταιρείες αντιμετωπίζουν το πρόβλημα των λουφαδόρων, βλέπε και το βιβλίο του Harvey Leibenstein *Inside the Firm: The Inefficiencies of Hierarchy*, 1987.

κάτου να απειλούν ότι θα εγκαταλείψουν για πάντα τη δουλειά τους, εφόσον η διεύθυνση δεν αποδεχθεί τα αιτήματά τους. Σ' αυτές τις περιπτώσεις, η διεύθυνση πρέπει να αποφασίσει εάν θα πάρει στα σοβαρά τις απειλές τους.

Όμως η απώλεια του εισοδήματός μας είναι ένα εξαιρετικά δαπανηρό βήμα – πιο δαπανηρό, τις περισσότερες φορές, από την απώλεια που θα υποστούν οι εργαζόμενοι εάν μετριάσουν τις απαιτήσεις τους. Οι απειλές αυτού του τύπου δεν θα είχαν καμία αξιοπιστία εάν τα μέλη των συνδικάτων συμπεριφέρονταν με τον τρόπο που προβλέπει το μοντέλο του ατομικού συμφέροντος. Εάν όμως το αίσθημα του δικαίου παίζει σημαντικό ρόλο, είναι εύκολο να δούμε για ποιο λόγο αυτές οι α- πειλές είναι τόσο συχνά αποτελεσματικές. Μια πολιτική εργασιακών σχέσεων που στηρίζεται στα παραδοσιακά ορθολογικά μοντέλα διαπραγμάτευσης δεν θα εξυπηρετούσε καθόλου την εταιρεία.

Οι εργαζόμενοι δεν είναι οι μόνοι που ενδιαφέρονται για το πώς μοιράζεται η οικονομική πίτα. Στο Κεφάλαιο Εννέα, είδαμε ότι και οι καταναλωτές επίσης κάνουν συχνά θυσίες στο όνομα του αισθήματος του δικαίου. Πιο συγκεκριμένα, προτιμούν πολλές φορές να χάσουν παρά να υποστηρίζουν εταιρείες των οποίων τις τιμές θεωρούν άδικες. Είδαμε επίσης, στην περίπτωση των χιονοδρομικών κέντρων, ότι οι αντιλήψεις για το δίκαιο δεν ανταποκρίνονται πάντα στην πραγματικότητα. Σ' αυτές τις περιπτώσεις, μια εταιρεία μπορεί να βελτιώσει τη θέση της εάν κατορθώσει να βρει τρόπους που να δείχνουν ότι οι τιμές της είναι ανάλογες με τις δαπάνες της.

Ο Richard Thaler αναφέρει το παράδειγμα των πακέτων που προσφέρουν τα ξενοδοχεία το Σαββατοκύριακο που συμπίπτει με τη διοργάνωση των τελικών του αμερικάνικου ποδοσφαίρου.[4] Ο τελικός αυτός διεξάγεται πάντα μια Κυριακή στα τέλη Ιανουαρίου. Στην πόλη που φιλοξενεί τη διοργάνωση είναι σχεδόν αδύνατο να βρεις δωμάτιο ξενοδοχείου το Σάββατο πριν από το παιγνίδι. Και ωστόσο οι αλυσίδες ξενοδοχειακών συγκροτημάτων διστάζουν να χρεώσουν μια εξωφρενική τιμή, για τον ίδιο λόγο που τα χιονοδρομικά κέντρα δεν χρεώνουν εξωφρενικές τιμές για τα εορταστικά τριήμερα: Φοβούνται ότι οι πελάτες θα θεωρήσουν ότι τα 300 δολάρια τη βραδιά είναι άδικη τιμή και δεν θα προτιμήσουν τα ξενοδοχεία τους σε άλλες πόλεις ή σε άλλες περιόδους.

Η λύση που έχουν υιοθετήσει ορισμένα ξενοδοχεία είναι η πώληση ενός πακέτου για τον τελικό: Το δωμάτιο διατίθεται από την Πέμπτη έως την Κυριακή προς 400 δολάρια. Μια και τις υπόλοιπες μέρες έχουν ούτως ή άλλως κενά δωμάτια, δεν τους στοιχίζει ιδιαίτερα να τα συμπεριλάβουν στο πακέτο. Έτσι το πακέτο που περιλαμβάνει περισσότερες μέρες κάνει τον αγοραστή να θεωρεί την τιμή των 100 δολαρίων την ημέρα «δίκαιη». Είναι ευχαριστημένος που πληρώνει 100 δολάρια την ημέρα, παρότι στην πραγματικότητα δεν χρειαζόταν δωμάτιο για τις άλλες τρεις βραδιές.

Οι διεθνείς σχέσεις

Ο στρατιωτικός και στρατηγικός σχεδιασμός καθορίζεται όλο και πιο πολύ από τη θεωρία των παιγνίων, που πρώτη φορά εφαρμόστηκε για τέτοιους σκοπούς από τη Rand Corporation στη δεκαετία του 1950. Εντούτοις οι συμπεριφορές που προβλέπει η παραδοσιακή θεωρία των παιγνίων έχουν συχνά ελάχιστες ομοιότητες με την πραγματική συμπεριφορά των αντίπαλων κρατών. Πολλοί αναλυτές, για παράδειγμα, έχουν σχολιάσει την προφανή ανοησία του πολέμου των Βρετανών με τους Αργεντινούς για τα απομονωμένα νησιά Φόκλαντ. Όπως σημειώσαμε στο Κεφάλαιο Ένα, οι αναλυτές τονίζουν ότι, με πολύ λιγότερα χρήματα από αυτά που δαπανήθηκαν σ' αυτή τη διαμάχη, οι Βρετανοί θα μπορούσαν να είχαν δώσει σε κάθε κάτοικο των Φόκλαντ ένα σκοτσέζικο κάστρο και μια γενναιόδωρη ισόβια σύνταξη.

Σε κάποια άλλη ιστορική στιγμή, ο πόλεμος των Φόκλαντ μπορεί να θεωρούνταν λογική επένδυση για την αποτροπή επιθετικών ενεργειών εναντίον άλλων, πιο σημαντικών από οικονομικής απόψεως, κτήσεων της Βρετανικής Αυτοκρατορίας. Σήμερα όμως, που δεν έχει μείνει σχεδόν τίποτε από εκείνη την παλαιά αυτοκρατορία, το επιχείρημα της αποτροπής δεν ισχύει. (Πόσο σοβαρά, αλήθεια, θα διακυβεύονταν τα βρετανικά συμφέροντα εάν οι Ισπανοί έπαιρναν το Γιβραλτάρ;) Συνεπώς είναι εύκολο να δούμε πώς ο Αργεντινός στρατιωτικός σχεδιαστής, στηριζόμενος μόνο στα παραδοσιακά μοντέλα της θεωρίας των παιγνίων, μπορεί να έβγαλε το συμπέρασμα ότι θα ήταν εύκολο να γίνει η εισβολή στα Φόκλαντ.

Βεβαίως οι Βρετανοί δεν ανταποκρίθηκαν στις προβλέψεις των παραδοσιακών μοντέλων και τόσο οι ίδιοι, όσο και οι Αργεντινοί υπέστησαν βαριές απώλειες. Ωστόσο, παρότι θυσίασαν τόσο πολλά για να επιτύχουν τόσο λίγα, οι Βρετανοί δεν δείχνουν σοβαρά σημάδια μεταμέλειας. Φαίνεται ότι, παρά την εν γένει φλεγματική συμπεριφορά τους, οι Βρετανοί έχουν, όπως όλοι, την ικανότητα να αισθάνονται θιγμένοι και να ζητούν εκδίκηση. Εάν όντως συμβαίνει κάτι τέτοιο, η έλλειψη μεταμέλειας δεν πρέπει να μας εκπλήσσει. Ούτε μπορεί κανείς να επιμείνει ότι αυτά τα αισθήματα, που αποδείχθηκαν τόσο πολυέξοδα, δεν άξιζε να υπάρχουν *πριν από τα γεγονότα*. Διότι η ύπαρξή τους έπρεπε να κάνει τους Αργεντινούς, παρ' όλο το μήνυμα των παραδοσιακών μοντέλων της θεωρίας των παιγνίων, να περιμένουν τη βρετανική απάντηση και να μην επιτεθούν ευθύς εξαρχής. Το θέμα όμως ήταν ότι και οι ίδιοι οι Αργεντινοί κινήθηκαν από αίσθημα προσβολής που πήγαζε από τη δική τους πρότερη εδαφική διεκδίκηση των νησιών.

Παρόμοια θέματα ανακύπτουν και στο ερώτημα αν ο στρατιωτικός αντίπαλος πρέπει «να βομβαρδίζεται μέχρι να υποκύψει». Και ο γερμανικός βομβαρδισμός της Αγγλίας κατά τη διάρκεια του Β΄ Παγκοσμίου πολέμου και ο αμερικανικός βομβαρδισμός του Βορείου Βιετνάμ είκοσι πέντε χρόνια αργότερα διεξήχθησαν με την πεποίθηση ότι η απάντηση είναι «ναι». Και στις δύο περιπτώσεις ωστόσο, η πολιτική αυτή εξυπηρέτησε την ενίσχυση της αποφασιστικότητας των αντιπάλων να αντισταθούν. Από την προοπτική του μοντέλου της λογικής επιλογής, αυτή η εξέλιξη είναι περίεργη. Η περιγραφή όμως της ανθρώπινης φύσης από το μοντέλο της δέσμευσης την καθιστά πολύ πιο κατανοητή.

Τα μοντέλα του ατομικού συμφέροντος και της δέσμευσης κάνουν αντικρουόμενες παρατηρήσεις και σε μια σειρά από άλλα στρατηγικά ζητήματα. Ένα από αυτά είναι το αμυντικό δόγμα της Εγγυημένης Αμοιβαίας Καταστροφής (MAD = Mutuallly Assured Destruction). Η ιδέα πίσω από το MAD είναι απλή. Είναι η διατήρηση ικανών εξοπλισμών ώστε να υπάρχει η δυνατότητα να γίνει καταστροφική αντεπίθεση σε οποιοδήποτε κράτος διανοηθεί να καταφέρει πρώτο ένα πυρηνικό πλήγμα εναντίον των ΗΠΑ.

Οι ορθολογιστές υποστηρίζουν ότι αυτή η μορφή αποτροπής

δεν έχει νόημα. Λένε πως, από τη στιγμή που θα έχουμε υποστεί το πρώτο πλήγμα, είναι προφανώς πολύ αργά για αποτροπή. Σ' αυτό το σημείο, το συμφέρον μας επιτάσσει ολοφάνερα να *μην* προβούμε σε αντίποινα, διότι, εάν προβούμε σε αντίποινα, απλώς θα αυξήσουμε την πιθανότητα μιας παγκόσμιας καταστροφής. Έτσι συμπεραίνουν ότι το πρόβλημα με τη στρατηγική του MAD είναι ότι ο πιθανός αντίπαλος που θα καταφέρει το πρώτο πλήγμα ξέρει πολύ καλά ποια θα είναι οι διαθέσεις μας από τη στιγμή που θα έχει εξαπολύσει την επίθεσή του. Και αυτή η γνώση υπονομεύει πλήρως την ικανότητα του MAD να αποτρέψει το πλήγμα.

Εάν την πάρουμε κατά γράμμα, η θέση των επικριτών είναι σωστή. Εάν κάποιο κράτος παίρνει πολιτικές αποφάσεις στηριζόμενο απολύτως στο μοντέλο του ατομικού συμφέροντος, το δόγμα MAD είναι μια παράλογη στρατηγική. Για να σταθεί λογικά το δόγμα MAD, πρέπει οι αντίπαλοί μας να ξέρουν ότι έχουμε είτε (1) μια μηχανή ολοκληρωτικής καταστροφής (έναν απαραβίαστο μηχανισμό που προβαίνει *αυτομάτως* σε αντίποινα) είτε (2) πολιτικούς που δεν αντιδρούν ορθολογικά. Το μοντέλο της δέσμευσης ξεκαθαρίζει ότι, ακριβώς επειδή αυτές τις αποφάσεις τις παίρνουν άνθρωποι, μπορεί πράγματι να αντιδράσουν παράλογα. Όταν διακυβεύονται τόσα, κανένα συνετό κράτος δεν θα διακινδυνεύσει να ποντάρει σε μια απολύτως ορθολογική αντίδραση στο πρώτο του πλήγμα.*

Μολονότι το μοντέλο της δέσμευσης αναγνωρίζει τις περιπτώσεις όπου τα συμφέροντά μας εξυπηρετούνται καλύτερα από κάποιον πολιτικό που κινείται από ανθρώπινα συναισθήματα, επισημαίνει επίσης ότι υπάρχουν και περιπτώσεις που δεν εξυπηρετούνται. Για παρά-

---

* Ο David Gauthier (1985) υποστήριξε ότι θα ήταν λογικό για τους πολιτικούς να έχουν την *προδιάθεση* να κάνουν αντίποινα σ' ένα πρώτο πλήγμα. Η χρησιμότητα μιας τέτοιας προδιάθεσης, εφόσον τη γνωρίζει η άλλη πλευρά, είναι ξεκάθαρη: Θα αποτρέψει το πρώτο πλήγμα. Στη συνέχεια ο Gauthier υποστηρίζει ότι, εάν είναι λογικό να υπάρχει αυτή η προδιάθεση, είναι επίσης λογικό να γίνουν αντίποινα εφόσον υπάρξει κάποιο πρώτο πλήγμα. Εγώ λέω ότι δεν είναι λογικό να γίνουν αντίποινα σ' αυτή την περίπτωση. Αυτό ωστόσο είναι απλώς λεκτική διαφορά, διότι και ο Gauthier και εγώ θα προσλαμβάναμε ακριβώς τον ίδιο πολιτικό, δηλαδή κάποιον από τον οποίο ο αντίπαλος θα περίμενε αντίποινα. Και επισημαίνουμε και οι δύο ότι ο πιο σίγουρος τρόπος για να συμβεί αυτό είναι να προσλάβουμε κάποιον που πραγματικά θα πατούσε το κουμπί.

δείγμα, υπάρχουν περιπτώσεις όπου τα νόμιμα δικαιώματα μιας ομάδας συνεπάγονται καταστροφικό κόστος για μια άλλη. Ας αναλογιστούμε για λίγο το ακόλουθο αληθινό περιστατικό: Σ' ένα κρίσιμο σημείο του Β΄ Παγκοσμίου πολέμου, αμέσως μετά το σπάσιμο του κώδικα του Άξονα από τους Συμμάχους, η Αγγλία αποκρυπτογράφησε ένα σήμα σύμφωνα με το οποίο οι Γερμανοί θα βομβάρδιζαν το Κόβεντρι. Η αποκωδικοποίηση έθεσε τον Τσόρτσιλ ενώπιον ενός τρομακτικού διλήμματος. Εάν διέτασσε την εκκένωση του Κόβεντρι, θα έσωζε τις ζωές των κατοίκων του, αλλά θα αποκαλυπτόταν ότι οι Σύμμαχοι είχαν σπάσει τον κώδικα. Εάν σιωπούσε, το μυστικό θα έμενε μυστικό και ήταν πολύ πιθανό να συντομευθεί το τέλος του πολέμου.

Ο Τσόρτσιλ σκέφτηκε ότι τα οφέλη από την πιο άμεση και πιο βέβαιη νίκη δικαιολογούσαν τη θυσία του Κόβεντρι. Σίγουρα αυτή την απόφαση είχε στο μυαλό του, τουλάχιστον εν μέρει, όταν αργότερα έγραφε:

> Η επί του όρους ομιλία είναι ο τελευταίος λόγος στη χριστιανική ηθική. Όλοι σέβονται τους κουακέρους. Παρ' όλα αυτά, οι υπουργοί δεν αναλαμβάνουν τις ευθύνες της καθοδήγησης ενός κράτους με τέτοια κριτήρια.[5]

Ακόμα όμως και εάν αποδεχθούμε ότι η απόφαση του Τσόρτσιλ ήταν η σωστή, είναι εύκολο να φανταστούμε ότι πολλοί αρχηγοί δεν θα έπαιρναν την ίδια απόφαση. Ο οίκτος τους για τα άμεσα, γνωστά θύματα του Κόβεντρι θα υπερίσχυε του ενδιαφέροντός τους για τους άγνωστους ανθρώπους που μπορεί να σώζονταν αργότερα.

Μια τέτοια περίπτωση ήταν η απόφαση του Ρόναλντ Ρέιγκαν να δώσει όπλα στο Ιράν ως αντάλλαγμα για την απελευθέρωση των Αμερικανών ομήρων. Αυτή ήταν ολοφάνερα μια κακή απόφαση. Δεχόταν να σώσει τις ζωές λίγων γνωστών ανθρώπων, με το σχεδόν βέβαιο τίμημα να συλληφθούν πολύ περισσότεροι όμηροι στο μέλλον. Ωστόσο είναι εξίσου ξεκάθαρο ότι αυτή η απόφαση υποκινήθηκε από ένα έντιμο ανθρώπινο ενδιαφέρον για τα συγκεκριμένα άτομα που ήταν όμηροι.

Σ' αυτά τα παραδείγματα βλέπουμε ότι τα συναισθήματα μπορούν να λειτουργήσουν όχι μόνον ως *λύση* σε θέματα δέσμευσης, αλλά επίσης και ως *αφορμή* τους. Σε τέτοιες περιπτώσεις τα συναισθήματα μπορούν κάποιες φορές να ξεπεραστούν από μηχανισμούς δέσμευσης που έχουν πιο επίσημο χαρακτήρα. Για παράδειγμα, μία πρόταση που έγινε στην αρχή των συζητήσεων για τη συμφωνία με το Ιράν περί ανταλλαγής των όπλων με τους ομήρους έλεγε να ζητήσει ο πρόεδρος την ψήφιση ενός νόμου που θα του απαγόρευε να διαπραγματευθεί με τρομοκράτες.[6] Όπως ο Οδυσσέας ζήτησε να τον δέσουν στο κατάρτι, έτσι κι ο πρόεδρος θα μπορούσε να εμποδίσει τα αισθήματά του να τον παρασύρουν.

Φορολογία και ρυθμίσεις

Όπως είδαμε στο Κεφάλαιο Εννέα, το μοντέλο της δέσμευσης ξεκαθαρίζει ότι οι άνθρωποι που ενδιαφέρονται μονάχα για τον απόλυτο πλούτο είναι λιγότερο αποτελεσματικοί διαπραγματευτές από εκείνους που ενδιαφέρονται παράλληλα και για τον τρόπο κατανομής των κερδών. Το συναίσθημα του φθόνου λειτουργεί σαν ένας μηχανισμός δέσμευσης που εμποδίζει τους ανθρώπους να αποδεχθούν επικερδείς, πλην όμως άδικες, συναλλαγές. Οι ζηλόφθονοι συνήθως συμπεριφέρονται παράλογα, ωστόσο, όταν είναι κανείς αποτελεσματικός διαπραγματευτής, υπάρχει πραγματικό υλικό πλεονέκτημα.

Κι εδώ όμως το συναίσθημα επιλύει ένα θέμα δέσμευσης και δημιουργεί κάποια άλλα. Για να νιώσουμε το αίσθημα της ζήλιας, πρέπει να ενδιαφερόμαστε για τη σχετική θέση σε κάποια ιεραρχία. Αυτού του είδους τα ενδιαφέροντα διαστρεβλώνουν τις αποφάσεις μας σε μια σειρά από σημαντικές αποφάσεις, συμπεριλαμβανομένης και αυτής της αποταμίευσης.[7] Μια οικογένεια μπορεί να αποταμιεύει μεγάλο μέρος του εισοδήματός της για τον καιρό της σύνταξης ή να δίνει σήμερα περισσότερα χρήματα για ένα σπίτι σε κάποια περιοχή με καλύτερο σχολείο. Για τους περισσότερους γονείς, το θέλγητρο της παροχής σχετικά καλύτερης εκπαίδευσης στα παιδιά τους είναι ισχυρό. Κι ωστόσο η απλή αριθμητική μάς λέει ότι, ανεξαρτήτως του ποσού που η κάθε οικογένεια ξοδεύει για τη στέγασή της, μόνον το 10% των παιδιών μπορούν να έχουν μια θέση στην κορυφαία δεκάδα των ποιοτικών δημόσιων σχολείων. Συμβαίνει δηλαδή αυτό που συμβαίνει και στη γνωστή μεταφορά του γηπέδου, οι άνθρωποι σηκώνονται για να δουν καλύτερα και τελικά ανακαλύπτουν ότι το οπτικό τους πεδίο δεν διευρύνεται περισσότερο απ' ό,τι εάν έμεναν καθιστοί. Συνολικά η α-ποταμίευση μικρότερου ποσού και οι μεγαλύτερες δαπάνες για σπίτια που βρίσκονται σε περιοχές με καλύτερα σχολεία δεν εξυπηρετεί πα-ρά την αύξηση των τιμών αυτών των σπιτιών. Δεν κάνει τίποτα για να αλλάξει τη γενική διάταξη του εκπαιδευτικού συστήματος.

Συνεπώς το ενδιαφέρον για κάποιες συγκεκριμένες θέσεις κά-νει συχνά την ατομική απολαβή από τη δαπάνη να δείχνει υπερβολι-κά μεγάλη, τις απολαβές από την αποταμίευση υπερβολικά μικρές. Και όντως, οι περισσότεροι άνθρωποι θα είχαν εξαιρετικά ανεπαρκές εισόδημα στα γεράματά τους, εάν δεν υπήρχε το Δημόσιο Σύστημα Ασφάλισης και τα ιδιωτικά προγράμματα αναγκαστικής αποταμίευ-σης. Το ενδιαφέρον για μια συγκεκριμένη θέση βοηθά στην επίλυση του θέματος της διαπραγμάτευσης, αλλά δημιουργεί ένα δίλημμα του φυλακισμένου που σχετίζεται με την αποταμίευση. Τα προγράμματα αναγκαστικής αποταμίευσης μπορούν να ερμηνευτούν σαν μια προ-σπάθεια επίλυσης αυτού του διλήμματος. Κάτω από αυτό το πρίσμα, τόσο το ενδιαφέρον για τη θέση, όσο και τα προγράμματα που το πε-ριορίζουν είναι μηχανισμοί δέσμευσης.

Επειδή ελπίζουν πως θα βγουν πιο μπροστά από τους άλλους, οι άνθρωποι όχι μόνον αποταμιεύουν λιγότερα, αλλά πολύ συχνά δουλεύουν ατέλειωτες ώρες και μειώνουν τα ποσά που δίνουν για πε-ρίθαλψη και ασφάλεια. Κι εδώ ωστόσο οι απολαβές είναι συνολικά πολύ μικρότερες από αυτές που νομίζει το άτομο. Γιατί, αν δουλεύουν όλοι πιο πολλές ώρες ή σε πιο επικίνδυνες δουλειές, κανένας δεν βγαί-νει πιο μπροστά από τους άλλους. Και πάλι, το πρόβλημα είναι ένα πρόβλημα απλής αριθμητικής: Άσχετα με το πόσες ώρες δουλεύουμε όλοι, ασχέτως με τα ρίσκα που παίρνουμε στη δουλειά, μόνο το 10% από εμάς μπορεί να βρεθεί στο κορυφαίο 10% της κατανομής του ει-σοδήματος.*

---

* Εννοείται πως το να έχεις μεγαλύτερο εισόδημα, σε απόλυτους αριθμούς, εί-ναι οπωσδήποτε πλεονέκτημα, ακόμα και εάν η σχετική θέση παραμένει η ίδια. Αυτό ι-σχύει ιδιαίτερα για τους ανθρώπους που έχουν πολύ λίγα εξαρχής. Αυτό όμως δεν α-ναιρεί το γεγονός ότι, όταν το σχετικό εισόδημα έχει βαρύνουσα σημασία, οι ενέργειες που αυξάνουν το εισόδημα θα φαίνονται στους ανθρώπους παραπλανητικά ελκυστικές.

Το μοντέλο της δέσμευσης προτείνει ότι τα μέτρα ασφάλειας στους εργασιακούς χώρους και διάφοροι άλλοι νόμοι του εργατικού δικαίου μπορούν να ερμηνευτούν ως μηχανισμοί δέσμευσης που βοηθούν στην επίλυση αυτών των διλημμάτων του φυλακισμένου. Εάν είναι χρήσιμοι, αυτό δεν συμβαίνει επειδή οι εταιρείες έχουν πολύ μεγάλη δύναμη ή επειδή οι εργαζόμενοι είναι ανίκανοι – αλλά επειδή το ενδιαφέρον για τη σχετική θέση είναι ένα πολύ πιο σημαντικό συστατικό της ανθρώπινης φύσης. Η γνώση αυτού του στοιχείου είναι σημαντική. Μπορεί να βοηθήσει να περιοριστούν οι ρυθμίσεις στους τομείς στους οποίους υπάρχει κάποια πιθανότητα ο περιορισμός να βγει σε καλό. Επίσης προτείνει συγκεκριμένες εναλλακτικές πολιτικές που μπορούν να επιτύχουν τους ίδιους σκοπούς με λιγότερο ενοχλητικό τρόπο.*

Η σημασία του σταθερού περιβάλλοντος

Για διαφορετικούς λόγους, τόσο το μοντέλο της δέσμευσης, όσο και το μοντέλο του «μία σου και μία μου» θεωρούν τα περιβάλλοντα που ενθαρρύνουν τις επανειλημμένες αλληλοεπιδράσεις πλεονεκτικά. Στο μοντέλο του «μία σου και μία μου», η επανάληψη είναι χρήσιμη διότι δίνει νόημα στην απειλή της εκδίκησης: Κάποιος που προδίδει πιθανότατα θα τιμωρηθεί σε κάποια μελλοντική περίσταση. Το μοντέλο της δέσμευσης θεωρεί ότι τα σταθερά περιβάλλοντα είναι ιδιαίτερα χρήσιμα, διότι μας δίνουν την ευκαιρία να μάθουμε τα χαρακτηρολογικά γνωρίσματα των άλλων και να αναπτύξουμε προσωπικούς δεσμούς και αίσθημα αφοσίωσης. Στη συνέχεια αυτοί οι δεσμοί μπορούν να στηρίξουν τη συνεργασία, ακόμα και σε περιπτώσεις που είναι αδύνατον να αποκαλυφθεί η προδοσία (και, κατά συνέπεια, είναι αδύνατη και η εκδίκηση). Συνεπώς και τα δύο μοντέλα προτείνουν κάποια εξήγηση για την ελκυστικότητα που έχει η ζωή στις μικρές πόλεις και η δημιουργία συνεκτικών ομάδων στις γειτονιές των μεγαλουπόλεων.

Η αντίληψη ότι η κινητικότητα είναι καλό πράγμα είναι πάγια πεποίθηση της αμερικάνικης σοφίας. Οι οικονομολόγοι την υπερα-

---

* Για μια πολύ εκτενέστερη ανάπτυξη αυτών των θεμάτων, βλέπε το βιβλίο μου του 1985.

σπίζονται και τονίζουν ότι τα εισοδήματα είναι υψηλότερα όταν τα α-
γαθά είναι ελεύθερα να μετακινηθούν εκεί που έχουν μεγαλύτερη ζή-
τηση. Με μια τέτοια διατύπωση, ο ισχυρισμός μοιάζει εξ ορισμού α-
ληθινός. Δεν συνεκτιμά ωστόσο τα αρνητικά αποτελέσματα που έχει
όλη αυτή η κινητικότητα στην ικανότητά μας να επιλύουμε θέματα δέ-
σμευσης. Είναι ευνόητο ότι ένας σταθερός πληθυσμός έχει μεγαλύτε-
ρες δυνατότητες διαμόρφωσης δεσμών εμπιστοσύνης. Το να ριζώνου-
με κάπου έχει οικονομικό κόστος, ακριβώς όπως ισχυρίζεται το μο-
ντέλο του ατομικού συμφέροντος. Έχει όμως και σημαντικά οικονο-
μικά οφέλη. Οι άνθρωποι που απορρίπτουν υψηλόμισθες δουλειές σε
απρόσωπα περιβάλλοντα δεν σημαίνει ότι δεν νοιάζονται για την υ-
λική τους ευημερία.

Η συμπεριφορά έναντι των θεσμών

Το μοντέλο της δέσμευσης ισχυρίζεται ότι οι συναισθηματικές προ-
διαθέσεις είναι η κινητήρια δύναμη της ηθικής συμπεριφοράς, και τον
ισχυρισμό αυτό τον στηρίξαμε με εκτεταμένα στοιχεία. Ο ρόλος των
συναισθημάτων μάς διευκολύνει να αντιληφθούμε γιατί υπάρχουν τό-
σοι άνθρωποι που δεν θα διανοούνταν ποτέ να εξαπατήσουν κάποιο
φίλο, ενώ παράλληλα δεν διστάζουν να κλέψουν περιουσιακά στοι-
χεία της εταιρείας τους ή την εφορεία. Το φιλότιμο, που ενεργοποιεί
τη σωστή συμπεριφορά απέναντι στα άτομα, δεν συμπαρασύρει εξί-
σου και τη συμπεριφορά απέναντι στους επίσημους θεσμούς.

Σε παλαιότερες εποχές της ανθρώπινης ιστορίας, δεν είχε ση-
μασία εάν οι άνθρωποι είχαν την προδιάθεση να μην κλέβουν μεγά-
λους οργανισμούς, διότι δεν υπήρχαν μεγάλοι οργανισμοί. Σήμερα
όμως αποτελούν ένα μεγάλο και συνεχώς αυξανόμενο στοιχείο της
ζωής, και είναι οπωσδήποτε επιζήμιο να ζούμε σε μια κοινωνία που
οι άνθρωποι νιώθουν ελεύθεροι να τους κλέβουν.

Η σύγχρονη στρατηγική για την αντιμετώπιση αυτού του προ-
βλήματος είναι η αποκάλυψη και η τιμωρία – βιομηχανικοί χαφιέδες,
ανιχνευτές αλήθειας και χημικές αναλύσεις για να πιαστούν οι αλήτες,
κι ύστερα πρόστιμα, απόλυση ή φυλάκιση για την τιμωρία τους. Το
μοντέλο της δέσμευσης θεωρεί ότι μια αποτελεσματική εναλλακτική,

ή και συμπλήρωμα, σ' αυτή τη στρατηγική είναι να *προσωποποιή-σουμε* τις διαθέσεις των ατόμων έναντι των θεσμών. Οι θεσμοί εν τέλει εκπροσωπούν ανθρώπους με σάρκα και οστά. Ανεβάζουμε κυβερνήσεις για να πάρουν κάποια μέτρα εκ μέρους μας, μέτρα που θεωρούμε ότι δεν είναι εφικτό να λάβουμε ατομικά. Παρομοίως, οι μεγάλες επιχειρήσεις υπάρχουν επειδή μας επιτρέπουν να παράγουμε περισσότερα απ' όσα θα μπορούσαμε να παράγουμε μόνοι μας. Όταν κλέβουμε το κράτος, κλέβουμε τους γείτονές μας. Όταν κλέβουμε τους εργοδότες μας ή κάνουμε χρήση ναρκωτικών στη δουλειά μας, κλέβουμε τους συναδέλφους μας. Το πρόβλημα είναι ότι δεν βιώνουμε αυτή την ισοδυναμία άμεσα. Επειδή η ηθική συμπεριφορά καθοδηγείται, σε μεγάλο βαθμό, από συναισθήματα και επειδή το συναίσθημα, όπως είναι φυσικό, προκαλείται από άτομα και όχι από θεσμούς, είναι οπωσδήποτε χρήσιμο να τονίζουμε αυτή την ισοδυναμία όταν διδάσκουμε στα παιδιά μας ηθικές αξίες.

Η διδασκαλία των αξιών

Σε παλαιότερους καιρούς οι άνθρωποι εκτιμούσαν ιδιαίτερα τη σημασία της διάπλασης του χαρακτήρα. Τα ηθικά μαθήματα που διδασκόμαστε στα παιδικά μας χρόνια δεν ξεχνιούνται εύκολα, και η εκκλησία και οι οικογένειες έκαναν το παν για να τα διδάξουν στα παιδιά.

Η ηθική συμπεριφορά σχεδόν πάντα απαιτεί αυτοθυσία, δίνει προτεραιότητα στα συμφέροντα των άλλων και όχι στα δικά μας. Αργά αλλά σταθερά, η προθυμία να ανταποκριθούμε σ' αυτό το κάλεσμα διαβρώθηκε από τις δυνάμεις του υλισμού. Σε αντίθεση με την ξεκάθαρη πρόθεση του Άνταμ Σμιθ, το αόρατο χέρι του έσπειρε την ιδέα ότι η ηθική συμπεριφορά ίσως δεν είναι αναγκαία, ότι θα ήταν καλύτερα εάν οι άνθρωποι επιδίωκαν μόνον το ίδιο συμφέρον. Η δαρβινική θεωρία για την επικράτηση του ικανότερου ενίσχυσε αυτή την άποψη, δημιουργώντας την εντύπωση ότι η μη επιδίωξη του ατομικού συμφέροντος μπορεί να βλάψει ακόμα και την υγεία μας. Το δέλεαρ του Σμιθ και η απειλή του Δαρβίνου έκαναν τη διάπλαση του χαρακτήρα να είναι κάτι μακρινό και, σε πολλές βιομηχανικές χώρες, ξεχασμένο ζήτημα.

Για τις υλιστικές θεωρίες, το να είναι κανείς ηθικός σημαίνει ό-
τι είναι κορόιδο. Στον βαθμό που πιστεύουμε στο *μοντέλο του κορόι-
δου*, ενθαρρύνουμε τις αξίες του καιροσκοπισμού.[8] Ο Βρετανός οικο-
νομολόγος Fred Hirsch ισχυριζόταν ότι το καπιταλιστικό σύστημα
δεν μπορεί να λειτουργήσει χωρίς ευρεία αποδοχή των αξιών που εί-
ναι σύμφυτες με την προτεσταντική εργασιακή ηθική. Παρατήρησε ό-
τι αυτές οι αξίες, που η ανάπτυξή τους χρειάστηκε αιώνες, εξαφανί-
ζονται σήμερα με ταχείς ρυθμούς. Η αντίφαση του καπιταλισμού, εί-
πε, είναι ότι η έμφαση που δίνει στο ατομικό συμφέρον τείνει να δια-
βρώσει εκείνα ακριβώς τα γνωρίσματα του χαρακτήρα χωρίς τα ο-
ποία δεν μπορεί να λειτουργήσει.

Το μοντέλο της δέσμευσης βλέπει αυτή την αντίφαση κάτω από
νέο πρίσμα. Όπως και το μοντέλο του κορόιδου, αναγνωρίζει ότι το να
κάνεις το σωστό ή το δίκαιο συνεπάγεται κάποιο κόστος στην κάθε ε-
πιμέρους περίπτωση, αλλά τονίζει ότι, εάν έχεις αυτή την προδιάθεση,
δεν σημαίνει απαραίτητα ότι ακολουθείς τη στρατηγική των χαμένων.
Τα θέματα δέσμευσης είναι πάρα πολλά και, εάν οι συνεργάτες αλλη-
λοαναγνωρίζονται, τότε υπάρχουν σημαντικά πλεονεκτήματα. Από τη
σκοπιά του μοντέλου της δέσμευσης, το στοιχείο της αυταπάρνησης
που απαιτείται από τις αποτελεσματικές αγορές δεν έρχεται πλέον σε
σύγκρουση με τις υλιστικές προϋποθέσεις της αγοράς.

Η πρακτική σημασία αυτής της συνειδητοποίησης είναι ότι
μπορεί να βαρύνει στην κρίση μας όταν αποφασίζουμε τι είδους άν-
θρωπος πρέπει να γίνουμε. Οι διαθέσεις και οι αξίες δεν χαράζονται
με μεγάλη ακρίβεια τη στιγμή της γέννησης. Αντιθέτως, όπως επιση-
μάναμε, η διάπλασή τους είναι, σε μεγάλο βαθμό, καθήκον της παι-
δείας. Οι περισσότεροι άνθρωποι έχουν την ικανότητα να αναπτύ-
ξουν τη συναισθηματική δέσμευση ότι δεν θα συμπεριφερθούν και-
ροσκοπικά. Σε αντίθεση με το μοντέλο του κορόιδου, το μοντέλο της
δέσμευσης προτείνει μια απλή απάντηση στο βασανιστικό ερώτημα
του γιατί ακόμα κι ένας καιροσκόπος μπορεί να θέλει να αναλάβει αυ-
τή τη δέσμευση.

Κάποτε η διδασκαλία των ηθικών αξιών ήταν αποκλειστική
σχεδόν αρμοδιότητα των επίσημων θρησκειών. Η εκκλησία είχε όλα
τα εφόδια για την επιτέλεση αυτού του καθήκοντος, επειδή είχε την έ-
τοιμη απάντηση στο ερώτημα: «Γιατί να μην κλέψω αφού δεν με βλέ-

πει κανείς;» Για τον θρησκευόμενο, αυτό το ερώτημα δεν γεννιέται καν, γιατί ο Θεός βλέπει *πάντοτε*. Τελευταία όμως η απειλή της αιώνιας καταδίκης έχει χάσει τη βαρύτητά της, ενώ δεν έχουν αναδειχθεί εναλλακτικοί θεσμοί για να αναλάβουν τον ρόλο της εκκλησίας.

Η παρακμή της θρησκείας δεν είναι η μόνη σημαντική αλλαγή. Ακόμα και οι οικογένειες που θέλουν να διδάξουν τις ηθικές αξίες στα παιδιά τους δεν έχουν τον χρόνο και την ενέργεια που χρειάζεται για να το κάνουν. Τα μισά Αμερικανόπαιδα περνούν σήμερα ένα μέρος της παιδικής τους ηλικίας σε σπίτια με έναν μόνο γονιό. Όσο για τα παιδιά που ζουν με δυο γονείς, συνήθως δουλεύουν και οι δύο σε δουλειές πλήρους απασχόλησης. Όταν υπάρχει η επιλογή ανάμεσα στο να μείνει ο ένας γονιός στο σπίτι για να διδάξει στα παιδιά τις ηθικές αξίες (ή να μένουν και οι δυο σπίτι και να εργάζονται σε δουλειές μερικής απασχόλησης) ή να δουλεύουν και οι δυο με ωράριο πλήρους απασχόλησης για να έχουν τη δυνατότητα να αγοράσουν σπίτι σε περιοχή με καλύτερο σχολείο, οι περισσότεροι γονείς αισθάνονται μια ακαταμάχητη έλξη για τη δεύτερη λύση.

Εάν οι ηθικές αξίες είναι σημαντικές και δεν διδάσκονται στο σπίτι, γιατί να μην τις διδάσκουν τα δημόσια σχολεία; Ελάχιστα θέματα προκαλούν τόσο σοβαρές έριδες όσο οι προτάσεις για τη διδασκαλία των ηθικών αξιών στα σχολεία. Μόλις κάποιο θέμα της διδακτέας ύλης δείχνει να εμπεριέχει κάποια ηθική κρίση, οι φιλελεύθεροι θεματοφύλακες αναλαμβάνουν αμέσως δράση. Γι' αυτούς, η ιδέα της διδασκαλίας των ηθικών αξιών σημαίνει ότι «κάποιος θα προσπαθήσει να κάνει πλύση εγκεφάλου στο παιδί μου με τις *δικές του* ηθικές αξίες». Από την πλευρά τους, οι άκρως συντηρητικοί επιμένουν ότι τα θρησκευτικά δόγματα πρέπει να παρουσιάζονται στους μαθητές με το ίδιο κύρος που παρουσιάζονται τα επιστημονικά δεδομένα. Σύμφωνα με την άποψή τους, η μη διδασκαλία *των δικών τους* αξιών ισοδυναμεί με δημόσια αποκήρυξή τους.

Σε πολλά συγκεκριμένα θέματα, όπως το ζήτημα της έκτρωσης, το πεδίο σύγκλισης των δύο ομάδων είναι ελάχιστο. Δυστυχώς η προβολή τέτοιων ζητημάτων δεν αφήνει να φανεί η πολύ ουσιαστική ομοφωνία μας σε ζητήματα που έχουν αξία. Για παράδειγμα, οι περισσότεροι άνθρωποι που ζουν σήμερα στις Ηνωμένες Πολιτείες συμφωνούν ότι ο κόσμος πρέπει:

– να μη λέει ψέματα,

– να μην κλέβει,

– να μην εξαπατά,

– να κρατά τις υποσχέσεις του,

– να ακολουθεί τον χρυσό κανόνα και

– να δείχνει ανοχή και σεβασμό στη διαφορετικότητα.

Αυτό δεν σημαίνει ότι υπάρχει συμφωνία στα δύσκολα ζητήματα. Τα ψέματα που εξυπηρετούν καλό σκοπό θεωρούνται αποδεκτά, αλλά μερικές φορές είναι δύσκολο να οριστούν. Παρ' όλα αυτά, εξακολουθεί να υπάρχει εντυπωσιακή ομοφωνία στα περισσότερα α- πό τα βασικά παραδείγματα που εντάσσονται σ' αυτούς τους απλούς κανόνες. Τότε γιατί *αυτοί οι απλοί κανόνες* δεν αποτελούν μέρος της διδακτέας ύλης στα δημόσια σχολεία;

Η ειρωνεία είναι ότι μέρος του προβλήματος πηγάζει από το τελευταίο άρθρο της λίστας που δώσαμε: τον σεβασμό μας στη διαφορετικότητα. Πολλές κρίσεις για τις αξίες είναι φυσικά πολύ προσωπικές. Ακόμα και εάν ελάχιστοι από εμάς αποδοκιμάζουν κάποιο στοιχείο αυτής της λίστας, μία μερίδα από αυτούς τους ελάχιστους εκδηλώνει την αντίθεσή της με σφοδρότητα. Και εξαιτίας αυτής της κατάστασης, πολλοί από εμάς διστάζουμε να επιβάλουμε σ' αυτούς τους λίγους τις αξίες «μας» σ' ένα φόρουμ όπως τα δημόσια σχολεία.

Όμως η ανεκτικότητα, όπως και πολλές άλλες αρετές, δεν είναι απόλυτη. Για να ευχαριστήσουμε αυτή την ελάχιστη μειοψηφία που δεν θα χαιρόταν να δει τη δυναμική προώθηση ακόμα και αυτού του περιορισμένου πίνακα αξιών στα δημόσια σχολεία, οι υπόλοιποι πρέπει να θυσιάσουμε πάρα πολλά. Εάν οι αξίες ήταν απλώς προσωπικές απόψεις, ίσως να υπήρχε ισχυρός λόγος για να κάνουμε αυτή τη θυσία. Δεν είναι όμως. Όταν οι άνθρωποι διδάσκονται να μη λένε ψέματα και να μην εξαπατούν, ο κόσμος γίνεται καλύτερος σχεδόν για όλους. Και το πιο σημαντικό είναι ότι τα κέρδη δεν είναι γενικά: Θα είναι μεγαλύτερα για τα άτομα που εσωτερικεύουν πράγματι αυτές τις αξίες.* Συνεπώς οι άνθρωποι που υποστηρίζουν ότι οι αξίες δεν πρέ-

---

* Επειδή το μοντέλο της δέσμευσης μιλάει για μια ισορροπία όπου οι συνεργάτες και οι προδότες θα έχουν τις ίδιες κατά μέσο όρο απολαβές, μπορεί να φαίνεται ότι λέει πως δεν υπάρχει ιδιαίτερο πλεονέκτημα στο να γίνουμε πιο συνεργάσιμοι. Αλ-

πει να διδάσκονται στα δημόσια σχολεία υποστηρίζουν ότι τα παιδιά των άλλων –τα παιδιά μας– πρέπει να αρκεστούν σε μικρότερο μερίδιο εκείνων των στοιχείων του χαρακτήρα που θα τα βοηθήσουν να τα βγάλουν πέρα στον υλικό κόσμο. Είναι δύσκολο να καταλάβει κανείς γιατί η κοινότητα θα πρέπει να ανεχθεί κάτι τέτοιο για να ικανοποιήσει τόσο λίγους.

Η διδασκαλία των αξιών στα δημόσια σχολεία συναντά επίσης και πολιτική αντίθεση, επειδή πολλοί άνθρωποι πιστεύουν ότι θολώνει τα ουσιαστικά όρια μεταξύ εκκλησίας και κράτους. Το μοντέλο της δέσμευσης τονίζει ωστόσο ότι οι αξίες δεν πηγάζουν μόνον από τη θρησκευτική διδασκαλία, αλλά και από υλικούς στοχασμούς, που δεν έχουν καμία σχέση μαζί της. Από αυτή την άποψη βεβαίως, δεν διαφέρει καθόλου από τις υπόλοιπες πολυάριθμες υλιστικές απόψεις για τις ηθικές αξίες. Ωστόσο διαφέρει από τις άλλες ως προς το ότι τονίζει ότι οι αξίες ωφελούν *τα άτομα* και όχι μόνον το κοινωνικό σύνολο. Συνεπώς ξεκαθαρίζει κάτι που δεν ξεκαθαρίζουν οι άλλες απόψεις, δηλαδή ότι το θέμα της διδασκαλίας των ηθικών αξιών στα δημόσια σχολεία είναι, μ' αυτή την έννοια, το ίδιο με το θέμα της διδασκαλίας των παραδοσιακών μαθημάτων, όπως η φυσικοχημεία ή τα μαθηματικά.

Παρότι οι δυνάμεις που περιγράφονται από το μοντέλο της δέσμευσης δείχνουν ότι μπορεί να υπάρξει κάποιο ατομικό πλεονέκτημα από την ηθική συμπεριφορά, δεν πρέπει να ξεχνάμε ότι οι δυνάμεις αυτές, από μόνες τους, δεν εξασφαλίζουν υψηλά επίπεδα κοινωνικής συνεργασίας. Αντιθέτως, ξέρουμε ότι τα ποσοστά της συνεργασίας διαφέρουν κατά πολύ σε διαφορετικές κοινωνίες· και ότι, ακόμα και μέσα σε μία κοινωνία, υπάρχουν πολλές διαφορές ανάλογα με την ιστορική περίοδο.[9] Αυτές οι διαφορές σίγουρα δεν εξηγούνται από τις κληρονομικές διαφορές στην τάση για συνεργασία. Είναι πιο πιθανό να αντανακλούν διαφορές στο ενδιαφέρον που δείχνει η κάθε κοινωνία για την τήρηση των κοινωνικών κανόνων.

———————————

λά δεν λέει καθόλου αυτό. Όπως παρατηρήσαμε στο Κεφάλαιο Τέσσερα, περιγράφει μια ισορροπία στην οποία οι δυο αντίπαλες στρατηγικές ορίζονται με *σχετικά* κριτήρια. Τα στοιχεία υποδεικνύουν ότι ακόμα και οι προδότες, για να μπορέσουν να τα βγάλουν πέρα στη ζωή, πρέπει να αποκτήσουν τουλάχιστον *κάποια* ηθικά αισθήματα.

Η σημασία αυτών των κανόνων υπογραμμίζεται ακόμα πιο πολύ από την επίδραση που έχει η συμπεριφορά του κάθε ανθρώπου στη συμπεριφορά των υπόλοιπων. Όπως είδαμε στα πειράματα με το δίλημμα του φυλακισμένου στο Κεφάλαιο Επτά, οι άνθρωποι έχουν μια ισχυρή τάση να συνεργαστούν όταν περιμένουν ότι και οι άλλοι θα κάνουν το ίδιο. Με την ίδια λογική, είναι πολύ πιο πιθανό να προδώσουν όταν περιμένουν προδοσία. Τα συμπεριφορικά συστήματα που έχουν αυτού του τύπου την ιδιότητα ανάδρασης τείνουν να είναι πολύ ασταθή. Εάν, για κάποιο λόγο, τα ποσοστά της προδοσίας αυξηθούν μια συγκεκριμένη χρονιά, την επόμενη χρονιά περισσότερα άτομα θα επιδείξουν τάσεις προδοσίας και ακόμα περισσότερα την παρεπόμενη. Αντιστοίχως, μια αύξηση του ποσοστού της συνεργασίας τείνει να ενισχύει τη συνεργασία.

Οι κοινωνίες που αποτυγχάνουν να παρέμβουν σ' αυτή τη διαδικασία χάνουν μια πολύτιμη ευκαιρία. Όπως έχει τονίσει ο κοινωνιολόγος James Coleman, οι κανόνες μιας κοινωνίας αποτελούν σημαντικό μέρος του κεφαλαίου της, που δεν είναι πιο ευκαταφρόνητο από τους δρόμους και τα εργοστάσια.[10] Αν δεν τηρούνται αυτοί οι κανόνες, θα οδηγηθούμε σε μια υπανάπτυκτη κοινωνία, όπως ακριβώς θα συμβεί και αν δεν διατηρήσουμε τα πιο απτά και ορατά στοιχεία της οικονομικής υποδομής.[11]

Είναι το υλικό κέρδος το κατάλληλο κίνητρο για την ηθική;

Πολλοί μπορεί να αρνηθούν ότι η προοπτική του υλικού κέρδους είναι το κατάλληλο κίνητρο για την αποδοχή των ηθικών αξιών. Αυτή η αντίρρηση ωστόσο παρερμηνεύει το κεντρικό μήνυμα του μοντέλου της δέσμευσης. Για να ισχύει αυτό το μοντέλο, η ικανοποίηση που νιώθει κανείς όταν κάνει το σωστό *δεν πρέπει* να στηρίζεται στο ενδεχόμενο των μελλοντικών υλικών κερδών. Αντιθέτως, πρέπει να ενυπάρχει στην ίδια την πράξη. Διαφορετικά το άτομο δεν θα έχει τα αναγκαία κίνητρα για να κάνει επιλογές αυτοθυσίας. Και μόλις οι άλλοι αντιληφθούν κάτι τέτοιο, τα υλικά κέρδη δεν πρόκειται εν τέλει να έρθουν. Σύμφωνα με το μοντέλο της δέσμευσης, τα ηθικά αισθήματα δεν οδηγούν σε υλικό όφελος παρά μόνον όταν είναι *πηγαία*.

Επιπλέον, εάν είναι αλήθεια ότι η αποδοχή των ηθικών αξιών είναι ωφέλιμη, τότε σίγουρα είναι πολύ χρήσιμο να το ξέρουν όλοι. Ο ρόλος της υλικής ανταμοιβής στο μοντέλο της δέσμευσης είναι το α- ντίστοιχο της απειλής της θρησκείας για αιώνια καταδίκη, και δεν υ- πάρχει λόγος να κρύβουμε το ένα τη στιγμή που διατρανώνουμε το άλλο.

Αντιθέτως, δεν είναι διόλου σίγουρο πως οτιδήποτε άλλο πέρα από το υλικό όφελος θα μπορούσε να εξουδετερώσει τις αντίθετες τά- σεις που καλλιεργεί το μοντέλο του κορόιδου. Προσφάτως παρακο- λούθησα ένα καταθλιπτικό ντοκιμαντέρ στο PBS, στο οποίο ο δημο- σιογράφος που έπαιρνε τις συνεντεύξεις διερευνούσε τις απόψεις των μαθητών του γυμνασίου για την ηθική συμπεριφορά στον κόσμο των επιχειρήσεων. Μία από τις ερωτήσεις που έκανε ήταν: «Εάν είχατε μια εταιρεία παραγωγής χημικών ουσιών που βρίσκεται στα πρόθυρα της χρεοκοπίας και μπορούσατε να τη σώσετε θάβοντας τοξικά απόβλητα, τα οποία προκαλούν σοβαρές βλάβες σε άλλους ανθρώπους, θα το κά- νατε;» Όλοι οι μαθητές πλην ενός απάντησαν χωρίς δισταγμό ότι θα τα έθαβαν! Μου φαίνεται δύσκολο να πιστέψω ότι πίσω από αυτές τις απαντήσεις δεν κρύβονται οι απόψεις του μοντέλου του κορόιδου για το θέμα της ηθικής. Αν είναι έτσι, η εναλλακτική προοπτική που προ- τείνει το μοντέλο της δέσμευσης πρέπει να κάνει μερικούς απ' αυτούς τους μαθητές να το σκεφτούν καλύτερα. Ή τουλάχιστον έτσι ελπίζω.

Πιστεύω ότι τα στοιχεία που εξετάσαμε δικαιολογούν απολύτως τα α- κόλουθα τέσσερα συμπεράσματα:

1. *Οι άνθρωποι συχνά δεν συμπεριφέρονται με τον τρόπο που προβλέπει το μοντέλο του ατομικού συμφέροντος.* Ψηφίζουμε, επι- στρέφουμε χαμένα πορτοφόλια, δεν αποσυνδέουμε τους καταλύτες των αυτοκινήτων μας, δωρίζουμε μυελό των οστών, δίνουμε χρήματα σε φιλανθρωπίες, υφιστάμεθα ζημίες εν ονόματι του αισθήματος του δικαίου, λειτουργούμε μη εγωιστικά στις ερωτικές σχέσεις· μερικοί α- πό εμάς διακινδυνεύουν ακόμα και τη ζωή τους για να σώσουν αγνώ- στους. Οι παραδοσιακές προσπάθειες εκλογίκευσης αυτών των συ- μπεριφορών έχουν αποτύχει παταγωδώς. Είναι φανερό ότι η επιλογή

της συγγένειας είναι σημαντική, και ωστόσο πολλοί από τους ευεργετούμενους είναι παντελώς άγνωστοι στους ευεργέτες τους. Ο ανταποδοτικός αλτρουισμός και το «μία σου και μία μου» είναι καθ' όλα σημαντικές στρατηγικές, αλλά δεν μπορούν να ερμηνεύσουν τη συνεργασία στο δίλημμα του φυλακισμένου που τίθεται μία και μοναδική φορά, ή σ' εκείνο το δίλημμα όπου η προδοσία δεν μπορεί να αποκαλυφθεί. Πολλές από τις συναλλαγές που εξετάσαμε ανήκουν σ' αυτό ακριβώς το είδος, πράγμα που γνώριζε ο καθένας που συμμετείχε.

2. *Η αιτία της παράλογης συμπεριφοράς δεν οφείλεται πάντα στους κακούς υπολογισμούς των ανθρώπων.* Σίγουρα πολύ συχνά κάνουμε λάθη. Μαθαίνω ότι η First National δανείζει με τόκο 9%, αλλά το ξεχνάω και πληρώνω 10% στη Citizen's Federal. Ή, πάλι, ίσως να μην μπορώ να υπολογίσω ότι οι φορολογικοί νόμοι ευνοούν την αγορά έναντι της ενοικίασης. Εάν κάποιος μου επεσήμαινε αυτά τα λάθη, είναι σχεδόν βέβαιο ότι θα άλλαζα τη συμπεριφορά μου. Κι ωστόσο πολλά από τα πιο χτυπητά παραδείγματα παράλογης συμπεριφοράς δεν έχουν καμία απολύτως σχέση με λάθη. Ο σύζυγος που παραμένει πιστός στη σύζυγό του, παρότι αυτή πάσχει από κάποια μακροχρόνια ασθένεια, θα μπορούσε να την εγκαταλείψει για κάποια υγιή σύντροφο. Σε πολλές περιπτώσεις, από υλικής απόψεως, θα τον συνέφερε να κάνει κάτι τέτοιο. Κι όμως, μένει κοντά της, κι αυτό δεν συμβαίνει γιατί είναι ανίκανος να κάνει τους σχετικούς υπολογισμούς. Κάτι ανάλογο συμβαίνει και με τους ανθρώπους που αρνούνται τις επικερδείς αλλά άδικες προσφορές. Οι περισσότεροι γνωρίζουν πολύ καλά ότι, εάν δέχονταν, θα αύξαναν τα εισοδήματά τους, κι ωστόσο αρνούνται χωρίς κανέναν απολύτως δισταγμό.

3. *Το συναίσθημα είναι συχνά ένα σημαντικό κίνητρο της παράλογης συμπεριφοράς.* Η πληθώρα των αποδεικτικών στοιχείων καταδεικνύει ότι, πίσω από την αποτυχία μας να μεγιστοποιήσουμε τα κέρδη μας, κρύβονται συναισθηματικές δυνάμεις. Οι αναπτυξιακοί ψυχολόγοι ισχυρίζονται ότι η ηθική συμπεριφορά συμβαδίζει με την ωρίμανση συγκεκριμένων συναισθηματικών ικανοτήτων. Ο ψυχοπαθής αποτυγχάνει όχι εξαιτίας της ανικανότητάς του να εκτιμήσει το ατομικό συμφέρον, αλλά εξαιτίας της ανικανότητάς του για συναισθημα-

τική κατανόηση, εξαιτίας της μη επιδεκτικότητάς του στον συναισθηματικό εθισμό. Τα τεστ προσωπικότητας αποκαλύπτουν ότι η κινητήρια δύναμη που κρύβεται πίσω από τις επιτυχημένες διαπροσωπικές σχέσεις είναι η στοργή και όχι το ενδιαφέρον για το υλικό ατομικό συμφέρον. Γνωρίζουμε ότι το πώς αισθάνονται οι άνθρωποι επηρεάζει ιδιαίτερα την πιθανότητα να κάνουν καλές πράξεις, όπως να βοηθήσουν κάποιον άγνωστο ή να επιστρέψουν ένα χαμένο πορτοφόλι. Και τα πειράματα αποδεικνύουν συστηματικά ότι οι συνεργάτες α-ντιδρούν με αγανάκτηση όταν κάποιος από τους «συνεταίρους» τούς προδίδει σε κάποιο δίλημμα του φυλακισμένου.

4. *Το συναίσθημα ως κίνητρο είναι συχνά πλεονέκτημα.* Υπάρχουν πολλά προβλήματα που οι καθαρά ιδιοτελείς άνθρωποι απλώς δεν μπορούν να επιλύσουν. Δεν μπορούν να γίνουν επιθυμητοί σε δουλειές που απαιτούν εμπιστοσύνη. Δεν μπορούν να πείσουν όταν α-πειλούν ότι θα αποσυρθούν από άδικες συναλλαγές που θα αυξήσουν τα πλούτη τους. Ούτε μπορούν να αποτρέψουν μια επίθεση όταν η εκδίκηση συνεπάγεται απαγορευτικό κόστος. Ούτε μπορούν να κάνουν αξιόπιστες δεσμεύσεις στις διαπροσωπικές σχέσεις.

Όλα αυτά τα θέματα είναι πολύ σημαντικά. Είδαμε ότι οι άνθρωποι που είναι γνωστό ότι διαθέτουν συγκεκριμένες συναισθηματικές προδιαθέσεις είναι συχνά ικανοί να τα επιλύσουν. Τα θέματα αυτά απαιτούν να σφίξουμε τα χέρια, και τα συναισθήματα προκαλούν αυτό ακριβώς το επιθυμητό αποτέλεσμα. Έχουμε εξετάσει επίσης μια πληθώρα απτών τρόπων οι οποίοι κάνουν τους άλλους να διακρίνουν την προδιάθεσή μας. Δεν είναι υποχρεωτικό να μπορούμε να κρίνουμε τον χαρακτήρα του καθενός με απόλυτη ακρίβεια. Το μοντέλο της δέσμευσης δεν απαιτεί παρά να είμαστε ικανοί να κρίνουμε με ακρίβεια τους ανθρώπους που γνωρίζουμε πολύ καλά.

Οι περισσότεροι πιστεύουμε ότι έχουμε αυτή την ικανότητα. Αν έχουμε δίκιο, τότε τα ευγενή ανθρώπινα κίνητρα, και οι πολυδάπανες συμπεριφορές που πολλές φορές συνεπάγονται, όχι απλώς θα επιβιώσουν μέσα στις στυγνές πιέσεις του υλικού κόσμου, αλλά και θα δυναμώσουν απ' αυτές.

Με βάση τα στοιχεία που παραθέσαμε, οφείλουμε να πούμε ότι το μοντέλο του ατομικού συμφέροντος παρέχει μια οικτρά ανεπαρκή περιγραφή του τρόπου συμπεριφοράς των ανθρώπων. Κι ωστόσο το μοντέλο αυτό εξακολουθεί να ανθίζει. Οι υποστηρικτές του έχουν εκδιώξει τους παραδοσιακούς σε όλους τους χώρους των συμπεριφορικών επιστημών. Ένας λόγος είναι ότι, εκεί που οι παραδοσιακές θεωρίες είναι συχνά αόριστες, το μοντέλο του ατομικού συμφέροντος είναι εξαιρετικά ακριβές. Πολλές από τις προβλέψεις του μπορεί να είναι λανθασμένες, αλλά τουλάχιστον *κάνει* προβλέψεις. Και για να είμαστε δίκαιοι, πάρα πολλές από τις προβλέψεις του αποδεικνύονται σωστές.

Αλλά ο πιο σημαντικός λόγος για την επιτυχία του μοντέλου του ατομικού συμφέροντος είναι η ακαταμάχητη λογική του. Αποκαλύπτει ότι, πίσω από τα φαινομενικά άσχετα δεδομένα της εμπειρίας, υπάρχει μια αρμονική συνοχή. Τα πιο γνωστά παραδείγματα προέρχονται από το ζωικό βασίλειο. Η θεωρία του Δαρβίνου μας λέει ότι τα γεράκια βλέπουν τόσο καλά επειδή εκείνα που είχαν την οξύτερη όραση πάντοτε έπιαναν περισσότερη λεία και, κατά συνέπεια, άφηναν περισσότερους απογόνους.

Το μοντέλο αυτό έχει αποδειχθεί εξίσου χρήσιμο για την κατανόηση της εξέλιξης των οργανισμών.[12] Μας λέει, για παράδειγμα, ότι, επειδή οι εταιρείες που μολύνουν το περιβάλλον υποβάλλονται σε λιγότερα έξοδα, είναι αναπόφευκτο ότι θα παραμερίσουν τις ανταγωνίστριες εταιρείες που δείχνουν μεγαλύτερη ευαισθησία στα κοινωνικά ζητήματα. Οι περισσότεροι άνθρωποι θέλουν λιγότερη μόλυνση, αλλά δεν μπορούν να αντισταθούν στον πειρασμό του φθηνότερου και αφήνουν τους άλλους να αγοράσουν τα πιο ακριβά προϊόντα των εταιρειών που δεν μολύνουν το περιβάλλον.

Το μοντέλο ισχυρίζεται ότι παρόμοιες υλικές πιέσεις έχουν διαμορφώσει τη συμπεριφορά των ανθρώπων. Το σκληρό, αν και ατυχές, συμπέρασμα είναι ότι, με την πάροδο των χιλιετιών, οι εγωιστές έχουν εκδιώξει σταδιακά όλους τους άλλους.

Και παρ' όλα αυτά, παρά την ακαταμάχητη λογική που οδηγεί σ' αυτό το συμπέρασμα, δεν υπάρχει αμφιβολία ότι είναι λάθος. Προσπαθώντας να εξηγήσουν το γιατί, οι περισσότεροι επικριτές αρνούνται ότι οι υλικές απολαβές έπαιξαν έναν τόσο σημαντικό ρόλο. Πολύ συχνά επισημαίνουν ότι οι άνθρωποι με μεγάλα εισοδήματα έχουν λιγότερα παιδιά και συμπεραίνουν ότι οι συνηθισμένες πιέσεις επιλογής απλώς δεν εφαρμόζονται στην περίπτωση των ανθρώπων.

Εάν όμως εξετάσουμε καλύτερα αυτή την αντίρρηση, δεν ευσταθεί, διότι η αρνητική σχέση μεταξύ γονιμότητας και εισοδήματος είναι πολύ πρόσφατη. Στο μεγαλύτερο μέρος της ανθρώπινης ιστορίας, οι περιβαλλοντικές συνθήκες ήταν πιο δυσάρεστες απ' ό,τι σήμερα, και πάντοτε υπήρχε μια πολύ ισχυρή διασύνδεση μεταξύ της υλικής επιτυχίας μιας οικογένειας και του αριθμού των παιδιών που επιζούσαν. Επιπλέον οι πολυγαμικές οικογένειες αποτελούσαν τον κανόνα στην ιστορία των πρωτόγονων και οι άντρες που δεν είχαν τα υλικά μέσα συχνά δεν παντρεύονταν καθόλου. Σίγουρα δεν είναι και πολύ επιτυχημένη στρατηγική να επικρίνουμε το υλιστικό μοντέλο υποστηρίζοντας απλώς ότι με κάποιον τρόπο οι άνθρωποι εξαιρούνται από αυτή τη λογική.

Οι επικριτές επίσης βιάζονται να πουν ότι η κουλτούρα υπερνικά τις τάσεις που ενθαρρύνονται από τα υλικά κίνητρα. Αλλά κι αυτή επίσης η κριτική δεν επαρκεί. Ακόμα και μέσα στην πιο αυστηρά υλιστική θεωρία, είναι εύκολο να δούμε γιατί οι κοινωνίες προσπαθούν να βάλουν φρένο στην επιδίωξη του ατομικού συμφέροντος: Τα διλήμματα του φυλακισμένου αφθονούν και σε όλα υπάρχει κέρδος όταν ο καθένας επιδεικνύει αυτοσυγκράτηση. Οι υλιστές δεν δυσκολεύονται καθόλου να εξηγήσουν γιατί οι καιροσκόποι θα ήθελαν να ζουν σε τέτοιες κοινωνίες. Κι εκείνο που δεν έχουν εξηγήσει οι επικριτές είναι ο λόγος που οι καιροσκόποι συμμετέχουν στις προσπάθειες εμφύσησης ηθικών αξιών στα *παιδιά τους*. Γιατί, αντ' αυτού, δεν τα διδάσκουν να συνεργάζονται μόνον όταν αυτό εξυπηρετεί το στενό ατομικό τους συμφέρον και, σε όλες τις άλλες περιπτώσεις, να φέρονται καιροσκοπικά;

Υπάρχουν πολλοί έξυπνοι άνθρωποι που δείχνουν ικανοί να αντισταθούν στον πολιτισμικό εθισμό. Σύμφωνα με τη λογική των υλιστικών θεωριών, αυτοί οι άνθρωποι θα έπρεπε εδώ και καιρό να είχαν εκδιώξει τους υπόλοιπους. Δεν χρειάζεται να αρνηθούμε την προφανή σημασία του πολιτισμού για να πούμε ότι δεν μπορεί να ευθύνεται *μόνον αυτός* που δεν έχει συμβεί κάτι τέτοιο. Είναι βέβαιο ότι η θεωρία της εξέλιξης μας έχει αμολήσει πολύ τα λουριά, καθώς και ότι η πολιτισμική κατήχηση είναι σαφώς απαραίτητη για να ερμηνευθούν λεπτομέρειες της ανιδιοτελούς συμπεριφοράς. Είναι όμως εξίσου βέβαιο ότι είναι ανεπαρκής.

Μια φιλική τροπολογία στο μοντέλο του ατομικού συμφέροντος

Η δυσκολία που αντιμετωπίζουν οι επικριτές είναι η αποτυχία τους να προτείνουν μια εναλλακτική θεωρία. Καμία από τις αποδείξεις που παραθέτουν εναντίον του μοντέλου του ατομικού συμφέροντος δεν είναι πραγματικά καινούρια. Τα πειράματα με τα διλήμματα του φυλακισμένου ξεκίνησαν στη δεκαετία του '50, και εκείνα με την ε-ντιμότητα και τους ανθρώπους που βρίσκονται σε κίνδυνο στη δεκαετία του '60. Ακόμα και η πρόσφατη εργασία του Kagan για τον ρόλο των συναισθηματικών δυνατοτήτων δεν κάνει τίποτε άλλο παρά να παρέχει το σύγχρονο επιστημονικό υπόβαθρο για πεποιθήσεις που στον δέκατο ένατο αιώνα ήταν καθολικές. Όπως όμως τονίζει ο φιλόσοφος Thomas Kuhn, σχεδόν ποτέ μια κυρίαρχη θεωρία δεν παραγκωνίστηκε μόνο και μόνο επειδή τα δεδομένα της ήταν αντιφατικά.[13] Εάν πρόκειται να αμφισβητηθεί σοβαρά, αυτό πρέπει να γίνει α-πό κάποια εναλλακτική θεωρία που να συμφωνεί περισσότερο με τα γεγονότα.

Το μοντέλο της δέσμευσης είναι ένα πιθανό πρώτο βήμα στη δημιουργία μιας θεωρίας μη καιροσκοπικής συμπεριφοράς. Αμφισβητεί την εικόνα για την ανθρώπινη φύση που σκιαγραφεί το μοντέλο του ατομικού συμφέροντος, αλλά αποδέχεται τη θεμελιακή του αρχή ότι τα υλικά κίνητρα είναι αυτά που τελικά καθορίζουν τη συμπεριφορά. Το σημείο εκκίνησής του είναι ότι οι άνθρωποι των οποίων το άμεσο κίνητρο είναι η επιδίωξη του ατομικού συμφέροντος συχνά α-ποτυγχάνουν γι' αυτό ακριβώς τον λόγο. Αποτυγχάνουν επειδή είναι ανίκανοι να επιλύσουν θέματα δέσμευσης.

Αυτά τα θέματα πολύ συχνά επιλύονται από άτομα που έχουν εγκαταλείψει το κυνήγι της μεγιστοποίησης των υλικών αγαθών. Τα συναισθήματα που κάνουν τους ανθρώπους να συμπεριφέρονται με φαινομενικά παράλογους τρόπους μπορούν συνεπώς να οδηγήσουν σε μεγαλύτερη ουσιαστική ευημερία. Υπό αυτό το πρίσμα, το μοντέλο της δέσμευσης δεν συνιστά απόρριψη του μοντέλου του ατομικού συμφέροντος, αλλά μια φιλικά διακείμενη τροπολογία του. Χωρίς να εγκαταλείπει το βασικό υλιστικό του πλαίσιο, διαπιστώνει τον τρόπο που αναδείχθηκαν και αναπτύχθηκαν τα πιο ευγενή χαρακτηριστικά της ανθρώπινης φύσης.

Η ελπίδα ότι αυτή η ερμηνεία μπορεί να έχει ευεργετική επίδραση στη συμπεριφορά μας δεν είναι αφελής. Στο κάτω κάτω, το μοντέλο του ατομικού συμφέροντος, που μας παροτρύνει να περιμένουμε το χειρότερο από τους άλλους, δεν έχει κατορθώσει να αναδείξει τον χειρότερο εαυτό μας. Κάποιος που πιστεύει ότι πάντοτε τον εξαπατούν έχει ελάχιστα κίνητρα τίμιας συμπεριφοράς. Το μοντέλο της δέσμευσης μπορεί να μη λέει ότι πρέπει να περιμένουμε από τους άλλους το καλύτερο, αλλά μας προτρέπει να έχουμε μια σαφώς πιο αισιόδοξη θεώρηση.

ΠΑΡΑΡΤΗΜΑ

ΜΙΑ ΤΥΠΟΠΟΙΗΜΕΝΗ ΕΚΔΟΧΗ ΤΟΥ ΜΟΝΤΕΛΟΥ ΤΗΣ ΔΕΣΜΕΥΣΗΣ

ΜΕΤΑΦΡΑΣΗ
ΔΗΜΗΤΡΗΣ ΗΛΙΑΣ

Το Παράρτημα αυτό εκθέτει μερικές από τις τεχνικές λεπτομέρειες μιας γενικότερης εκδοχής του μοντέλου της δέσμευσης, που περιγράφηκε στο Κεφάλαιο Τρία.

Ας θεωρήσουμε έναν πληθυσμό που ο καθένας από αυτούς που τον αποτελούν* έχει το ένα από τα εξής δύο χαρακτηρολογικά γνωρίσματα, ή το H ή το D. Αυτοί που έχουν το H είναι έντιμοι, αυτοί που έχουν το D δεν είναι.[1] Το να είσαι έντιμος εδώ σημαίνει ότι αποφεύγεις να εξαπατήσεις τον συνεταίρο σου σε μια επιχειρηματική σύμπραξη, ακόμα και όταν η απάτη δεν μπορεί να τιμωρηθεί. Το να είσαι ανέντιμος σημαίνει ότι, κάτω από τις ίδιες συνθήκες, τον εξαπατάς πάντα.

Έστω ότι οι άνθρωποι αντιμετωπίζουν δύο επιλογές:

1. Μπορούν να συνεργαστούν με κάποιον σε μια συνεταιρική δουλειά, της οποίας τα κέρδη δίνονται στον Πίνακα Α.1. Η επιχειρηματική αυτή πράξη θα γίνει μόνο μία φορά και η ανέντιμη συμπεριφορά δεν μπορεί να τιμωρηθεί.

ή

2. Μπορούν να συνεργαστούν με κάποιον σε μια εναλλακτική επιχειρηματική σύμπραξη στην οποία η συμπεριφορά των συνεταίρων είναι δυνατόν να παρακολουθείται απόλυτα. Ας ονομάσουμε την επιλογή αυτή εξατομικευμένη εργασία, γιατί δεν περιλαμβάνει δραστηριότητες που απαιτούν εμπιστοσύνη. Και αυτή μπορεί να γίνει μόνο μία φορά, και τα κέρδη της για τον καθένα είναι x_2, άσχετα με τους συνδυασμούς αυτών που θα συνεργαστούν. Έτσι η επιλογή εξατομικευμένης εργασίας προσφέρει τα ίδια κέρδη που θα προσέφερε στην περίπτωση 1 η συνεργασία δύο ανέντιμων ανθρώπων.

---

* Δηλαδή, με μαθηματική ορολογία, είναι στοιχεία ή στατιστικές μονάδες του. (Σ.τ.Μ.)

Πολλοί αναγνώστες θα θεωρήσουν πιο σωστό να υποθέσουμε ότι τα άτομα που αλληλοεξαπατώνται στην περίπτωση 1 έχουν μικρότερη απόδοση από αυτούς που συμμετέχουν σε πράξεις που δεν απαιτούν εμπιστοσύνη (δηλαδή θα θεωρήσουν πιθανότερο ότι τα κέρδη της εξατομικευμένης εργασίας είναι μεγαλύτερα από x_2). Ωστόσο, επειδή ο σκοπός της άσκησης αυτής είναι να εξετάσουμε αν οι έντιμοι άνθρωποι μπορούν να ευημερήσουν στον υλικό κόσμο, δέχομαι τελικά την πιο συντηρητική παραδοχή, ότι η επιλογή της εξατομικευμένης εργασίας αποδίδει μόνο x_2. Αν οι έντιμοι άνθρωποι μπορούν να επιβιώσουν με αυτές τις αποδοχές, σίγουρα θα μπορούν και με μεγαλύτερες.

ΠΙΝΑΚΑΣ Α.1 *Τα κέρδη του Α από τη συνεργασία με τον Β*

$$\begin{array}{cc|c|c|} & & \multicolumn{2}{c}{B} \\ & & H & D \\ \hline A \quad H & & x_3 & x_1 \\ \hline D & & x_4 & x_2 \\ \hline \end{array}$$

Δεδομένου ότι η εξατομικευμένη εργασία αποφέρει μόνο x_2, δεν θα τραβήξει ποτέ έναν ανέντιμο άνθρωπο, ο οποίος μπορεί πάντα να κερδίσει τουλάχιστον τα ίδια στην περίπτωση 1. Η προφανής της έλξη για έναν έντιμο άνθρωπο οφείλεται στο ότι σ' αυτή δεν υπάρχει καμιά δυνατότητα να τον εξαπατήσουν. Το μειονέκτημα ωστόσο είναι ότι τα κέρδη του είναι λιγότερα από x_3, από τα κέρδη δηλαδή που θα του απέφερε μια επιτυχημένη συνεργασία της περίπτωσης 1. (Παρακάτω αναφέρονται περισσότερα για το πώς οι έντιμοι άνθρωποι επιλέγουν μεταξύ των δύο περιπτώσεων.)

Μαζί με τις διαφορές στη συμπεριφορά τους, έστω ότι οι Η και οι D διαφέρουν και ως προς τα γονίδια που επηρεάζουν κάποιο εμφανές χαρακτηριστικό –ας το ονομάσουμε S–, το οποίο, με τη σειρά του, επηρεάζεται από τυχαίους περιβαλλοντικούς παράγοντες. Ειδικότερα, έστω ότι το εμφανές αυτό χαρακτηριστικό για το άτομο i παίρνει την τιμή

$$S_i = \mu_i + \varepsilon_i,$$

όπου

$$\mu_i = \begin{cases} \mu_H \text{ αν ο } i \text{ είναι έντιμος,} \\ \mu_D \text{ αν ο } i \text{ είναι ανέντιμος, } \mu_H > \mu_D \end{cases}$$

ΠΑΡΑΡΤΗΜΑ   307

και η $ε_i$ είναι μια ανεξάρτητα, αλλά απαράλλακτα, κατανεμημένη τυχαία μεταβλητή με μηδενικό μέσο όρο. Ο προσθετέος $μ_i$ του αθροίσματος S_i είναι κληρονομικό χαρακτηριστικό, αντίθετα με τον προσθετέο $ε_i$, που δεν είναι.

Α. ΠΕΡΙΠΤΩΣΗ 1: ΜΙΑ ΑΠΟΛΥΤΑ ΑΞΙΟΠΙΣΤΗ ΕΝΔΕΙΞΗ

Αν η διασπορά της $ε_i$ ήταν μηδενική, όλοι θα μπορούσαν να είναι σίγουροι για το αν ένα συγκεκριμένο άτομο είναι Η ή D. Στην περίπτωση αυτή, οι Η θα συνεργάζονταν μόνο με άλλους Η στην επιχείρηση 1 και θα είχαν κέρδος x_3. Οι D θα ήταν υποχρεωμένοι να συνεργαστούν μεταξύ τους, πράγμα που θα τους έδινε κέρδος μόνο x_2. Έτσι, αν η ένδειξη που συνόδευε κάθε χαρακτηρολογικό γνώρισμα ήταν *απόλυτα* αξιόπιστη, οι Η σύντομα θα οδηγούσαν τους D σε εξαφάνιση.

Β. ΠΕΡΙΠΤΩΣΗ 2: ΑΤΕΛΕΙΣ ΕΝΔΕΙΞΕΙΣ

Αντιθέτως, αν η $ε_i$ είχε αρκετά μεγάλη διασπορά, το S_i θα έδινε απλά και μόνο ένα μέτρο της πιθανότητας να είναι αξιόπιστος ο *i*. Για παράδειγμα αυτής της πιο ενδιαφέρουσας περίπτωσης, ας υποθέσουμε ότι οι άνθρωποι παίρνουν τις τιμές του S τους, ανεξάρτητα ο ένας από τον άλλο, από τις πυκνότητες πιθανότητας f_D και f_H του Σχήματος Α.1.[2]

Βάσει αυτών που αναφέρθηκαν στο Κεφάλαιο Τρία, η σχετική θέση των δύο γραφικών παραστάσεων δείχνει μια ατελή μίμηση, από τους D, του γνωρίσματος που χρησιμοποιούν οι Η για να ξεχωρίζουν ως αξιόπιστοι. Για τις συγκεκριμένες συναρτήσεις, τα διαστήματα ορισμού των οποίων δεν συμπίπτουν πλήρως, είμαστε βέβαιοι ότι τα άτομα με $S>U_D$ είναι έντιμα, και ότι αυτά με $S<L_H$ είναι ανέντιμα. Τα άτομα που οι τιμές του S τους βρίσκονται στο κοινό τμήμα των διαστημάτων ορισμού των συναρτήσεων μπορεί να είναι είτε Η είτε D. Αν *h* είναι το ποσοστό του πληθυσμού που είναι Η, τότε η πιθανότητα να είναι έντιμο ένα άτομο *j* με $S = S_j$ θα δίνεται από τη σχέση:

$$(1) \quad Pr\{H_j|S_j\} = \frac{hf_H(S_j)}{hf_H(S_j) + (1-h)f_D(S_j)} .$$

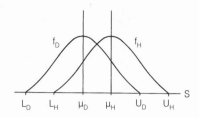

ΣΧΗΜΑ Α.1 *Πυκνότητες πιθανότητας για μια εμφανή ένδειξη αξιοπιστίας*

Για τις δύο πυκνότητες του Σχήματος Α.1, η πιθανότητα $Pr\{H_j|S_j\}$ έχει σχεδιαστεί στο Σχήμα Α.2 για δύο διαφορετικές τιμές του h.

i. Η οριακή τιμή της ένδειξης

Με δεδομένα τα κέρδη που αναφέρονται στον Πίνακα Α.1, είναι φανερό πως τόσο οι H, όσο και οι D θα κερδίσουν περισσότερα σε περίπτωση που συνεργαστούν (αν φυσικά επιλέξουν την επιχείρηση 1) με άλλα άτομα τα οποία αυτοί πιστεύουν πως είναι H. Ας δούμε όμως το πρόβλημα που αντιμετωπίζει το άτομο i, που είναι H και πρέπει να αποφασίσει αν θα συνεταιριστεί με το άτομο j, που έχει $S = S_j$. Έστω ότι τα αναμενόμενα κέρδη του i από τη συνεργασία του με τον j είναι $E(X_{ij}|S_j)$. Αν η εναλλακτική λύση είναι η επιλογή της εξατομικευμένης εργασίας (που τα κέρδη της είναι x_2), τότε, για να συμφέρει τον i να συνεργαστεί με τον j, θα πρέπει να ισχύει η σχέση:

$$(2) \quad E(X_{ij}|S_j) = x_3Pr\{H_j|S_j\} + x_1\{1 - Pr\{H_j|S_j\} \geq x_2.$$

Έστω ότι S^* είναι η τιμή του S_j που ικανοποιεί τη σχέση $E(X_{ij}|S_j) = x_2$. Η S^* είναι η μικρότερη τιμή του S_j για την οποία το να συνεργαστεί με τον j συμφέρει τον i το ίδιο με το να εργαστεί εξατομικευμένα. Χρησιμοποιώντας τις πυκνότητες του Σχήματος Α.1, η οριακή αυτή τιμή της ένδειξης φαίνεται στο Σχήμα Α.3 για την ειδική περίπτωση όπου $h = 1/2$ και $x_2 = (x_1 + x_3)/2$.

Είναι εύκολο, μέσω των εξισώσεων 1 και 2, να δείξουμε ότι η S^* είναι φθίνουσα συνάρτηση του h: Με την αύξηση του έντιμου ποσοστού του πληθυσμού, αυξάνει και η πιθανότητα να είναι έντιμο ένα άτομο που το S του βρίσκεται μεταξύ L_H και U_D. Συνεπώς είναι ακόμα πιθανότερο ότι τα αναμενόμενα κέρδη από μια συνεργασία με το συγκεκριμένο άτομο θα είναι περισσότερα από x_2. Είναι επίσης εύκολο να δείξουμε ότι η S^* μειώνεται με

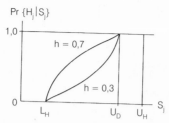

ΣΧΗΜΑ Α.2 *Η δεσμευμένη πιθανότητα να είναι κάποιος έντιμος δεδομένου του S*

την αύξηση της διαφοράς *(x₃ - x₂)* και αυξάνεται με την αύξηση της *(x₂ - x₁)*. Όσο μεγαλύτερα τα κέρδη μιας επιτυχημένης συνεργασίας, και όσο μικρότερη η ζημιά κάποιου που τον έχουν εξαπατήσει, τόσο χαμηλότερο θα είναι το όριο της ένδειξης που απαιτείται για να υπάρξει συνεργασία. Στο Σχήμα Α.4 έχει σχεδιαστεί, για την ειδική περίπτωση όπου *(x₄ - x₃) = (x₃ - x₂) = (x₂ - x₁) = x₁*, η συνάρτηση *S*(h)* που αντιστοιχεί στις πυκνότητες του Σχήματος Α.1.

ii. Η διαδικασία επιλογής βάσει της οποίας σχηματίζονται τα ζεύγη των συνεταίρων

Το να πούμε πως ένα έντιμο άτομο αντιμετωπίζει μόνο τις εναλλακτικές επιλογές ή να δουλέψει εξατομικευμένα ή να συνεργαστεί με κάποιον που να έχει *S = Sⱼ* δεν είναι σωστό με την αυστηρή έννοια της λέξης. Ο πληθυσμός περιλαμβάνει κι άλλους εκτός από τον *j*, και, απ' αυτούς που έχουν *S>S**, ο *i* θα θέλει να διαλέξει για συνεταίρο του αυτόν με τη μεγαλύτερη δυνατή τιμή του *S*. Το πρόβλημα βέβαια είναι πως όλοι προτιμούν να έχουν έναν τέτοιο συνεταίρο, αλλά ο αριθμός αυτών που κυκλοφορούν είναι περιορισμένος.

Αυτός με υψηλή τιμή του *S*, είτε είναι έντιμος είτε όχι, έχει ένα πολύτιμο πλεονέκτημα. Ο φυσικότερος τρόπος να το εκμεταλλευτεί είναι να το χρησιμοποιήσει για να προσελκύσει έναν συνεταίρο που να έχει επίσης υψη-

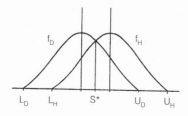

ΣΧΗΜΑ Α.3 *Η οριακή τιμή της ένδειξης όταν h = 1/2 και x₂ = (x₁ + x₃)/2*

λή τιμή του S. Χωρίς να μπούμε σε τεχνικές λεπτομέρειες, μπορούμε να δούμε ότι το αποτέλεσμα θα είναι να συνεταιριστούν οι δύο με τις υψηλότερες τιμές του S, ύστερα οι δύο με τις αμέσως επόμενες κ.ο.κ., μέχρις ότου όλοι όσοι έχουν $S \geq S^*$ βρουν τον συνεταίρο τους. Εξυπακούεται ότι τα αναμενόμενα συνολικά κέρδη κάθε ζεύγους αυξάνουν ανάλογα με τις τιμές του S των μελών του. Αν η πυκνότητα του πληθυσμού είναι ικανοποιητική, πράγμα που θα δεχτώ εδώ, τότε οι τιμές του S των συνεταίρων που αποτελούν κάθε ζευγάρι θα είναι ουσιαστικά ίσες.[3]

iii. Οι συναρτήσεις των αναμενομένων κερδών

Έχοντας υπόψη τι αναφέραμε παραπάνω, ας εξετάσουμε τώρα τι θα συμβεί αν μια μετάλλαξη δώσει ένα μικρό στήριγμα στους H, σε έναν πληθυσμό που αρχικά τον αποτελούσαν αποκλειστικά D.

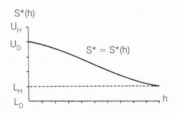

ΣΧΗΜΑ Α.4 Η οριακή τιμή της ενδειξης συναρτήσει του h

Θα αυξηθούν οι H ή θα οδηγηθούν σε εξαφάνιση; Για να απαντήσουμε στο ερώτημα αυτό, θα πρέπει να συγκρίνουμε τα μέσα κέρδη των H και των D, που τα συμβολίζουμε με $E(X|H)$ και $E(X|D)$ αντιστοίχως, όταν το ποσοστό h πλησιάζει το 0. Για να υπολογίσουμε το $E(X|H)$, πρέπει να σημειώσουμε, από τις εξισώσεις 1 και 2, ότι, όταν το h τείνει στο 0, το $S^*(h)$ τείνει στο U_D (βλέπε Σχήμα Α.4). Καθώς το μερίδιο του πληθυσμού που είναι έντιμο τείνει στο 0, η ορθολογική τακτική ενός έντιμου ανθρώπου είναι, στην οριακή περίπτωση, να συνεργάζεται μόνο με ανθρώπους που οι τιμές του S τους βρίσκονται δεξιά από το U_D – δηλαδή με ανθρώπους που είναι απολύτως βέβαιο ότι είναι έντιμοι. Καθώς το h τείνει στο 0, τα αναμενόμενα κέρδη των H τείνουν στην οριακή τιμή:

$$(3) \quad \lim_{h \to 0} E(X|H) = x_3 \int_{U_D}^{U_H} f_H(S)dS + x_2 \int_{L_H}^{U_D} f_H(S)dS.$$

Ο δεύτερος όρος του δεξιού μέλους της εξίσωσης 3 αντικατοπτρίζει το γεγονός ότι το καλύτερο που θα μπορούσε να κάνει ένας H με $S{<}U_D$ είναι να μη συνεργαστεί καθόλου – δηλαδή να επιλέξει την εξατομικευμένη εργασία. (Θα ήταν ενθουσιασμένος αν μπορούσε να συνεργαστεί με κάποιον άλλο H που να είχε $S{>}U_D$, αλλά ο τελευταίος αυτός δεν θα τον δεχόταν για συνεταίρο.)

Τα αντίστοιχα οριακά αναμενόμενα κέρδη για τους D είναι απλώς x_2. Έτσι, όταν το ποσοστό του πληθυσμού που είναι έντιμο είναι πολύ μικρό, έχουμε $E(X|H){>}E(X|D)$, πράγμα που σημαίνει ότι το h θα αυξηθεί.

Τι θα συνέβαινε άραγε αν είχαμε ξεκινήσει από το αντίθετο άκρο – από έναν πληθυσμό, δηλαδή, στον οποίο το ποσοστό των D πλησίαζε το μηδέν; Στην οριακή περίπτωση, ο κανόνας βάσει του οποίου θα αποφάσιζαν οι H θα ήταν «συνεργάσου με οποιονδήποτε έχει S μεγαλύτερο από L_H». Καθώς το h θα έτεινε στη μονάδα, τα αναμενόμενα κέρδη των D θα έτειναν στην τιμή:

$$(4) \quad \lim_{h \to 1} E(X|D) = x_2 \int_{L_D}^{L_H} f_D(S)dS + x_4 \int_{L_H}^{U_D} f_D(S)dS.$$

Τα αντίστοιχα αναμενόμενα κέρδη των H θα έτειναν στην τιμή x_3, καθώς το ποσοστό h θα έτεινε στη μονάδα. Συγκρίνοντας το δεξί μέλος της εξίσωσης 4 με την τιμή x_3, βλέπουμε πως το πρώτο θα ήταν μεγαλύτερο από τη δεύτερη για αρκετά μεγάλες τιμές των x_2 ή x_4, ή για αρκετά μεγάλη σύμπτωση των διαστημάτων ορισμού των f_H και f_D. Αν δεχτούμε ότι, για τιμές του h που πλησιάζουν τη μονάδα, τα κέρδη $E(X|D)$ είναι περισσότερα από x_3, τότε το h θα άρχιζε να μειώνεται.

Για να εξετάσουμε τη συμπεριφορά του συγκεκριμένου πληθυσμού, καθώς η εξέλιξη τον κάνει να απομακρύνεται από τις δύο ακραίες καταστάσεις, χρειαζόμαστε γενικευμένες εκφράσεις για τα $E(X|H)$ και $E(X|D)$.

Το πρώτο βήμα για να βρούμε το $E(X|H)$ είναι να χρησιμοποιήσουμε τις εξισώσεις 1 και 2 για να υπολογίσουμε το S^* συναρτήσει του h (όπως κάναμε για να σχεδιάσουμε το Σχήμα Α.4). Δεδομένου του $S^*(h)$, μπορούμε πλέον να υπολογίσουμε τα P_H και P_D, τα αντίστοιχα μερίδια δηλαδή των οπωσδήποτε έντιμων και οπωσδήποτε ανέντιμων ανθρώπων που έχουν $S{>}S^*$:

$$(5) \quad P_H = \int_{S^*}^{U_H} f_H(S)dS$$

και

$$(6) \quad P_D = \int_{S^*}^{U_D} f_D(S)dS.$$

Δεδομένων των εξισώσεων 5 και 6, μπορούμε να υπολογίσουμε το *E(X|H)* ως ένα σταθμημένο άθροισμα των κερδών από: (1) εξατομικευμένη εργασία, (2) συνεργασία με κάποιον που είναι έντιμος και (3) συνεργασία με κάποιον που είναι ανέντιμος. Σημειώνοντας ότι η πιθανότητα εξατομικευμένης εργασίας ενός έντιμου ανθρώπου είναι *(1 - P_H)*, και χρησιμοποιώντας τη σχέση λ = *hP_H/[hP_H + (1 - h)P_D]* για να υπολογίσουμε το λ, το μερίδιο δηλαδή του συνολικού πληθυσμού που έχει *S>S** και είναι έντιμο, έχουμε:

$$(7) \quad E(X|H) = (1 - P_H)x_2 + P_H[\lambda x_3 + (1 - \lambda)x_1].$$

Με παρόμοιο τρόπο, μπορούμε να υπολογίσουμε το *E(X|D)* ως σταθμημένο άθροισμα των κερδών από εξατομικευμένη εργασία, από συνεργασία με κάποιον που είναι έντιμος και από συνεργασία με κάποιον που είναι ανέντιμος:

$$(8) \quad E(X|D) = (1 - P_D)x_2 + P_D[\lambda x_4 + (1 - \lambda)x_2].$$

Στο Σχήμα Α.5 έχουν σχεδιαστεί οι *E(X|H)* και *E(X|D)* συναρτήσει του *h*, για τις ενδεικτικές πυκνότητες του σχήματος Α.1. Τόσο η *E(X|H)*, όσο και η *E(X|D)* θα είναι γενικά αύξουσες συναρτήσεις του *h*. Για τις συγκεκριμένες πυκνότητες του σχήματος Α.1, οι δύο καμπύλες τέμνονται σε ένα μόνο σημείο.

Η τιμή ισορροπίας θα είναι εκείνη ακριβώς η τιμή του *h* για την οποία τέμνονται οι δύο καμπύλες. Για να είναι σταθερή η ισορροπία, θα πρέπει, πριν από το σημείο τομής, η *E(X|H)* να έχει μεγαλύτερες τιμές από την *E(X|D)*. Δεδομένου ότι για *h = 0* η *E(X|H)* θα είναι πάντα μεγαλύτερη από την *E(X|D)*, η τομή των δύο καμπυλών (αν φυσικά υπάρχει μια τέτοια τομή) θα αντιστοιχεί, έτσι, με μια τιμή του *h* για την οποία θα υπάρχει σταθερή ισορροπία, σαν κι αυτήν που φαίνεται στο Σχήμα Α.5.

Γ. ΠΕΡΙΠΤΩΣΗ 3: ΤΟ ΚΟΣΤΟΣ ΤΗΣ ΕΞΑΚΡΙΒΩΣΗΣ

Αν τώρα προσθέσουμε και την παραδοχή ότι κάποια χρήματα θα πρέπει να ξοδευτούν για να διαπιστωθούν οι τιμές του *S* των άλλων ανθρώπων, τότε και το μοντέλο θα γίνει πληρέστερο και η ύπαρξη μιας ισορροπίας θα επιβεβαιωθεί. Ας υποθέσουμε, ειδικότερα, ότι μόνον οι άνθρωποι εκείνοι που έχουν πληρώσει το κόστος C, μιας ειδικής ευαισθητοποίησης, μπορούν να διακρίνουν τις τιμές αυτές του S.

Ας θεωρήσουμε αρχικά την οριακή περίπτωση ενός πληθυσμού που το h του να τείνει στο μηδέν. Μια αναγκαία συνθήκη για την ύπαρξη οποιασδήποτε συνεργασίας είναι η σχέση $x_3 - C > x_2$. Αν δεχτούμε ότι η συνθήκη αυτή ισχύει, τότε εκείνοι οι τίμιοι άνθρωποι που η τιμή του S τους είναι μεγαλύτερη από U_D θα διαπιστώσουν ότι αξίζει να ξοδέψουν C για να ευαισθητοποιηθούν. Οι H με $S < U_D$ θα εργαστούν εξατομικευμένα (γιατί δεν έχουν καμιά προοπτική να βρουν έναν H με τον οποίο να συνεργαστούν). Έτσι οι τελευταίοι αυτοί H θα έχουν κέρδη x_2, τα ίδια δηλαδή που θα είχαν ως $E(X|D)$ όταν το h είναι μηδέν. Κανένας D δεν θα πλήρωνε για να ευαισθητοποιηθεί, γιατί ούτε και αυτοί θα είχαν την ευκαιρία να βρουν έναν διαθέσιμο H.

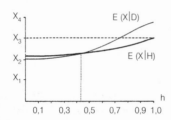

ΣΧΗΜΑ Α.5 Αναμενόμενα κέρδη των Η και των D

Τα αναμενόμενα κέρδη των D στην περίπτωση αυτή είναι x_2. Για πολύ μικρές τιμές του h λοιπόν, κάποιοι H θα βρίσκονται στην ίδια κατάσταση με τους D και κάποιοι άλλοι σε καλύτερη. Συνεπώς, όπως και προηγουμένως, το h θα μεγαλώνει όταν αρχίζει από τιμές κοντά στο μηδέν.

Για τιμές του h κοντά στη μονάδα, κανείς δεν θα πιστεύει ότι αξίζει τον κόπο να πληρώσει C για να ευαισθητοποιηθεί. Με τα S λοιπόν όλων των ανθρώπων ουσιαστικά αόρατα, ακόμα και οι D με $S < L_H$ θα βρουν έντιμους συνεταίρους με τους οποίους να συνεργαστούν. Στην περίπτωση αυτή, καθώς το h τείνει στη μονάδα, το $E(X|D)$ τείνει στο x_4. Έτσι, σε αντίθεση με την περίπτωση που τα S θα ήταν δωρεάν ορατά από όλους, δεν είναι πλέον δυνατόν οι H να αποτελέσουν κάποτε το σύνολο του πληθυσμού, άσχετα με το πόσο κοντά μπορεί το x_3 να βρεθεί στο x_4.

Ένα απαραίτητο βήμα για την κατανόηση της φύσης της ισορροπίας που προκύπτει όταν το *h* ξεκινάει γύρω στο μηδέν είναι να αναγνωρίσουμε το γεγονός ότι αυτοί με τις υψηλότερες τιμές του *S* θα έχουν πάντα μεγάλο συμφέρον να πληρώσουν τα έξοδα της ευαισθητοποίησης. Για να το δούμε αυτό κάπως καλύτερα, ας θυμηθούμε από τα προηγούμενα ότι αυτός με υψηλή τιμή του *S* έχει ένα πολύτιμο πλεονέκτημα, το οποίο μπορεί να χρησιμοποιήσει για να προσελκύσει έναν συνεταίρο που να έχει επίσης υψηλή τιμή του *S*. Συμφέρει οπωσδήποτε αυτούς που έχουν μεγάλες τιμές του *S* να συνεργαστούν με άλλους που να είναι *H*. Και, έχοντας ευαισθητοποιηθεί, έχουν πλέον την ικανότητα να διακρίνουν αυτούς με τις υψηλές τιμές του *S* (δηλαδή αυτούς που έχουν τη μεγαλύτερη πιθανότητα να είναι *H*) και να συνεργαστούν μαζί τους. Συνεπώς όσοι έχουν σχετικά χαμηλές τιμές του *S*, οι οποίοι το μόνο που μπορούν να ελπίζουν είναι να βρουν έναν συνεταίρο με επίσης χαμηλή τιμή του *S*, περιμένουν ότι η επένδυση που θα κάνουν για να ευαισθητοποιηθούν θα τους αποφέρει σαφώς μικρότερα κέρδη.

Γνωρίζοντάς τα αυτά, συμπεραίνουμε ότι η τιμή ισορροπίας του *h* θα πρέπει να είναι αρκετά χαμηλή, ώστε να συμφέρει τουλάχιστον ένα μέρος του πληθυσμού να ευαισθητοποιηθεί. Πράγμα που μπορούμε να αποδείξουμε παρατηρώντας ότι, αν υποθέσουμε το αντίθετο, καταλήγουμε σε αντίφαση. Δηλαδή έστω ότι υποθέτουμε πως, στην περίπτωση της ισορροπίας, τα αναμενόμενα κέρδη του ατόμου με τη μεγαλύτερη τιμή του *S* είναι μεγαλύτερα αν δεν ευαισθητοποιηθεί. Ας θυμηθούμε ότι τα αναμενόμενα κέρδη του αν είχε ευαισθητοποιηθεί, που ας τα ονομάσουμε *E(X|C)*, θα ήταν:

(9) $E(X|C) = x_3 - C,$

τα οποία έχουμε ήδη δεχτεί ότι είναι περισσότερα από x_2. Γνωρίζουμε ότι, αν δεν συμφέρει τον *H* με τη μεγαλύτερη τιμή του *S* να ευαισθητοποιηθεί, δεν συμφέρει και κανέναν άλλο *H* να κάνει κάτι τέτοιο. Και αν κανένας δεν πληρώνει το κόστος *C*, τότε οι πιθανότητες να ταιριάξουν με επιτυχία οι *H* με χαμηλές τιμές του *S* είναι οι ίδιες με αυτές που θα ισχύουν για εκείνους με υψηλές τιμές του *S*. Συνεπώς όλοι οι *H* θα πρέπει να περιμένουν κέρδη μεγαλύτερα από x_2. Αυτό σημαίνει ότι συμφέρει όλους τους *H* να συνεργάζονται με κάποιον, και όλοι περιμένουν τα ίδια κέρδη, που ας τα ονομάσουμε *E(X|O)*:

(10) $E(X|O) = hx_3 + (1 - h)x_1.$

Αλλά τα αναμενόμενα κέρδη καθενός D στην περίπτωση που όλοι συνεργάζονται είναι $hx_4 + (1 - h)x_2$, που είναι προφανώς μεγαλύτερα από $E(X|O)$.

Έτσι, αν υποθέσουμε ότι η τιμή του h σε περίπτωση ισορροπίας είναι τόσο μεγάλη ώστε να μη συμφέρει ούτε καν εκείνους με τις υψηλότερες τιμές του S να ευαισθητοποιηθούν, συμπεραίνουμε υποχρεωτικά ότι, για τη συγκεκριμένη τιμή του h, τα αναμενόμενα κέρδη των D είναι μεγαλύτερα από τα αναμενόμενα κέρδη των H. Πράγμα που σημαίνει ότι, σε τελευταία ανάλυση, δεν θα μπορούσε να υπάρξει ισορροπία. Για να υπάρξει ισορροπία, θα πρέπει συνεπώς η τιμή του h να είναι αρκετά μικρή, ώστε η ευαισθητοποίηση να συμφέρει τουλάχιστον αυτούς με τις υψηλότερες τιμές του S.

Για να διερευνήσουμε ακόμα περισσότερο τη φύση της ισορροπίας εδώ, ας υποθέσουμε πάλι έναν πληθυσμό στον οποίο το h, αρχίζοντας κοντά στο μηδέν, μεγάλωσε και έφτασε μια τιμή έστω h_0. Για την τιμή αυτή, ποιος θα συνεργάζεται με ποιον, και ποιοι θα έχουν συμφέρον να ευαισθητοποιηθούν; Μπορούμε να δείξουμε ότι όσοι έχουν τιμές του S μεγαλύτερες από κάποια οριακή τιμή, $S^*(h_0) < U_D$, συμφέρει να ευαισθητοποιηθούν και να συνεργαστούν με άλλους που να έχουν ανάλογες τιμές του S. Και μπορούμε επίσης να δείξουμε ότι, για τους υπόλοιπους H, αυτούς με $S < S^*(h_0)$ –αυτούς δηλαδή που δεν το βρίσκουν επικερδές να ευαισθητοποιηθούν– μπορεί και να συμφέρει να συνεργαστούν στην τύχη με κάποιους από το ίδιο υπόλοιπο του πληθυσμού (δηλαδή με κάποιους από τους ανθρώπους που έχουν $S < S^*(h_0)$), μπορεί όμως και όχι.

Η οριακή τιμή $S^*(h_0)$ καθορίζεται ως εξής: Χρησιμοποιώντας και πάλι τους συμβολισμούς που ορίσαμε στις εξισώσεις 5 και 6, ας σημειώσουμε ότι:

$$(11) \quad 1 - P_H = \int_{L_H}^{S^*(h_0)} f_H(S)dS$$

και

$$(12) \quad 1 - P_D = \int_{L_D}^{S^*(h_0)} f_D(S)dS$$

είναι τα αντίστοιχα μερίδια του έντιμου και του ανέντιμου πληθυσμού για τα οποία ισχύει $S < S^*(h_0)$. Έστω ότι η τιμή $\delta = (1 - P_H)h_0/[(1 - P_H)h_0 + (1 - P_D)(1 - h_0)]$ συμβολίζει το μερίδιο του υπολοίπου αυτού πληθυσμού που είναι έντιμο. Η $S^*(h_0)$ είναι εκείνη η τιμή του S που αποτελεί τη λύση της ακόλουθης εξίσωσης:

$$(13)\ \Pr\{H|S^*(h_0)\}x_3 + (1 - \Pr\{H|S^*(h_0)\})x_1 - C =$$
$$= \max[x_2, \delta x_3 + (1 - \delta)x_1].$$

Το αριστερό μέλος της εξίσωσης 13 είναι τα αναμενόμενα κέρδη ενός H με $S = S^*(h_0)$, ο οποίος πληρώνει C για να ευαισθητοποιηθεί και στη συνέχεια συνεργάζεται με κάποιον που έχει την ίδια τιμή του S (βλέπε εξίσωση 2). Η δεύτερη έκφραση από τις δύο που βρίσκονται μέσα στις αγκύλες του δεξιού μέλους της εξίσωσης 13 –η έκφραση δηλαδή μετά το κόμμα– είναι τα αναμενόμενα κέρδη του ίδιου H (ή, σε τελευταία ανάλυση, και οποιουδήποτε άλλου H) αν δεν ευαισθητοποιηθεί, αλλά συνεργαστεί με κάποιο άτομο που το επέλεξε τυχαία από τον συγκεκριμένο υπόλοιπο πληθυσμό (και πάλι δηλαδή από εκείνους τους D και H που έχουν $S<S^*(h_0)$). Αν το x_2 είναι μεγαλύτερο από την έκφραση αυτή, όπως είναι πιθανό να συμβαίνει για μικρές τιμές του h_0, τότε όλοι οι H με $S<S^*(h_0)$ θα εργαστούν εξατομικευμένα. Ειδάλλως, όλοι οι H θα συνεργαστούν –αυτοί με $S>S^*(h_0)$ θα συνεργαστούν με όσους θα έχουν επίσης $S>S^*(h_0)$, ενώ αυτοί με $S<S^*(h_0)$ με κάποιους από τον υπόλοιπο πληθυσμό, τους οποίους θα επιλέξουν τυχαία. Ή το ένα είναι δυνατό ή το άλλο, και το αποτέλεσμα εξαρτάται από τις συγκεκριμένες πυκνότητες που χρησιμοποιήθηκαν για τις συναρτήσεις f_H και f_D.

Άπαξ και καθοριστεί το $S^*(h_0)$, ο υπολογισμός των $E(X|H)$ και $E(X|D)$ δεν παρουσιάζει θεωρητικές δυσκολίες, αν και είναι κοπιαστικός. Με βάση τον κανόνα ότι το h μεγαλώνει όταν $E(X|H)>E(X|D)$, η τιμή του h για να υπάρχει ισορροπία θα είναι αυτή για την οποία τέμνονται οι δύο καμπύλες των αναμενόμενων κερδών. Αν χρησιμοποιήσουμε και πάλι τις πυκνότητες από το Σχήμα Α.1, και την τιμή $C = x_1/4$, οι καμπύλες των αναμενόμενων κερδών, καθώς και η τιμή του h για την οποία θα έχουμε ισορροπία, δίνονται στο Σχήμα Α.6.

Υπάρχουν δύο χαρακτηριστικά του σχήματος αυτού, δηλαδή του Α.6, που αξίζουν κάποια παραπέρα εξέταση. Σημειώστε αρχικά τις ασυνέχειες στις δύο καμπύλες των κερδών. Για να δείτε γιατί συμβαίνει αυτό, θυμηθείτε ότι, αν ο πληθυσμός αρχικά απετελούνταν σχεδόν αποκλειστικά από H, τότε δεν θα συνέφερε σε κανέναν να ευαισθητοποιηθεί. Στην περίπτωση αυτή, ακόμα και αν οι τιμές του S των άλλων μείνουν άγνωστες σε όποιον δεν πληρώσει το κόστος της εξακρίβωσης, θα συμφέρει όλους τους H, συμπεριλαμβανομένων και αυτών με τις μεγαλύτερες τιμές του S, να συνεργαστούν με ανθρώπους που θα τους επιλέξουν στην τύχη από το σύνολο του πληθυσμού. Για τιμές του *h* κοντά στη μονάδα όμως, το αναμενόμενο κέρδος των *D* ξεπερνάει το αντίστοιχο κέρδος των *H*, πράγμα το οποίο, όπως αναφέρθηκε παραπάνω, προκαλεί πτώση της τιμής του *h*. Αλλά, τη στιγμή που το *h* θα πάρει την τιμή για την οποία ισχύει η σχέση:

(14) $E(X|O) = hx_3 + (1 - h)x_1 = x_3 - C,$

τότε, εντελώς απότομα, εκείνοι οι *h* που έχουν $S>U_D$ συμφέρει να ευαισθητοποιηθούν, με αποτέλεσμα να συνεργάζονται επιλεκτικά, μεταξύ τους μάλλον παρά με άτομα που διάλεξαν στην τύχη. Στην τιμή του *h* που λύνει την εξίσωση 14, τα σχετικώς μεγαλύτερα κέρδη που προκύπτουν από την επιλεκτική συνεργασία των *H* τούς αποζημιώνουν ακριβώς για τα έξοδα της ευαισθητοποίησης στα οποία υποβάλλονται.

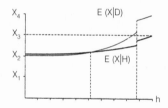

ΣΧΗΜΑ Α.6 *Ισορροπία στην περίπτωση εξόδων εξακρίβωσης*

Αλλά το γεγονός ότι ξαφνικά παύουν να είναι διαθέσιμοι για συνεργασία με τον υπόλοιπο πληθυσμό έχει ως αποτέλεσμα μια απότομη πτώση στο αναμενόμενο εισόδημα όλων των άλλων. Η πτώση αυτή αντικατοπτρίζεται στις ασυνέχειες των καμπυλών των αναμενόμενων κερδών στο Σχήμα Α.6.

Σημειώστε επίσης το γεγονός ότι, στο Σχήμα Α.6, η τιμή του *h* για την οποία υπάρχει ισορροπία είναι μεγαλύτερη από την αντίστοιχη τιμή του Σχήματος Α.5. Αν και είναι αλήθεια ότι το κόστος της εξακρίβωσης μειώνει τα αναμενόμενα κέρδη και των δύο ομάδων, η μείωση είναι πιο έντονη για τους *D*. Αυτό συμβαίνει επειδή το κόστος της ευαισθητοποίησης κάνει την τιμή *S*(h)* να ολισθήσει προς τα δεξιά. Και, δεδομένου ότι η συνάρτηση f_D βρίσκεται αριστερά από τη $f_{H'}$ κάθε τέτοια ολίσθηση της *S*(h)* θα προκαλέσει μια μεγαλύτερη αναλογικά μείωση του κέρδους των *D* παρά των *H*. Είναι δε πιθανώς σωστό, το γεγονός πως η παρατήρηση των χαρακτηριστικών της αξιοπιστίας απαιτεί μια συγκεκριμένη προσπάθεια, να βοηθάει κάπως και τους *H* στον αγώνα τους με τους *D*.

ΥΠΟΣΗΜΕΙΩΣΕΙΣ

1. Πιο συγκεκριμένα, φανταστείτε έναν πληθυσμό με δύο αλληλόμορφα (ή άλληλα) γονίδια, a_1 και a_2, σε έναν δεδομένο τόπο (θέση) ενός χρωμοσώματος. Τα άτομα που είναι ομοζυγωτά ως προς το a_1 είναι «έντιμα», αυτά που είναι ομοζυγωτά ως προς το a_2 δεν είναι. Άσχετα με την οποιαδήποτε επιρροή θα μπορούσε να έχει η έντιμη συμπεριφορά στην καταλληλότητα για επιβίωση και στην ηθική υπόσταση ενός ανθρώπου, κάθε αλληλόμορφο γονίδιο ετεροζυγωτών ατόμων θα επηρεαστεί το ίδιο από τη συνεργασία των ατόμων αυτών με άλλα άτομα. Έτσι μπορούμε να αγνοήσουμε τα ετεροζυγωτά αυτά άτομα κατά την ανάλυση του ανταγωνισμού μεταξύ των a_1 και a_2. Στο κείμενο το *H* αναφέρεται στα ομοζυγωτά άτομα ως προς το a_1, ενώ το *D* στα ομοζυγωτά ως προς το a_2.

2. Κάθε πυκνότητα, από τις δύο του Σχήματος Α.1, προκύπτει από την τυποποιημένη κανονική πυκνότητα f(S) ως εξής: Αρχικά αποκόπτονται οι ακραίες τιμές σε απόσταση δύο τυπικών αποκλίσεων από τον μέσο όρο, πράγμα που γίνεται αφαιρώντας f(2) από κάθε σημείο. Έστω ότι *I* είναι το εμβαδόν του επιπέδου χωρίου που ορίζεται από τον άξονα των *S* και από καθεμιά καμπύλη. Οι συναρτήσεις, στη συνέχεια, ανάγονται (κανονικοποιούνται) διαιρούμενες διά *I*. Αν 2 και 3 είναι οι αντίστοιχοι μέσοι όροι, τότε θα έχουμε:

$$f_H = (1/\sqrt{2\pi})\,(1/I)\,[\exp(-(x-3)^2/2) - \exp(-2)]$$

και

$$f_D = (1/\sqrt{2\pi})\,(1/I)\,[\exp(-(x-2)^2/2) - \exp(-2)]$$

3. Σε λιγότερο πυκνούς πληθυσμούς, οι τιμές του *S* θα μπορούσαν να διαφέρουν μεταξύ των δύο συνεταίρων κάθε ζεύγους, πράγμα που υπονοεί ότι αυτός που έχει τη μικρότερη τιμή του *S* ίσως να έπρεπε να πληρώσει τον συνεταίρο του για να τον κάνει να συμμετάσχει στην επιχείρηση. Είναι όμως φανερό ότι οποιαδήποτε τέτοια πληρωμή δεν θα επηρεάσει τις μέσες αποδοχές του ζεύγους. Συνεπώς, ακόμα κι αν δεν ίσχυε η παραδοχή του πυκνού πληθυσμού, τυχόν περιπλοκές αυτού του είδους δεν θα δημιουργούσαν δυσκολίες: Εδώ μας αφορούν μόνον οι μέσες απολαβές των δύο γενοτύπων.

ΒΙΒΛΙΟΓΡΑΦΙΑ
◎

ABEGGLEN, JAMES. *Management and Worker.* Tokyo: Sophia University, 1973.

ABRAMS, BURTRAN, and MARK SCHMITZ. «The Crowding Out Effect of Government Transfers on Private Charitable Contributions». *Public Choice* 33 (1978): 29-39.

ABRAMS, BURTRAN, and MARK SCHMITZ. «The Crowding-Out Effect of Governmental Transfers on Private Charitable Contributions – Cross-Section Evidence». *National Tax Journal* 37 (1984): 563-68.

AINSLIE, GEORGE. «Specious Reward: A Behavioral Theory of Impulsiveness and Impulse Control». *Psychological Bulletin* 21 (1975): 485-89.

—. «A Behavioral Economic Approach to the Defense Mechanisms: Freud's Energy Theory Revisited». *Social Science Information* 21 (1982): 735-79.

—. «Behavioral Economics II: Motivated, Involuntary Behavior». *Social Science Information* 23 (1984): 47-78.

AINSLIE, GEORGE, and RICHARD HERRNSTEIN. «Preference Reversal and Delayed Reinforcement», *Animal Learning and Behavior* 9 (1981): 476-82.

AINSLIE, GEORGE, and V. HAENDEL. «The Motives of the Will». In *Etiologies of Alcoholism and Drug Addiction,* edited by E. Gottheil, A. McLennan and K. Druley. Springfield, N.J.: Thomas, 1982.

AKERLOF, GEORGE. «The Market for "Lemons"». *Quarterly Journal of Economics* 84 (1970): 488-500.

—. «Loyalty Filters». *American Economic Review* 73 (March 1983): 54-63.

ANDREONI, JAMES. «Private Giving to Public Goods: The Limits of Altruism». University of Michigan Department of Economics Working Paper, 1986a.

—. «Why Free Ride». University of Wisconsin Working Paper, 1986b.

ARONSON, E. *The Social Animal.* 4th ed. New York: Freeman, 1984.

ARROW, KENNETH. «Political and Economic Evaluation of Social Effects and Externalities». In *Frontiers of Quantitative Economics,* edited by M. Intrilligator. Amsterdam: North Holland, 1971: 3-25.

—. «Gifts and Exchanges». In *Altruism, Morality and Economic Theory,* edited by E.S. Phelps. New York: Russell Sage, 1975: 13-28.

ASHWORTH, TONY. *Trench Warfare, 1914-18: The Live and Let Live System.* New York: Holmes and Meier, 1980.

ATKINSON, J. W., and DAVID MCCLELLAND. «The Effect of Different Intensities of the Hunger Drive on Thematic Apperception». *Journal of Experimental Psychology* 38 (1948): 643-58.

AUMANN, ROBERT. «Survey of Repeated Games». In *Essays in Game Theory and Mathematical Economics in Honor of Oskar Morgenstern*, Mannheim: Bibliographisches Institut, 1981.

AXELROD, ROBERT. The Evolution of Cooperation (*Η εξέλιξη της συνεργασίας*, Καστανιώτης, 1998).

BACHMAN, J., R. KAHN, T. DAVIDSON, and L. JOHNSTON. *Youth in Transition.* Vol. 1. Ann Arbor: Institute for Social Research, 1967.

BAKER, RUSSELL. *Growing Up.* New York: Congdon and Weed, 1982.

BANFIELD, EDWARD. *Here the People Rule.* New York: Plenum, 1985.

—. *The Moral Basis of a Backward Society.* Glencoe, Ill.: Free Press, 1958.

BARNDT, R.J., and D.M. JOHNSON. «Time Orientation in Delinquents». *Journal of Abnormal and Social Psychology* 51 (1955): 343-45.

BARRETT, PAUL. «Influential Ideas: A Movement Called "Law and Economics" Sways Legal Circles». *The Wall Street Journal*, August 4, 1986: 1, 16.

BARRY, BRIAN. *Sociologists, Economists, and Democracy.* London: Collier-Macmillan, 1970.

BAUM, W., and H. RACHLIN. «Choice as Time Allocation». *Journal of the Experimental Analysis of Behavior* 27 (1969): 453-67.

BAZERMAN, MAX. «Norms of Distributive Justice in Interest Arbitration». *Industrial and Labor Relations* 38 (July 1985): 558-70.

BECKER, GARY. *A Treatise on the Family.* Cambridge, Mass.: Harvard University Press, 1981.

BECKER, GARY, E.M. LANDES, and R. MICHAEL. «An Economic Analysis of Marital Instability». *Journal of Political Economy* 85 (1977): 1141-87.

BECKER, GARY, and GEORGE STIGLER. «De Gustibus Non Est Disputandum». *American Economic Review* 67 (1977): 76-90.

BEN-PORATH, YORAM. «Economic Analysis of Fertility in Israel: Point and Counterpoint». *Journal of Political Economy* 81 (1973): S202-S233.

BERGSTROM, THEODORE, LAWRENCE BLUME, and HAL VARIAN. «On the Private Provision of Public Goods». *Journal of Public Economics*, 1986.

BERSCHEID, ELLEN. «Emotion». In *Close Relationships*, edited by H.H. Kelley et al. San Francisco: Freeman, 1983: 110-68.

BERSCHEID, ELLEN, and ELAINE WALSTER. «A Little Bit about Love». In *Foundations of Interpersonal Attraction*, edited by Ted L. Huston. New York: Academic Press, 1974.

BINMORE, K.A., A. SHAKED, and J. SUTTON. «Testing Noncooperative Bargaining Theory: A Preliminary Study». *American Economic Review* 75 (December 1985): 1178-80.

BIXENSTEIN, V., C.A. LEVITT, and K.R. WILSON. «Collaboration Among Six Persons in a Prisoner's Dilemma Game». *Journal of Conflict Resolution* 10 (1966): 488-96.

BLACK, W.A., and R.A. GREGSON. «Time Perspective, Purpose in Life, Extroversion and Neuroticism in New Zealand Prisoners». *British Journal of Social and Clinical Psychology* 12 (1973): 50-60.

BLAU, PETER. *Exchange and Power in Social Life.* New York: Wiley, 1964.

BOHM, PETER. «Estimating Demand for Public Goods: An Experiment». *European Economic Review* 3 (1972): 111-30.

BONACICH, P. «Norms and Cohesion as Adaptive Responses to Political Conflict: An Experimental Study». *Sociometry* 35 (1972): 357-75.

BOWLES, SAMUEL, and HERBERT GINTIS. *Capitalism and Democracy.* New York: Basic Books, 1986.

BRADBURN, N., and D. CAPLOVITZ. *Reports on Happiness.* Chicago: Aldine, 1965.

BRADBURN, N., and C.E. NOLL. *The Structure of Psychological Well Being.* Chicago: Aldine, 1969.

BRECHNER, K. «An Experimental Analysis of Social Traps». *Journal of Experimental Social Psychology* 13 (1977): 552-64.

BRENNAN, G., and L. LOMASKY. «Inefficient Unanimity». *Journal of Applied Philosophy* 1 (1984): 151-63.

BRUELL, JAN. «Heritability of Emotional Behavior». In *Physiological Correlates of Emotion*, edited by Perry Black. New York: Academic Press, 1970.

BRUNER, J. *Child's Talk.* New York: Norton, 1983.

CARYL, P.G., «Communication by Agonistic Displays: What Can Games Theory Contribute to Ethology?» *Behavior* 68 (1979): 136-69.

CHOMSKY, NOAM. *Syntactic Structures.* The Hague: Mouton, 1957.

—. *Aspects of the Theory of Syntax.* Cambridge, Mass: MIT Press, 1965.

Chronicle of Higher Education, January 8, 1986: p. 5. (Solow article)

CHUNG, SHIN-HO, and RICHARD HERRNSTEIN. «Choice and Delay of Reinforcement». *Journal of the Experimental Analysis of Behavior* 10 (1967): 67-74.

CLARK, M.S., and J. MILLS. «Interpersonal Attraction in Exchange and Communal Relationships». *Journal of Personality and Social Psychology* 37 (1979): 12-24.

CLECKLEY, HARVEY. *The Mask of Sanity.* 4th ed. St. Louis: Moseby, 1964.

COLEMAN, JAMES. «Norms as Social Capital». In *Economic Imperialism*, edited by Gerard Radnitzky and Peter Bernholtz. New York: Paragon House, 1986.

COLLARD, DAVID. *Altruism and Economy*, Oxford, Eng.: Martin Roberston, 1978.

COOK, PHILIP, «Alcohol Addition». Unpublished paper, Duke University, 1982.

COOK, PHILIP, and GEORGE TAUCHEN. «The Effect of Liquor Taxes on Heavy Drinking». *Bell Journal of Economics* 13 (1982): 379-90.

CRAWFORD, V. «A Theory of Disagreement in Bargaining». *Econometrica*, 50 (1982): 606-37.

DARWIN, CHARLES. *The Origin of Species.* Cambridge, Mass.: Harvard University Press, 1966 (1859).

—. *The Expression of the Emotions in Man and Animals.* New York: D. Appleton, 1873 (1872).

—. *The Descent of Man and Selection in Relation to Sex.* New York: Modern Library, n.d. (1871).

—. *Autobiography.* New York: Oxford University Press, 1983 (1876).

DAVIES, N.B., and T. HALLIDAY. «Optimal Mate Selection in the Toad *Bufo Bufo*». *Nature* 269 (1977): 56-58.

DAWKINS, RICHARD. *The Selfish Gene.* New York: Oxford University Press, 1976.

—. *The Blind Watchmaker*, New York: Norton, 1986.

DAWES, ROBYN. «Social Dilemmas». *Annual Review of Psychology* 31 (1980): 169-93.

DAWES, ROBYN, JEANNE MCTAVISH, and HARRIET SHAKLEE. «Behavior, Communication, and Assumptions About Other People's Behavior in A Commons Dilemma Situation». *Journal of Personality and Social Psychology* 35 (1977): 1-11.

DAWES, ROBYN, JOHN ORBELL, and ALPHONS VAN DE KRAGT. «Cooperation in the Absence of Incentive Compatibility». Carnegie Mellon University Working Paoper, 1986.

DECHARMS, R., H.W. MORRISON, W.R. REITMAN, and D.C. MCCLELLAND. «Behavioral Correlates of Directly and Indirectly Measured Achievement Orientation». In *Studies in Motivation*, edited by D.C. McClelland. New York: Appleton-Century-Crofts, 1955.

DEPAULO, BELLA, MIRON ZUCKERMAN, and ROBERT ROSENTHAL. «Humans as Lie Detectors». *Journal of Communications*, Spring, 1980.

DEPAULO, BELLA and ROBERT ROSENTHAL. «Ambivalence, Discrepancy, and Deception in Nonverbal Communication». In *Skill in Nonverbal Communication*, edited by R. Rosenthal. Cambridge, Mass.: Oelgeschlager, Gunn, and Hain, 1979.

DERLEGA, V., and J. GRZELAK, eds. *Cooperation and Helping Behavior.* New York: Academic Press, 1982.

DEUTSCH, M. *Distributive Justice.* New Haven, Conn.: Yale University Press, 1985.

DIEKMANN, A. «Volunteer's Dilemma». *Journal of Conflict Resolution* 29 (1985): 605-10.

DIXIT, AVINASH. «The Role of Investment in Entry Deterrence». *Economic Journal* 90 (March 1980): 95-106.

DOWNS, ANTHONY. *An Economic Theory of Democracy.* New York: Harper and Row, 1957.

DUESENBERRY, JAMES. *Income, Saving, and the Theory of Consumer Behavior.* Cambridge, Mass.: Harvard University Press, 1949.

DURRELL, LAWRENCE. *Clea.* New York: Dutton, 1960.

EASTERLIN, RICHARD. «Does Economic Growth Improve the Human Lot? Some Empirical Evidence». In *Nations and Households in Econimic Growth: Essays in Honor of Moses Abramovitz*, edited by P. David and M. Reder. Stanford, Calif.: Stanford University Press, 1973.

EATON, B.C., and R.G. LIPSEY. «Capital, Commitment, and Entry Equilibrium». *Bell Journal of Economics* 12 (1981): 593-604.

EDGERTON, R. *Rules, Exceptions, and the Social Order.* Berkeley: University of California Press, 1985.

EDNEY, J., and C. HARPER. «The Effects of Information in a Resource Management Problem: A Social Trap Analog». *Human Ecology* 6 (1978): 387-95.

EKMAN, PAUL. *Darwin and Facial Expression: A Century of Research in Review.* New York: Academic Press, 1973.

—. *Telling Lies.* New York: Norton, 1985.

EKMAN, PAUL, WALLACE FRIESEN, and PHOEBE ELLSWORTH. *Emotion in the Human Face*, New York: Pergamon, 1972.

EKMAN, PAUL, WALLACE FRIESEN, and KLAUS SCHERER. «Body Movements and Voice Pitch in Deceptive Interaction». *Semiotica* 16 (1976): 23-27.

EKMAN, PAUL, JOSEPH HAGER, and WALLACE FRIESEN. «The Symmetry of Emotional and Deliberate Facial Actions». *Psychophysiology* 18/12 (1981): 101-6.

ELSTER, JON. *Ulysses and the Sirens.* Cambridge, Eng.: Cambridge University Press, 1979.

—. «Weakness of Will and the Free-Rider Problem». *Economics and Philosophy* 1 (1985): 231-65.

—. «Sadder but Wiser? Rationality and the Emotions». *Social Science Information* 24, 2 (1985): 375-406.

—. *Sour Grapes.* Cambridge, Eng.: Cambridge University Press. 1983.

FIORINA, MORRIS. «Short and Long-term Effects of Economic Conditions on Individual Voting Decision». Social Science Working Paper 244, California Institute of Technology, 1978.

FRANK, ROBERT. «Are Workers Paid Their Marginal Products?» *American Economic Review* 74 (September 1984a): 549-71.

—. «Interdependent Preferences and the Competitive Wage Structure». *Rand Journal of Economics* 15 (Winter, 1984b): 510-20.

—. *Choosing the Right Pond.* New York: Oxford University Press, 1985.

—. «If *Homo Economicus* Could Choose His Own Utility Function, Would He Want One With a Conscience?» *American Economic Review* (September 1987): 502-604.

FRIEDMAN, J. W. *Oligopoly and the Theory of Games.* Amsterdam: North Holland, 1977.

GANSBURY, MARTIN. «37 Who Saw Murder Didn't Call Police». *New York Times*, March 27, 1964: 1, 38.

GARCIA, JOHN, and ROBERT KOELLING. «Relation of Cue to Consequence in Avoidance Learning». *Psychonomic Science* 4 (1966): 123-24. Reprinted in Seligman and Hager (1972, pp. 10-4).

GATLIN, D., M. MILES, and E. CATALDO. «Policy Support Within a Target Group: The Case of School Desegregation». *American Political Science Review* 72 (1978): 985-95.

GAUTHIER, DAVID. *Morals by Agreement.* Oxford, Eng.: Clarendon, 1985.

GAZZANIGA, MICHAEL. *The Social Brain.* New York: Basic Books, 1985.

GOLEMAN, DANIEL, *Vital Lies, Simple Truths.* New York: Simon and Schuster, 1985.

—. «Psychologists Pursue the Irrational Aspects of Love». *New York Times*, July 22, 1986: C1, C8.

GOULD, STEPHEN JAY. *Ever Since Darwin.* New York: Norton, 1977.

GROSSMAN, S., and O. HART. «An Analysis of the Principal Agent Problem». *Econometrica* 51 (1983): 7-46.

GUTH, WERNER. «Payoff Distributions in Games and the Behavioral Theory of Distributive Justice». Paper presented to the International Conference on Economics and Psychology, Kibbutz Shefayim, Israel, July 1986.

GUTH, WERNER, and REINHARD TIETZ. «Strategic Power Versus Distributive Justice: An Experimental Analysis of Ultimatum Bargaining». In *Economic Psychology*, edited by H. Brandstatter and E. Kirchler. R. Trauner, 1985.

GUTH, WERNER, ROLF SDHMITTBERGER, and BERND SCHWARZE. «An Experimental Analysis of Ultimatum Bargaining», *Journal of Economic Behavior and Organization* 3 (1982): 367-88.

HAGGARD, E.A., and K.S. ISAACS. «Micromomentary Facial Expressions». In *Methods of Research in Psychotherapy*, edited by L.A. Gottschalk and A.H. Auerbach. New York: Appleton-Century-Crofts, 1966.

HAMILTON, W.D. «The Genetical Theory of Social Behavior». *Journal of Theoretical Biology* 7 (1964): 1-32.

—. «Selection of Selfish and Altruistic Behavior». In *Man and Beast: Comparative Social Behavior*, edited by J. Eisenberg and W. Dutton. Washington, D.C., Smithsonian Institution Press, 1971.

HANDEL, MICHAEL. «Intelligence and Deception». *Journal of Strategic Studies* 5 (1982): 136.

HANNAN, MICHAEL. «Families, Markets, and Social Structures: An Essay on Becker's *A Treatise on the Family*», *Journal of Economic Literature* 20 (1982): 65-72.

HARDIN, RUSSELL. *Collective Action.* Baltimore: Johns Hopkins Press, 1982.

HARE, ROBERT. *Psychopathy: Theory and Research.* New York: Wiley, 1970.

—. «Psychophysiological Studies of Psychopathy». In *Clinical Application of Psychophysiology*, edited by D.C. Fowles. Columbia University Press, 1975.

—. «Electrodermal and Cardiovascular Correlates of Psychopathy». In R.D. Hare and D. Schalling, 1978.

—. «Psychopathy and Laterality of Cerebral Function». *Journal of Abnormal Psychology* 88 (1979): 605-10.

HARE, ROBERT, and AVERIL S. HARE. *«Psychopathic Behavior: A Bibliograrhy.* Excerpta Criminologica, 7 (1967): 365-86.

HARE, ROBERT, and M.J. QUINN. «Psychopathy and Autonomic Conditioning». *Journal of Abnormal Pscyhology* 77 (1971): 223-35.

HARE, ROBERT, and D. SHALLING. *Psychopathic Behavior.* New York: Wiley, 1978.

HARKNESS, S., C.P. EDWARDS, and C.M. SUPER. «Social Roles and Moral Reasoning», *Developmental Psychology* 17 (1981): 595-603.

HARRIS, M., and A. RAVIV. «Some Results on Incentive Contracts». *American Economic Review* 68 (1978): 20-30.

HARRIS, R.J., and M. JOYCE. «What's Fair? It Depends on How You Phrase the Question». *Journal of Personality and Social Psychology* 38 (1980): 165-79.

J. HARSANYI. *Rational Behavior and Bargaining Equilibrium in Games and Social Situations.* Cambridge, Eng.: Cambridge University Press, 1977.

—. «Rule Utilitarianism, Rights, Obligations, and the Theory of Rational Behavior». *Theory and Decision* 12: 115-33.

HERRNSTEIN, RICHARD. «On the Law of Effect». *Journal of the Experimental Analysis of Behavior* 13 (1970): 242-66.

—. «Nature as Nurture: Behaviorism and the Instinct Doctrine». *Behaviorism* 1 (1972): 23-52.

—. «Self-Control as Response Strength». In *Quantification of Steady-State Operant Behaviour*, edited by C.M. Bradshaw, E. Szabadi, and C.F. Lowe. Amsterdam: Elsevier/North Holland Biomedical Press, 1981.

HIRSCH, FRED. *Social Limits to Growth.* Cambridge, Mass.: Harvard University Press, 1976.

HIRSCHMAN, ALBERT O. *The Passions and the Interests.* Princeton, N.J.: Princeton University Press, 1977.

—. *Shifting Involvements.* Princeton, N.J.: Princeton University Press, 1982.

HIRSHLEIFER, JACK. «Economics from a Biological Viewpoint». *Journal of Law and Economics* 20 (April 1977): 1-52.

—. «Natural Economy Versus Political Economy». *Journal of Social Biology* 1 (1978): 319-37.

—. «The Emotions as Guarantors of Threats and Promises». UCLA Department of Economics Working Paper, August 1984.

HOBBES, THOMAS. *The Citizen*, New York: Appleton-Century-Crofts, 1949.

HOLMSTROM, BENGT. «Moral Hazard and Observability». *Bell Journal of Economics* 10 (1979): 74-91.

—. «Moral Hazard in Teams». *Bell Journal of Economics* 13 (1982): 24-40.

HOMANS, GEORGE. *Social Behavior.* New York: Harcourt, Brace and World, 1961.

HORNSTEIN, HARVEY. *Cruelty and Kindness.* Englewood Cliffs, N.J.: Prentice Hall, 1976.

HORNSTEIN, HARVEY, ELISHA FISCH, and MICHAEL HOLMES. «Influence of a Model's Feelings About His Behavior and His Relevance as a Comparison Other on Observers' Helping Behavior». *Journal of Personality and Social Psychology* 10 (1968): 220-26.

HORNSTEIN, HARVEY, HUGO MASOR, KENNETH SOLE, and MADELINE HEILMAN. «Effects of Sentiment and Completion of a Helping Act on Observer Helping». *Journal of Personality and Social Psychology* 17 (1971): 107-12.

HUME, DAVID, *A Treatise on Human Nature*, Oxford: Clarendon, 1888.

ISAAC, R. MARK, KENNETH MCCUE, and CHARLES PLOTT. «Public Goods Provision in an Experimental Environment». *Journal of Public Economics* 26 (1985): 51-74.

ISAAC, R. MARK, and JAMES M. WALKER. «Group Size Hypotheses of Public Goods Provision: An Experimental Examination». University of Arizona Working Paper, 1985.

ISAAC, R. MARK, JAMES M. WALKER, and SUSAN H. THOMAS. «Divergent Evidence on Free Riding: An Experimental Examination of Possible Explanations». *Public Choice* 43 (1984): 113-49.

JEVONS, STANLEY. *The Theory of Political Economy.* London: Macmillan, 1941.

KAGAN, JEROME. *The Nature of the Child.* New York: Basic Books, 1984.

—. *Change and Continuity in Infancy.* New York: Wiley, 1971.

—. *The Second Year.* Cambridge, Mass.: Harvard University Press, 1981.

KAHNEMAN, DANIEL, JACK KNETSCH, and RICHARD THALER. «Fairness and the Assumptions of Economics». *Journal of Business* 59 (1986a): S285-S300.

—. «Perceptions of Unfairness: Constraints on Wealth Seeking». *American Economic Review* 76 (1986b): 728-41.

KEELEY, MICHAEL. «The Economics of Family Formation». *Economic Inquiry* 15 (1977): 238-50.

KELLEY, H.H. «Love and Commitment». In *Chose Relationships*, edited by H.H. Kelley, et al., San Francisco: Freeman, 1983: 265-300.

KELLEY, H.H., and J. W. THIBAUT. *Interpersonal Relations.* New York: Wiley Interscience, 1978.

KELLY, F.J., and D.J. VELDMAN. «Delinquency and School Dropout Behavior as a Function of Impulsivity and Nondominant Values». *Journal of Abnormal and Social Psychology* 69 (1964): 190-194.

KIM, OLIVER, and MARK WALKER. «The Free Rider Problem: Experimental Evidence». *Public Choice* 43 (1984): 3-24.

KINDER, DONALD, and D.R. KIEWERT. «Economic Grievances and Political Behavior: The

Role of Personal Discontents and Collective Judgments in Congressional Voting». *American Journal of Political Sciences* 23 (1979): 495-527.

KIRMAN, WILLIAM, and ROBERT MASSON. «Capacity Signals and Entry Deterrence». *International Journal of Industrial Organization* 4 (1986): 25-42.

KITCHER, PHILIP. *Vaulting Ambition*, Cambridge, Mass.: MIT Press, 1985.

KLIEMT, HARTMUT. «The Veil of Insignificance». *European Journal of Political Economy* 213 (1986): 333-44.

—. «The Reason of Rules and the Rule of Reason». Unpublished paper, 1987.

KONNER, MELVIN. *The Tangled Wing.* New York: Holt, Rinehart and Winston, 1982.

KOHN, M.L. *Class and Conformity.* Homewood, Ill.: Dorsey, 1969.

KRAMER, GERALD. «Short-term Fluctuations in U.S. Voting Behavior, 1896-1964». *American Political Science Review* 65 (1971): 131-43.

KREBS, J., and R. DAWKINS. «Animal Signals: Mind-Reading and Manipulation». In *Behavioral Ecology: An Evolutionary Approach,* edited by J.R. Krebs and N.B. Davies, 2nd ed. Sunderland, MA: Sinauer Associates, 1984.

KREPS, DAVID M., PAUL MILGROM, JOHN ROBERTS, and ROBERT WILSON. «Rational Cooperation in Finitely Repeated Prisoner's Dilemma». *Journal of Economic Theory* 27 (1982): 245-52.

KRUEGER, ALAN B., and LAWRENCE SUMMERS. «Reflections on the Interindustry Wage Structure». NBER Working Paper No. 1968, June 1986. (*Econometrica,* forthcoming).

KUHN, THOMAS. *The Structure of Scientific Revolutions.* Chicago: University of Chicago Press, 1962.

LATANÉ, BIBB, and JOHN DARLEY. *The Unresponsive Bystander: Why Doesn't He Help?* New York: Meredith, 1970.

LAU, RICHARD, THAD BROWN. and DAVID SEARS. «Self-Interest and Civilians' Attitudes Toward the War in Vietnam». *Public Opinion Quarterly* 42 (1978): 464-83.

LAZEAR, E., and S. ROSEN. «Rank Order Tournaments as Optimal Labor Contracts». *Journal of Political Economy* 89 (1981): 1261-84.

LEIBENSTEIN, HARVEY. *Beyond Economic Man,* Cambridge, Mass.: Harvard University Press, 1976.

—. *Inside the Firm.* Cambridge, Mass.: Harvard University Press, 1987.

LENNEBERG, ERIC. *Biological Foundations of Language.* New York: Wiley, 1967.

LEONARD, ELMORE. *Glitz.* New York: Arbor House, 1985.

LEVY, R. *The Tahitians.* Chicago: University of Chicago Press, 1973.

LOCKE, JOHN. «Some Thoughts Concerning Education». In *John Locke on Education,* edited by Peter Gay. New York: Bureau of Publications, Teachers College, Columbia University, 1964.

LOEWENSTEIN, GEORGE. «Anticipation and the Valuation of Delayd Consumption». *Economic Journal,* 1987.

LUMSDEN, CHARLES, and EDWARD O. WILSON. *Genes, Mind, and Culture.* Cambridge, Mass.: Harvard University Press, 1981.

LYKKEN, DAVID. *A Tremor in the Blood.* New York: McGraw-Hill, 1981.

MACDONALD, JOHN, *The Lonely Silver Rain.* New York: Knopf, 1985.

McAdams, D.P. «A Thematic Codings System for the Intimacy Motive». *Journal of Research in Personality* 14 (1980): 413-32.

—. «Intimacy Motivation». In *Motivation and Society*, edited by A. Stewart. San Francisco: Jossey Bass: 1982: 133-71.

McAdams, D.P., and G. Vaillant. «Intimacy Motivation and Psychosocial Adaptation: A Longitudinal Study». Unpublished paper, Loyola University of Chicago, 1980.

McClelland, D.C. «Some Reflections on the Two Psychologies of Love». *Journal of Personality* 54 (1986): 324-53.

—. *Personality.* New York: Sloane, 1951.

McClelland, D.C., R.J. Davidson, and C. Saron. «Evoked Potential Indicators of the Impact of the Need for Power on Perception and Learning». Unpublished paper, Department of Psychology and Social Relations, Harvard University, 1979.

McClelland, D.C., G. Ross, and V. T. Patel. «The Effect of an Examination on Salivary Norepinephrine and Immunoglobulin Levels». *Journal of Human Stress* 11 (1985): 52-59.

McClelland, D.C., D. Stier, V. T. Patel, and D. Brown. «The Effect of Affiliative Arousal on Dopamine Release». Unpublished paper, Department of Psychology and Social Relations, Harvard University, 1985.

McClelland, D.C., and J.B. Jemmott III. «Power Motivation, Stress, and Physical Illness». *Journal of Human Stress* 6 (1980): 6-15.

McClelland, D.C., C. Alexander, and E. Marks. «The Need for Power, Stress, Immune Function, and Illness Among Male Prisoners». *Journal of Abnormal Psychology* 91 (1982): 61-70.

McGinnes, Joe. *Fatal Vision.* New York: Signet, 1984.

McKay, James. Unpublished paper, Department of Psychology and Social Relations, Harvard University, 1986.

Marcel, Anthony. «Conscious and Unconscious Perception: An Approach to the Relations Between Phenomenal Experience and Perceptual Processes». *Cognitive Psychology* 15 (1983): 238-300.

Margolis, H. *Selfishness, Altruism, and Rationality.* Cambridge, Eng.: Cambridge University Press, 1982.

Marwell, Gerald, and Ruth Ames. «Economists Free Ride, Does Anyone Else?» *Journal of Public Economics* 15 (1981): 295-310.

Mello, Nancy. «Behavioral Studies of Alcoholism». In *The Biology of Alcoholism*, Vol. 2, edited by B. Kissin and K. Begleiter. New York: Plenum, 1972.

Messick, D., and K. Sentis, «Fairness Preference and Fairness Biases». In *Equity Theory*, edited by D. Messick and K. Cook. New York: Praeger, 1983.

Milgram, Stanley, and Paul Hollander. «The Murder They Heard». *The Nation, June* 15, 1964: 602-4.

Milgrom, P., and R. Weber. «A Theory of Auctions and Competitive Bidding». *Econometrica* 50 (1982): 1089-1122.

Mincer, Jacob. «Market Prices, Opportunity Costs, and Income Effects». In *Measurement in Economics*, edited by Carl Christ et al. Stanford, Calif.: Stanford University Press, 1963.

MISCHEL, W. «Preference for Delayed Reinforcement and Social Responsibility». *Journal of Abnormal and Social Psychology* 62 (1961): 1-7.

—. *Personality and Assessment.* New York: Wiley, 1968.

MURSTEIN, B.I., M. CERRETO, and M. MACDONALD. «A Theory and Investigation of the Effect of Exchange-Orientation on Marriage and Friendship». *Journal of Marriage and The Family* 39 (1977): 543-48.

NASH, J. «The Bargaining Problem». *Econometrica* 18 (1950): 155-62.

NELSON, RICHARD, and WINTER, SIDNEY. *An Evolutionary Theory of Economic Change.* Cambridge, Mass.: The Belknap Press of Harvard University Press, 1978.

New York Times, Apr. 13, 1982: A1, D27. (CBS murders)

New York Times, Apr. 14, 1982: A1, B2. (CBS murders)

NORMAN, DONALD. «Toward a Theory of Memory and Attention». *Psychological Review* 75 (1968): 522-36.

OLIVER, P. «Rewards and Punishments as Selective Incentives for Collective Action». *American Journal of Sociology* 85 (1980): 1356-75.

OLSON, MANCUR. *The Logic of Collective Action.* Cambridge, Mass.: Harvard University Press, 1965.

—. *The Rise and Decline of Nations.* New Haven, Conn.: Yale University Press, 1982.

PARFIT, DEREK. *Reasons and Persons.* Oxford, Eng.: Clarendon, 1984.

PAGE, BENJAMIN. «Elections and Social Choice: The State of the Evidence». *American Journal of Political Science* 21 (1977): 639-68.

PATTISON, E., M. SOBELL, and L. SOBELL. *Emerging Concepts of Alcohol Dependence.* New York: Springer, 1977.

PHELPS, E.S. (ed.) *Altruism, Morality, and Economic Theory.* New York: Russell Sage, 1975.

PILIAVIN, IRVING, JUDITH RODIN, and JANE PILIAVIN. «Good Samaritanism: An Underground Phenomenon?» *Journal of Personality and Social Psychology* 13 (1969).

POSNER, RICHARD. *Economics Analysis of Law.* Chicago: University of Chicago Press, 1972.

PRATT, JOHN, and RICHARD ZECKHAUSER. *Principals and Agents: The Structure of Business.* Boston: Harvard Business School Press, 1985.

QUATTRONE, G., and A. TVERSKY. «Self-deception and the Voter's Illusion». In *The Multiple Self*, edited by J. Elster. Cambridge, Eng.: Cambridge University Press, 1986: 35-58.

RADNER, ROY. «Monitoring Cooperative Agreements in a Repeated Principal-Agent Relationship». *Econometrica* 49 (1981): 1127-48.

RAPOPORT, ANATOL, A. CHAMMAH, J. DWYER, and J. GYR. «Three-Person Non-Zero-Sum Nonnegotiable Games». *Behavioral Science* 7 (1962): 30-58.

RAPOPORT, ANATOL, and A. CHAMMAH. *Prisoner's Dilemma.* Ann Arbor: University of Michigan Press, 1965.

RAWLS, JOHN. *A Theory of Justice.* Cambridge, Mass.: The Belknap Press of Harvard University Press, 1971.

REGAN, DONALD. *Utilitarianism and Cooperation.* Oxford, Eng.: Clarendon Press, 1980.

REICH, WALTER. «How the President Can Thwart Terror». *New York Times*, Feb. 19, 1987: A31.

RESTAK, RICHARD. *The Brain: The Last Frontier.* New York: Warner, 1979.

RICE, OTIS. *The Hatfields and McCoys.* Lexington: University of Kentucky Press, 1982.

RIKER, WILLIAM, and PETER ORDESHOOK. *An Introduction to Positive Political Theory.* Englewood Cliffs, N.J.: Prentice Hall, 1973.

—. «A Theory of the Calculus of Voting». *American Political Science Review* 62 (1968): 25-42.

RILEY, JOHN. «Competitive Signalling». *Journal of Economic Theory* 10 (1975): 174-86.

ROBINS, LEE. «Aetiological Implications in Studies of Childhood Histories Relating to Antisocial Personality». In *Psychopathic Behavior: Approaches to Research*, edited by R. Hare and D. Schalling. Chichester, Eng.: Wiley, 1978.

ROTH, ALVIN, ed. *Game Theoretic Models of Bargaining.* Cambridge, Eng.: Cambridge University Press, 1985.

ROTH, A., M. MALOUF, and J. MURNIGHAN. «Sociological versus Strategic Factors in Bargaining». *Journal of Economic Behavior and Organization* 2 (1981): 153-77.

ROTHSCHILD, M., and J. STIGLITZ. «Equilibrium in Competitive Insurance Markets». *Quarterly Journal of Economics* 80 (1976): 629-49.

RUBIN, PAUL, and CHRIS PAUL. «An Evolutionary Model of Taste for Risk», *Economic Inquiry* 17 (1979): 585-96.

RUBIN, ZICK. *Liking and Loving.* New York: Holt, Rinehart and Winston, 1973.

RUBINSTEIN, ARIEL. «Perfect Equilibrium in a Bargaining Model». *Econometrica* 50 (1982): 97-110.

RUSHTON, J. PHILIPPE. *Altruism, Socialization, and Society.* Englewood Cliffs, N.J.: Prentice Hall, 1980.

SCHELLING, THOMAS. *The Strategy of Conflict.* Cambridge, Mass.: Harvard University Press, 1960.

—. «Altruism, Meanness, and Other Potentially Strategic Behaviors». *American Economic Review* 68 (1978): 229-30.

—. «The Intimate Contest for Self-Command», *The Public Interest* 60 (1980): 94-118.

SCHERER, KLAUS. «Methods of Research on Communications: Paradigms and Parameters». In *Handbook of Methods in Nonverbal Behavior Research*, edited by Klaus Scherer and Paul Ekman. New York: Cambridge University Press, 1982.

SCHMALENSEE, RICHARD. «Entry Deterrence in the Ready to Eat Cereal Industry». *Bell Journal of Economics* 9 (1978): 305-27.

SCHWARTZ, BARRY. *The Battle for Human Nature.* New York: Norton, 1986.

SCHWARTZ, SHALOM. «Elicitation of Moral Obligation and Self-Sacrificing Behavior: An Experimental Study of Volunteering to Be a Bone Marrow Donor». *Journal of Personality and Social Psychology* 15 (1970): 283-93.

SCITOVSKY, TIBOR. *The Joyless Economy.* New York: Oxford University Press, 1976.

SEARS, DAVID, RICHARD LAU, TOM TYLER, and HARRIS ALLEN. «Self-Interest vs. Symbolic Politics in Policy Attitudes and Presidential Voting». *American Political Science Review* 74 (1980): 670-84.

SEARS, DAVID, CARL HENSLER, and LESLIE SPEER. «Whites' Opposition to Busing: Self-Interest or Symbolic Politics». *American Political Science Review* 73 (1979): 369-84.

SEARS, DAVID, TOM TYLER, JACK CRITIN, and DONALD KINDER. «Political System Support and Public Responses to the Energy Crisis». *American Journal of Political Science* 22 (1978): 56-82.

SEIDMAN, LAURENCE. «The Return of the Profit Rate to the Wage Equation». *Review of Economics and Statistics* 61 (1979): 139-42.

SELIGMAN, MARTIN, and JOANNE HAGER. *Biological Boundaries of Learning.* New York: Meredith, 1972.

SELTEN, R. «The Equity Principle in Economic Behavior». *Decision Theory and Social Ethics,* edited by H. Gottinger and W. Leinfeller. Dordrecht: Reidel, 1978: 289-301.

SEN, AMARTYA. «Goals, Commitment and Identity». *Journal of Law, Economics, and Organization* 1 (1985): 341-55.

—. «Rational Fools». *Philosophy and Public Affairs* 6 (1977): 317-44.

SHAVELL, S. «Risk Sharing and Incentives in the Principal and Agent Relationship». *Bell Journal of Economics* 10 (1979): 55-73.

SHUBIK, MARTIN. *Game Theory in the Social Sciences.* Cambridge, Mass.: MIT Press, 1982.

SKINNER, B.F. *The Behavior of Organisms.* New York: Appleton-Century-Crofts, 1938.

SMITH, ADAM. *The Theory of Moral Sentiments.* New York: Kelley, 1966 (1759).

—. *The Wealth of Nations.* New York: Everyman's Library. 1910 (1776).

SMITH, VERNON. «Incentive Compatible Experimental Processes for the Provision of Public Goods». In *Research in Experimental Economics,* Greenwich, Conn.: JAI Press. 1978.

SOLNICK, J., C. KANNENBERG, D. ECKERMAN, and M. WALLER. «An Experimental Analysis of Impulsivity and Impulse Control in Humans». *Learning and Motivation* 11 (1980): 61-77.

SPERRY, R. «Consciousness, Personal Identity, and the Divided Brain». *Neuropsychologia* 22 (1984): 661-73.

SPINOZA, BENEDICTUS DE. *Tractatus Theologico Politicus,* London: Trubner, 1868.

STEIN, K.B., T.R. SARBIN, and J.A. KULIK. «Future Time Perspective: Its Relation to the Socialization Process and the Delinquent Role». *Journal of Consulting and Clinical Psychology* 32 (1968): 257-64.

STIGLER, GEORGE. «The Economics of Minimum Wage Legislation». *American Economic Review* 36 (1946): 358-65.

ROBERT STROTZ. «Myopia and Inconsistency in Dynamic Utility Maximization». *Review of Economic Studies* 23 (1955-56): 165-80.

SUGDEN, ROBERT. «Consistent Conjectures and Voluntary Contributions to Public Goods: Why the Conventional Theory Doesn't Work». *Journal of Public Economics* 27 (1985): 117-24.

SWEENEY, J. «An Experimental Investigation of the Free Rider Problem». *Social Science Research* 2 (1973): 277-92.

TAYLOR, M. *Anarchy and Cooperation.* Chichester, Eng.: Wiley, 1976.

TESLER, LESTER. «A Theory of Self-enforcing Agreements». *Journal of Business* 53 (1980): 27-44.

THALER, RICHARD. «Mental Accounting and Consumer Choices». *Marketing Sciences* 4 (Summer, 1985).

THALER, RICHARD, and H. SHEFRIN. «An Economic Theory of Self-Control». *Journal of Political Economy* 89 (1981): 392-405.

THIBAUT, J.W., and H.H. KELLEY. *The Social Psychology of Groups.* New York: Wiley, 1959.

TINBERGEN, NIKO. «Derived Activities: Their Causation, Biological Significance, and Emancipation During Evolution». *Quarterly Review of Biology* 27 (1952): 1-32.
—. «The Evolution of Signaling Devices». In *Social Behavior and Organization among Vertebrates*, edited by W. Etkin. Chicago: University of Chicago Press, 1964.
TRIVERS, ROBERT. «The Evolution of Reciprocal Altruism». *Quarterly Review of Biology* 46 (1971): 35-57.
—. «Parent-Offspring Conflict». *Americal Zoologist* 14 (1974): 249-64.
—. *Social Evolution.* Menlo Park, Calif.: Benjamin/Cummings, 1985.
TUFTE, EDWARD. *Political Control of the Economy.* Princeton, N.J.: Princeton University Press, 1978.
WALSTER, E., G.W. WALSTER, and E. BERSCHEID. *Equity: Theory and Research.* Rockleigh, N.J.: Allyn and Bacon, 1978.
WELLER, JACK E. *Yersterday's People: Life in Contemporary Appalachia.* Lexington: University of Kentucky Press, 1965.
WILLIAMSON OLIVER. «Predatory Pricing: A Strategic and Welfare Analysis». *Yale Law Journal* 87 (1977): 284-340.
—. *The Economic Institutions of Capitalism.* New York: Free Press: 1985.
WILLIS, R.J. «A New Approach to the Economic Theory of Fertility Behavior». *Journal of Political Economy* 81 (1973): S14-S64.
WILSON, EDWARD O. *Sociobiology: The New Synthesis.* Cambridge, Mass.: Belknap Press of Harvard University Press, 1975.
—. *On Human Nature*, Cambridge, Mass.: Harvard University Press, 1978.
WILSON, JAMES Q., and RICHARD HERRNSTEIN. *Crime and Human Nature.* New York: Simon and Schuster, 1985.
WINSTON, GORDON. «Addiction and Backsliding: A Theory of Compulsive Consumption». *Journal of Economic Behavior and Organization* 1 (1980): 295-394.
YAARI, M., and M. BAR-HILLEL. «On Dividing Justly». *Social Choice and Welfare* 1 (1984): 1-14.
ZISKIND, E. «The Diagnosis of Sociopathy». In R.D. Hare and D. Schalling, eds., 1978.
ZISKIND, E., K. SYNDULKO, and I. MCITZMAN. «Aversive Conditioning in the Sociopath». *Pavlovian Journal of Biological Science* 13 (1978): 199-205.
ZUCKERMAN, MIRON, BELLA DE PAULO, and ROBERT ROSENTHAL. «Verbal and Nonverbal Communication of Deception». In *Advances in Experimental and Social Psychology*, Vol. 14. New York: Academic Press, 1981.

ΣΗΜΕΙΩΣΕΙΣ

ΚΕΦΑΛΑΙΟ 1

1. Rice, 1982, σελ. 62, 63.
2. Βλέπε, π.χ., Hirschman, 1977.
3. 1960.
4. 1960, σελ. 43, 44.
5. Ekman, 1985, σελ. 15, 16.
6. 1984, σελ. XIV.
7. 1968.

ΚΕΦΑΛΑΙΟ 2

1. 1976 (1759), σελ. 47.
2. 1976, σελ. 139.
3. 1964.
4. 1975.
5. 1974.
6. 1978, σελ. 155.
7. 1985, σελ. 401.
8. Wilson, 1975.
9. 1971.
10. 1978. σελ. 162.
11. 1965.
12. 1984.
13. 1980.
14. 1980, σελ. 103.
15. Herbert Reed, παρ. στον Ashworth, 1980, σελ. 104.
16. Mayer, παρ. στον Axelrod, 1984, σελ. 59, 60.
17. Axelrod, 1984, σελ. 60.
18. 1971, σελ. 50, 51.
19. Trivers, 1985, σελ. 388.
20. 1985.
21. Eldredge και Gould, 1972.

22. 1975, σελ. 113.
23. 1971, σελ. 83.

ΚΕΦΑΛΑΙΟ 3

1. 1976 (1759), σελ. 194.
2. 1965, παρ. στο Banfield, 1985, σελ. 278.
3. Βλέπε, π.χ., Parfit, 1984.

ΚΕΦΑΛΑΙΟ 4

1. 1971, σελ. 50.
2. 1976 (1759), σελ. 194.
3. 1975.
4. Chung και Herrnstein, 1967· Baum και Rachlin, 1969· Herrnstein, 1970· Ainslie και Haendel, 1983· Solnick κ.ά., 1980.
5. 1871 (1911), σελ. 72-73.
6. 1956.
7. Becker και Stigler, 1977.
8. Ainslie, 1975· Elster, 1979· Schelling, 1980· Thaler και Shefrin, 1981· Herrnstein, 1981.
9. Ainslie, 1982· Winston, 1980· Mello, 1972· Cook, 1982.
10. Pattison, Sobell και Sobell, 1977.
11. Cook και Tauchen, 1982.
12. 1981, σελ. 481.

ΚΕΦΑΛΑΙΟ 5

1. Davies και Halliday, 1977. Παρ. στους Krebs και Dawkins, 1984.
2. Caryl, 1979· Krebs και Dawkins, 1984.
3. Krebs και Dawkins, 1984.
4. 1952.
5. 1977, σελ. 104.
6. Krebs και Dawkins, 1984.
7. 1970.

ΚΕΦΑΛΑΙΟ 6

1. 1873 (1872), σελ. 50.
2. 1873 (1872), σελ. 50.
3. 1873 (1872), σελ. 28.
4. 1873 (1872), σελ. 29.
5. 1873 (1872), σελ. 50.
6. 1873 (1872), σελ. 51.

7. 1873 (1872), σελ. 7.

8. 1873 (1872), σελ. 66.

9. Ekman, 1985, σελ. 124.

10. 1985, σελ. 132.

11. Ekman, 1985, σελ. 134.

12. Ekman, 1985, σελ. 134.

13. 1985, σελ. 136

14. Darwin (Δαρβίνος), 1873 (1872), σελ. 262-63.

15. 1985, σελ. 141-42.

16. 1873 (1872), σελ. 262-63.

17. 1873 (1872), σελ. 337-38.

18. 1985.

19. Ekman, 1985, σελ. 93.

20. Scherer, 1982.

21. DePaulo, Zuckerman και Rosenthal, 1980· Zuckerman, DePaulo και Rosenthal, 1981.

22. 1985, σελ. 99-102.

23. 1985, σελ. 415-16.

24. Για μια εξαιρετική ερμηνευτική σύνοψη, βλέπε Goleman, 1985.

25. Bruell, 1970.

ΚΕΦΑΛΑΙΟ 7

1. Lykken, 1981.

2. DePaulo, Zuckerman και Rosenthal, 1980· και Zuckerman, DePaulo και Rosenthal, 1981.

3. DePaulo, Zuckerman και Rosenthal, 1980, σελ. 130.

4. Zuckerman, DePaulo και Rosenthal, 1981, σελ. 139.

5. Zuckerman, DePaulo και Rosenthal, 1981, σελ. 139.

6. DePaulo και Rosenthal, 1979.

ΚΕΦΑΛΑΙΟ 8

1. Lenneberg, 1967. Chomsky, 1957, 1965.

2. 1984.

3. Schwartz, 1986. Bowles και Gintis, 1986.

4. Konner, 1982.

5. Παρ. στον Konner, 1982, σελ. 28.

6. Seligman και Hager, 1972, σελ. 8.

7. Kagan, 1984, σελ. 45.

8. Harkness, Edwards και Super, 1981, σελ. 600, παρ. στον Kagan, 1984, σελ. 119.

9. 1739, σελ. 520, παρ. στον Kagan, 1984, σελ. 119

10. Kagan, 1984, σελ. 125.
11. Bruner, 1983.
12. Kagan, 1984, σελ. 127.
13. 1984, σελ. 127.
14. Restak, 1979.
15. Frank, 1985, σελ. 18.
16. 1984, σελ. 122.
17. 1978, σελ. 256.
18. 1976.
19. 1971.
20. Hare, 1975, 1978, 1979· Ziskind 1978· Ziskind, Syndulko και Melzman, 1978.
21. Επισκόπησή της από τους Hare και Hare, 1967.
22. 1970, σελ. 14.
23. Για μια εκτεταμένη επισκόπηση, βλέπε Wilson και Herrnstein, 1985.
24. Barndt και Johnson, 1955· Black και Gregson, 1973· Mischel, 1961· Stein, Sarbin και Kulik, 1968.
25. Kelley και Veldman, 1964.
26. 1984, σελ. XIV.

ΚΕΦΑΛΑΙΟ 9

1. Παρ. στον Barrett, 1986.
2. Kahneman, Knetsch και Thaler, 1986b, σελ. 18.
3. Kahneman κ.ά., 1986b, σελ. 19.
4. 1982.
5. 1986a.
6. Bazerman, 1985· Binmore κ.ά., 1985· Guth και Tietz 1985· Guth, 1986.
7. 1985.
8. 1985, σελ. 206.
9. Kahneman κ.ά., 1986b.
10. Stigler, 1946· Seidman, 1979· Krueger και Summers, 1986.
11. Σε άλλα κείμενα (Frank, 1984a, b, 1985) αναπτύσσω διεξοδικά αυτή την άποψη.
12. Frank, 1985. Κεφάλαιο 4.

ΚΕΦΑΛΑΙΟ 10

1. 1981, σελ. 39.
2. 1982.
3. 1961.
4. 1964.

5. Thibaut και Kelley, 1959.
6. 1983, σελ. 289.
7. 1983, σελ. 141.
8. Walster κ.ά., 1978, σελ. 7.
9. 1986.
10. McClelland, 1986.
11. 1960, σελ. 106, παρ. στον Berscheid και Walster, 1974.
12. Mincer, 1963· Willis, 1973· Ben-Porath, 1973.
13. Becker, Landes και Michael, 1977.
14. Keeley, 1977.
15. 1984.
16. Krebs και Dawkins, 1984, σελ. 385.
17. Σονέτο 116.
18. 1977, σελ. 543.
19. Clark και Mills, 1979.
20. Clark και Mills, 1979, σελ. 24.
21. Bradburn και Noll, 1969.
22. Bachman, Kahn, Davidson και Johnston, 1967.
23. Bradburn και Caplovitz, 1965.
24. Easterlin, 1973.
25. 1973.
26. DeCharms, Morrison, Reitman και McClelland, 1955.
27. Atkinson και McClelland, 1948· McClelland, 1951.
28. McClelland, Davidson και Saron, 1979, παρ. στον McClelland, 1986·
McClelland, Ross και Patel, 1985.
29. McClelland, Stier, Patel και Brown, παρ. στον McClelland, 1986.
30. 1980, 1982.
31. 1980, παρ. στον McAdams, 1982.
32. 1986, παρ. στον McClelland, 1986.
33. McClelland και Jemmott, 1980· McClelland, Alexander και Marks, 1982.
34. Gazzaniga, 1985, σελ. 77.
35. 1983.
36. 1985.
37. 1968.
38. 1985, σελ. 63, 64.
39. 1985, σελ. 81.

ΚΕΦΑΛΑΙΟ 11

1. Rushton, 1980.
2. Rushton, 1980, σελ. 3.

3. Hornstein κ.ά., 1968, 1971.

4. 1968, σελ. 223.

5. 1968, σελ. 223.

6. Hornstein, 1976, σελ. 118.

7. 1969.

8. 1970.

9. 1970, σελ. 58.

10. 1970, σελ. 90.

11. 1981.

12. 1986a.

13. Andreoni, 1986a, σελ. 1.

14. 1978, 1984.

15. Bohm, 1972· Sweeney, 1973· Smith 1978· Marwell και Ames, 1981· Isaac, Walker και Thomas, 1984· Isaac, McCue και Plott, 1985· Isaac και Walker, 1985· Andreoni, 1986b· Dawes, Orbell και Van de Kragt, 1986.

16. 1980.

17. 1977.

18. Bonacich, 1972· Rapoport κ.ά., 1962· Bixenstein κ.ά., 1966· Brechner, 1977· Edney και Harper, 1978.

19. 1977, σελ. 7.

20. 1977, σελ. 7.

21. 1972.

22. 1972, σελ. 126.

23. 1981.

24. 1986a.

25. 8 Ιανουαρίου 1986.

26. Page, 1977· Riker και Ordeshook, 1973.

27. Fiorina, 1978· Kramer, 1971· Tufte, 1978.

28. Kramer, 1971.

29. Fiorina, 1978· Gatlin κ.ά., 1987· Kinder και Kiewert, 1978· Lau κ.ά., 1978· Sears κ.ά., 1978.

30. 1980, σελ. 681.

31. Riker και Ordeshook, 1968.

32. 1970, σελ. 16-17.

33. 1957, σελ. 270.

34. 1970.

35. 1970.

36. 1970, σελ. 286-87.

37. 1970, σελ. 291.

38. 1968.

39. Σελ. 84.
40. Schwartz, 1970· Kohn, 1969.

ΚΕΦΑΛΑΙΟ 12

1. Grossman και Hart, 1983· Harris και Raviv, 1978· Holmstrom, 1979, 1982·
Milgrom και Weber, 1982· Pratt και Zeckhauser, 1985· Radner, 1981· Riley,
1975· Rothschild και Stiglitz, 1976· Shavell, 1979.
2. Lazear και Rosen, 1981.
3. Abegglen, 1973, σελ. 62.
4. 1985.
5. Παρ. στον Banfield, 1985, σελ. 300.
6. Reich, 1987.
7. Duesenberry, 1949.
8. Hirsch, 1976· Schwartz, 1986.
9. Hirschman, 1982.
10. Coleman, 1986.
11. Banfield, 1958.
12. Nelson και Winter, 1978.
13. 1962.

ΤΟ ΒΙΒΛΙΟ ΤΟΥ ΡΟΜΠΕΡΤ ΦΡΑΝΚ

ΤΑ ΠΑΘΗ ΤΗΣ ΛΟΓΙΚΗΣ

ΣΕ ΜΕΤΑΦΡΑΣΗ ΛΙΛΥΣ ΕΞΑΡΧΟΠΟΥΛΟΥ
ΣΤΟΙΧΕΙΟΘΕΤΗΘΗΚΕ ΜΕ TIMES, DIDOT & ARTE
MISIA ΚΑΙ ΣΕΛΙΔΟΠΟΙΗΘΗΚΕ ΣΤΟ ΕΠΙΤΡΑΠΕΖΙΟ
ΕΚΔΟΤΙΚΟ ΣΥΣΤΗΜΑ ΤΩΝ ΕΚΔΟΣΕΩΝ ΚΑΣΤΑ
ΝΙΩΤΗ. ΤΗ ΜΑΚΕΤΑ ΤΟΥ ΕΞΩΦΥΛΛΟΥ ΣΧΕΔΙΑΣΕ
Ο ΑΝΤΩΝΗΣ ΑΓΓΕΛΑΚΗΣ, ΤΑ ΦΙΛΜ ΕΚΑΝΕ Η «Α.
ΜΠΑΣΤΑΣ – Δ. ΠΛΕΣΣΑΣ Α.Β.Ε.Ε.» ΚΑΙ ΤΟ ΜΟΝΤΑΖ
Η ΟΥΡΑΝΙΑ ΛΥΜΠΕΡΟΠΟΥΛΟΥ. Η ΠΡΩΤΗ ΕΚΔΟΣΗ
ΤΥΠΩΘΗΚΕ ΣΕ 1.000 ΑΝΤΙΤΥΠΑ ΑΠΟ ΤΟΝ ΧΑΡΑ
ΛΑΜΠΟ ΚΛΑΔΗ ΚΑΙ ΒΙΒΛΙΟΔΕΤΗΘΗΚΕ ΑΠΟ ΤΗ
«Θ. ΗΛΙΟΠΟΥΛΟΣ – Π. ΡΟΔΟΠΟΥΛΟΣ   Ο.Ε.» ΤΟ
ΜΑΪΟ ΤΟΥ 1999 ΓΙΑ ΛΟΓΑΡΙΑΣΜΟ ΤΩΝ ΕΚΔΟΣΕΩΝ
ΚΑΣΤΑΝΙΩΤΗ